중·고등 영어도 역시 1위 해커스다.

해커스북 ^{중·고등}

HackersBook.com

해커스
완전숙련
구문독해와 함께하면
해석이 쉬워지는 이유!

독해에 꼭 필요한 핵심 구문을 모두 담았으니까!

1

해석에 꼭 필요한
모든 구문을
실제 기출 문장으로 학습

2

독해를 쉽고 빠르게 할 수 있는
친절하고 간결한
구문 설명

해커스 완전숙련 구문독해

입문

기본

심화

촘촘한 훈련으로 배운 구문을 완전히 내 것으로 만드니까!

3

어떤 문장이든 자신 있게
직독직해할 수 있는
**1,400여 개의
문장 끊어 읽기 연습**

4

영작/해석 워크시트,
어휘 리스트/테스트 등
**다양한 부가 학습 자료로
독해 완전숙련**

해커스 완전숙련 구문독해 시리즈를 검토해주신 선생님들

경기

김보경	성일고등학교
박가영	한민고등학교
성미경	위너영수학원
송혜령	듀크영어학원
전성훈	훈선생영어학원
정준	고양외국어고등학교
조수진	수원 메가스터디학원
최지영	다른영어학원

탁은영	EiE고려대학교어학원
	태전퍼스트캠퍼스

대전

위지환	청명중등생학원

서울

권지현	독한영어학원
김대니	채움학원
김종오	입시형인간학원

박철홍	에픽영어
양세희	양세희수능영어학원
장보금	EaT영어학원
채가희	대성세그루학원

울산

윤창호	공부하는멘토학원

인천

김경준	러셀스터디

전북

김설아	에듀캠프학원

충남

설재윤	마스터입시학원

충북

강은구	박재성영어학원

해커스 어학연구소 자문위원단 2기

강원

안서아	숲어학원 남산캠퍼스
최현주	최샘영어

경기

강민정	김진성의 열정어학원
강상훈	평촌RTS학원
강유빈	일링영어수학학원
권계미	A&T+ 영어
김남균	SDH어학원 세교캠퍼스
김보경	성일고등학교
김세희	이화킴스영어전문학원
김은영	신갈고등학교
나한샘	해법영어교실 프라임수학학원
두형호	잉글리쉬피티 어학원
박은성	GSE 어학원
박지승	신갈고등학교
배동영	이바인어학원탄현캠퍼스
서현주	웰어학원
연원기	신갈고등학교
윤혜영	이루다학원
이미연	김상희수학영어학원
이선미	정현영어학원
이슬기	연세센크레영어
이승주	EL영어학원
이주의	뉴욕학원
이충기	영어나무
이한이	엘케이영어학원
장명희	이루다영어수학전문학원
장소연	우리학원
장한상	티엔디플러스학원
전상호	평촌 이지어학원
전성훈	훈선생영어학원
정선영	코어플러스영어학원
정세창	팍스어학원
정재식	마스터제이학원
정필두	정상어학원
조원웅	클라비스영어전문학원
조은혜	이든영수학원
천은지	프링크학원
최지영	다른영어학원
최한나	석사영수전문

경남

김선우	호이겐스학원
라승희	아이작잉글리쉬
박정주	타임영어 전문학원
이지선	PMS영재센터학원

경북

김대원	포항영신중학교
김주훈	아너스영어
문재원	포항영신고등학교
성룡	미르어학원
엄경식	포항영신고등학교
정창용	엑소더스어학원

광주

강창일	MAX(맥스) 에듀학원
김태호	금호고등학교
임희숙	설월여자고등학교
정영철	정영철 영어전문학원
조유승	링즈영어학원

대구

구수진	석샘수학&제임스영어 학원
권익재	제이슨영어교습소
김광영	e끌리네영어학원
김보곤	베스트영어
김연정	달서고등학교
김원훠	글로벌리더스어학원
위영선	위영선영어학원
이가영	어썸코칭영어학원
이승현	학문당입시학원
이정아	능인고등학교
조승희	켈리외국어학원
주현아	강고영어학원
최윤정	최강영어
황은진	상인황샘영어학원

대전

김미경	이보영의토킹클럽유성분원
성태미	한울영수학원
신주희	파써블영어학원
이재근	이재근영어수학학원
이혜숙	대동천재학원
최애림	ECC송촌제우스학원

부산

고영하	해리포터영어도서관
김미혜	더멘토영어
김서진	케이트예일학원
김소희	윤선생IGSE 센텀어학원
박경일	제니스영어
성현석	닉쌤영어교습소
신연주	도담학원
이경희	더에듀기장학원

이아린 명진학원
이종혁 대동학원
이지현 7번방의 기적 영어학원
전재석 영어를담다
채지영 리드앤톡영어도서관학원

서울

갈성은	씨앤씨(목동) 특목관
공현미	이은재어학원
김시아	시아영어교습소
김은주	열정과신념영어학원
박병배	강북세일학원
신이준	정영어학원
신진희	신진희영어
양세희	양세희수능영어학원
윤승완	윤승완영어학원
이계윤	씨앤씨(목동) 학원
이상영	와이즈(WHY's) 학원
이정욱	이은재어학원
이지연	중계케이트영어학원
정미라	미라정영어학원
정용문	맥코칭학원
정윤정	대치명인학원 마포캠퍼스
조용현	바른스터디학원
채가희	대성세그루영수학원

세종

김주년	드림하이영어학원
하원태	백년대계입시학원
홍수정	수정영어입시전문학원

울산

김한중	스마트영어전문학원
오충섭	인트로영어전문학원
윤창호	로제타스톤어학원
임예린	와엘영어학원
최주하	더 셀럽학원
최호선	마시멜로영어전문학원

인천

권효진	Genie's English
송숙진	예스영어학원
임민선	SNU에듀
정진수	원리영어
함선임	리본에듀학원
황혜림	SNU에듀

전남

김두환	해남맨체스터영수학원
류성준	타임영어학원

전북

강동현	커넥트영수전문학원
김길자	군산맨투맨학원
김유경	이엘 어학원
노빈나	노빈나영어학원
라성남	하포드어학원
박지연	박지연영어학원
변진호	쉐마영어학원
송윤경	줄리안나영어국어전문학원
이수정	씨에이엔영어학원
장윤정	혁신뉴욕학원
장지원	링컨더글라스학원
최혜영	이든영어수학학원

제주

김랑	KLS어학원
박자은	KLS어학원

충남

문정효	좋은습관 에토스학원
박서현	EiE고려대학교 어학원 논산
박정은	탑씨크리트학원
성승민	SDH어학원 불당캠퍼스
손세윤	최상위학원 (탕정)
이지선	힐베르트학원

충북

강은구	강쌤영어학원
남장길	에이탑정철학원
이혜인	위즈영어학원

해커스

완전숙련
구문독해

기본

해커스 어학연구소

PREFACE

빠르고 정확한 해석을 위한
해커스 **완전숙련 구문독해**를 내면서

해커스
완전숙련 구문독해는 이렇게 시작되었습니다.

문법을 배우고, 어휘를 암기하고 나서도 지문을 읽기 힘들어하는 학습자가 많습니다. 해커스는 이런 학습자들을 어떻게 도울 수 있을지 고민해왔습니다. **"지문은 문장으로 이루어져 있으니, 일단 문장부터 이해하는 것으로 시작해보면 어떨까?"**

문장을 하나하나 끊어서 읽는 연습을 하며 구조를 파악하게 되면, 그 다음엔 문장을 일부러 끊지 않아도 학습자의 머리에서 문장이 성분 단위로 나뉘게 됩니다. 자연스럽게 해석이 되는, '내 것'인 문장들이 모인 지문 읽기는 자연스럽게 수월해지기 마련입니다.

해커스
완전숙련 구문독해는 독해력을 기르는 발판이 되고자 합니다.

해커스 완전숙련 구문독해에는 지문이 없으며, 오직 문장만으로 독해력을 기르도록 합니다. 해커스 완전숙련 구문독해는 학습자들이 수많은 문장들에 헤매기 전, 내가 마주치게 될 구문들을 미리 내 것으로 만드는 과정을 돕습니다. 모든 구문을 습득하고 나면 미로 같았던 지문이 하나의 아름다운 그림으로 보이게 됩니다.

해커스
완전숙련 구문독해는 누구나 학습할 수 있습니다.

예비 수험생인 중·고등학생부터, 영어를 제대로 다시 시작하고 싶은 성인 학습자까지 누구나 학습할 수 있습니다. 엄선된 수능 및 모의고사 기출 문장뿐 아니라, 정치·사회·과학·일상생활 등 다양한 주제로 문장들을 구성하여 학습자의 폭을 넓혔습니다. 모국어가 아닌 언어로 된 글을 읽는 것은 어렵지만, 그 벽을 넘으면 누구에게나 공평하게 더 큰 세상이 펼쳐질 수 있기에 수험생부터 성인까지 모두가 학습할 수 있도록 구성했습니다.

모든 영어 학습자가 이 책에 담긴 구문을 **완전숙련**하고, 읽고 싶었던 영어 지문과 원서를 자유롭게 읽으며 시야가 넓어지는 즐거운 경험을 하기를 응원합니다.

해커스 어학연구소

CONTENTS

구문독해가 쉬워지는 끊어 읽기   08
구문독해가 쉬워지는 기초 문법   10

문장의 기본 구조

CHAPTER 01 문장의 형식

UNIT 01 1형식 문장 해석하기   16
UNIT 02 2형식 문장 해석하기   17
UNIT 03 3형식 문장 해석하기   18
UNIT 04 주의해야 할 3형식 문장 해석하기   19
UNIT 05 4형식 문장 해석하기   20
UNIT 06 5형식 문장 해석하기   21
Chapter Test   22

문장의 핵심 성분

CHAPTER 02 주어

UNIT 07 to부정사/동명사 주어 해석하기   24
UNIT 08 that/whether가 이끄는 명사절 주어 해석하기   25
UNIT 09 의문사가 이끄는 명사절 주어 해석하기   26
UNIT 10 관계대명사가 이끄는 명사절 주어 해석하기   28
UNIT 11 가주어 it 해석하기   29
UNIT 12 주어로 쓰인 it 해석하기   30
UNIT 13 의미상의 주어 해석하기   31
UNIT 14 무생물 주어 해석하기   33
Chapter Test   34

CHAPTER 03 목적어

UNIT 15 to부정사/동명사 목적어 해석하기   36
UNIT 16 that/if[whether]가 이끄는 명사절 목적어 해석하기   38
UNIT 17 의문사가 이끄는 명사절 목적어 해석하기   39
UNIT 18 관계대명사가 이끄는 명사절 목적어 해석하기   40
UNIT 19 전치사의 목적어 해석하기   41
UNIT 20 재귀대명사 목적어 해석하기   42
UNIT 21 가목적어 it 해석하기   43
Chapter Test   44

CHAPTER 04 보어

UNIT 22 다양한 주격 보어 해석하기   46
UNIT 23 명사/형용사 목적격 보어 해석하기   48
UNIT 24 to부정사 목적격 보어 해석하기   50
UNIT 25 원형부정사 목적격 보어 해석하기   51
UNIT 26 현재분사 목적격 보어 해석하기   52
UNIT 27 과거분사 목적격 보어 해석하기   53
Chapter Test   54

CHAPTER 05 서술어: 시제

UNIT 28 현재/과거/미래시제 해석하기   56
UNIT 29 현재/과거/미래진행시제 해석하기   58
UNIT 30 현재완료시제 해석하기   59
UNIT 31 과거완료시제와 미래완료시제 해석하기   61
UNIT 32 to부정사와 동명사의 완료형 해석하기   63
Chapter Test   64

CHAPTER 06 서술어: 조동사

UNIT 33 능력·가능, 허가, 요청을 나타내는 조동사 해석하기   66
UNIT 34 의무, 필요, 충고를 나타내는 조동사 해석하기   67
UNIT 35 추측을 나타내는 조동사 해석하기   68
UNIT 36 should의 다양한 쓰임 해석하기   69
UNIT 37 다양한 조동사 표현 해석하기   71
UNIT 38 조동사+have+p.p. 해석하기   73
Chapter Test   74

CHAPTER 07 서술어: 태

UNIT 39 3형식 문장의 수동태 해석하기   76
UNIT 40 4형식 문장의 수동태 해석하기   77
UNIT 41 5형식 문장의 수동태 해석하기   79
UNIT 42 수동태의 다양한 형태 해석하기   80
UNIT 43 구동사의 수동태 해석하기   82
UNIT 44 목적어가 that절인 문장의 수동태 해석하기   83
UNIT 45 수동태 관용 표현 해석하기   84
UNIT 46 to부정사와 동명사의 수동형 해석하기   85
Chapter Test   86

CHAPTER 08 서술어: 동사구문

UNIT 47 전치사 from과 함께 쓰이는 구문 해석하기   88
UNIT 48 전치사 as와 함께 쓰이는 구문 해석하기   89
UNIT 49 전치사 of와 함께 쓰이는 구문 해석하기   90
UNIT 50 전치사 for와 함께 쓰이는 구문 해석하기   91
UNIT 51 전치사 with와 함께 쓰이는 구문 해석하기   92
UNIT 52 전치사 to와 함께 쓰이는 구문 해석하기   93
Chapter Test   94

수식어구

CHAPTER 09 형용사 역할을 하는 수식어구

UNIT 53 명사를 꾸며주는 to부정사 해석하기   96
UNIT 54 명사를 앞에서 꾸며주는 분사 해석하기   97
UNIT 55 명사를 뒤에서 꾸며주는 분사 해석하기   98
UNIT 56 감정을 나타내는 분사 해석하기   99
Chapter Test   100

CHAPTER 10 부사 역할을 하는 수식어구

UNIT 57 다양한 의미를 나타내는 to부정사 해석하기 I   102
UNIT 58 다양한 의미를 나타내는 to부정사 해석하기 II   104
UNIT 59 to부정사 구문 해석하기   106
UNIT 60 다양한 의미를 나타내는 분사구문 해석하기 I   107
UNIT 61 다양한 의미를 나타내는 분사구문 해석하기 II   108
UNIT 62 분사구문의 완료형과 수동형 해석하기   109
UNIT 63 분사로 시작하지 않는 분사구문 해석하기   110
UNIT 64 with+명사+분사 해석하기   111
Chapter Test   112

절

CHAPTER 11 등위절과 병렬

UNIT 65 등위접속사 해석하기   114
UNIT 66 상관접속사 해석하기   116
UNIT 67 병렬 구문 해석하기   117
Chapter Test   118

CHAPTER 12 관계사절

UNIT 68 주격 관계대명사절 해석하기   120
UNIT 69 목적격 관계대명사절 해석하기   121
UNIT 70 소유격 관계대명사절 해석하기   123
UNIT 71 관계부사절 해석하기   124
UNIT 72 관계사가 생략된 관계사절 해석하기   125
UNIT 73 콤마와 함께 쓰인 관계사절 해석하기   126
Chapter Test   128

CHAPTER 13 부사절

UNIT 74 시간을 나타내는 부사절 해석하기   130
UNIT 75 원인을 나타내는 부사절 해석하기   131
UNIT 76 조건을 나타내는 부사절 해석하기   132
UNIT 77 양보·대조를 나타내는 부사절 해석하기   133
UNIT 78 목적/결과를 나타내는 부사절 해석하기   134
UNIT 79 양태를 나타내는 부사절 해석하기   135
UNIT 80 복합관계대명사가 이끄는 부사절 해석하기   136
UNIT 81 복합관계부사가 이끄는 부사절 해석하기   137
Chapter Test   138

기타 구문

CHAPTER 14 가정법

UNIT 82 if가 쓰인 가정법 해석하기   140
UNIT 83 if+주어+should/were to 가정법 해석하기   142
UNIT 84 if가 생략된 가정법 해석하기   143
UNIT 85 S+wish 가정법 해석하기   144
UNIT 86 as if[though] 가정법 해석하기   145
UNIT 87 다양한 가정법 표현 해석하기   146
Chapter Test   148

CHAPTER 15 비교구문

UNIT 88 원급/비교급/최상급 비교 해석하기   150
UNIT 89 원급 표현 해석하기   152
UNIT 90 비교급 표현 해석하기   153
UNIT 91 헷갈리는 비교급 표현 해석하기   154
UNIT 92 최상급 표현 해석하기   156
UNIT 93 최상급의 의미를 나타내는 원급/비교급 표현 해석하기   157
Chapter Test   158

CHAPTER 16 특수구문

UNIT 94 강조 구문 해석하기   160
UNIT 95 부정 구문 해석하기   162
UNIT 96 도치 구문 해석하기   163
UNIT 97 동격 구문 해석하기   165
UNIT 98 삽입 구문 해석하기   166
UNIT 99 생략 구문 해석하기   167
Chapter Test   168

책의 특징과 구성

본책

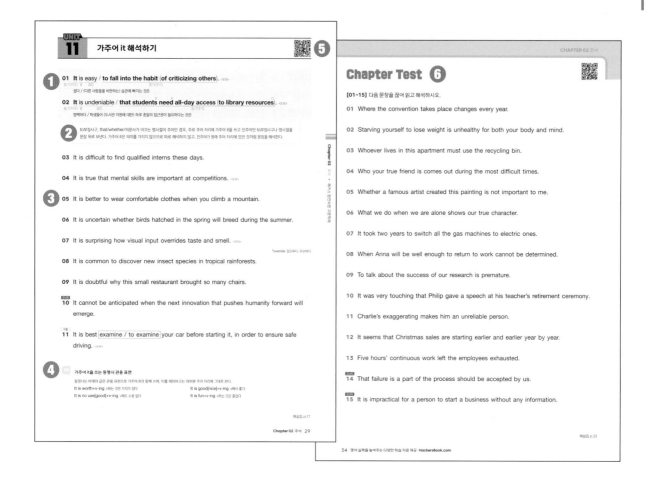

❶ 대표 예문
필수 구문이 포함된 기출 문장을 확인하고, 문장 분석 및 해석을 통해 구문을 학습할 수 있습니다.

❷ 구문 설명 및 해석 방법
명쾌하고 쉬운 설명으로 필수 구문을 정확하게 이해하고 해석하는 방법을 배울 수 있습니다.

❸ 구문독해 연습
다양한 주제의 실용적인 문장과 수능/모의고사 기출 문장으로 학습한 구문에 완전히 숙련될 수 있습니다. 또, 고난도 문장을 통해 실력을 한층 더 상승시키고 어법 문제를 통해 수능에 출제된 문법 포인트까지 확인할 수 있습니다.

❹ TIP
구문과 관련된 문법/어휘/표현에 대한 추가 설명으로 구문을 더 완벽하게 이해할 수 있습니다.

❺ QR코드 - 문장 MP3
각 UNIT에서 학습한 문장을 QR코드를 통해 MP3로 들어보며 문장을 복습할 수 있습니다.

❻ Chapter Test
각 Chapter에서 학습한 모든 구문을 이용한 문장으로 확실히 복습하고 이해도를 점검할 수 있습니다.

해설집

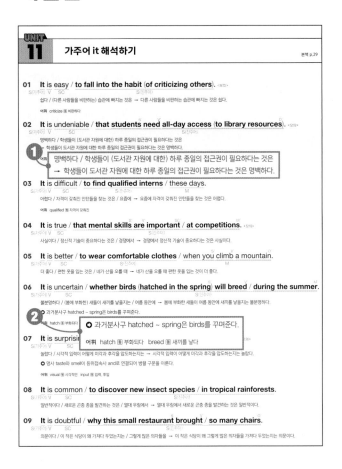

UNIT 11 가주어 it 해석하기
본책 p.29

01 It is easy / to fall into the habit (of criticizing others). <모의>
S(가주어) V SC S(진주어)
쉽다 / (다른 사람들을 비판하는) 습관에 빠지는 것은 → 다른 사람들을 비판하는 습관에 빠지는 것은 쉽다.

어휘 criticize ⑧ 비판하다

02 It is undeniable / that students need all-day access (to library resources). <모의>
S(가주어) V SC S(진주어)
명백하다 / 학생이 (도서관 자원에 대한) 하루 종일의 접근권이 필요하다는 것은
학생들이 도서관 자원에 대한 하루 종일의 접근권이 필요하다는 것은 명백하다.

어휘 명백하다 / 학생들이 (도서관 자원에 대한) 하루 종일의 접근권이 필요하다는 것은
→ 학생들이 도서관 자원에 대한 하루 종일의 접근권이 필요하다는 것은 명백하다.

03 It is difficult / to find qualified interns / these days.
S(가주어) V SC S(진주어)
어렵다 / 자격이 갖춰진 인턴들을 찾는 것은 / 요즘에 → 요즘에 자격이 갖춰진 인턴들을 찾는 것은 어렵다.

어휘 qualified ⑧ 자격이 갖춰진

04 It is true / that mental skills are important / at competitions. <모의>
S(가주어) V SC S(진주어)
사실이다 / 정신적 기술이 중요하다는 것은 / 경쟁에서 → 경쟁에서 정신적 기술이 중요하다는 것은 사실이다.

05 It is better / to wear comfortable clothes / when you climb a mountain.
S(가주어) V SC S(진주어)
더 좋다 / 편한 옷을 입는 것은 / 네가 산을 오를 때 → 네가 산을 오를 때 편한 옷을 입는 것이 더 좋다.

06 It is uncertain / whether birds (hatched in the spring) will breed / during the summer.
S(가주어) V SC S(진주어)
불분명하다 / (봄에 부화된) 새들이 새끼를 낳을지는 / 여름 동안에 → 봄에 부화된 새들이 여름 동안에 새끼를 낳을지는 불분명하다.

과거분사구 hatched ~ spring은 birds를 꾸며준다.
 hatch ⑧ 부화되다   ✿ 과거분사구 hatched ~ spring은 birds를 꾸며준다.
 어휘 hatch ⑧ 부화되다 breed ⑧ 새끼를 낳다

07 It is surprising ...
S(가주어) V ...
놀랍다 / 시각적 입력이 어떻게 미각과 후각을 압도하는지는 → 시각적 입력이 어떻게 미각과 후각을 압도하는지는 놀랍다.
✿ 명사 taste와 smell이 등위접속사 and로 연결되어 병렬 구문을 이룬다.
어휘 visual ⑧ 시각적인 input ⑧ 입력, 투입

08 It is common / to discover new insect species / in tropical rainforests.
S(가주어) V SC S(진주어)
일반적이다 / 새로운 곤충 종을 발견하는 것은 / 열대 우림에서 → 열대 우림에서 새로운 곤충 종을 발견하는 것은 일반적이다.

09 It is doubtful / why this small restaurant brought / so many chairs.
S(가주어) V SC S(진주어)
의문이다 / 이 작은 식당이 왜 가져다 두었는지는 / 그렇게 많은 의자들을 → 이 작은 식당이 왜 그렇게 많은 의자들을 가져다 두었는지는 의문이다.

❶ 끊어 읽기 해석과 전체 해석
끊어 읽기를 통한 직독직해로 문장 구조를 쉽고 빠르게 파악하고, 전체 해석으로 문장의 자연스러운 의미를 확인합니다.

❷ 구문 해설과 어휘
구조 파악 및 해석이 더욱 쉬워지는 구문 해설과 필수 어휘 정리로 독해 실력을 한층 더 강화합니다.

✚ 추가 부가물

부가물 다운로드: www.HackersBook.com

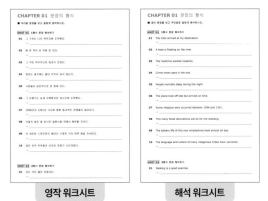

영작 워크시트
(Step 1, 2, 3)

해석 워크시트

교재에 수록된 문장을 단계별로 영작해보고, 다시 해석해보며 확실하게 문장에 익숙해질 수 있습니다.

어휘 리스트

어휘 테스트

해석에 필요한 주요 어휘를 효과적으로 암기하고, 테스트를 통해 어휘 실력까지 완성할 수 있습니다.

구문독해가 쉬워지는 **끊어 읽기**

❶ 끊어 읽기의 필요성

영어와 한국어는 문장 성분이 나오는 순서가 다른데, 영어는 대체로 주어 다음에 바로 동사가 오지만 한국어는 동사가 문장의 맨 끝에 오는 경우가 많다. 아래 예시의 영어 문장에서는 주어 'He' 뒤에 동사 'likes'가 바로 나왔지만, 한국어 문장에서는 주어 '그는' 뒤에 여러 가지 세부적인 내용이 나오고 동사 '좋아한다'가 가장 마지막에 오는 것을 확인할 수 있다.

He likes to swim with his dog in the backyard in the summer.
주어　동사

그는 여름에 뒤뜰에서 그의 개와 수영하는 것을 좋아한다.
주어　　　　　　　　　　　　　　　　　　　　　동사

이처럼 영어와 한국어의 어순이 다르기 때문에 영어를 한국어로 해석할 때 어려움이 생기며, 특히 문장에 여러 세부적인 내용이 나와 길어지면 영어 문장을 한번에 해석하는 것이 더욱 어려워진다.

그렇기 때문에 영어 문장이라는 큰 단위를 적절한 단위로 작게 끊어서 해석하는 것이 중요하며, 이때 적절한 끊어 읽기의 단위를 의미 단위라고 한다. 한번에 이해할 수 있을 만큼의 의미 단위만큼 묶어서 읽고, 이를 한국어 어순에 맞게 이어 붙이는 것을 연습하면 길고 복잡한 영어 문장도 쉽게 해석할 수 있게 된다.

❷ 끊어 읽기 연습 방법

처음 끊어 읽기를 시작할 때는 작은 단위로 끊어서 정확하게 해석하는 연습을 시작하고, 이것에 익숙해지면 끊어 읽기 단위를 늘려 더 큰 구나 절 단위로 끊어 읽는 연습을 한다. 이때, 보통 전치사나 접속사 앞에서 끊으면 의미 단위를 파악하기 쉬워진다. 실력이 늘면서 끊어 읽는 단위를 확장시켜 읽으면 더 빠르고 자연스럽게 해석을 할 수 있다.

He / likes / to swim / with his dog / in the backyard / in the summer.
그는 / 좋아한다 / 수영하는 것을 / 그의 개와 /   뒤뜰에서   /   여름에

⇓

He likes / to swim with his dog / in the backyard / in the summer.
그는 좋아한다 /   그의 개와 수영하는 것을   /   뒤뜰에서   /   여름에

⇓

He likes to swim with his dog / in the backyard in the summer.
그는 그의 개와 수영하는 것을 좋아한다 /   여름에 뒤뜰에서

끊어 읽기에는 정답이 없으며 학습자의 수준에 따라 다양하게 나타날 수 있다. 따라서, 본인의 끊어 읽기가 본 책에서 제시하는 것과 다르더라도 틀린 것이 아니며, 전체적인 의미가 통하도록 해석하면 된다.

※ **해석할 때 알아두면 좋은 영어 문장 부호**

콤마(,), 콜론(:), 세미콜론(;), 대시(—) 등의 문장 부호는 문장 안에서 다양하게 쓰이므로, 이를 알아두면 해석을 더욱 빠르고 정확하게 할 수 있다.

1. 콤마(,)	단어나 구를 나열할 때 이를 구분해준다. 절과 절 사이를 구분해주기 위해 쓰이기도 하며, 삽입어구/절의 앞뒤에 쓰이기도 한다.
2. 콜론(:)	문법적으로 완전한 문장이 뒤따라올 때 앞서 언급된 내용을 구체적으로 설명해준다. 콜론 뒤에 리스트 형식으로 단어를 나열하기도 하며, 이때 "즉"이라고 해석한다.
3. 세미콜론(;)	세미콜론은 의미상 서로 연관이 있는 두 문장을 연결해주며, 문맥상 적절한 부사절 접속사를 넣어서 해석한다. 실제로는 마침표(.)나 콤마(,)만큼 일반적으로 쓰이지 않는다.
4. 대시(—)	대시는 콜론(:), 세미콜론(;)과 비슷한 역할을 한다. 또, 문장에 부가적인 정보를 제공하기도 한다.

구문독해가 쉬워지는 **기초 문법**

❶ 품사 | 영어 단어의 8가지 종류

영어 단어는 기능과 성격에 따라 명사, 대명사, 동사, 형용사, 부사, 전치사, 접속사, 감탄사의 8품사로 분류할 수 있다.

1. 명사

사람, 사물, 장소, 개념 등의 이름을 나타내는 말로, 문장에서 주어, 목적어, 보어 역할을 한다.

Susie is taller than me. <주어> Susie는 나보다 더 키가 크다.

We will eat **pizza** for today's dinner. <목적어> 우리는 오늘 저녁으로 피자를 먹을 것이다.

My favorite city is **Seoul**. <보어> 내가 가장 좋아하는 도시는 서울이다.

2. 대명사

명사를 대신해서 쓰는 말로, 문장에서 주어, 목적어, 보어 역할을 한다.

My cousin visited us yesterday. **She** brought us some gifts. <주어>
나의 사촌은 어제 우리를 방문했다. 그녀는 우리에게 몇몇 선물을 가져다 줬다.

He lost his wallet, and he can't find **it**. <목적어>
그는 그의 지갑을 잃어버렸고, 그것을 찾을 수 없다.

The main problem is **this**. <보어> 주된 문제는 이것이다.

3. 동사

동작이나 상태를 나타내는 말로, 문장에서 술부를 이끄는 동사(술어) 역할을 한다. 동사에는 be동사, 일반동사, 조동사가 있다.

I **am** allergic to peanuts. <be동사> 나는 땅콩에 알레르기가 있다.

Students **learn** new things every day. <일반동사> 학생들은 매일 새로운 것들을 배운다.

Visitors **should use** this elevator. <조동사+일반동사>
방문객들은 이 엘리베이터를 사용해야 한다.

4. 형용사

명사나 대명사의 형태, 성질, 상태 등을 나타내는 말로, 문장에서 보어 또는 명사나 대명사를 꾸며주는 수식어 역할을 한다.

Monkeys are quite **playful**. <주격 보어> 원숭이들은 꽤 장난기 많다.

The heater kept us **warm**. <목적격 보어> 히터는 우리를 따뜻하게 해줬다.

Ms. Nelson is a **successful** lawyer. <수식어> Nelson씨는 성공적인 변호사이다.

5. 부사 동사, 형용사, 다른 부사, 또는 문장 전체를 꾸며주는 말로, 문장에서 수식어 역할을 한다.

The actor performed **well** last night. <동사 수식> 그 배우는 어젯밤에 잘 연기했다.

Eric is drinking **very** hot tea. <형용사 수식> Eric은 매우 뜨거운 차를 마시고 있다.

The thief ran away **really** fast. <부사 수식> 그 도둑은 아주 빠르게 도망갔다.

Unfortunately, we couldn't meet. <문장 전체 수식> 불행히도, 우리는 만날 수 없었다.

6. 전치사 명사나 대명사 앞에서 장소, 시간, 방법 등을 나타내는 말이다.

The world's longest river, the Amazon, is **in** South America. <장소>
세계에서 가장 긴 강인 아마존강은 남아메리카에 있다.

Many families get together **on** Thanksgiving Day. <시간>
추수감사절에 많은 가족들이 모인다.

People can contact our customer service department **by** e-mail. <방법>
사람들은 우리의 고객 서비스 부서에 이메일로 연락할 수 있다.

7. 접속사 단어와 단어, 구와 구, 절과 절을 연결해주는 말이다.

Which one is better, tea **or** coffee? <단어와 단어 연결>
차와 커피 중 어느 것이 더 낫니?

Sam lay down on the sofa **and** slept for hours. <구와 구 연결>
Sam은 소파에 누워서 몇 시간 동안 잤다.

You can get a refund **if** you have the receipt. <절과 절 연결>
너는 만약 영수증을 가지고 있다면 환불을 받을 수 있다.

8. 감탄사 기쁨, 놀람, 슬픔과 같은 다양한 감정을 표현하는 말이다.

Wow! Look at this amazing view! 와! 이 멋진 경관을 봐!

Ouch! This pan is still hot. 아야! 이 냄비는 아직 뜨거워.

❷ 문장의 성분 | 영어 문장을 만드는 재료

영어 문장을 만드는 재료 역할을 하는 문장 성분에는 주어, 동사, 목적어, 보어가 있다. 이들은 문장을 구성하는데 필수적으로 있어야 하는 요소들이므로 필수 성분이라고 한다. 수식어는 필수 성분은 아니지만, 문장의 내용이 조금 더 풍부하도록 부가적인 정보를 제공한다.

1. 주어　　**동작이나 상태의 주체가 되는 말**로, '누가, 무엇이'에 해당한다. 명사나 대명사, 명사구나 명사절처럼 명사 역할을 하는 것들이 주어 자리에 올 수 있다.

Liam can ride a bicycle well.　Liam은 자전거를 잘 탈 수 있다.

Surfing in the ocean is my hobby.　바다에서 서핑을 하는 것은 나의 취미이다.

2. 동사　　**주어의 동작이나 상태를 나타내는 말**로, '~하다, ~이다'에 해당한다.

We **will watch** the movie at the theater.　우리는 그 영화를 극장에서 볼 것이다.

The girl **has** green eyes and long hair.　그 여자아이는 초록색 눈과 긴 머리를 가지고 있다.

3. 목적어　　**동사가 나타내는 행위의 대상이 되는 말**이다. 주어와 마찬가지로 명사 역할을 하는 것들이 목적어 자리에 올 수 있다.

My grandfather planted **trees** in the yard.　나의 할아버지는 마당에 나무를 심으셨다.

Amy sent **her friend a Christmas card.**　Amy는 그녀의 친구에게 크리스마스 카드를 보냈다.

4. 보어　　**주어나 목적어를 보충 설명하는 말**이다. 주어를 보충 설명하는 주격 보어와 목적어를 보충 설명하는 목적격 보어가 있으며, 명사 역할을 하는 것이나 형용사 역할을 하는 것들이 보어 자리에 올 수 있다.

Rachel was **glad** to hear the news. ＜주격 보어＞　Rachel은 그 소식을 들어 기뻤다.

This album made the singer **a star.** ＜목적격 보어＞　이 앨범은 그 가수를 스타로 만들었다.

5. 수식어　　**문장의 내용이 조금 더 풍부하도록 부가적인 정보를 제공하는 말**이다. 형용사 역할을 하는 것이나 부사 역할을 하는 것이 수식어 자리에 올 수 있다.

That **beautiful** woman is my mother.　저 아름다운 여자는 나의 어머니이다.

I **usually** work out **in the morning.**　나는 보통 아침에 운동을 한다.

❸ 구와 절 ｜ 말 덩어리

두 개 이상의 단어가 모여 하나의 의미를 나타내는 말 덩어리를 구나 절이라고 하며, 구는 「주어+동사」를 포함하지 않고 절은 「주어+동사」를 포함한다. 구와 절은 문장에서 명사, 형용사, 부사 역할을 할 수 있다.

1. 명사 역할   명사처럼 **주어, 목적어, 보어**로 쓰인다.

> 명사구 ｜ 「명사+형용사구」, to부정사구, 「의문사+to부정사」, 동명사구 등
> **Reading a good book** relaxes me.
> 좋은 책을 읽는 것은 나를 편안하게 한다.

> 명사절 ｜ that, whether, 의문사, 관계대명사 what 등이 이끄는 절
> The teacher said **that the contest will be held on Friday**.
> 선생님은 그 대회가 금요일에 열릴 것이라고 말했다.

2. 형용사 역할   형용사처럼 보어나 **명사, 대명사를 꾸며주는 수식어**로 쓰인다.

> 형용사구 ｜ 「전치사+명사(구)」, to부정사구, 분사구 등
> The entrance exam **for the university** was difficult.
> 그 대학교의 입학 시험은 어려웠다.

> 형용사절 ｜ who, which, that, whose, when, where 등의 관계사가 이끄는 절
> This is the TV program **which I like the most**.
> 이것은 내가 가장 좋아하는 TV 프로그램이다.

3. 부사 역할   부사처럼 **동사, 형용사, 다른 부사, 또는 문장 전체를 꾸며주는 수식어**로 쓰인다.

> 부사구 ｜ 「전치사+명사(구)」, to부정사구, 분사구문 등
> Pete went to the mall **to shop for new clothes**.
> Pete는 새로운 옷을 쇼핑하기 위해 쇼핑몰에 갔다.

> 부사절 ｜ when, while, because, as, if, though 등의 부사절 접속사가 이끄는 절
> They were excited **because it began to snow**.
> 그들은 눈이 오기 시작했기 때문에 신이 났다.

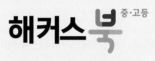

www.HackersBook.com

CHAPTER 01

문장의 형식

영어 문장은 주로 어떤 동사가 쓰였는지에 따라 다섯 가지 구조로 나뉘며, 이를 문장의 5형식이라고 한다. 문장의 구조를 파악하는 것은 구문 분석의 가장 기본이므로, 다양한 형식을 구분할 수 있다면 영어 문장 해석이 더욱 쉬워진다.

UNIT 01 | 1형식 문장 해석하기

UNIT 02 | 2형식 문장 해석하기

UNIT 03 | 3형식 문장 해석하기

UNIT 04 | 주의해야 할 3형식 문장 해석하기

UNIT 05 | 4형식 문장 해석하기

UNIT 06 | 5형식 문장 해석하기

01 The train **arrived** / at my destination. <수능응용>
    S   V   M
그 기차는 도착했다 / 나의 목적지에

> 1형식 문장은 일반적으로 주어(S)와 동사(V)만으로 문장이 성립되어 「S+V」의 형태로 나타나며, '**S는 V하다**'라고 해석한다. 문장에 추가적인 의미를 더하기 위해 종종 수식어(M)가 함께 쓰인다.

02 A boat is floating on the river.

03 The medicine worked instantly.

04 Crime never pays in the end.

05 People normally sleep during the night. <수능응용>

06 The plane took off late but arrived on time.

07 Some religious wars occurred between 1096 and 1291.

08 This many floral decorations will do for the wedding.

09 The battery life of this new smartphone lasts almost all day.

고난도
10 The language and culture of many indigenous tribes have vanished.

*indigenous: 토착의, 그 지역의 고유한

> **수식어가 반드시 필요한 1형식 문장**
>
> 1형식 동사 중 be, live, stay, lie, stand, get, go 등은 반드시 수식어가 있어야 문장의 의미가 완성된다. 이때 쓰이는 수식어는 주로 장소나 시간을 나타낸다.
> Some fish **live** in deep waters. 몇몇 물고기는 심해에서 산다.
> The dinner **will be** at 5 P.M. 저녁 식사는 오후 5시에 있을 것이다.

해설집 p.2

01 <u>Walking</u> **is** <u>a good exercise.</u> <모의>
　　 S　　V　　　SC

걷는 것은 좋은 운동이다.

> 2형식 문장은 「S+V+SC」의 형태로 나타나며, 'S는 SC이다, S는 SC하게 V하다'라고 해석한다. 자주 쓰이는 2형식 동사는 아래와 같이 해석한다.
>
> > be ~이다
> > stay, remain, lie, keep, stand (~한 상태로) 있다
> > become, turn, get, grow, go, fall (~한 상태가) 되다, ~해지다
> > seem, appear ~인 것처럼 보이다, ~인 것 같다
> > look/sound/smell/taste/feel ~하게[한] 보이다/들리다/냄새가 나다/맛이 나다/느껴지다
>
> *주격 보어(SC) 자리에는 주로 명사나 형용사가 오며, 부사는 올 수 없다.

02 This sugar-free cake tastes sweet.

03 The leaves will turn red soon.

04 Food goes bad fast during summer.

05 The treasure remained hidden under the ocean.

06 The coach seems intimidating, but he is actually kind.

07 Such a strange event appears unlikely to me.

고난도
08 The researcher looked calm, even when he was speaking in public.

TIP **1형식과 2형식에서 모두 쓰이는 동사**

1형식과 2형식에서 모두 쓰이는 동사는 어떤 형식에서 쓰이는지에 따라 의미가 다르다.

동사	1형식 의미	2형식 의미
be	(~에) 있다	~이다
turn	돌다	(~한 상태가) 되다
get	(~에) 도착하다	(~한 상태가) 되다
grow	자라다, 증가하다	(~한 상태가) 되다
appear	나타나다	~인 것처럼 보이다

I **got** to the train station on time. <1형식> 나는 기차역에 제시간에 도착했다.
I **got** upset because I heard the terrible news. <2형식> 나는 그 끔찍한 뉴스를 들었기 때문에 속상하게 되었다.

해설집 p.3

01 Governments **have** / a responsibility (to protect and promote culture). <모의응용>
　　　　S　　　　V　　　　　　　　　　　　　O

정부들은 가진다 / (문화를 보호하고 홍보할) 책임을

> 3형식 문장은 「S+V+O」의 형태로 나타나며, 'S는 O를 V하다'라고 해석한다.

02 Charles Darwin wrote eight books about botany.

03 Babies imitate the facial expressions of their parents.

04 I placed my watch on the table, but I can't find it now.

05 Astronomers discovered evidence of black holes in the galaxy.

06 Some consumers trust certain products more when they are organic.

07 Historians still do not know the exact technique of pyramid construction.

08 The documentary inspired me, so I will live a more meaningful life from now on.

09 The company hired a professional designer to set up its website.

고난도
10 Celebrities should avoid making controversial comments on TV.

주격 보어와 목적어의 구분

주격 보어와 목적어 둘 다 동사 뒤에 오지만, 주격 보어는 주어를 보충 설명하므로 주어와 같은 대상이다. 목적어는 주어가 하는 행위의 대상이므로 주로 주어와 같지 않다.

Jamie is a clever boy. Jamie는 똑똑한 남자아이다. (S = SC)
　　S　V　　SC
Jamie wrote an essay. Jamie는 에세이를 썼다. (S ≠ O)
　　S　V　　O

해설집 p.4

구동사가 쓰인 3형식 문장 해석하기

01 The general **thought of** / an unusual battle plan.
　　　　　　S　　　　V　　　　　　O

그 사령관은 생각해냈다 / 비범한 전투 계획을

> 3형식 문장의 동사 자리에는 동사가 전치사나 부사와 함께 쓰인 구동사가 올 수 있으며, 각각 아래와 같이 해석한다.
>
> | | | |
> |---|---|---|
> | think of ~을 생각해내다 | look for ~을 찾다 | look forward to ~을 고대하다 |
> | object to ~에 반대하다 | rely on ~에 의지하다 | refer to ~을 언급하다, ~을 참고하다 |
> | deal with ~에 대처하다, ~을 다루다 | result in ~을 야기하다 | put up with ~을 참다 |

02 Some people deal with their stress by exercising.

03 The Civil Liberties Union looks for ways to preserve our rights.

04 Don't put up with belittlement or prejudice anywhere.

*belittlement: 업신여김

고난도
05 The survival of a farmer relies on the cooperation of others in the community. <모의>

전치사를 쓰지 않는 3형식 동사 해석하기

06 She **explained** / her struggles and feelings. <모의>
　　　S　　　V　　　　　　O

그녀는 설명했다 / 그녀의 힘든 일들과 감정들에 대해

She explained *about* her struggles and feelings. (X)

> 아래 3형식 동사는 전치사가 뒤에 오는 것처럼 해석되지만 실제로는 전치사를 쓰지 않는다.
>
> explain/discuss/mention/suggest ~~about~~ ~에 대해 설명하다/논의하다/언급하다/제안하다
> suit/contact/marry/resemble ~~with~~ ~와 어울리다/연락하다/결혼하다/닮다
> approach/reach/enter/attend/answer ~~to~~ ~에 접근하다/도달하다/들어가다/참석하다/대답하다

07 The shape of ginseng resembles the human body. <모의응용>

08 The radio broadcast discusses many political issues.

고난도
09 In auto races, drivers will see a checkered flag as they reach the finish line. <모의응용>

해설집 p.5

UNIT 05 4형식 문장 해석하기

01 The doctor **wrote** / the patient a prescription (for his disease). <모의응용>
   S   V   IO   DO

그 의사는 써 줬다 / 환자에게 (그의 병에 대한) 처방전을

> 4형식 문장은 「S+V+IO+DO」의 형태로 나타나며, 'S는 IO에게 DO를 V하다'라고 해석한다.

02 Please bring me today's newspaper.

03 The emperor built his sick wife a palace.

04 I didn't tell anyone your secret as I promised.

05 The store sends all its customers coupons during the holiday season.

06 Ms. Harris made her husband a cake on his 50th birthday.

07 His boss offered him a position as the director of the new branch. <모의>

08 Girl Scouts sold people cookies to raise money for charity.

09 The caterer cooked people a five-course meal at a party.

10 The brain sends us a signal in dangerous situations. <모의응용>

고난도
11 The professor taught the class a lesson about the theory of gravity.

TIP **3형식으로 바꿔 쓸 수 있는 4형식 문장**

4형식 문장의 「S+V+IO+DO」의 형태를 「S+V+O(기존 DO)+전치사(to/for/of)+전치사의 목적어(기존 IO)」로 바꿔 3형식으로 쓸 수 있으며, 이때 동사에 따라 쓰는 전치사가 다르다.

전치사 to를 쓰는 동사	give, send, bring, show, teach, tell, write, read, lend, pay, sell, offer 등
전치사 for를 쓰는 동사	make, buy, cook, get, find, build, choose 등
전치사 of를 쓰는 동사	ask, inquire, require 등

Kate **lent** her notes from class *to* James. Kate는 James에게 그녀의 수업 필기를 빌려줬다.
My parents **bought** a piece of chocolate cake *for* me. 나의 부모님은 나에게 초콜릿 케이크 한 조각을 사주셨다.

해설집 p.6

01 <u>Abilities (like empathy and communication)</u> **make** / <u>us</u> <u>human</u>. <모의응용>
                   S   V   O   OC

(공감과 의사소통 같은) 능력들은 만든다 / 우리를 인간적으로

> 5형식 문장은 「S+V+O+OC」의 형태로 나타나며, 'S는 O를[가] OC로[라고/하게] V하다'라고 해석한다.

02 They kept his birthday party a secret because they wanted to surprise him.

03 The judge considered the suspect guilty because of the hard evidence.

04 My friend sometimes makes me upset by complaining about everything.

05 We call oil "black gold" since we can create hundreds of other things with it. <모의응용>

06 The kings found golf so enjoyable, so it was known as "the royal game." <수능>

07 The people elected Abraham Lincoln president of the Unites States in 1861.

08 The same old things make us bored, and boredom fosters bad attitudes. <모의>

*foster: 기르다, 육성하다

09 Some historians call the Battle of Stalingrad the greatest battle of World War II.

고난도
10 I consider the information reliable, because it was verified by experts.

Chapter Test

[01-15] 다음 문장을 끊어 읽고 해석하시오.

01 Desire makes us different from animals. <모의응용>

02 The car appeared out of nowhere and surprised me.

03 We left later on in order to avoid rush hour.

04 The athletes stood in front of the flag during the national anthem.

*national anthem: 국가

05 Ethan looked fabulous in his new suit at the senior prom.

06 Lucretia Mott supported the women's rights movement in the 19th century.

07 Climate change has resulted in water shortage globally.

08 Your laziness will only be a burden as time goes on.

09 The couple named their son Aaron, after his great-grandfather.

10 Responding to people in a harsh tone makes things worse. <모의응용>

11 Many universities give students a scholarship for academic excellence.

12 The customer sent the store a letter of complaint due to the poor quality of the product.

13 Before the 1800s, many patients fell ill because hospitals didn't clean the equipment.

고난도
14 We call a word "ambiguous" when the meaning is vague in the particular context.

<모의응용>

고난도
15 The United Nations declared this year "The Year of the Teen." <모의>

해설집 p.8

CHAPTER 02

주어

주어는 동작이나 상태의 주체가 되는 말이다. 주어는 문장의 주가 되는 핵심 성분이므로, 주어를 잘 찾는 것이 정확한 구문 분석의 시작이다.

UNIT 07 | to부정사/동명사 주어 해석하기

UNIT 08 | that/whether가 이끄는 명사절 주어 해석하기

UNIT 09 | 의문사가 이끄는 명사절 주어 해석하기

UNIT 10 | 관계대명사가 이끄는 명사절 주어 해석하기

UNIT 11 | 가주어 it 해석하기

UNIT 12 | 주어로 쓰인 it 해석하기

UNIT 13 | 의미상의 주어 해석하기

UNIT 14 | 무생물 주어 해석하기

01 **To work a part-time job** / is common / for college students.
　　　　　　S　　　　　　　V　　SC　　　　　M
시간제 근무를 하는 것은 / 일반적이다 / 대학생들에게
(= It is common for college students to work a part-time job.)

02 **Respecting the rules** / is important / in preserving sports. <모의>
　　　　　S　　　　　　　V　　　SC　　　　　M
규칙을 준수하는 것은 / 중요하다 / 스포츠를 보존하는 것에 있어서

> 명사 역할을 하는 to부정사나 동명사가 주어인 경우 '~하는 것은, ~하기는'이라고 해석한다. to부정사를 대신해서 주로 가주어 it이 주어
> 자리에 오는데, 이때 해석은 달라지지 않는다. ←UNIT11
> *주어로 쓰인 to부정사나 동명사는 항상 단수 취급하므로, 뒤에 단수 동사가 온다.

03 Bathing a cat is not really necessary.

04 To feel cheerful is natural when we hear someone laughing. <모의응용>

05 To see the pyramids of Egypt in person was an amazing experience.

06 Repairing the machine will cost the company a lot of money.

07 Learning some phrases in Spanish will be helpful if you visit South America.

08 To understand behavior requires looking at both the mind and the environment. <모의>

09 Keeping highly intelligent animals in captivity affects their mental health.

10 Being honest is important when you review someone's work.

11 Encouraging children to use their imagination is an essential part of their development.

고난도
12 Highlighting the costs of not changing behavior works well for modifying it. <모의응용>

해설집 p.10

that/whether가 이끄는 명사절 주어 해석하기

01 That we were going to have a power outage / was a problem. <모의용용>

S' V' O' / S V SC

우리가 정전을 겪게 될 것이라는 것은 / 문제였다

(= It was a problem that we were going to have a power outage.)

02 Whether this children's song will be a big hit / is doubtful.

S' V' SC' / S V SC

이 동요가 큰 성공이 될지는 / 의문스럽다

(= It is doubtful whether this children's song will be a big hit.)

> 접속사 that이 이끄는 명사절이 주어인 경우 'S'가 V'하다는 것은'이라고 해석하고, 접속사 whether가 이끄는 명사절이 주어인 경우 'S'가 V'하는지는'이라고 해석한다. 각각의 절을 대신해서 주로 가주어 it이 주어 자리에 오는데, 이때 해석은 달라지지 않는다. ←UNIT 11
> *주어로 쓰인 명사절은 항상 단수 취급하므로, 뒤에 단수 동사가 온다.

03 That Lauren wants to camp with us is great!

04 Whether the security program is running properly needs to be examined.

05 That the popular singer writes his own music surprised his fans.

06 Whether our boss will go on vacation this month will be told to us tomorrow.

07 That the dry air started the forest fire is just an assumption.

08 Whether your life is full of joy or not depends on your attitude.

09 That the artifact is more than 1,000 years old was recently discovered.

10 Whether the movie can exceed its break-even point is questionable.

*break-even point: 손익분기점

11 That inflation rose so quickly caused many problems in the market.

12 That the two nations haven't come to an agreement is very discouraging.

고난도
13 Whether the coin comes up heads or tails is not certain before we toss it. <모의용용>

해설집 p.11

의문대명사가 이끄는 명사절 주어 해석하기

01 <u>Who will be in charge of the department</u> / is uncertain. <모의응용>
    S' V' SC'   S   V   SC

누가 그 부서를 담당할지는 / 불확실하다

02 <u>What the biologists found out</u> / hasn't been revealed yet.
    O' S' V'   S   V   M

그 생물학자들이 무엇을 발견했는지는 / 아직 밝혀지지 않았다

> 의문대명사 who(m)/what/which가 이끄는 명사절이 주어인 경우, 의문대명사가 명사절 안에서 어떤 역할을 하는지에 따라 해석이 달라진다.
>
> | 주어(S') | 누가/무엇이/어느 것이 V'하는지는 |
> |---|---|
> | 목적어(O') | S'가 누구를/무엇을/어느 것을 V'하는지는 |
> | 주격 보어(SC') | S'가 누구인지는/무엇인지는/어느 것인지는 |
>
> *의문대명사 who는 명사절 안에서 목적어로 쓰일 때 whom으로도 쓸 수 있다.

03 Who discovered America first is still unknown for sure.

04 What you do doesn't always show your personality. <모의응용>

05 Whom you will be working with will be announced tomorrow.

06 What caused the mysterious crater to form in Siberia is hard to know.

    *crater: 큰 구멍, 분화구

07 What the museum will exhibit will open to the public soon.

_{고난도}
08 Who we are is more important than what we have. <모의응용>

의문형용사가 이끄는 명사절 주어 해석하기

09 In fashion, / <u>which color will be popular in the next season</u> / must be chosen /
    M   S' V' SC' M'   S   V
a year before. <모의>
    M

패션계에서 / 어느 색이 다음 시즌에 인기 있을지는 / 선택되어야 한다 / 일 년 전에

10 <u>Whose class I will choose</u> / depends on the contents (of the class). <모의응용>
    O' S' V'   S   V   O

내가 누구의 수업을 선택할지는 / (수업의) 내용에 달려 있다

> 의문형용사 what/which/whose가 이끄는 명사절 안에서 의문형용사는 명사 앞에 쓰여 명사를 꾸며주며, 각각 '**무슨/어느/누구의 ~**' 이라고 해석한다.

11 What new discoveries in space will occur is highly anticipated.

12 Which participant won the competition has not been released yet.

13 Which major species will go extinct next is one of the scientists' concerns.

14 What mysteries lie in the island has been only partially documented.

15 Whose policies the voters support will affect the result of the vote.

고난도
16 Whose talents will be the most appropriate for the show hasn't been determined yet.

의문부사가 이끄는 명사절 주어 해석하기

17 **How you manage conflicts at work** / can affect your stress level. <모의응용>
　　S'　V'　　O'　　M'　　　　　　V　　　　　O
　　　　S
네가 어떻게 직장에서 갈등을 다루는지는 / 너의 스트레스 수준에 영향을 미칠 수 있다

> 의문부사 where/when/why/how가 이끄는 명사절이 주어인 경우, '**S'가 어디서/언제/왜/어떻게 V'하는지는**'이라고 해석한다. 의문부사는 명사절 안에서 부사 역할을 하며 뒤에 명사절의 주어(S')와 동사(V')가 온다.

18 Where we spend our vacation determines the total expenditure.

*expenditure: 경비, 지출

19 When the ice age occurred provides a rough geological timeline of Earth.

20 Why the pop group suddenly broke up was not revealed.

고난도
21 How the human face became so expressive is due to our ancestors having used

nonverbal cues. <모의응용>

해설집 p.13

관계대명사 what이 이끄는 명사절 주어 해석하기

01 **What we call ice cream today** / appeared in the early 17th century. <모의>

우리가 오늘날 아이스크림이라고 부르는 것은 / 17세기 초에 나타났다

(= The thing which[that] we call ice cream today appeared in the early 17th century.)

> 관계대명사 what이 이끄는 명사절이 주어인 경우, 'V´하는 것은'이라고 해석한다. 이때 what은 the thing which[that]으로 바꿔 쓸 수 있다.

02 What we learn from pleasurable experiences lasts for a long time.

03 What suddenly emerged in the sky disappeared just as quickly.

04 What experts worry about is the rising sea levels.

05 What is important is running in the right direction even though it takes time. <모의응용>

고난도
06 What we experience inside our bodies could have indications on the outside. <모의>

복합관계대명사가 이끄는 명사절 주어 해석하기

07 **Whoever catches the fewest fish** / will pay for dinner. <모의>

가장 적은 양의 물고기를 잡는 누구든지 / 저녁 값을 낼 것이다

> 복합관계대명사 whoever/whatever/whichever가 이끄는 명사절이 주어인 경우, 'V´하는 누구든지/무엇이든지/어느 것이든지'라고 해석한다.
>
> *whatever와 whichever는 명사를 꾸며주는 복합관계형용사로 쓰여 명사 앞에 올 수 있다.

08 Whoever wishes to go hiking is welcome to join me.

09 Whatever the refugees need will be provided by the relief group.

*relief group: 구호 단체

10 Whichever person leaves last should turn off all the lights.

고난도
11 Whoever offered the most useful object would become the patron of the city. <모의>

해설집 p.15

가주어 it 해석하기

01 It is easy / **to fall into the habit (of criticizing others).** <모의>
S(가주어) V SC S(진주어)

쉽다 / (다른 사람들을 비판하는) 습관에 빠지는 것은

02 It is undeniable / **that students need all-day access (to library resources).** <모의>
S(가주어) V SC S(진주어)

명백하다 / 학생들이 (도서관 자원에 대한) 하루 종일의 접근권이 필요하다는 것은

> to부정사구, that/whether/의문사가 이끄는 명사절이 주어인 경우, 주로 주어 자리에 가주어 it을 쓰고 진주어인 to부정사구나 명사절을 문장 뒤로 보낸다. 가주어 it은 의미를 가지지 않으므로 따로 해석하지 않고, 진주어가 원래 주어 자리에 있던 것처럼 문장을 해석한다.

03 It is difficult to find qualified interns these days.

04 It is true that mental skills are important at competitions. <모의>

05 It is better to wear comfortable clothes when you climb a mountain.

06 It is uncertain whether birds hatched in the spring will breed during the summer.

07 It is surprising how visual input overrides taste and smell. <모의>

*override: 압도하다, 우선하다

08 It is common to discover new insect species in tropical rainforests.

09 It is doubtful why this small restaurant brought so many chairs.

고난도
10 It cannot be anticipated when the next innovation that pushes humanity forward will emerge.

어법
11 It is best examine / to examine your car before starting it, in order to ensure safe driving. <모의>

> TIP **가주어 it을 쓰는 동명사 관용 표현**
>
> 동명사는 아래와 같은 관용 표현으로 가주어 it과 함께 쓰며, 이를 제외하고는 대부분 주어 자리에 그대로 쓴다.
>
> It is worth+v-ing v하는 것은 가치가 있다 　　　　　It is good[nice]+v-ing v해서 좋다
>
> It is no use[good]+v-ing v해도 소용 없다 　　　　It is fun+v-ing v하는 것은 즐겁다

해설집 p.17

UNIT 12 주어로 쓰인 it 해석하기

날씨, 시간, 상황 등을 나타내는 비인칭 주어 it 해석하기

01 **It** rained so much, // so we stayed inside. <모의응용>

비가 너무 많이 왔다 // 그래서 우리는 안에 머물렀다

비인칭 주어 it은 주어가 막연하거나 추상적일 때 쓴다. 주로 날씨, 시간, 상황 등을 나타내며, 이때 it은 의미를 가지지 않으므로 따로 해석하지 않는다.

02 It is Friday night, and we love this time the most.

03 It snowed a lot this winter because of changes in climate patterns.

04 It was extremely crowded on the subway, so I could barely move.

05 It was already one o'clock, and I was hungry. <수능>

06 It was really quiet in the library, so everyone could focus well.

it을 주어로 쓰는 관용 표현 해석하기

07 **It** takes him a long time to learn new things. <모의>

그가 새로운 것들을 배우는 데 오랜 시간이 걸린다.

08 **It** seems that this device is too big for our house. <모의>

이 기기가 우리 집에는 너무 큰 것 같다.

it을 주어로 쓰는 관용 표현은 아래와 같이 해석한다.

It takes(+사람)+시간/돈+to-v (…가) v하는 데 시간이 걸리다/돈이 들다
It seems[appears] (that) ~ ~인 것 같다, ~인 것으로 보인다

09 It seemed that he would accept the job offer.

10 It takes her a lot of money to maintain a private plane.

고난도
11 It didn't appear that the small mammal was aggressive, but it was unexpectedly ferocious.

*ferocious: 흉포한, 맹렬한

해설집 p.18

UNIT 13 의미상의 주어 해석하기

to부정사의 의미상 주어 해석하기

01 Magazines provide / a way (**for advertisers** *to show* high-quality images). <모의>
　　　　　 S　　　 V　　　 O　　　 의미상의 주어　　　　　　　 M
잡지들은 제공한다 / (광고주들이 높은 품질의 사진들을 보여줄) 방법을

02 It was careless / **of me** *to spill* my coffee. <모의>
　　 S(가주어) V　 SC　　 의미상의 주어　 S(진주어)
부주의했다 / 내가 나의 커피를 쏟은 것은

> to부정사가 나타내는 행위의 주체가 문장의 주어와 다를 때 의미상의 주어를 to부정사 앞에 쓰고, '(의미상의 주어)가 v하다'라고 해석한다. to부정사의 의미상 주어는 일반적으로 「for+행위자」의 형태로 쓰고, 사람의 성격/성질을 나타내는 형용사 뒤에 올 때는 「of+행위자」의 형태로 쓴다.

03 It is common for jealousy to develop among siblings.

04 It was kind of her to bring me some soup when I was sick.

05 The farm has spacious land for livestock to graze on.

06 It was admirable of you to give up the opportunity in order to help others.

07 Slides have a slope for children to slide down for fun. <모의응용>

08 It was rude of the fans to yell at the opposing team's players.

고난도
09 It is difficult for us to see ourselves fully through the eyes of others. <모의>

동명사의 의미상 주어 해석하기

　　　　　　　　　 의미상의 주어
10 I appreciate / **your** *accepting* my request. <모의>
　　 S　　 V　　　　　　 O
나는 고맙게 생각한다 / 네가 나의 요청을 받아준 것을

> 동명사의 의미상 주어는 소유격으로 쓰며 '(의미상의 주어)가 v하는 것'이라고 해석한다. 구어체에서는 의미상의 주어를 목적격으로 쓰기도 한다.

11 Your believing in me led me to achieve my dream.

12 I could hear his calling my name, even though it was noisy in the restaurant.

13 The character's betraying his family shocked the viewers.

14 I took a picture of my friends' dancing by the river.

고난도
15 The petition receiving hundreds of signatures made lawmakers free the activist.

*petition: 탄원서

TIP **의미상의 주어를 쓰지 않는 경우**

문장 안에서 행위가 누구에 의해 이루어지는지 알기 어려울 경우에는 의미상의 주어를 쓰지만, 아래와 같이 행위자가 명확하거나 나타날 필요가 없는 경우 따로 의미상의 주어를 쓰지 않는다.

의미상의 주어가 문장의 주어와 같은 경우	*I* need a pen **to write** with. 나는 (내가) 가지고 쓸 펜이 필요하다.
의미상의 주어가 앞에서 소유격으로 언급된 경우	*Your* duty is **to finish** the work today. 너의 일은 (네가) 그 일을 오늘 끝내는 것이다.
의미상의 주어가 문장의 목적어와 같은 경우	Mr. Wilson told *his students* **to be** quiet. Wilson씨는 그의 학생들에게 (그의 학생들이) 조용히 하라고 말했다.
의미상의 주어가 일반 사람인 경우	**Hating** other people is worthless. (사람들이) 다른 사람들을 증오하는 것은 쓸모가 없다.

해설집 p.19

UNIT 14 무생물 주어 해석하기

01 **Her smile** made me happy. <모의>
      S   V   O OC

그녀의 미소가 나를 행복하게 만들었다.
→ 그녀의 미소로 인해 내가 행복해졌다.

02 <u>The shortcut</u> will enable / you to save time. <모의>
      S   V   O   OC

그 지름길이 가능하게 할 것이다 / 네가 시간을 절약하는 것을
→ 그 지름길을 통해 너는 시간을 절약할 수 있다.

> 문장의 주어가 추상적 개념, 행위, 사건, 사물 등의 무생물인 경우, 주어를 원인이나 수단으로 해석하는 것이 자연스러우므로 '~으로 인해/ ~ 때문에(원인), ~을 통해(수단)'라고 해석한다.

03 Curiosity makes young children explore new things.

04 Regular physical activity improves your overall quality of life.

05 A month's worth of mail put him under pressure.

06 Galileo's fascination with the stars greatly advanced astronomy.

07 Our long friendship keeps us from fighting with each other.

08 Forgiveness heals old wounds, so it is a necessary step for everyone.

09 Mining equipment broke up the rocky face of the mountain quickly.

[고난도]
10 Gossip ruins a person's reputation, so you should be careful when you say something.

Chapter Test

[01-15] 다음 문장을 끊어 읽고 해석하시오.

01 Where the convention takes place changes every year.

02 Starving yourself to lose weight is unhealthy for both your body and mind.

03 Whoever lives in this apartment must use the recycling bin.

04 Who your true friend is comes out during the most difficult times.

05 Whether a famous artist created this painting is not important to me.

06 What we do when we are alone shows our true character.

07 It took two years to switch all the gas machines to electric ones.

08 When Anna will be well enough to return to work cannot be determined.

09 To talk about the success of our research is premature.

10 It was very touching that Philip gave a speech at his teacher's retirement ceremony.

11 Charlie's exaggerating makes him an unreliable person.

12 It seems that Christmas sales are starting earlier and earlier year by year.

13 Five hours' continuous work left the employees exhausted.

고난도
14 That failure is a part of the process should be accepted by us.

고난도
15 It is impractical for a person to start a business without any information.

CHAPTER 03

목적어

목적어는 동사가 나타내는 행위의 대상이며, 동사뿐 아니라 전치사도 목적어를 가질 수 있다. 동작의 대상이 되는 목적어는 문장에서 말하고자 하는 내용을 파악하는데 도움이 되므로, 다양한 형태의 목적어를 학습하면 정확한 해석을 할 수 있다.

UNIT 15 | to부정사/동명사 목적어 해석하기

UNIT 16 | that/if[whether]가 이끄는 명사절 목적어 해석하기

UNIT 17 | 의문사가 이끄는 명사절 목적어 해석하기

UNIT 18 | 관계대명사가 이끄는 명사절 목적어 해석하기

UNIT 19 | 전치사의 목적어 해석하기

UNIT 20 | 재귀대명사 목적어 해석하기

UNIT 21 | 가목적어 it 해석하기

각각 다른 동사 뒤에 오는 to부정사/동명사 목적어 해석하기

01 The director wanted / **to achieve structural harmony in the movie.** <모의응용>
         S   V   O
감독은 원했다 / 영화 안에서 구조적인 조화를 성취하는 것을

02 You should avoid / **buying carrots (with cracks).** <모의응용>
      S   V   O
너는 피해야 한다 / (금이 있는) 당근을 사는 것을

> to부정사나 동명사가 동사의 목적어인 경우 '**~하는[할/한] 것을**'이라고 해석한다. to부정사나 동명사 앞에 not이 있을 때는 '**~하지 않는 것을**'이라고 해석한다.

03 The volleyball team will finish training for the Olympics by March.

04 Greg chose not to work late today because he was tired.

고난도
05 The candidate promised to reform health-care service if he becomes president.

TIP **to부정사를 목적어로 가지는 동사 vs. 동명사를 목적어로 가지는 동사**

to부정사를 목적어로 가지는 동사			동명사를 목적어로 가지는 동사		
want 원하다	hope 희망하다	wish 바라다	enjoy 즐기다	finish 끝내다	avoid 피하다
decide 결정하다	plan 계획하다	need 필요하다	keep 계속하다	mind 신경 쓰다	stop 멈추다
expect 예상하다	choose 결정하다	agree 동의하다	quit 그만두다	deny 부인하다	admit 인정하다
refuse 거부하다	promise 약속하다	afford 여유가 되다	consider 고려하다	suggest 제안하다	imagine 상상하다

*stop은 목적어로 동명사만을 가지는 동사이며, 뒤에 부사구로 to부정사가 나올 때는 '~하기 위해 멈추다'라고 해석한다.

같은 동사 뒤에 올 때 의미가 같은 to부정사/동명사 목적어 해석하기

06 Irritated shoppers do not continue / **to shop[shopping].** <모의>
            S   V   O
화가 난 쇼핑객들은 계속하지 않는다 / 쇼핑하는 것을

> like, love, hate, prefer, start, begin, continue 등의 동사는 to부정사와 동명사를 모두 목적어로 가지며, 둘 다 '**~하는 것을**'이라고 해석한다.

07 Shawn likes to take long walks on the weekend to clear his mind.

08 Oil prices may begin to drop after having risen for several months.

고난도
09 Madeline prefers experimenting with cooking, as she loves finding new recipes.

같은 동사 뒤에 올 때 의미가 다른 to부정사/동명사 목적어 해석하기

10 I remembered / **to prepare a wide table** / **for her birthday party**. <모의응용>
   S   V   O
나는 기억했다 / 넓은 탁자를 준비할 것을 / 그녀의 생일 파티를 위해

11 He remembered / **sailing in rough seas** / **during a violent storm**. <수능>
   S   V   O
그는 기억했다 / 거친 바다에서 항해한 것을 / 사나운 폭풍우 동안

아래 동사는 to부정사나 동명사를 모두 목적어로 가지지만, 어느 것을 쓰는지에 따라 의미가 달라진다.

to부정사 목적어		동명사 목적어	
remember to-v	~할 것을 기억하다	remember v-ing	~한 것을 기억하다
forget to-v	~할 것을 잊다	forget v-ing	~한 것을 잊다
regret to-v	~하게 되어 유감이다	regret v-ing	~한 것을 후회하다
try to-v	~하려고 노력하다	try v-ing	(시험 삼아) ~해보다

12 She forgot to set her alarm clock, so she woke up late.

13 I have never regretted moving back to my hometown.

고난도
14 Some may try to discourage you, but it is best to ignore negative people.

어법
15 Dylan couldn't remember to fall / falling asleep last night on the sofa.

「의문사+to부정사」 목적어 해석하기

16 She knows / **what to do** / **to achieve her goals**. <모의응용>
   S   V   O
그녀는 안다 / 무엇을 할지를 / 그녀의 목표를 성취하기 위해

의문사 what/who(m)/which/where/when/how는 to부정사와 함께 명사구로 쓰이며, '**무엇을/누구를(누구에게)/어느 것을/어디서/언제/어떻게 ~할지를**'이라고 해석한다.

17 The most successful leaders know when to take a chance.

18 We couldn't decide where to stay during winter vacation.

고난도
19 All parents must learn how to give their children the right kind of attention. <모의>

해설집 p.24

01 I believe / (that) people can find their purpose in life. <모의응용>
　　S　　V　　　　　S'　　　V'　　　　　O'　　　M'
　　　　　　　　　　　　　　O

나는 믿는다 / 사람들은 삶에서 그들의 목적을 찾을 수 있다고

02 Marketers wondered / if[whether] the cake mix was artificial-tasting. <모의>
　　　S　　　V　　　　　　　　　S'　　　V'　　　SC'
　　　　　　　　　　　　　　　　O

마케팅 담당자들은 궁금해했다 / 그 케이크 믹스가 인공적인 맛인지를

> 접속사 that이 이끄는 명사절이 목적어인 경우 'S'가 V'하다고, S'가 V'하다는 것을'이라고 해석하며, 이때 that은 생략될 수 있다. 접속사 if[whether]가 이끄는 명사절이 목적어인 경우 'S'가 V'하는지를'이라고 해석한다.

03 Critics doubted whether the author could write another bestseller.

04 The protestors insisted we should be treated equally regardless of race or gender.

05 The program can check if there are errors in the computation.

06 The weather report stated that a snowstorm would hit the city tomorrow.

07 People didn't know whether dinosaurs should be categorized as mammals.

08 The mayor did not mention if he would be attending the charity ball.

09 The manager announced that the office would be closed next week.

10 Nicolas Appert wondered whether sugar could be used to preserve foods. <모의응용>

11 Financial experts couldn't forecast if the economy would recover after the war.

12 Some students complained that the classroom was too noisy because of the construction.

13 Companies cannot assert whether a product will sell, even after conducting market research.

고난도
14 Carl Jung theorized that humans are connected through a set of shared experiences.

해설집 p.26

UNIT 17 의문사가 이끄는 명사절 목적어 해석하기

의문대명사가 이끄는 명사절 목적어 해석하기

01 Scientists had not known / **what gives flowers their delightful smell.** <모의응용>
　　S　　　　V　　　　　　　S'　　V'　　IO'　　　　　DO'
　　　　　　　　　　　　　　　　O
과학자들은 몰랐었다 / 무엇이 꽃들에게 그것들의 기분 좋은 향기를 주는지를

02 Arranging the seats differently / can change / **what people will see.** <모의응용>
　　　　　S　　　　　　　　　　V　　　　O'　　S'　　V'
　　　　　　　　　　　　　　　　　　　O
좌석들을 다르게 배치하는 것은 / 바꿀 수 있다 / 사람들이 무엇을 볼지를

03 Businesses track down / **who senders (of e-mail) are** / for security. <수능>
　　　S　　　V　　　　SC'　　S'　　　　　V'　　　　　M
　　　　　　　　　　　　　　O
사업체들은 추적한다 / (이메일의) 발송자들이 누구인지를 / 보안을 위해

의문대명사 who(m)/what/which가 이끄는 명사절이 목적어인 경우, 의문대명사가 명사절 안에서 어떤 역할을 하는지에 따라 해석이 달라진다.

주어(S')	누가/무엇이/어느 것이 V'하는지를
목적어(O')	S가 누구를/무엇을/어느 것을 V'하는지를
주격 보어(SC')	S가 누구인지를/무엇인지를/어느 것인지를

*what/which/whose는 명사를 꾸며주는 의문형용사로 쓰여 명사 앞에 올 수 있다. ←UNIT 9

04 We could not figure out who broke the copy machine.

05 Anthropologists asked who the leader of the tribe was in order to interview him.

고난도
06 The members of Congress discussed what policies they should terminate.

의문부사가 이끄는 명사절 목적어 해석하기

07 We are deciding / **where we should have dinner.** <수능응용>
　　S　　　V　　　　S'　　　V'　　　O'
　　　　　　　　　　　　　O
우리는 결정하고 있다 / 우리가 어디서 저녁을 먹어야 할지를

의문부사 where/when/why/how가 명사절이 목적어인 경우, 각각 '**S'가 어디서/언제/왜/어떻게 V'하는지를**' 이라고 해석한다.

08 Forensic science officers investigated why the plane went down.

*forensic science officer: 과학 수사 담당관

09 The company revealed how the process of their experiment worked.

고난도
10 The Education Department is discussing when the test for university admission should be scheduled.

해설집 p.27

관계대명사 what이 이끄는 명사절 목적어 해석하기

01 People should repay / **what others provide to them**. <모의응용>

S   V   O'   S'   V'   M'

사람들은 갚아야 한다 / 다른 사람들이 그들에게 제공하는 것을

(= People should repay the thing which[that] others provide to them.)

> 관계대명사 what이 이끄는 명사절이 목적어인 경우, '**V'하는 것을**'이라고 해석한다. 이때 what은 the thing which[that]으로 바꿔 쓸 수 있다.

02 I can't remember what the teacher said during class.

03 The documentary showed what the criminal did to his victims.

04 Most parents already know what their children really want for Christmas.

복합관계대명사가 이끄는 명사절 목적어 해석하기

05 Don't just say / **whatever crosses your mind**, // or you might say / something [you don't mean]. <모의응용>

그냥 말하지 마라 / 생각에 떠오르는 무엇이든지 // 그렇지 않으면 너는 말할 수도 있다 / [네가 의도하지 않은] 무언가를

> 복합관계대명사 whoever/whatever/whichever가 이끄는 명사절이 목적어인 경우, '**V'하는 누구든지/무엇이든지/어느 것이든지**'라고 해석한다.
> *whatever과 whichever는 복합관계형용사로 쓰여 명사 앞에 올 수 있다.

06 I won't forgive whoever took my lunch from the refrigerator.

07 When you fill out the questions on the form, please ignore whichever does not apply to you.

08 If you blindly believe whatever everyone says, you will become too dependent on others' opinions.

고난도
09 Guests at the hotel may participate in whichever leisure activities they want.

01 Students must not be afraid of / **saying something wrong.** <모의응용>
　　　S　　　V　　　 SC　전치사　　　　O'(전치사의 목적어)
학생들은 ~을 두려워해서는 안 된다 / 잘못된 무언가를 말하는 것

> 전치사의 목적어로는 동명사, whether절, 의문사절, 관계대명사절이 올 수 있으며, 해석은 동사의 목적어인 경우와 동일하게 한다.
> *to부정사, that절, if절은 전치사의 목적어로 쓰일 수 없다.

02 The result of the game depends on what you choose.

03 Wedding guests were curious about who the man standing next to the groom was.

04 The board members continued talking about how the company was being run.

05 Andy hasn't decided on whether he will take the job or not.

06 My sister and I can't agree on when we are meeting for dinner.

07 Debaters must be proficient at arguing their point in a polite manner.

08 The children complained about why they had to leave the amusement park early.

09 The production company is confident about letting the young director lead the team.

10 Penelope looked at what she had achieved over the years, and she felt proud.

11 Residents of the neighborhood voted on whether they should renovate the area.

12 The patient's parents did not consent to what the doctor told them. <모의>

13 Our family talked about where we will be moving at a family meeting.

고난도
14 The government worries about caring for old people and increasing the productivity at the same time. <모의>

해설집 p.30

01 Sid allows **himself** to have a bowl of ice cream / once a month. <모의>
  S   V   O   OC   M

Sid는 그 자신이 아이스크림 한 통을 먹도록 허락한다 / 한 달에 한 번

02 Damaging **yourself** with negative attitudes / has bad effects. <모의>
      V   O   M   V   O
      S

부정적인 태도로 너 자신을 해치는 것은 / 나쁜 영향을 미친다

> 동사나 전치사의 목적어가 주어와 같은 대상인 경우 목적어로 재귀대명사를 쓰며, to부정사/동명사/분사가 나타내는 행위의 주체가 해당 준동사의 목적어와 같을 때에도 목적어로 재귀대명사를 쓴다. 재귀대명사의 해석은 '**자기 자신**'이라고 하며, 아래는 자주 쓰이는 재귀대명사의 관용 표현이다.
>
> | | |
> |---|---|
> | **dedicate oneself to** ~에 전념하다, 헌신하다 | **commit oneself to** ~에 전념하다 |
> | **help oneself to** ~을 마음껏 먹다 | **make oneself at home** 편하게 지내다 |
> | **enjoy oneself** 즐거운 시간을 보내다 | **by oneself** 혼자서, 혼자 힘으로 |
> | **in itself** 그 자체로 | **between ourselves** 우리끼리 얘기지만 |

03 Bill Gates called himself a pioneer of technology.

*pioneer: 선구자

04 I can express myself more easily through music.

05 The scientist has dedicated himself to the research for years.

06 Having confidence in ourselves is not easy for us.

07 Julia considered herself lucky to have loyal friends.

08 The host told the guests who arrived to make themselves at home.

09 Frida Kahlo distinguished herself from other artists with her unique style.

고난도
10 I often remind myself of the future I will have after all these efforts.

> TIP **강조 용법으로 쓰인 재귀대명사**
>
> 재귀대명사는 문장의 주어나 목적어를 강조하기 위해 강조하는 말 바로 뒤나 문장 맨 뒤에 쓰기도 한다.
>
> He doesn't like milk **itself**, but he likes milkshakes. 그는 우유 자체를 좋아하지 않지만, 밀크셰이크를 좋아한다.
> Did you come up with the idea **yourself**? 너는 그 아이디어를 직접 떠올렸니?

해설집 p.31

01 Some problems (in social science) make **it** difficult / **to pinpoint the reasons for certain behaviors.** <모의용용>
S · V O(가목적어) OC · O(진목적어)

(사회 과학의) 몇몇 문제들은 어렵게 만든다 / 특정 행동들의 원인을 정확히 집어내는 것을

02 Rosa made **it** clear / **that our happiness was important to her as well.** <모의>
S · V O(가목적어) OC · S′ · V′ · SC′ · M′ · M′ · O(진목적어)

Rosa는 분명히 했다 / 우리의 행복이 그녀에게도 중요하다는 것을

> 가목적어 it은 목적어로 쓰인 to부정사구나 that절 대신 쓰이며, 이때 진목적어인 to부정사구나 that절을 문장 뒤로 보낸다. 가목적어 it은 의미를 가지지 않으므로 따로 해석하지 않고, 진목적어가 원래 목적어 자리에 있던 것처럼 문장을 해석한다.

03 The dust in the air made it hard to see the others in front of me.

04 The brain does not consider it valuable to remember every single detail. <모의>

05 Everyone thought it remarkable that the man survived on the island alone for three years.

06 The archeologists consider it regrettable that many artworks were destroyed during war.

07 The speaker's way of delivering words makes it easy to understand her message clearly.

08 The captain of the ship made it apparent that he was mad because of the crew's laziness.

09 We find it impossible to regulate everything on the Internet, owing to its nature.

고난도
10 The diversity of Romanticism makes it almost impossible to squeeze it into only one sentence. <모의용용>

Chapter Test

[01-15] 다음 문장을 끊어 읽고 해석하시오.

01 The firefighters hoped to find the missing person inside the burning building.

02 As he is a stubborn person, he never knows when to give up.

03 The mayor announced that the policy would take effect from next Monday.

04 She couldn't decide whom to vote for, so she cast a blank ballot.

*blank ballot: 기권표

05 Mason thought about whether buying a home was financially possible for him.

06 I couldn't remember which book I checked out from the library.

07 Archeologists are wondering who built the temple and why they did so.

08 Jimmy did not know why the manager turned down his suggestions for the project.

09 The team at NASA is figuring out when they should send the satellite to space.

10 I thought it strange that my friend had been trying to conceal something.

11 The committee is concerned about whether the government will support their opinion.

12 The care facility provides new mothers with whatever they need after giving birth.

13 The donor wished to remain anonymous about his contributions to the museum.

14 The incoming tornado made it necessary to evacuate the entire town as a precautionary measure.

*precautionary measure: 예방책

고난도
15 A book for traveling must be complete in itself and capable of being read in a short time. <모의>

해설집 p.34

CHAPTER 04

보어

보어는 주어나 목적어를 보충 설명해주는 말이다. 보어는 주어나 목적어만으로는 의미가 완전하지 않은 문장을 완전하게 만들어주므로, 보어를 파악하면 문장 내용을 쉽게 확인할 수 있다.

UNIT 22 | 다양한 주격 보어 해석하기

UNIT 23 | 명사/형용사 목적격 보어 해석하기

UNIT 24 | to부정사 목적격 보어 해석하기

UNIT 25 | 원형부정사 목적격 보어 해석하기

UNIT 26 | 현재분사 목적격 보어 해석하기

UNIT 27 | 과거분사 목적격 보어 해석하기

구 형태의 주격 보어 해석하기

01 The first step (to making a dream come true) / is **to have a dream**. <모의>
　　　　　　　　　S　　　　　　　　　　　　　　　　V　　SC
(꿈이 실현되도록 만드는 것의) 첫 번째 단계는 / 꿈을 가지는 것이다

> 주격 보어로 쓰이는 to부정사(구), 동명사(구), 「전치사+명사(구)」는 주어가 무엇을 나타내는지 보충 설명해주고, 분사(구)는 주어의 상태나 동작을 보충 설명해준다.

02 The purpose of the study was to record sea level changes.

03 Her favorite hobby is jogging along the lake every morning.

04 The first thing to do is cleaning out the huge garage.

05 The chef's most important rule is to use fresh ingredients.

06 Because of the air freshener, it smelled like oranges in the office.

07 If we cut off ourselves from all other possibilities, we become boring. <모의>

08 The objective of the space mission is to collect soil samples from Mars.

09 The conflicts between employers and employees remained unsettled.

10 Frank's winning strategy was training every day until the very day of the bike race.

고난도
11 The math problem appeared too complicated for me to solve.

> **TIP** **be to-v의 의미**
>
> be동사 뒤에 주격 보어로 to부정사가 오는 형태는 여러 가지 의미로 해석될 수 있다.
> - 예정: He **is to visit** Korea next month. 그는 다음 달에 한국에 방문할 예정이다.
> - 가능: Nothing **was to be seen** in the darkness. 어둠 속에서 아무것도 보이지 않았다.
> - 의무: Students **are to study** hard. 학생들은 열심히 공부해야 한다.
> - 운명: All people **are to die** someday. 모든 사람들은 언젠가는 죽을 운명이다.
> - 의도: If you **are to be** wise, you should read more books. 만약 네가 현명하고자 한다면, 너는 더 많은 책을 읽어야 한다.

절 형태의 주격 보어 해석하기

12 My belief is / (that) all music has a certain meaning behind the notes. <수능>

S   V   SC

나의 믿음은 ~이다 / 모든 음악이 음표 이면에 특정한 의미를 가지고 있다는 것

> 주격 보어로 쓰이는 that/whether절, 의문사절, 관계대명사절은 주어가 무엇을 나타내는지 보충 설명해준다. 이때 접속사 that은 생략될 수 있다.

13 The biggest issue for the fans is whether the concert will be canceled or not.

14 A major problem with AI is that massive job loss will likely occur.

15 The pungent gas from the ocean is what gives ocean air "sort of a fishy smell." <모의>

*pungent: 자극적인, 날카로운

16 A widely accepted theory is golf originated in Scotland during the Middle Ages.

17 The most important thing you should find out is what capabilities you have. <모의>

18 Congress' concern is when it is going to pass the new legislation.

19 Her wish is that the proposal submitted to the manager gets approved.

고난도
20 In Quebec, the subject of ongoing debate is why French should be the exclusive language at businesses.

고난도
21 What scientists are curious about is how excessive use of smartphones lowers the ability to concentrate.

해설집 p.36

01 Selling his patents to many companies made / the inventor **a millionaire**. <모의응용>
　　 S　　　　　　　　　　　　　　　　 V　　　 O　　　　 OC

그의 특허권을 많은 회사들에게 판 것은 만들었다 / 그 발명가를 백만장자로

02 Taking one day off every week makes / me **more productive**. <모의>
　　 S　　　　　　　　　　　　　　 V　　　 O　　 OC

매주 하루를 쉬는 것은 만든다 / 나를 더 생산적이게

명사나 형용사를 목적격 보어로 가지는 동사는 아래와 같이 해석한다.

make, get, turn, drive	O를 OC로[하게] 만들다
keep, leave	O를 OC한 상태로 두다
think, believe, consider, find	O가 OC라고[하다고] 생각하다
call/name	O를 OC라고 부르다/이름 짓다
elect/appoint	O를 OC로 뽑다/임명하다

*목적격 보어의 자리에 부사는 올 수 없다.

---

03 Living overseas made me more open to other cultures.

04 Playing children's songs kept my nephew cheerful all afternoon.

05 I find his ability to persevere in spite of obstacles admirable.

06 The horrible news turned her face blue with fear.

07 I consider the compliment I heard today a great honor.

08 The loud noises from upstairs are driving me mad.

09 The boss thinks the new senior analyst capable of leading the project.

10 People around the world believed the woman courageous for standing against tyranny.

11 The Academy Awards Committee elected *Parasite* the best movie of the year in 2020.

12 The city named the structure the Eiffel Tower after the creator Gustave Eiffel.

13 The board of directors appointed Ms. Stevens the new chairperson.

14 The strike left the hospital short of necessary healthcare professionals.

15 The announcement about the school festival got the students enthusiastic that day.

16 Eating a big meal at lunch made me sleepy in the afternoon.

17 Continuous adversities can turn even the kindest person mean.

*adversity: 역경

18 Whatever people say, you should consider yourself worthy of being loved.

19 A team of researchers found coins useless in most modern cash transactions.

20 In case of an emergency, keep yourself calm and exit the building in a timely manner.

21 For being afraid of its own shadow, people called the cat a coward.

고난도
22 The international organizations appointed him mediator for the peace talks between the two nations.

*mediator: 중재인

어법
23 Citizens considered the president's speech powerful / powerfully .

01 A last-minute problem forced / him **to cancel his sailing trip.** <모의응용>
　　　　S　　　　　　　　　V　　　O　　　**OC**
막바지의 문제가 강제했다 / 그가 그의 항해 여행을 취소하도록

> to부정사를 목적격 보어로 가지는 동사는 주로 목적어에게 해당 행동을 하기를 유도/요청하거나 강제하는 의미를 나타내는 경우가 많으며,
> 'O가 OC하기를/하도록/하라고 V하다'라고 해석한다.

02 I want my son to understand how important he is. <모의>

03 My mother expected me to clean my room after dinner.

04 Before the match, the boxer asked his fans to cheer for him.

05 The professor allowed students to speak freely with him anytime.

06 Parents should encourage children to follow their own passions.

07 High profits enabled the company to expand its business overseas.

08 The reporter persuaded the war veteran to talk about his experiences.

*war veteran: 참전 용사

09 In a crisis, a government might order the citizens to remain calm and await instructions.

고난도
10 The astronomical rise in real estate prices compelled many people to give up the dream of owning a home.

TIP **to부정사를 목적격 보어로 가지는 동사**

advise 조언하다	allow 허락하다	compel 강제하다	enable 가능하게 하다
force 강제하다	order 명령하다	persuade 설득하다	expect 기대하다
ask 요청하다	want 원하다	encourage 독려하다	get 시키다

해설집 p.41

UNIT 25 원형부정사 목적격 보어 해석하기

01 We could see / a small river **twist like a ribbon**. <모의>
　　　S　　　V　　　O　　　　　　　OC

우리는 볼 수 있었다 / 작은 강이 리본처럼 구불구불 흐르는 것을

원형부정사를 목적격 보어로 가지는 동사는 아래와 같이 해석한다.

see[watch]/hear/feel 등(지각동사)	O가 OC하는 것을 보다/듣다/느끼다 등
have/make/let(사역동사)	O가 OC하도록 시키다/만들다/허락하다
help	O가 OC하는 것을 돕다 *help의 경우, 원형부정사나 to부정사를 모두 목적격 보어로 가진다.

02 The smoke made me shed tears. <모의>

03 Our unconscious helps us make quick decisions. <모의>

04 She heard herself sing through the recorded music.

05 We saw the ocean wave crash against the shore.

06 All of his friends watched him compete in the Olympics on TV.

07 On New Year's Day, my grandfather had our family visit him.

08 Personal trainers can help you maintain a healthy body.

09 After the final exam, the teacher let the class watch movies in the classroom.

10 He suddenly felt an uneasy darkness consume him from within. <모의>

[고난도]
11 Most companies let expecting mothers take six months to a year off after they have had the baby.

*expecting: 임신한

[어법]
12 The new medication made him recover / to recover more quickly from surgery.

해설집 p.42

01 By using clear words, / the writer doesn't leave / the readers **guessing**. <모의응용>
　　　　M　　　　　　　　　S　　　　　V　　　　　　　O　　　　OC

명료한 단어들을 사용함으로써 / 그 작가는 두지 않는다 / 독자들이 추측하고 있는 채로

목적격 보어로 현재분사가 올 때 목적어가 행위의 주체임을 나타내며, 동사에 따라 아래와 같이 해석한다.

see[watch]/hear/feel 등(지각동사)	O가 OC하고 있는 것을 보다/듣다/느끼다 등
have/get/keep	O가 (계속) OC하게 하다
find/catch	O가 OC하고 있는 것을 발견하다
leave	O가 OC하고 있는 채로 두다

*현재분사 목적격 보어는 to부정사나 원형부정사 목적격 보어에 비해 동작이 진행 중임이 강조된다.

02 Watching this video clip always gets me laughing.

03 We saw construction workers building a new bridge.

04 During math class, Mr. Lowell caught some students sleeping.

05 In the cold air, the mountain climber could feel his hands and face freezing.

06 He heard the managers discussing some issues regarding the new product.

07 Visiting his childhood home had him longing for the days of his innocent youth.

08 I could hear my dad playing the radio even in the other room because it was loud.

09 Astronomers watched the meteor moving faster than before.

10 He tried not to worry, but he found the problem weighing on his mind.

고난도
11 Switching off the streetlights has left residents worrying about their children coming home at night. <모의>

어법
12 The security cameras caught the woman stealing / stolen a pair of shoes.

해설집 p.43

UNIT 27 과거분사 목적격 보어 해석하기

01 Hugh found / the cat's leg **broken**. <모의응용>
     S   V   O   OC
Hugh는 발견했다 / 그 고양이의 다리가 부러진 것을

> 목적격 보어로 과거분사가 올 때 목적어가 행위의 대상임을 나타내며, 동사에 따라 아래와 같이 해석한다.
>
> | see/hear/feel 등(지각동사) | O가 OC된 것을 보다/듣다/느끼다 등 |
> |---|---|
> | make/have/get/keep | O가 OC되게 하다 |
> | find/catch | O가 OC된 것을 발견하다 |
> | leave | O가 OC된 채로 두다 |
>
> *사역동사 let은 목적격 보어로 「be+p.p.」가 오며, 'O가 OC되도록 허락하다'라고 해석한다.

02 She had her diamond ring inspected to check for flaws.

03 The team left the project unfinished only for today, as they were exhausted.

04 I visited him in the hospital and found him fully recovered from his injuries.

05 We stopped by the bakery, but we found it closed for the day.

06 Since I had a warranty, I could get my watch repaired by the manufacturer.

07 She kept her true feelings about the incident hidden for a long time.

08 City planners found the once-abandoned area converted into a community garden.

[고난도]
09 I won't let myself be ignored. I will make my voice heard.

[고난도]
10 Deforestation left the soil exposed to harsh weather, which caused the decline of the soil's fertility. <수능응용>　　　*fertility: 비옥함

[어법]
11 He saw the same magic act performing / performed by another magician last year.

해설집 p.44

Chapter Test

[01-15] 다음 문장을 끊어 읽고 해석하시오.

01 My father asked me to take out the trash before I went to bed.

02 His dream is traveling around the world and experiencing different cultures.

03 In the park, we found a little boy walking by himself.

04 The bottom line was that the new product did not sell well enough.

*bottom line: 핵심, 요점

05 Looking at images of space makes me feel small and insignificant.

06 Her biggest responsibility at work is to manage the staff schedule.

07 The goal of the new policy is to lower university tuition fees.

08 Although he didn't intend to upset me, Stephen's remarks made me angry.

09 The food critic called the chef's new dish a masterpiece.

10 Over the years, the professor has advised students to think more critically.

11 Modern society forces working couples to leave their children in the care of someone else.

12 Doctors Without Borders helped the local medical staff treat the wounded.

고난도
13 What we are investigating is whether the fire was started by some other means.

고난도
14 The Ministry of Environment left the land uncultivated to provide habitat for a wider range of species. <모의응용>

고난도
15 Prosecutors caught the juror speaking with strong prejudices and had him removed.

해설집 p.46

CHAPTER 05

서술어: 시제

시제는 동사가 나타내는 행위가 발생한 시간을 표현하는 것이다. 각 시제에 맞는 동사의 형태와
의미를 학습하면 문장에서 말하고자 하는 시점을 정확하게 파악하여 해석할 수 있다.

UNIT 28 | 현재/과거/미래시제 해석하기

UNIT 29 | 현재/과거/미래진행시제 해석하기

UNIT 30 | 현재완료시제 해석하기

UNIT 31 | 과거완료시제와 미래완료시제 해석하기

UNIT 32 | to부정사와 동명사의 완료형 해석하기

현재시제 해석하기

01 A headline usually **appears** / at the top of an article, / in a large font. <모의응용>

제목은 보통 나타난다 / 기사의 맨 위에 / 큰 글씨로

> 현재시제는 주로 현재의 사실이나 상태, 현재의 습관이나 반복되는 일, 일반적·과학적 사실을 나타내며, '**~한다**'라고 해석한다. 현재시제는 이미 확정된 미래의 일을 나타낼 때도 쓰이는데, 이때 '**~할 것이다**'라고 해석한다.

02 Presently, I live in Spain, and I really like living here.

03 Icy roads result in more traffic accidents.

04 Light travels faster in warmer, less dense air than it does in colder air. <모의>

05 The department store closes in an hour, so we need to hurry.

고난도
06 The company posts material from newly published books on its website every week.

> **TIP** 시간/조건을 나타내는 부사절에서 미래시제 대신 쓰이는 현재시제
>
> 시간/조건을 나타내는 부사절(when, before/after, until[till], if, unless절 등) 안에서는 미래시제 대신 현재시제가 쓰인다. 단, when, if 등이 이끄는 절이 명사절인 경우에는 그대로 미래시제를 쓴다.
>
> • 시간/조건을 나타내는 부사절
>   *When* Mom **comes** home, I'll order some food. 엄마가 집에 오시면, 나는 음식을 좀 주문할 것이다.
>
> • 명사절
>   I don't know *when* Mom **will come** home. 나는 엄마가 언제 집에 오실지 모른다.

과거시제 해석하기

07 In 1883, / a volcanic eruption **emitted** large amounts of ash / into the air. <모의응용>

1883년에 / 한 화산 폭발이 많은 양의 화산재를 내뿜었다 / 공기 중으로

> 과거시제는 과거의 동작이나 상태, 역사적 사실을 나타내며, '**~했다**'라고 해석한다.

08 Writer F. Scott Fitzgerald submitted his first novel at the age of 21.

09 Destructive wildfires across the region ruined large tracts of agricultural land.

*tract: 면적, 넓이

10 The students selected Kevin as their new student president yesterday.

11 In the last trial, the judge punished the man for his crime with a very harsh sentence.

*sentence: 형벌

미래시제 해석하기

12 The festival **will be held** / for a month / from December 1st / at Skyline Park. <모의>

그 축제는 열릴 것이다 / 한 달 동안 / 12월 1일부터 / Skyline 공원에서

> 미래시제는 앞으로 일어날 일을 나타내며, '~**할 것이다**'라고 해석한다. 미래시제를 나타내기 위해 「will+동사원형」뿐 아니라 아래와 같은 표현들도 쓰인다.
>
> | | |
> |---|---|
> | be going+to-v ~할 것이다 | be+v-ing ~할 것이다 (예정된 가까운 미래의 일) |
> | be about+to-v 막 ~하려고 하다 | be+to-v ~할 예정이다 |

13 The newspaper will print a correction in tomorrow's paper.

14 The employees are about to go on strike since their demands were not met.

15 The school bus is leaving in five minutes, and there will be no delays. <모의응용>

16 The panelists in the debate program are going to discuss how to improve the economy.

17 Washing a wool sweater in hot water will cause it to shrink.

18 Leftover food will last longer if it is kept in an airtight container.

19 The awards ceremony is to take place at a famous theater in downtown Los Angeles.

20 Carrying out routine maintenance on factory machinery will extend its life.

21 If contact between regions is limited for long periods, changes will accumulate, which will lead to the formation of separate languages. <모의응용>

현재진행시제 해석하기

01 I **am planning** a special workshop / for science teachers. <수능>

나는 특별한 워크숍을 준비하고 있다 / 과학 선생님들을 위해

> 현재진행시제는 「am/are/is+v-ing」의 형태로 지금 진행되고 있는 동작을 나타내며, '~**하고 있다**'라고 해석한다. 현재진행시제는 예정된 가까운 미래의 일을 나타낼 때도 쓰이는데, 이때 '~**할 것이다**'라고 해석한다.

02 I am currently looking for a place for this year's art contest. <모의응용>

03 Consumers are demanding that healthier ingredients be used in processed foods.

고난도
04 From next month, the foundation is providing grants to private companies that develop strategies to combat climate change.

과거진행시제 해석하기

05 Dozens of people **were waiting** / in long lines / to purchase presents. <모의응용>

수십 명의 사람들이 기다리고 있었다 / 길게 줄을 서서 / 선물을 구매하기 위해

> 과거진행시제는 「was/were+v-ing」의 형태로 과거의 특정 시점에 진행되고 있던 동작을 나타내며, '~**하고 있었다**'라고 해석한다.

06 The suspect was injured while the police were attempting to disarm him.

07 The two friends were preparing for the first-ever hot air balloon trip across the English Channel.

*English Channel: 영국 해협

미래진행시제 해석하기

08 The band **will be performing** / in venues (around Europe) / until February.

그 밴드는 공연하고 있을 것이다 / (유럽 곳곳에 있는) 장소들에서 / 2월까지

> 미래진행시제는 「will be+v-ing」의 형태로 미래의 특정 시점에 진행될 동작을 나타내며, '~**하고 있을 것이다**'라고 해석한다.

09 Farmers will be controlling many processes with computers thanks to new types of agricultural technology. <모의응용>

해설집 p.50

UNIT
30 현재완료시제 해석하기

01 Don't worry. // I **have** already **fixed** the projector. <모의>

걱정하지 마라. // 내가 이미 그 프로젝터를 고쳤다.

현재완료시제(have/has+p.p.)는 과거에 일어난 일이 현재까지 영향을 미칠 때 쓴다.

현재완료시제는 의미에 따라 네 가지로 분류되며, 아래와 같이 해석한다.

의미	해석	주로 함께 쓰는 표현
완료	~했다	just, already, yet, lately, recently 등
경험	~해본 적이 있다	once, ~ times, ever, never, before 등
계속	~해왔다, ~했다	「for(~ 동안)+지속 기간」, 「since(~ 이래로)+시작 시점」, how long 등
결과	~했다 (그 결과 지금은 ~이다)	따로 함께 쓰이는 표현이 없으므로 문맥에 따라 해석한다.

02 Humans have used knives for hunting and eating since prehistoric times.

03 Strong demand for palm oil has recently encouraged massive deforestation.

04 Archaeologists have just found the remains of an ancient Greek town.

05 The play has been adapted several times for film and television. <모의응용>

06 Linguists have debated the exact meaning of this proverb for years.

07 Most stores have already put up banners in preparation for the year-end sale.

08 Mr. Winsor has served as the chairperson of the committee for six years.

09 Most of the snow here has gone due to global warming accelerating fast. <모의응용>

10 Restaurants have struggled with supply issues for the past few months.

11 Animals in extreme social isolation haven't learned to read other animals' emotional cues before. <모의응용>

12 Lately, a number of exciting innovations have emerged in the field of architecture.

13 Sam has never been unhappy with his occupation, so he cannot understand people with no desire to get a job. <수능응용>

14 Have you ever stayed in a luxury hotel suite?

15 The graduate student hasn't decided on the topic for his thesis yet.

16 Even though Kelly has only been to the district once, she knows all of its streets.

17 If you have caught chicken pox before, you are probably immune to the disease now.

*chicken pox: 수두

18 Since its foundation, the international organization has tried to ease tensions in conflict areas.

고난도
19 Many corporations have already adopted measures to reduce their carbon dioxide emissions.

*carbon dioxide: 이산화탄소

고난도
20 Researchers have developed an artificial skin that can detect both pressure and temperature at the same time. <모의>

> **TIP 현재완료진행시제**
>
> 현재완료진행시제(have/has been+v-ing)는 과거에 일어난 일이 현재에도 계속 진행되고 있음을 강조할 때 쓰며, 비교적 짧고 일시적인 행위를 나타내는 경우가 많다.
> The turkey **has been baking** in the oven for two hours.
> 그 칠면조는 두 시간 동안 오븐에서 구워지고 있다.

01 More than half of the plane **had** already **sunk** / into the ocean / when the police arrived. <모의>

그 비행기의 절반 이상이 이미 가라앉았었다 / 바다 안으로 / 경찰이 도착했을 때

02 I **will have lived** in this apartment / for ten years / as of this coming April. <모의>

나는 이 아파트에 살아왔을 것이다 / 10년 동안 / 이번에 오는 4월이면

과거완료시제(had+p.p.)는 과거의 특정 시점 이전에 일어났던 일이 그 시점까지 영향을 미칠 때 쓰며, 미래완료시제(will have+p.p.)는 미래의 특정 시점까지 완료되거나 계속될 일을 나타낼 때 쓴다. 현재완료시제처럼 의미에 따라 네 가지로 분류되며, 아래와 같이 해석한다.

의미	과거완료시제	미래완료시제
완료	~했었다	~했을 것이다
경험	~해본 적이 있었다	~해봤을 것이다
계속	~해왔었다, ~했었다	~해왔을 것이다
결과	~했었다 (그 결과 과거의 특정 시점에는 …였다)	~했을 것이다 (그 결과 미래의 특정 시점에는 …일 것이다)

03 She had recently completed her degree and was looking for a job.

04 Most of the passengers had already gotten off the train when I woke up.

05 The candidate had never been elected to public office before.

06 The city will have finished building the new sanitary facilities by the time you visit.

07 The owner had run the restaurant for 15 years before he sold it.

08 Tiffany had discovered her mistake, and she wished to correct it.

09 Joseph will have studied Spanish for eight months by next month.

10 In the woods, I suddenly realized that all the gas lamps had gone out. <모의응용>

11 The sculpture that was torn down last week had stood there for decades.

12 Hopefully, by 2030, the United Nations will have achieved its Sustainable Development Goals.

13 The book club members will have read the complete works of William Shakespeare once they finish *Hamlet*.

14 You will have succeeded in writing a great script if you make your audience think for themselves. <모의응용>

고난도
15 Social scientist Adam Smith had already considered that competition is the driving force behind economic efficiency. <모의>

TIP **과거완료진행시제와 미래완료진행시제**

과거완료진행시제(had been+v-ing)는 과거의 특정 시점 이전에 일어났던 일이 그 시점에도 계속 진행되고 있었음을 나타낼 때 쓰고, 미래완료진행시제(will have been+v-ing)는 미래의 특정 시점에도 계속 진행될 일을 나타낼 때 쓴다.

I was very tired because I **had been working out** for three hours.
나는 3시간 동안 운동을 해오고 있었기 때문에 매우 피곤했다.

Next year, Mr. Hall **will have been teaching** English for 20 years.
내년이면, Hall 선생님은 20년 동안 영어를 가르치고 있을 것이다.

해설집 p.53

01 On average, / OECD countries are estimated / **to have spent** 8.8 percent of their GDP / on health care. <모의>

평균적으로 / OECD 국가들은 추산된다 / 그들의 GDP의 8.8퍼센트를 썼다고 / 의료 서비스에

02 He admitted / **having battled** self-confidence issues / before. <모의응용>

그는 인정했다 / 자신감 문제와 싸웠었다는 것을 / 이전에

> to부정사와 동명사가 각각 「to have+p.p.」, 「having+p.p.」와 같은 완료형으로 쓰이면 주절의 시제보다 앞선 시점에 일어난 일을 나타낸다.

03 Derek pretended to have never heard the rumor about him.

04 Land animals are thought to have evolved from marine life.

05 The company celebrated having achieved such a huge success.

06 The country appears to have escaped the effects of the recession.

07 Mr. Brown received a parking ticket for having parked in front of a fire hydrant.

08 The telecommunications firm claims to have strengthened its security.

09 The woman reported having failed to locate her luggage at the airline baggage desk.

고난도
10 The politician was criticized by the press for having upheld his earlier controversial statements.

*uphold: (법·원칙 등을) 유지하다, 옹호하다

Chapter Test

[01-15] 다음 문장을 끊어 읽고 해석하시오.

01 The train almost always runs according to its timetable. _{<모의>}

02 The factory was operating normally despite a staff shortage.

03 A number of clothing trends from the 1990s have recently made a comeback.

04 Theater workers distributed program guides to the audience as they took their seats.

05 The city council is going to build roads to increase accessibility for rural communities.

06 For years, the group had fought a battle with the authorities over the property.

07 Skin loses its elasticity due to a combination of biological and environmental factors.

*elasticity: 탄력

08 The school has used government funding to develop new educational programs since January.

09 The results of the experiment confirmed the scientists' hypothesis.

10 Volunteers are still cleaning up the beach because of last month's oil spill.

11 The actor bragged about having won countless major awards.

12 Some companies producing cosmetics have never tested their products on animals. _{<모의응용>}

13 By the end of this year, I will have made important decisions about my future.

14 The author will be writing the final book of his seven-novel series next year.

고난도
15 Cell phones seem to have acquired the status of having the shortest life cycle of all electronic goods. _{<모의>}

해설집 p.56

CHAPTER 06

서술어: 조동사

조동사는 동사 앞에 쓰여 여러 가지 의미를 더하는 말이다. 위치를 파악하는 것은 쉽지만 의미가 다양하므로, 문장을 정확하게 해석하기 위해서는 각 조동사의 의미를 잘 알아둬야 한다.

UNIT 33 | 능력·가능, 허가, 요청을 나타내는 조동사 해석하기

UNIT 34 | 의무, 필요, 충고를 나타내는 조동사 해석하기

UNIT 35 | 추측을 나타내는 조동사 해석하기

UNIT 36 | should의 다양한 쓰임 해석하기

UNIT 37 | 다양한 조동사 표현 해석하기

UNIT 38 | 조동사+have+p.p. 해석하기

01 Thoughtful citizens **can** change the world. <모의>

사려 깊은 시민들은 세상을 바꿀 수 있다.

능력·가능, 허가, 요청을 나타내는 조동사는 아래와 같이 해석한다.

능력·가능	can(= be able to)	~할 수 있다 *과거형: could(~할 수 있었다)
허가	can, may	~해도 된다
요청	can	(의문문으로 쓰여) ~해주겠니? *정중한 표현: could(~해주시겠어요?)

02 Students may take part in team sports and club activities. <수능>

03 Can you help me put away the dishes?

04 The new heat-detecting camera can catch liars. <모의>

05 Regular checkups can identify early signs of health issues.

06 Passengers may carry liquids and gels in travel-sized containers.

07 People with museum membership cards can see exhibitions for free.

08 Local students are able to take advantage of a number of special discounts.

09 You can't have your cake and eat it, too. <속담>

10 Could you give me more time to think about the plan?

11 May I borrow this book to use for a project that I'm working on?

고난도
12 Prospective interns are able to select the department of their choice when they complete the application form.

해설집 p.58

UNIT 34 의무, 필요, 충고를 나타내는 조동사 해석하기

01 You **must** wear your seat belt / during takeoff and landing.

너는 안전벨트를 매야 한다 / 이륙과 착륙 중에

의무, 필요, 충고를 나타내는 조동사는 아래와 같이 해석한다.

의무	must, have to	(반드시) ~해야 한다
필요	need	~할 필요가 있다
충고	should, ought to	~하는 것이 좋다, ~해야 한다 *강한 충고: had better(~하는 것이 낫다)

*의무를 나타내는 must와 have to가 부정문으로 쓰일 때는 각각 해석이 달라진다.
 must not: ~해서는 안 된다 (금지)   don't have to(= don't need to/need not): ~할 필요가 없다 (불필요)

02 Adults should sleep for seven to nine hours per night.

03 He has to fix the broken air conditioner before the summer since it's going to be hot.

04 Diners should specify whether they have dietary restrictions when ordering.

05 Visitors must not pick any plants or flowers in the park.

06 You ought to be aware that the information found online is not always credible.

07 Artists had better have their works copyrighted to protect them from unlawful use.

08 People should not let their emotions interfere with critical thinking.

09 To fulfill their role, defense attorneys must prove their clients' innocence.

[고난도]
10 With touch screens, you need not have other skills except pointing a finger to get your requests processed. <모의응용>

[고난도]
11 If your goal is to acquire a job, you must distinguish between your major, passions, strengths, and career path. <모의>

[어법]
12 To keep our city clean, we must not / don't have to leave trash on the street. <모의응용>

해설집 p.59

01 Electronic waste **must** be a serious threat / to the environment. <모의>

전자 폐기물은 심각한 위협임이 틀림없다 / 환경에

추측을 나타내는 조동사는 확신의 정도에 따라 다르게 쓰이며, 아래와 같이 해석한다.

might, may, could	~일 수도 있다
should, ought to, would, will	~일 것이다
must(↔ cannot)	~임이 틀림없다(↔ ~일 리가 없다)

might	may	could	should/ought to	would	will	must(↔ cannot)

약한 추측 ←——————————————————————————→ 강한 추측

02 Smiling might be a way of being polite without words. <수능응용>

03 The package could be delivered sometime next week.

04 The story sounds completely unbelievable, so he must be joking.

05 Focus on the announcements in the airport, since your flight schedule may change.

06 Paying taxes online should be fairly simple for young people.

07 Karen must know her speech by heart because she has been practicing for hours.

08 Pop quizzes shouldn't be a problem for those who review their notes on a daily basis.

09 Dennis can't be the cause of the car accident. He has never even gotten a traffic ticket before.

10 Jen has lived in Korea for a long time. She ought to speak Korean like a native.

고난도
11 Having foreign friends stay at your place would be a great opportunity for you to learn about a new culture. <모의응용>

해설집 p.60

요구/제안을 나타내는 that절 안의 should 해석하기

01 He insisted / that his son **should** go to a special school (for the gifted). <수능>

그는 주장했다 / 그의 아들이 (재능 있는 사람들을 위한) 특수 학교에 가야 한다고
(= He insisted that his son **go** to a special school for the gifted.)

02 It is necessary / that we **should** pay attention to instructions. <모의응용>

필요하다 / 우리가 지시에 유의해야 한다는 것은
(= It is necessary that we **pay** attention to instructions.)

> 요구/제안의 의미를 가진 동사/형용사/명사 뒤 that절 안의 should는 '**~해야 한다**'라고 해석한다. 이때 should는 생략될 수 있으며, should가 생략되어도 should 뒤 동사원형의 형태는 바뀌지 않는다.

03 Dieticians suggest that patients should avoid fast food.

04 It is desirable that the police communicate with the public to establish trust.

05 The boss's proposal was that the staff should have a meeting once a week.

06 It is important that all mobile phones be silenced during the film screening.

07 The tour bus driver requested that passengers should take all of their belongings before they disembark.

08 It is essential that the residents follow the safety procedures described in the fire escape plan.

[어법]
09 The financial planner advised that the company ⏐ stop / stopped ⏐ wasting its money on unnecessary things.

> **TIP** **that절이 요구/제안을 나타내지 않을 때**
>
> that절 안의 내용이 요구/제안이 아닌 단순 사실을 나타낼 때는 should가 쓰이지 않는다.
> The scientist insisted that he **had** nothing to do with the explosion.
> 그 과학자는 그가 그 폭발과 아무 관련이 없다고 주장했다.

판단을 나타내는 that절 안의 should 해석하기

10 It's a pity / that such a great teacher **should** leave your school. <모의>

유감이다 / 그렇게 훌륭한 선생님이 너의 학교를 떠나시다니

판단의 의미를 가진 동사/형용사/명사 뒤 that절 안의 should는 '~**하다니, ~하는 것은**'이라고 해석한다.

11 It was strange that so few people should attend the party.

12 I regret that he should quit his job soon after being promoted.

13 It is a pity that all of the coach's efforts should go unnoticed.

14 It is such a shame that Samantha should miss the last question in the quiz contest.

15 It is natural that parents should worry about their children even when they grow more independent.

_{고난도}
16 To many residents, it was a tragedy that such a violent crime should occur in their peaceful community.

해설집 p.62

used to, would 해석하기

01 I **used to[would]** drive, // but I prefer to take the subway / these days. <모의>

나는 운전을 하곤 했다 // 하지만 나는 지하철을 타는 것을 선호한다 / 요즘에는

02 He **used to** be a surgeon / before he started acting. <모의>

그는 외과의사였다 / 그가 연기를 시작하기 전에

> 과거의 반복적인 습관을 나타내는 used to와 would는 둘 다 '**~하곤 했다**'라고 해석한다. 과거의 상태를 나타내는 used to는 '**(이전에) ~이었다**'라고 해석하며, 이때 would는 쓰이지 않는다.

03 My family used to have a weeklong vacation every summer.

04 Whenever we went to the city, our uncle would take us to a restaurant for lunch.

05 Ms. Wilson used to live in a small house with a yard full of flowers.

고난도
06 During the war, spies would use various methods to protect their messages in case they were captured by the enemy.

would like to, would rather 해석하기

07 I **would like to** simplify my life / as much as I can. <모의>

나는 나의 삶을 단순화하고 싶다 / 내가 할 수 있는 한 많이

08 I **would rather** clean dishes / **than** prepare food. <모의응용>

나는 차라리 접시를 닦겠다 / 음식을 준비하느니

> would like to는 '**~하고 싶다**'라고 해석하며, want to로 바꿔 쓸 수 있다. would rather는 '**(차라리) ~하겠다**'라고 해석하며, 「would rather+A+than+B」의 형태로 쓰일 때는 '**B하느니 차라리 A하겠다**'라고 해석한다.

09 I would like to make an appointment to see the dentist next Friday.

10 I would rather have meetings online because it is more convenient.

11 When my things break, I would rather fix them than replace them.

12 We would like to give our next generation a better world where they can live happily.

| may as well, may well 해석하기 |

13 I **may as well** take this spoiled juice back / to the grocery. <모의>

나는 이 상한 주스를 반품하는 편이 낫다 / 식료품점에

14 People **may well** believe / that their views are right. <모의>

사람들은 아마 믿을 것이다 / 그들의 관점이 옳다고

> may as well은 '~하는 편이 낫다'라고 해석하며, may well은 '아마 ~할 것이다, ~할 법하다'라고 해석한다.

15 We may as well pay our bills through the automatic payment system.

16 The picture may well lose some of its energy if the timing is wrong. <모의응용>

17 You may as well face the fact that you can't change the past.

<u>고난도</u>
18 On their own, very few people may well be able to survive on a desert island.

| 「cannot ~ too …」, 「cannot help+v-ing」 해석하기 |

19 We **cannot** emphasize the importance of education **too** much. <모의>

우리는 교육의 중요성을 아무리 많이 강조해도 지나치지 않다.

20 I **can't help having** troubles on the job, // but they don't belong in my house. <모의응용>

나는 일에 있어서 문제들을 가지지 않을 수 없다 // 하지만 그것들은 나의 집에는 존재하지 않는다

> 「cannot ~ too …」는 '아무리 ~해도 지나치지 않다'라고 해석한다. 「cannot help+v-ing」는 '~하지 않을 수 없다'라고 해석하며,
> 「cannot help but+동사원형」의 형태로 바꿔 쓸 수 있다.

21 You cannot be too careful when it comes to safety. <모의>

22 The sailors couldn't help doubting their eyes at the sight of glorious land.

23 Art is not necessarily beautiful, and this cannot be said too often. <모의>

<u>고난도</u>
24 We can't help but notice others' flaws, but we should remember that no one can be

perfect.

해설집 p.64

조동사+have+p.p. 해석하기

과거에 대한 추측을 나타내는 「조동사+have+p.p.」 해석하기

01 His ambition **must have driven** / him to succeed in business.

그의 야망이 만들었음이 틀림없다 / 그가 사업에서 성공하도록

과거에 대한 추측을 나타내는 「조동사+have+p.p.」는 확신의 정도에 따라 다른 조동사가 쓰이며, 아래와 같이 해석한다.

might[may/could] have p.p.	~했을 수도 있다
must have p.p.(↔ cannot have p.p.)	~했음이 틀림없다(↔ ~했을 리가 없다)

might have p.p.　　　　　may have p.p.　　　　　could have p.p.　　　　　must have p.p.(↔ cannot have p.p.)

◄──►

약한 추측　　　　　　　　　　　　　　　　　　　　　　　　　　　　　　　강한 추측

02 We could have offended someone unintentionally with our thoughtless remarks.

03 The painter must have painted hundreds of houses in his lifetime. <모의응용>

04 The fire cannot have occurred by itself. There must have been a cause.

고난도
05 You might have heard stories of intuitive experts, such as physicians who make a diagnosis after a single glance. <모의응용>

과거에 대한 후회를 나타내는 「조동사+have+p.p.」 해석하기

06 I **should have gone** to bed later / to watch the total lunar eclipse. <모의응용>

나는 더 늦게 자러 갔어야 했다 / 개기월식을 보기 위해

과거에 대한 후회를 나타내는 「조동사+have+p.p.」는 아래와 같이 해석한다.

should have p.p.	~했어야 했다 (하지만 하지 않았다)
could have p.p.	~했을 수도 있었다 (하지만 못했다)
needn't have p.p.	~할 필요가 없었다 (하지만 했다)

07 You could have come to speak with me instead of handling the problem alone.

08 We needn't have rushed, as we are the first guests here.

고난도
09 Mark should have questioned his calculations and double-checked them himself before submitting his report.

해설집 p.67

Chapter Test

[01-15] 다음 문장을 끊어 읽고 해석하시오.

01 Geckos can climb straight up walls and even walk across ceilings. <모의>

*gecko: 도마뱀붙이

02 The government must not sacrifice environmental conservation for the economy.

03 All employees may help themselves to snacks from the break room.

04 I would rather receive text messages than answer phone calls.

05 Hannah won so many awards in various fields. She must be very proud of herself.

06 It is essential that every nation should adopt policies protecting endangered species.

07 Not many recent graduates are able to speak a second language, so those who can are in high demand.

08 People in the fashion industry can't help paying attention to trends.

09 The tribe used to choose an individual to represent the god it was honoring.

10 It is odd that an incredibly talented man like him should have so little confidence.

11 As a vegetarian, I would like to see more meat-free options on restaurant menus.

12 The company insists that the prices remain high to maintain their brand image.

고난도
13 I should have said what I was really feeling rather than beat around the bush.

고난도
14 Large numbers of fish in schools may achieve survival advantages by confusing predators. <모의응용>

*school: (물고기 등의) 떼

고난도
15 Your recommendation must have persuaded the scholarship committee to give me a chance.

해설집 p.68

CHAPTER 07

서술어: 태

주어가 행위의 주체가 되는 것을 능동태라고 하며 주어가 행위의 대상이 되는 것을 수동태라고 한다.
수동태는 동사의 형태뿐만 아니라 문장의 구조 또한 바뀌므로, 이러한 패턴을 알아두면 구문 분석이
훨씬 쉬워진다.

UNIT 39 | 3형식 문장의 수동태 해석하기

UNIT 40 | 4형식 문장의 수동태 해석하기

UNIT 41 | 5형식 문장의 수동태 해석하기

UNIT 42 | 수동태의 다양한 형태 해석하기

UNIT 43 | 구동사의 수동태 해석하기

UNIT 44 | 목적어가 that절인 문장의 수동태 해석하기

UNIT 45 | 수동태 관용 표현 해석하기

UNIT 46 | to부정사와 동명사의 수동형 해석하기

01 Standard languages **were developed** / to meet specific administrative needs / by many countries. <모의용용>

표준어는 개발되었다 / 특정한 행정상의 필요를 충족시키기 위해 / 많은 국가들에 의해

> 3형식 문장의 수동태는 일반적으로 「S+be동사+p.p.」의 형태로 쓰며, '~되다[받다/당하다]'라고 해석한다. 갑작스러운 일의 발생이나 상태의 변화를 나타낼 때 be동사 대신 get을 쓰기도 한다. 「by+행위자」는 '~에 의해'라고 해석하며, 행위자가 일반 사람들이거나 중요하지 않은 경우 주로 생략된다.

02 Natural menthol is produced from plants such as peppermint.

*menthol: 멘톨(박하 맛이 나는 물질)

03 The missing scenes were included in the special edition of the film.

04 *Romeo and Juliet* was written by William Shakespeare in the 16th century.

05 Most packaging is designed carefully to appeal to consumers.

06 A person's behavior is highly influenced by the environment where they grow up.

07 The name of the company's new CEO was announced at a press conference yesterday.

08 The construction for the extension of the subway line was completed in 2017.

09 The store's location was chosen for its proximity to several apartment buildings.

10 On December 7, 1941, Pearl Harbor got attacked by 353 Japanese aircraft.

11 The data and specimens were collected during the trip to the Galapagos Islands.

고난도
12 Braille was created to give visually impaired individuals the opportunity to read and write.

*Braille: 브라유 점자

해설집 p.70

4형식 문장의 간접 목적어가 주어인 수동태 해석하기

01 Every medal winner **was given** an olive wreath / by the Olympic committee. <모의>
<u>　</u>　　　　　<u>　</u>　　　　　<u>　</u>
S　　　　　　V　　　　　　O

모든 메달 수상자는 올리브 관을 받았다(← 올리브 관이 주어졌다) / 올림픽 위원회에 의해

(← The Olympic committee gave every medal winner an olive wreath.)
　　　　S　　　　　　V　　　IO　　　　　DO

> 4형식 문장의 간접 목적어가 주어 자리로 간 수동태는 「S+be동사+p.p.+O」의 형태로 쓰며, 직접 목적어는 원래 있던 자리에 그대로 남아 목적어 역할을 한다.

02 Students in Europe were taught Latin throughout the 1950s.

03 Last night, the little boy was told the story of how his grandparents met.

04 We were offered a great meal in an Italian restaurant which opened recently.

05 Joseph Rotblat was awarded a Nobel Peace Prize for his efforts to eliminate nuclear weapons.

06 The mayor was sent a petition signed by nearly 10,000 citizens opposing her plan.

07 The patient was recommended a new medication to manage his condition.

고난도
08 The survey participants were shown advertisements for the perfume before selecting the one they liked the best.

4형식 문장의 직접 목적어가 주어인 수동태 해석하기

09 An incentive **was offered** / *to* farmers / by the government. <모의응용>
<u>　　　　</u>　<u>　　　　</u>　　<u>　　　</u>
S　　　　　　V　　　　　M

장려금이 제공되었다 / 농부들에게 / 정부에 의해

(← The government offered farmers an incentive.)
　　　S　　　　V　　　IO　　　DO

> 4형식 문장의 직접 목적어가 주어 자리로 간 수동태는 「S+be동사+p.p.+M(전치사 to/for/of+O´)」의 형태로 쓰며, 간접 목적어는 원래 있던 자리에 그대로 남아 전치사의 목적어 역할을 한다.

10 Library books are lent to local residents with a valid ID.

11 A writing sample is required of all candidates for the editor position.

12 During the adoption event, homes were found for most of the shelter's cats.

13 Free commemorative pins were given to attendees at the craft fair.

14 The children's letters were written to Santa Claus and addressed to the North Pole.

고난도
15 Many questions about his coming back to the baseball field were asked of the player.

고난도
16 The Taj Mahal was built for Shah Jahan to honor the memory of his deceased wife.

*Shah Jahan: 샤 자한(17세기 무굴 제국의 황제)

 간접 목적어 앞에 쓰이는 전치사 to/for/of

직접 목적어가 주어 자리로 간 수동태에서 간접 목적어 앞에 쓰이는 전치사는 동사에 따라 다르다.

- to를 쓰는 동사: give, send, bring, show, teach, tell, write, read, lend, pay, sell, offer 등
  An invitation to the party *was sent* **to** every student. 파티로의 초대장이 모든 학생에게 보내졌다.

- for를 쓰는 동사: make, buy, cook, get, find, build, choose, fix 등
  These cookies *were made* **for** us by our grandmother. 이 쿠키들이 우리 할머니에 의해 우리에게 만들어졌다.

- of를 쓰는 동사: ask, inquire, require 등
  Many questions *were inquired* **of** the actor by the reporters. 많은 질문들이 기자들에 의해 그 배우에게 물어졌다.

해설집 p.71

UNIT 41 5형식 문장의 수동태 해석하기

01 "Losing one's cool" in public **is considered** embarrassing / by many people. <모의응용>
　　　　　　S　　　　　　　　　　　　 V　　　　　C

공공장소에서 "냉정을 잃는 것"은 창피하다고 생각된다 / 많은 사람들에 의해
(← Many people consider "losing one's cool" in public embarrassing.)
　　　　S　　　　　　V　　　　　　　O　　　　　　　　OC

02 The students **were made** / to fill out the questionnaire / by the researchers. <모의응용>
　　　　S　　　　　　V　　　　　　　　C

학생들은 강요받았다 / 설문지를 작성하도록 / 연구자들에 의해
(← The researchers made the students fill out the questionnaire.)
　　　　S　　　　　V　　　　O　　　　　OC

> 5형식 문장의 수동태는 「S+be동사+p.p.+C」의 형태로 쓴다. 목적격 보어가 명사/형용사/to부정사/분사인 경우 목적격 보어는 동사 뒤에 그대로 남고, 목적격 보어가 원형부정사인 경우에는 to부정사로 바뀐다.

03 The baker was seen to provide bread to the poor.

04 The contestants are required to make a three-layer cake in two hours.

05 The girl is called a future mathematician due to her excellent math skills.

06 The contract was thought invalid since the terms of the agreement were too vague.

07 The suspect was heard breaking into the building shortly before the crime.

08 Black cats were believed unlucky by some superstitious people.

*superstitious: 미신을 믿는, 미신적인

09 They were found driving into a restricted area and received a warning.

10 Corn flakes were invented when a pot of boiled grains was left unattended for several hours. <모의>

[고난도]
11 If unforeseen issues suddenly occur, leaders are expected to restore normality immediately. <모의응용>

[어법]
12 As the details of his corruption emerged, the politician was made resign / to resign .

해설집 p.73

UNIT 42 수동태의 다양한 형태 해석하기

수동태의 부정문/의문문 해석하기

01 The riddle (of why the ocean isn't getting saltier) **was not solved** / until the 1970s. <모의응용>

(바다가 왜 더 염분이 많아지고 있지 않는지의) 수수께끼는 풀리지 않았다 / 1970년대까지

02 **Was** this picture **taken** / when you were in the U.S.? <모의>

이 사진은 촬영되었니 / 네가 미국에 있었을 때

> 수동태의 부정문은 「S+be동사+not+p.p.」의 형태로 쓰며 '~되지 않다'라고 해석한다. 수동태의 의문문은 「(의문사+)be동사+S+p.p. ~?」의 형태로 쓰며 '~되니/되는가?'라고 해석한다.

03 The theory of continental drift was not initially accepted.

04 When was Pluto removed from the list of planets?

05 Fortunately, the driver and the passengers were not injured in the accident.

06 Was your request for time off approved by your supervisor?

수동태의 진행형/완료형 해석하기

07 Habitats **are being destroyed**, // and food sources are disappearing. <모의>

서식지가 파괴되고 있다 // 그리고 식량 자원이 사라지고 있다

08 Some pop music **has been criticized** / for having a bad influence / on listeners. <모의응용>

일부 대중 음악은 비난받아왔다 / 나쁜 영향을 끼치는 것에 대해 / 듣는 사람들에게

> 수동태의 진행형은 「be동사+being+p.p.」의 형태로 쓰며 '~되고 있다'라고 해석한다. 수동태의 완료형은 「have/had been+p.p.」의 형태로 쓰며 '~되어왔다[되었다]/~되어왔었다[되었었다]'라고 해석한다.

09 Significant advancements in the field of robotics are being made every moment.

10 All of the equipment in the office has been upgraded for better efficiency.

11 Problems with the vehicle were being reported, so the company decided to issue a recall.

12 Prior to his retirement, he had been employed as an engineer for almost 30 years.

조동사가 있는 수동태 해석하기

13 Children **must be taught** / to perform good deeds / for their own sake. <수능>

아이들은 배워야 한다 / 선한 행동을 행하도록 / 그들 자신을 위해

14 **Should** higher education **be given** / for practical purposes? <모의응용>

고등 교육은 제공되어야 하는가 / 실용적인 목적을 위해

> 조동사가 있는 수동태는 「조동사+be+p.p.」의 형태로 쓰며 '~되다'라는 해석에 조동사의 의미를 더해 해석한다. 조동사가 있는 수동태의 의문문은 「조동사+S+be+p.p. ~?」의 형태로 쓰며 '~되니/되는가?'라는 해석에 조동사의 의미를 더해 해석한다.

15 The books we ordered last night might be delivered today.

16 Can honey be substituted for sugar in this recipe?

17 All questions should be avoided till the presentation ends.

18 Young people must be motivated to pursue careers that fulfill their dreams.

19 Must this important decision be made in such a hurry?

20 This article is confusing, and some parts could be misunderstood.

21 Souvenirs can be purchased in the museum's gift shop on the second floor.

고난도
22 Should globalism be embraced, or should governments encourage citizens to have a strong national identity?

> **TIP** **명령문 수동태**
> 명령문 수동태는 「let+O+be+p.p.」의 형태로 쓰며 'O가 ~되게 하라'라고 해석한다.
> **Let** the window **be opened** for now. 지금은 창문이 열리게 하라.
> 명령문 수동태의 부정형은 「don't let+O+be+p.p.」 또는 「let+O+not be+p.p.」의 형태로 쓰며 'O가 ~되게 하지 마라'라고 해석한다.
> **Don't let** yourself **be hurt** by others. 너 자신이 다른 사람들에 의해 상처받게 하지 마라.
> = **Let** yourself **not be hurt** by others.

01 Helen **was looked up to** by us / because she had tremendous self-respect. <모의응용>

Helen은 우리에 의해 존경받았다 / 그녀는 대단한 자존감이 있었기 때문에

(← We **looked up to** Helen because she had tremendous self-respect.)

구동사를 수동태로 바꿀 때, 동사만 「be동사+p.p.」의 형태로 쓰고 전치사, 부사 등은 동사 뒤에 그대로 쓴다. 이때 구동사에 수동의 의미를 더해 해석한다.

be looked up to 존경받다	be picked up (차에) 태워지다	be referred to as ~라고 불리다
be looked down on 무시받다	be put off (일정 등이) 미뤄지다	be laughed at 비웃어지다
be set up 준비되다, 세워지다	be turned down 거절되다	be made use of 이용되다
be brought up 길러지다, 키워지다	be run over (차에) 치이다	be taken care of 돌봐지다

02 A man is referred to as a groom on the day of his wedding. <모의>

03 The kids are usually picked up by their parents after school.

04 The player was laughed at by her teammates for having made a silly mistake.

05 A test of NASA's Space Launch System has been put off until further notice.

06 Gary spent several months in the hospital after he was run over by a car.

07 A program is being set up to foster teambuilding at the company.

08 She was brought up to believe that it was important to be kind.

[고난도]
09 Despite his wealth, the man was looked down on, as he didn't have a university degree.

[어법]
10 Time on a train is often made use / made use of as a chance to catch up on sleep.

해설집 p.77

UNIT 44 목적어가 that절인 문장의 수동태 해석하기

01 *It is said* / *that* learning leaves a physical 'trace' / in the brain. <모의>

말해진다 / 배움이 물리적인 '자국'을 남긴다고 / 뇌에

(← People[They] say that learning leaves a physical 'trace' in the brain.)

02 In Cuba, / *pork is believed* / *to bring* good luck / on New Year's Day. <모의>

쿠바에서 / 돼지고기는 믿어진다 / 행운을 가져온다고 / 새해 첫날에

(← In Cuba, people[they] believe that pork brings good luck on New Year's Day.)

> say, think, believe, find, know 등의 목적어가 that절인 능동태 문장을 수동태로 바꿀 때, 주어 자리에 that절 대신 가주어 it을 쓰고 that절은 수동태 동사 뒤에 쓴다. 이때 '**(that절)이라고 ~되다**'라고 해석한다. that절의 주어를 수동태 문장의 주어 자리에 쓸 때는 that 절의 동사를 to부정사로 바꾼다. 이때 '**(that절의 주어)는 …라고 ~되다**'라고 해석한다.

03 It is thought that the volcanoes on Mars are inactive.

04 It is said that the darkest hour comes just before the dawn.

05 Approximately five percent of American adults were found to be vegetarians.

06 It is believed that some animals use starlight to navigate.

07 The region is known to have numerous tourist attractions.

08 It was believed that poor construction was the cause of the tragic collapse.

09 It is said that elephants feed for up to 16 hours a day.

10 It is known that fish and other types of seafood contain small amounts of mercury.

*mercury: 수은

11 It is thought that Stonehenge was built as a place of worship.

고난도
12 The topics that people find amusing are said to vary enormously between societies.

<모의응용>

해설집 p.78

by 이외의 전치사와 쓰이는 수동태 관용 표현 해석하기

01 Hubert Cecil Booth **is credited with** / inventing the vacuum cleaner. <모의>

허버트 세실 부스는 인정받는다 / 진공청소기를 발명한 것으로

> by 이외의 전치사와 쓰이는 수동태 관용 표현은 아래와 같이 해석한다.
>
> | be credited with ~으로 인정받다 | be equipped with ~을 갖추고 있다 | be involved in ~에 관여하다 |
> |---|---|---|
> | be occupied with ~으로 바쁘다 | be satisfied with ~에 만족하다 | be named after ~을 따서 이름 지어지다 |
> | be finished with ~을 끝내다 | be based on ~에 근거하다 | be devoted[dedicated] to ~에 헌신하다 |

02 The new city buses are equipped with wheelchair lifts for disabled passengers.

03 Except for Earth, all the planets in our solar system were named after Greek and Roman gods.

04 I have a list of books I'd like to read. When I'm finished with one book, I know what to read next. <모의>

「be+p.p.+to부정사」수동태 관용 표현 해석하기

05 Todd **was determined to break** / the national record (for weightlifting). <모의응용>

Todd는 깨기로 결심했다 / (역도 부문의) 국내 기록을

> 「be+p.p.+to부정사」 형태의 수동태 관용 표현은 아래와 같이 해석한다.
>
> | be supposed to ~하기로 되어있다 | be obliged[forced] to ~하도록 강요받다 | be scheduled to ~할 예정이다 |
> |---|---|---|
> | be determined to ~하기로 결심하다 | be required to ~하도록 요구받다 | be inclined to ~하는 경향이 있다 |

06 The tenants are supposed to pay the rent on the first day of each month.

07 Those who witness crimes are required to tell the truth when they testify in court.

*testify: 증언하다, 증명하다

08 The winner of the match is scheduled to participate in the state tournament. <모의>

고난도
09 People are inclined to consider a contrary opinion more positively if it is presented in a logical manner.

해설집 p.79

UNIT 46 to부정사와 동명사의 수동형 해석하기

01 Our daily routine needs / **to be adapted** / to our internal clock. <모의>

우리의 일상은 필요하다 / 적응되는 것이 / 우리의 체내 시계에

02 The physician was accused of / **having been bribed**. <모의응용>

그 의사는 기소되었다 / 뇌물을 받았던 것으로

> to부정사나 동명사가 의미상 주어와 수동 관계일 경우 아래와 같이 수동형으로 쓴다. 문장의 동사보다 더 앞선 시제를 나타낼 때는 완료 수동형으로 쓴다.
>
> | | 수동형 | 완료 수동형 |
> |---|---|---|
> | to부정사 | to be+p.p | to have been+p.p. |
> | 동명사 | being+p.p. | having been+p.p |

03 There are important lessons to be learned from history.

04 Having been cheated by a close friend made her miserable.

05 The sculpture seems to have been created during the Renaissance.

06 Pathways for pedestrians and cyclists are in the process of being built.

07 The window was badly cracked and needed to be replaced.

08 I can't forget the experience of having been helped by strangers overseas.

09 Save your work frequently to prevent it from being deleted if your computer malfunctions.

고난도
10 The homeowners hired a contractor to expand their house after having been granted the necessary permits.

Chapter Test

[01-15] 다음 문장을 끊어 읽고 해석하시오.

01 The toy train was bought for the girl on Children's Day.

02 The missing students were found playing in a park near the school.

03 The movie is based on actual events that took place during the war.

04 Florence Nightingale was given a good education, and it made her a great nurse.

05 Due to the chairperson's absence, the meeting was put off until her return.

06 Luke was made to pay a fine for driving over the speed limit.

07 Mr. Porson was appointed the general manager at the newly founded institution. <모의응용>

08 Combat skills were taught to Spartan women, although they were not in the military.

09 Scientists have been frustrated by the mystery of how the pyramids were built.

10 At the start of the 20th century, American women were not allowed to vote.

11 The concert has been canceled, and ticket holders will receive full refunds.

12 The errors in the report must be corrected by the end of the week.

^{고난도}
13 The manuscript was turned down more than 20 times before its eventual publication.

^{고난도}
14 Today, medical discoveries are being brought to fruition at a fast rate. <모의응용>

^{고난도}
15 It is said that the water from this spring is not only safe to drink but also rich in minerals.

해설집 p.82

CHAPTER 08

서술어: 동사구문

「동사+목적어+전치사」의 형태로 쓰이는 다양한 동사구문들이 있다. 이러한 구문들을 학습하면
전체 문장 구조를 빠르고 쉽게 파악할 수 있다.

UNIT 47 | 전치사 from과 함께 쓰이는 구문 해석하기

UNIT 48 | 전치사 as와 함께 쓰이는 구문 해석하기

UNIT 49 | 전치사 of와 함께 쓰이는 구문 해석하기

UNIT 50 | 전치사 for와 함께 쓰이는 구문 해석하기

UNIT 51 | 전치사 with와 함께 쓰이는 구문 해석하기

UNIT 52 | 전치사 to와 함께 쓰이는 구문 해석하기

01 Supplements will **prevent** / us **from** catching a cold / in the winter. <모의응용>

영양제는 막을 것이다 / 우리가 감기에 걸리는 것을 / 겨울에

전치사 from과 함께 쓰이는 구문은 동사에 따라 아래와 같이 해석한다.		
예방/금지	prevent[stop/keep] A from B	A가 B하는 것을 막다
	prohibit[ban] A from B	A가 B하는 것을 금지하다
분리/구별	separate[detach] A from B	A를 B로부터 분리하다
	distinguish[tell] A from B	A를 B와 구별하다

02 Can you tell barley from wheat just by looking at both plants?

03 The loud music from upstairs kept me from falling asleep all night.

04 The policy bans oil companies from drilling in this part of the ocean.

05 Jonathan used a wrench to detach the pipe from the sink.

06 A United States law prohibits American citizens from buying Cuban goods.

07 This security program will prevent criminals from stealing information.

08 Seeing Kelly from behind, I wasn't able to distinguish her from her older sister.

09 Taking your medicine regularly is important to stop your condition from getting worse.

고난도
10 1950s critics separated themselves from the masses by rejecting the notion that art could be enjoyed for its own sake. <모의응용>

01 Some people **think of** themselves / **as** being younger / than they actually are. <수능응용>

어떤 사람들은 그들 자신을 생각한다 / 더 어리다고 / 그들이 실제 그런 것보다

전치사 as와 함께 쓰이는 구문은 동사에 따라 아래와 같이 해석한다.

간주	think of A as B	A를 B로/라고 생각하다
	see[view/look upon] A as B	A를 B로/라고 보다
	regard[perceive] A as B	A를 B로/라고 여기다/간주하다

02 Voters see the candidate as a capable leader.

03 You should not perceive empathy and mercy as weakness.

04 Lawrence regards his professor as a mentor and a close friend.

05 We think of crisis as being connected only with unhappy events. <수능>

06 The recent rebound in stock prices can be seen as a sign of hope.

07 Students looked upon Dr. Harris as an authority on American history.

08 I decided to view the setback as an opportunity to learn and grow.

고난도
09 Humanitarian organizations regard access to clean water as a basic human right.

*humanitarian: 인도주의적인

고난도
10 Even though Ms. Hardy is relatively young, she is perceived as extremely competent and experienced.

해설집 p.85

전치사 of와 함께 쓰이는 구문 해석하기

01 The writer **reminded** us / **of** the importance (of finding beauty in everyday life). <모의응용>

그 작가는 우리에게 상기시켰다 / (일상에서 아름다움을 찾는 것의) 중요성을

전치사 of와 함께 쓰이는 구문은 동사에 따라 아래와 같이 해석한다.

상기/알림	remind A of B	A에(게) B를 상기시키다
	notify[inform] A of B	A에(게) B를 알리다
	warn A of B	A에(게) B를 경고하다
	assure[convince] A of B	A에(게) B를 확신시키다
박탈/제거	rid[clear] A of B	A에(게)서 B를 없애다
	rob[deprive] A of B	A에(게)서 B를 앗아가다
	relieve A of B	A에(게)서 B를 완화하다
	cure A of B	A에(게)서 B를 낫게 하다
비난	accuse A of B	A를 B에 대해 비난하다

02 The safari guide assured the tourists of their safety.

03 David took a nap to relieve himself of a headache.

04 Weather forecasters warned the city's residents of an incoming hurricane.

05 We hired a gardener in order to clear the area of weeds.

06 Christina informed the teacher of her absence from school.

07 Frank J. Scott, a landscape architect, worked to rid the landscape of fences. <모의응용>

08 You must notify the Human Resources Department of your new address.

*Human Resources Department: 인사부

고난도
09 Silencing the media ultimately deprives the public of its right to information.

고난도
10 The government has been accused of wasting taxpayers' money on the defense project.

해설집 p.86

01 The two friends **blamed** each other / **for** the financial disaster. ‹모의응용›

그 두 친구는 서로를 비난했다 / 그 재정적 재난에 대해

전치사 for와 함께 쓰이는 구문은 동사에 따라 아래와 같이 해석한다.

감사	thank A for B	A에게 B에 대해 감사하다
보상	compensate[reward] A for B	A에게 B에 대해 보상하다
비난	blame[criticize] A for B	A를 B에 대해 비난하다
	scold A for B	A를 B에 대해 꾸짖다
착각	take[mistake] A for B	A를 B로 착각하다
대체/대신	substitute A for B	B를 A로 대체하다/대신하다

02 The woman mistook the boy for her son Andy. ‹모의응용›

03 The airline compensated passengers for the delayed flight.

04 The librarian scolded some kids for being too loud.

05 The mayor thanked the firefighters for their courage and hard work.

06 The manager criticized him for making so many errors on his report.

07 The company rewarded the team for successfully finishing the project.

08 You may substitute chicken for turkey when cooking this dish.

09 The survivors of the bridge collapse have still not been compensated for their injuries.

고난도
10 It was strange that even experts took the painting for a genuine work by Klimt.

해설집 p.87

01 The museum **provides** visitors / **with** various hands-on activities. <모의>

그 박물관은 방문객들에게 제공한다 / 다양한 직접 해 보는 활동들을

전치사 with와 함께 쓰이는 구문은 동사에 따라 아래와 같이 해석한다.

	provide A with B	A에(게) B를 제공하다
제공/공급	supply A with B	A에(게) B를 공급하다
	equip[furnish] A with B	A에 B를 갖추다
비교	compare A with B	A를 B와 비교하다
혼동	confuse A with B	A를 B와 혼동하다
대체/교체	replace A with B	A를 B로 대체하다/교체하다

02 The manager furnished the lobby with plants and a large sofa.

03 He confused the common sparrow with a rare species of forest bird.

04 That company supplies us with materials to produce our products.

05 Iceboaters should equip their boats with a metal brake system. <모의응용>

*iceboater: 빙상 요트 경기자

06 The goal is to replace coal with cleaner energy sources such as natural gas.

07 This graph compares the percentage of the total population with the percentage of people who read newspapers. <모의응용>

08 All the participants will be provided with meals at no additional cost.

고난도
09 Prices here are much higher when compared with other stores in this area.

UNIT 52 전치사 to와 함께 쓰이는 구문 해석하기

01 There are conflicts / in **applying** engineering principles / **to** structural design. <모의응용>

충돌이 있다 / 공학 원리를 적용하는 것에 있어서 / 구조 설계에

전치사 to와 함께 쓰이는 구문은 동사에 따라 아래와 같이 해석한다.

부가/부여	add A to B	A를 B에 더하다
	attach A to B	A를 B에 붙이다/부여하다
적용/도포	apply A to B	A를 B에 적용하다/바르다
공로/책임	owe[attribute/ascribe] A to B	A를 B 덕분/탓으로 돌리다

02 The actor said he owed all his talent to his parents.

03 Many restaurants add a 20 percent service charge to the bills.

04 The analyst ascribed the economic downturn to a number of large corporations failing.

05 You should apply lotion to your skin as soon as you get out of the shower.

06 It is against the law not to attach health warning labels to bottles of alcohol.

07 A whole new chapter has been added to the revised edition of the book.

고난도
08 Many of those who have succeeded in life owe it to their powers of concentration.

<수능응용>

고난도
09 The impact of tourism on the environment is evident, but not all people attribute environmental damage to tourism. <모의응용>

Chapter Test

[01-15] 다음 문장을 끊어 읽고 해석하시오.

01 Thinking about the exam tomorrow kept him from staying calm.

02 The singer attributed her success to perseverance and a little luck.

03 I think of my grandfather as my greatest supporter in life.

04 People criticized the company for its mistreatment of workers.

05 Engineers supplied the reservoir with water from a nearby river.

06 Since I didn't have my glasses on, I mistook that boy for my friend.

07 The coaches perceived Raymond as a gifted athlete with a lot of potential.

08 This ointment stops the infection from spreading further.

09 The judge informed the people of their civic responsibility as jurors.

*juror: 배심원

10 Sometimes, it can be difficult for historians to distinguish facts from myths.

11 Using a cup of vinegar in the washing machine will rid clothes of their musty smell.

12 Professor Brown said students could replace their exam with a 10-page essay.

13 It is advisable to apply sunscreen to your face before putting on foundation.

고난도
14 A stroke deprives the brain of oxygen, which may cause paralysis or slurred speech.

*stroke: 뇌졸중

고난도
15 Scientists weren't able to ascribe the slight inconsistencies in the experiment to any one specific cause.

해설집 p.90

CHAPTER 09
형용사 역할을 하는 수식어구

수식어는 문장 내용이 더 풍부하도록 부가적인 정보를 제공하는 말이다. 형용사 역할을 하는 수식어구는 문장에서 주어, 목적어, 보어와 같이 핵심적으로 쓰이는 명사를 꾸며주므로, 해당 명사와 연결된 수식어구만 찾아내도 문장의 구조와 내용을 쉽게 파악할 수 있다.

UNIT 53 | 명사를 꾸며주는 to부정사 해석하기

UNIT 54 | 명사를 앞에서 꾸며주는 분사 해석하기

UNIT 55 | 명사를 뒤에서 꾸며주는 분사 해석하기

UNIT 56 | 감정을 나타내는 분사 해석하기

01 Reading food labels / is *a good way* (**to find** information about what you eat). <모의응용>

식품 라벨을 읽는 것은 / (당신이 먹는 것에 대한 정보를 찾는) 좋은 방법이다

02 There will be *no chairs* (**to sit on**), // so bring your own cushions or blankets. <모의>

(앉을) 의자가 없을 것이다 // 그러므로 너 자신의 쿠션이나 담요를 가지고 와라

> 명사 뒤에서 형용사처럼 명사를 꾸며주는 to부정사는 '~할/하는'이라고 해석한다. to부정사 뒤에 전치사가 올 때, to부정사가 꾸며주는 명사는 전치사의 목적어이다.

03 I will go to the library to borrow some books to read.

04 Chocolate is a common gift to give on Valentine's Day.

05 Paul wanted something to wear over his shirt since it was cold.

06 Ms. Smith bought her son a new game to play with, but he did not like it.

07 The first 20 applicants will have a chance to star in a TV ad for our school. <모의>

*star: 주연[주역]을 맡다

08 Music is a fun and interesting topic to talk about with your classmates.

09 Residents of the area are angry about the decision to close the railway station.

고난도
10 People think Helen Keller a good person to look up to because of her persistent resilience despite many challenges.

*resilience: 끈기, 회복력

TIP 자주 쓰이는 「(대)명사+to부정사+전치사」 표현

a chair to sit on 앉을 의자	a house to live in 살 집
paper to write on 쓸 종이	a person to look up to 존경할 사람
a pen to write with (가지고) 쓸 펜	someone to talk to 말할 누군가
a toy to play with 가지고 놀 장난감	something to talk about 이야기할 무언가

해설집 p.92

UNIT 54 명사를 앞에서 꾸며주는 분사 해석하기

01 We sometimes see faces and figures / in **moving** *clouds*. <모의>

우리는 때때로 얼굴과 형상을 본다 / 움직이는 구름 속에서

02 Insects damage crops, // and they can also ruin / **stored** *food* like rice. <모의응용>

곤충들은 농작물에 피해를 준다 // 그리고 그것들은 손상시킬 수도 있다 / 쌀과 같은 저장된 음식을

> 명사 앞에서 형용사처럼 명사를 꾸며주는 현재분사는 능동·진행을 나타내며 '~하는/하고 있는'이라고 해석한다. 과거분사는 수동·완료를 나타내며 '~된/해진'이라고 해석한다.

03 It was relaxing to listen to the running water from the river.

04 Countries with limited natural resources tend to depend on imports.

05 The changing climate has been a cause for concern for many years now.

06 There have been repeated requests to add more self-checkout kiosks.

07 The life story of jazz pianist Don Shirley has left an enduring impression on me.

08 The city spent many months repairing the destroyed roads and bridges.

09 The rescue workers had to be careful of falling rocks while they searched for survivors.

10 The collected funds and donated items will go to local homeless shelters. <모의>

11 The ability to reason is what makes humans different from other living creatures.

고난도
12 Because of the extended influence of lookism, a growing number of people are trying to lose weight or have plastic surgery. <모의응용>

*lookism: 외모지상주의

 명사 앞에 오는 동명사(v-ing)

「동명사+명사」는 복합명사를 만들며, 이때 동명사는 명사의 용도·목적을 나타낸다.

sleeping bag 침낭	running shoes 운동화	hiking[climbing] boots 등산화	packaging box 포장 박스
waiting room 대기실	dining room 식당	walking stick 지팡이	living environment 생활 환경

해설집 p.93

01 *Students* (**studying** overseas) / need to overcome / homesickness and loneliness. <모의>

(해외에서 공부하는) 학생들은 / 극복해야 한다 / 향수병과 외로움을

02 Generally, / *people* (**skilled** at persuading others) / tend to excel in debates.

일반적으로 / (다른 사람들을 설득하는 데 숙련된) 사람들은 / 토론에 뛰어난 경향이 있다

> 분사가 단독으로 쓰이면 보통 명사 앞에 오지만, 구를 이루어 쓰이면 명사 뒤에 온다. 이때 분사구가 끝나는 부분까지 포함하여 해석한다.

03 I tried to utilize the recipe created by my grandmother.

04 Martin must return the laptop borrowed from school before the vacation starts.

05 All of the cakes and pies served at this restaurant are 100 percent organic and vegan.

06 I believe teachers educating young children deserve more respect and recognition.

07 The artifacts discovered in the temple were crafted by the ancient Greeks.

08 The picture of dancers wearing traditional Korean clothes went viral on the Internet.

*go viral: 퍼져나가다

09 Judy has always wanted to work for an international organization helping people in need. <모의응용>

10 Crimes committed by minors are treated differently than those committed by adults.

^{고난도}
11 In 1665, Robert Hooke wrote a book describing observations made with microscopes and telescopes. <모의응용>

해설집 p.94

감정을 나타내는 분사 해석하기

01 My grandmother / liked to tell me **interesting** *stories* / at night. <수능>

나의 할머니는 / 나에게 흥미로운 이야기들을 해주는 것을 좋아하셨다 / 밤에

02 *Anyone* (**interested** in Slatford High School) / is welcome to tour the campus. <모의응용>

(Slatford 고등학교에 흥미가 있는) 누구나 / 캠퍼스를 견학해도 좋다

> 분사가 꾸며주거나 설명하는 대상이 감정을 일으키는 원인일 경우 현재분사를 쓰고, 감정을 느끼는 주체일 경우 과거분사를 쓴다. 자주
> 쓰이는 분사는 아래와 같이 해석한다.
>
> | | |
> |---|---|
> | amazing 놀라운 – amazed 놀란 | interesting 흥미로운 – interested 흥미가 있는 |
> | exciting 신나는 – excited 신이 난 | boring 지루한 – bored 지루해하는 |
> | shocking 충격적인 – shocked 충격받은 | pleasing 기분 좋게 하는 – pleased 기쁜 |
> | exhausting 지치게 하는 – exhausted 지친 | touching 감동적인 – touched 감동한 |
> | satisfying 만족스러운 – satisfied 만족한 | confusing 혼란스러운 – confused 혼란스러워하는 |

03 When Grace heard the shocking news, she did not know what to say.

04 Teenagers bored by TV and books are spending more time on social media.

05 A nervous first date could become an exciting night out with a new person. <모의>

06 Hundreds of baseball fans satisfied with the score happily left the ballpark.

07 The song that the songwriter came up with had a pleasing melody.

08 The exhausted runner tried his best but could not finish the marathon in the end.

고난도
09 Many of the passengers complained about the confusing directions for buying tickets on the airline's website.

어법
10 The touching / touched story made everyone cry.

어법
11 I explained how to get to the subway station to the confusing / confused tourist.

해설집 p.96

Chapter Test

[01-15] 다음 문장을 끊어 읽고 해석하시오.

01 The first thing to do before moving is to find an apartment to live in.

02 The statue standing in front of the public museum will be removed in October.

03 Restoring the ruined painting may require a considerable amount of time and effort.

04 The location of Cleopatra's tomb remains a puzzling mystery for historians.

05 Edward needed some more time to read materials for his research project.

06 People exposed to the fumes from the gas leak should go to the hospital promptly.

07 Brian always carries a walking stick with him when he goes on a hike.

08 Readers agreed that the Harry Potter series had a satisfying conclusion.

09 The man suspected of last night's robbery has been caught by the police.

10 The medicine to relieve the pain was not working as well as expected.

11 Students taking the test will need some paper to write on for the math section.

12 Those nominated for an award tonight must arrive at the ceremony before 5:30 P.M.

고난도
13 Highly intelligent animals stuck in small cages often show signs of severe depression.

고난도
14 It was once considered an amazing achievement to reach the summit of Mt. Everest.
<모의>

고난도
15 Frozen meals, carbonated drinks, and other processed foods are high in calories but contain little nutrition.

해설집 p.97

CHAPTER 10

부사 역할을 하는 수식어구

부사 역할을 하는 수식어구는 부사처럼 문장의 다양한 요소를 꾸며준다. 쓰이는 위치와 의미가
다양해서 문장의 핵심 성분과 헷갈리기 쉬우므로, 부사적 수식어구의 다양한 형태들을 알아두면
해석을 정확하게 할 수 있다.

UNIT 57 | 다양한 의미를 나타내는 to부정사 해석하기 I

UNIT 58 | 다양한 의미를 나타내는 to부정사 해석하기 II

UNIT 59 | to부정사 구문 해석하기

UNIT 60 | 다양한 의미를 나타내는 분사구문 해석하기 I

UNIT 61 | 다양한 의미를 나타내는 분사구문 해석하기 II

UNIT 62 | 분사구문의 완료형과 수동형 해석하기

UNIT 63 | 분사로 시작하지 않는 분사구문 해석하기

UNIT 64 | with+명사+분사 해석하기

목적을 나타내는 to부정사 해석하기

01 Amanda traveled around the world / **to collect** material for her novel.

Amanda는 전 세계를 여행했다 / 그녀의 소설을 위한 소재를 모으기 위해

(= Amanda traveled around the world **in order to[so as to] collect** material for her novel.)

> 목적을 나타내는 to부정사는 '~하기 위해'라고 해석하며, to 대신 in order to나 so as to가 올 수 있다. 목적을 나타내는 to부정사 앞에 not이 오면 '~하지 않기 위해'라고 해석한다.

02 Dylan moved to the country to take care of his aging grandmother.

03 The scientist carried out a series of experiments in order to prove his hypothesis.

04 I signed up for the membership program to get free shipping on every order.

05 We made the builders only work during the daytime so as not to disturb our neighbors.

고난도
06 Newborn animals huddle together into a ball shape that minimizes exposed surfaces so as to keep themselves warm. <모의응용>

*huddle: 모이다, 구부리다

감정의 원인을 나타내는 to부정사 해석하기

07 We are pleased / **to introduce** our company's new healthcare product. <모의응용>

저희는 기쁩니다 / 저희 회사의 새로운 건강 관리 제품을 소개하게 되어

> 감정의 원인을 나타내는 to부정사는 '~하게 되어, ~해서'라고 해석하며, 감정을 나타내는 어구 뒤에 온다.

08 The band was very happy to have its first concert.

09 Molly was surprised to learn that she had received a full scholarship for college.

10 I felt embarrassed to find out I had made some spelling mistakes in my essay.

11 The tourists were disappointed to discover that the art gallery was closed for the day.

고난도
12 For eight years, the Asian Ethnic Festival has been proud to share the cultures of over ten Asian ethnic groups at Freedom Festival Park. <모의>

> **TIP**
>
> **감정을 나타내는 어구**
>
> | | | | | |
> |---|---|---|---|---|
> | happy 기쁜, 행복한 | glad 기쁜 | pleased 기쁜 | sad 슬픈 | angry 화가 난 |
> | upset 속상한 | sorry 유감스러운 | annoyed 짜증이 난 | proud 자랑스러운 | disappointed 실망한 |
> | surprised 놀란 | shocked 충격받은 | ashamed 창피한 | nervous 긴장한 | embarrassed 당황한 |

판단의 근거를 나타내는 to부정사 해석하기

13 You were foolish / **to invest** in real estate / when you needed constant access to your money. <모의응용>

너는 어리석었다 / 부동산에 투자하다니 / 네가 너의 돈의 지속적인 이용이 필요했을 때

> 판단의 근거를 나타내는 to부정사는 '~하다니, ~하는 것을 보니'라고 해석하며, 판단이나 추측을 나타내는 어구 뒤에 온다.

14 Sean was wise to start saving for retirement early on in his career.

15 I was selfish not to have thought about other people's feelings.

16 You must be clever to figure out the theme of the crossword puzzle so quickly.

17 Amy felt that she was lucky to have someone to lean on when she was feeling down. <모의응용>

고난도
18 Albert Einstein must have been brilliant to realize that mass affects the fabric of space and time.

*fabric: 구조, 조직

> **TIP**
>
> **판단/추측을 나타내는 어구**
>
> | | | | | |
> |---|---|---|---|---|
> | kind 친절한 | nice 친절한, 다정한 | polite 예의 바른 | rude 무례한 | clever 똑똑한 |
> | wise 현명한 | brilliant 뛰어난 | foolish 어리석은 | lucky 운이 좋은 | selfish 이기적인 |

해설집 p.100

결과를 나타내는 to부정사 해석하기

01 Children (living in a house (filled with games)) / grow up **to be** smart strategists. <모의응용>

((게임들로 가득 찬) 집에서 사는) 아이들은 / 자라서 똑똑한 전략가들이 된다

> 결과를 나타내는 to부정사는 '(…해서 **결국**) ~**하다**'라고 해석하며, 아래 표현으로 자주 쓰인다.
>
> > grow up to-v 자라서 ~하다   live to-v 살아서 ~하다   awake[wake up] to-v 깨어나서 ~하다
> > only to-v 그러나 (결국) ~하다 (부정적인 내용의 결과를 말할 때 쓴다.)

02 Andrea's grandparents lived to see her settle down and get married.

03 The young Dutch boy grew up to be one of the most renowned painters in history.

04 They got to the campground, only to discover they had forgotten their tent.

고난도
05 Some of the villagers have reported that they woke up to find their houses and cars covered in spray paint.

조건을 나타내는 to부정사 해석하기

06 **To hear** her speak English, / you would think / that she was American.

그녀가 영어로 말하는 것을 듣는다면 / 너는 생각할 것이다 / 그녀가 미국인이라고

(← If you heard her speak English, you would think that she was American.)

> 조건을 나타내는 to부정사는 '~**한다면**'이라고 해석하며, 가정법의 if를 대신해서 쓰일 수도 있다.

07 To see her dance, you would consider that she was a professional dancer.

08 To hear him tell the story about his trip to Korea, you would never know that he had only been here once.

고난도
09 To see the rising number of doctors, you would say that people must be consulting medical practitioners at every opportunity. <모의응용>

*practitioner: (전문직) 종사자

앞에 있는 형용사를 꾸며주는 to부정사 해석하기

10 Some environmental hazards are difficult **to avoid** / at the individual level. <수능응용>

몇몇 환경적인 위험은 피하기에 어렵다 / 개인적인 수준에서

> to부정사가 앞에 있는 형용사를 꾸며줄 때는 '~하기에'라고 해석한다.

11 A fireplace is pleasant to sit beside on a cold winter's night.

12 This program is easy to install if you follow the instructions carefully.

13 Life in a foreign country can be hard to adjust to in the beginning.

14 A number of new features will make the application more convenient to use.

15 Some berries are dangerous to eat and may cause serious illness.

고난도
16 Jokes involving a play on words are virtually impossible to translate into other languages. <모의응용>

해설집 p.102

01 Certain things are **too** *important* / **to be wasted.** <모의>

어떤 것들은 너무 중요하다 / 낭비되기에

(≒ Certain things are **so** *important* **that they can't be wasted.**)

02 Hydrogen is *light* **enough** / **to escape** into space. <모의응용>

수소는 충분히 가볍다 / 우주로 새어 나갈 만큼

(≒ Hydrogen is **so** *light* **that it can escape** into space.)

03 The test was challenging / but not **so** *difficult* / **as to be** totally frustrating. <수능응용>

그 시험은 힘들었다 / 하지만 매우 어렵지는 않았다 / 완전히 좌절스럽게 할 만큼

to부정사 구문은 정도나 결과를 나타내며, 문맥에 따라 아래와 같이 자연스럽게 해석하면 된다.	
too+형용사/부사+to-v	~하기에 너무 …한/하게, 너무 …해서 ~할 수 없는
형용사/부사+enough+to-v	~할 만큼 (충분히) …한/하게, (충분히) …해서 ~할 수 있는
so+형용사/부사+as to-v	~할 만큼 (매우) …한/하게, (매우) …해서 ~하는

04 The man walked by too quickly for me to see his face properly.

05 The cruise ship is large enough to accommodate more than 5,000 passengers.

06 The singer was too famous to go outside without being surrounded by fans.

07 All of us who pursue our dreams are not so reckless as to do something dangerous. <모의>

08 My friends laughed loudly enough to be heard through the closed door.

고난도
09 Just a year ago, Luther was so reasonable as to be considered completely unimaginative.

TIP
문장 전체를 꾸며주는 to부정사 관용 표현

to begin with 우선, 먼저	so to speak 말하자면
to be sure 확실히	strange to say 이상한 얘기지만
to be frank (with you) 솔직히 말하면	to make matters worse 설상가상으로
to tell (you) the truth 사실대로 말하면	to make a long story short 간단히 말하면
not to mention ~은 말할 것도 없이	to sum up 요약하자면

해설집 p.104

01 **Watching** her son get carried away in an ambulance, / she took a deep breath. <모의>

그녀의 아들이 구급차에 실려 가는 것을 보면서 / 그녀는 심호흡을 했다

(= **As** she watched her son get carried away in an ambulance, she took a deep breath.)

02 **Opening** the refrigerator, / Timothy pulled out a bottle of orange juice.

냉장고를 열고 나서 / Timothy는 오렌지 주스 한 병을 꺼냈다

(= Timothy opened the refrigerator, **and** he pulled out a bottle of orange juice.)

> 분사구문은 시간 관계나 동작의 순서를 나타낼 때가 많으며, 아래 접속사들의 의미를 표현한다. 분사구문과 주절의 문맥을 잘 파악하여 가장 자연스러운 것으로 해석한다.
>
> | 시간 | when ~할 때   after ~한 후에   as soon as ~하자마자 |
> |---|---|
> | 동시 동작 | as ~하면서, ~한 채로   while ~하는 동안 |
> | 연속 동작 | and ~하고 나서 |

03 Waiting in line to buy tickets, Maria watched a video playing on the billboard.

*billboard: 광고판

04 Seeing the large dog coming his way, the little boy ran inside his house.

05 Listening to both sides of the argument, the judge ruled in favor of the defendant.

*defendant: 피고

06 Arriving at the airport in a hurry, I realized that I had left my passport at home.

07 Hearing the fire alarm go off, the students left the classroom immediately.

08 Understanding the question at last, Charlie raised his hand to answer it.

고난도
09 Thanks to modern technology, people can talk to each other in real time, using a palm-sized phone. <수능응용>

> TIP **동작의 결과를 나타내는 분사구문**
>
> 동작의 결과를 나타내는 분사구문은 문장 뒤에 와야 하며, '…해서 ~하다'라고 해석한다.
>
> The factory switched from oil to electric energy, **improving** the air quality of the area.
>
> 그 공장은 석유에서 전기 에너지로 전환해서, 그 지역의 공기 질을 개선했다.

해설집 p.105

다양한 의미를 나타내는 분사구문 해석하기 II

01 **Wanting** to go home early, / Thomas worked diligently / to finish his report.

집에 일찍 가는 것을 원했기 때문에 / Thomas는 부지런히 일했다 / 그의 보고서를 끝내기 위해

(= **Because/Since/As** Thomas wanted to go home early, he worked diligently to finish his report.)

분사구문은 아래 접속사들의 의미를 표현하기도 하므로, 분사구문과 주절의 문맥을 잘 파악하여 가장 자연스러운 것으로 해석한다.

이유	because/since/as ~하기 때문에, ~해서
조건	if 만약 ~한다면
양보	although/though 비록 ~이지만 *양보의 의미를 나타내는 분사구문은 잘 쓰이지 않고, 쓰더라도 보통 접속사를 함께 쓴다.

02 Not knowing what to say, Shaun just looked into the crowd. <모의응용>

03 Planting seeds in the garden now, we will have fresh vegetables by next month.

04 Admitting he did not know the cause of the rash, the doctor tried his best to treat me.

*rash: 발진, 두드러기

05 Taking up yoga, you will be able to improve your endurance and sense of balance.

<모의응용>

06 Leaving for the trip early in the morning, they barely experienced any traffic on the drive.

고난도
07 Allowing drivers to park for free in this area, the city may have to deal with people who take advantage of the situation.

TIP **분사구문의 여러 가지 해석**

분사구문은 문맥에 따라 자연스러운 해석이 여러 가지일 수 있다.

Breaking the rules, Rick was given a penalty by the referee.

→ Rick broke the rules, **and** he was given a penalty by the referee. <연속 동작>
Rick은 규칙을 어기고 나서, 심판으로부터 벌칙을 받았다.

→ **After** Rick broke the rules, he was given a penalty by the referee. <시간>
Rick은 규칙을 어긴 후에, 심판으로부터 벌칙을 받았다.

→ **Because** Rick broke the rules, he was given a penalty by the referee. <이유>
Rick은 규칙을 어겼기 때문에, 심판으로부터 벌칙을 받았다.

해설집 p.106

분사구문의 완료형 해석하기

01 Having heard the coach's solution, / the athlete put it to the test. <모의응용>

코치의 해결책을 듣고 나서 / 그 운동선수는 그것을 시험해봤다

(= The athlete **had heard** the coach's solution, and he **put** it to the test.)

> 「Having+p.p.」로 시작하는 분사구문은 분사구문의 시제가 주절의 시제보다 앞선다는 것을 나타낸다.

02 Having reached the top of the mountain, the climbers breathed a sigh of relief.

03 Not having performed perfectly in the musical, the actor started practicing harder.

04 Having returned to France, Joseph Fourier began his research on heat conduction. <수능>

*conduction: 전도

고난도
05 Having seen the horror film before, Grace knew when the scary moments would occur.

분사구문의 수동형 해석하기

06 (Being) Chased by the searchers, / he had to keep running. <모의응용>

수색대에 쫓기고 있어서 / 그는 달리는 것을 계속해야 했다

(= Because/Since/As he **was chased** by the searchers, he had to keep running.)

07 (Having been) Built out of misfortune, / Venice eventually turned into a beautiful city.
<모의응용>

비록 불행으로 지어졌었지만 / 베니스는 결국 아름다운 도시로 변했다

(= Although/Though Venice **had been built** out of misfortune, it eventually turned into a beautiful city.)

> 「Being[Having been]+p.p.」로 시작하는 분사구문은 주어와 분사의 관계가 수동임을 나타낸다. 이때 Being이나 Having been은 주로 생략된다.

08 Concerned about the coming hurricane, many residents stocked up on food.

09 Being mixed with a variety of chocolates, the new ice cream flavor was a big hit.

10 Filled with hope and expectation, Henry sped eagerly toward the goal. <모의응용>

고난도
11 Having been abandoned in the deep sea for a long time, the wrecked ship became a home to many underwater creatures.

해설집 p.107

분사로 시작하지 않는 분사구문 해석하기

의미상의 주어로 시작하는 분사구문 해석하기

01 *America* **being** a cultural melting pot, / all Americans need to learn about each other. <수능>

미국은 문화적 용광로이기 때문에 / 모든 미국인들은 서로에 대해 배워야 한다

> 분사구문의 주어가 주절의 주어와 다를 때 분사 앞에 의미상의 주어를 쓰며, 이때 그 의미를 살려서 해석한다.

02 The plane having a mechanical problem, the flight was delayed for two hours.

03 Rent being so high in the city, most young families are deciding to live in the suburbs.

*young family: 아이가 아직 어린 가정

04 Global citizens calling for action, world leaders gathered to discuss the energy crisis.

고난도
05 All the money having been spent on building the new auditorium, the university started looking for external donations.

접속사로 시작하는 분사구문 해석하기

06 *When* **facing** moral choices, / we depend heavily on aphorisms. <수능용용>

도덕적 선택에 직면할 때 / 우리는 격언들에 몹시 의존한다

> 분사구문의 의미를 분명하게 하기 위해 분사 앞에 접속사를 쓰기도 하며, 이때 그 의미를 살려서 해석한다.

07 Though offering a considerable discount, the store still could not attract new customers.

08 If cooked, beans can lower blood pressure and reduce the risk of heart disease. <모의용용>

고난도
09 When visiting Australia, you should check out the pink lake called Lake Hillier in the western part of the country.

> **TIP** 비인칭 독립분사구문
>
> 분사구문의 의미상 주어가 막연한 일반인인 경우 주어를 생략하고 관용적으로 쓰기도 한다.
>
> | | | |
> |---|---|---|
> | Generally speaking 일반적으로 말하면 | Strictly speaking 엄밀히 말하면 | Frankly speaking 솔직히 말하면 |
> | Roughly speaking 대략 말하면 | Putting it simply 간단히 말하자면 | Judging from ~으로 판단하건대 |
> | Speaking of ~에 대해 말하자면 | Considering (that) ~을 고려하면 | Granted (that) ~을 인정하더라도 |

해설집 p.108

with+명사+분사 해석하기

01 **With her heart pounding** like a drum, / she ran into the water / and started swimming. <모의>

그녀의 심장이 드럼처럼 뛰는 채로 / 그녀는 물 속으로 뛰어 들었다 / 그리고 수영하기 시작했다

> 「with+명사+분사」는 '~한/된 채로, ~하면서/되면서'라고 해석한다. 명사와 분사의 관계가 능동이면 현재분사를 쓰고, 수동이면 과거분사를 쓴다.

02 They danced in circles making joyful sounds with their arms raised over their heads. <모의>

03 Anna jogged along the river with the wind blowing through her hair.

04 Sitting with your legs folded can add stress to your knees and ankles.

05 The tribal members chanted as one, with their faces lifted toward the sky.

06 Transportation took a massive leap forward with the steam engine being invented.

[고난도]
07 The birds migrate from August to December, with males moving south before the females and their babies. <모의>

[어법]
08 Gina practiced her speech with her friends watching / watched .

[어법]
09 The criminal was brought to the police station with his hands tying / tied behind his back.

> **TIP**
>
> 「with+명사+형용사/부사/전치사구」
>
> 「with+명사」 뒤에 분사 대신 형용사, 부사, 전치사구가 쓰일 수도 있다.
>
> I must have fallen asleep *with the window* **open**. 나는 창문이 열린 채로 잠이 들었던 것이 분명하다.
>
> Amy couldn't focus on reading the book *with the TV* **on**. Amy는 TV가 켜진 채로 책을 읽는 것에 집중할 수 없었다.
>
> He walked down the street *with his hands* **in his pockets**. 그는 그의 주머니에 그의 손을 넣은 채로 길을 걸었다.

해설집 p.110

Chapter Test

[01-15] 다음 문장을 끊어 읽고 해석하시오.

01 Some zoologists went to Africa to study the behavior of hyena clans.

*clan: 무리, 집단

02 Hearing a strange noise from his car, Mr. Powell stopped by the mechanic's garage.

03 To tell you the truth, I don't really enjoy spending time with Sandy.

04 Being afraid of heights, my brother was nervous to ride the roller coaster.

05 Though often considered "scary," spiders can defend us against annoying pests.

06 Recognized by the paparazzi, the actor dashed into a nearby building to hide.

07 Tim hurried to the cafe to meet his friends, only to find he was the first to arrive.

08 Decorating the room for the party, they laughed and joked around with each other.

09 The audience was rude to talk while the presenter was making a speech.

10 You can simply place your device on the charging pad with the display facing up.

11 Having made the hotel reservation a year in advance, Eric received a special discount.

12 The supercomputer is powerful enough to do complex calculations within seconds.

고난도
13 Neal was too determined to let any obstacles stop him from achieving his dream.

고난도
14 Switzerland famously being a neutral country, people were surprised when it took a stance against the war.

*neutral country: 중립국

고난도
15 Generally speaking, economy is a great virtue in film music, both in duration and choice of instrument. <모의>

*economy: 효율적인 사용

해설집 p.111

CHAPTER 11

등위절과 병렬

등위절은 문법적으로 대등한 절을 나타내며, 접속사 and, but, or 등으로 연결되어있다. 이때, 접속사로 연결된 요소들이 문법적으로 형태와 기능이 같은 구조를 띄는데 이를 병렬 구조라고 한다. 접속사가 연결하고 있는 대상이 무엇인지를 알면 전체 문장 구조를 파악하여 해석하는 것이 쉬워진다.

UNIT 65 | 등위접속사 해석하기

UNIT 66 | 상관접속사 해석하기

UNIT 67 | 병렬 구문 해석하기

다양한 등위접속사 해석하기

01 I've worked as an engineer / for many years, // **and** I am retiring soon. <모의>

나는 기술자로서 일해왔다 / 수년 동안 // 그리고 나는 곧 은퇴할 것이다
→ 나는 수년 동안 기술자로서 일해왔고, 곧 은퇴할 것이다.

대등한 단어와 단어, 구와 구, 절과 절을 연결하는 등위접속사는 아래와 같이 해석한다.

and	그리고, ~이고, ~와	but	그러나, ~이지만
or	또는, 아니면, ~이나	so	그래서, ~해서
for	왜냐하면 ~하기 때문이다	yet	그렇지만, 그럼에도 불구하고
nor	~도 아니다 *부정문 뒤에 쓰이며, 주로 「nor+be동사/조동사+주어」의 도치 구문에서 쓰인다.		

02 Tim was exhausted, for he stayed up late to finish his report.

03 The singer isn't popular, nor does he have any notable talent.

04 Warthogs have excellent senses of smell and hearing. <모의>

*warthog: 혹멧돼지

05 Arthur broke his arm in an accident, so he couldn't drive for about six months.

06 After graduation, you can choose to get a job or undertake further studies.

07 Everyone seemed happy about the idea, yet I had a feeling that it wouldn't work.

08 The International Space Station needed repairs, so astronauts were sent up there.

09 Mr. Foster will do anything for his students, for his love of teaching is limitless.

10 Miranda's favorite band is in town, but she won't be able to make it to their concert.

고난도
11 The brand has never collaborated with other major fashion brands, nor has it worked with international celebrities.

명령문 뒤에 나오는 and와 or 해석하기

12 Be more diligent than everyone else, // **and** you will be successful. <모의응용>

다른 모든 사람들보다 더 부지런해라 // 그러면 너는 성공할 것이다

→ 다른 사람들보다 더 부지런하면, 너는 성공할 것이다.

13 Use the given time wisely, // **or** you will end up wasting it.

주어진 시간을 현명하게 써라 // 그렇지 않으면 너는 결국 그것을 낭비하게 될 것이다

→ 주어진 시간을 현명하게 쓰지 않으면, 너는 결국 그것을 낭비하게 될 것이다.

> 명령문 뒤에 나오는 and는 '**그러면**'이라고 해석하고, or는 '**그렇지 않으면**'이라고 해석한다.

14 Live like today's your last day, and you will find the true meaning of life.

15 Make sure to be at the station by ten o'clock, or we will leave without you.

16 Exercise moderately and eat properly every day, and your health will certainly improve.

17 Don't judge a book by its cover, or you might miss out on a wonderful story.

18 Examine your thoughts, and you will find them wholly occupied with the past or the future. <수능>

고난도
19 Turn on all faucets a little to let the water run, or the pipes may freeze overnight.

해설집 p.113

01 Independence is **both** a strength **and** a source (of happiness). <모의응용>
자립성은 장점과 (행복의) 원천 둘 다이다.

짝을 이루어 쓰이는 상관접속사는 아래와 같이 해석한다.

both A and B	A와 B 둘 다
not only A but (also) B (= B as well as A)	A뿐만 아니라 B도
either A or B	A나 B
neither A nor B	A도 B도 아닌
not A but B	A가 아니라 B

02 Nathan will go to either Italy or Greece for his summer vacation.

03 House prices are going up not only in the cities but also in the suburbs.

04 The secret to becoming a better person is not to speak well but to do well.

05 Life continues to prove that neither money nor power brings ultimate satisfaction.

06 Kittens and puppies learn social interaction as well as various physical skills through play. <모의응용>

07 Both flowers and the wedding cake were delivered to the venue at 9 A.M.

08 You will be asked to either bring some food to share or volunteer to help with the cleanup.

고난도
09 The proposal was not only dismissed but was also not taken seriously by some members of Congress.

TIP **상관접속사의 수 일치**

both A and B 뒤에는 항상 복수동사를 쓰고, 나머지 상관접속사 뒤에 오는 동사는 B와 수를 일치시킨다.
Both *my mom and I* **are** interested in modern art. 나의 엄마와 나 둘 다 현대 미술에 흥미가 있다.
Not only my parents but *my brother* **is** coming to the party. 나의 부모님뿐만 아니라 나의 형도 그 파티에 올 것이다.
Either he or *I* **am** responsible for the accident. 그나 내가 그 사고에 책임이 있다.

해설집 p.115

01 The tools (of the digital age) give us / a way (to easily **get**, **share**, and **act on** information). <수능>

(디지털 시대의) 도구들은 우리에게 제공한다 / (쉽게 정보를 얻고, 공유하고, 그에 따라 행동하는) 방법을

> 등위접속사나 상관접속사로 연결되는 말은 보통 문법적으로 형태와 기능이 같다. 문장 안에서 연결되는 대상을 찾아 병렬 구문임을 파악한 후 해석한다.

02 Zoe enjoys the genres of contemporary pop and rock.

03 After the fight, I was angry not only with my brother but also with myself.

04 Side dishes include fries, rice, and a vegetable of your choice.

05 Plastic bottles have been found in the mountains, at campgrounds, and in the river.

06 Both using a VPN and installing security software will protect your privacy online.

*VPN(Virtual Private Network): 가상 사설망

07 Museum visitors should either turn off their phones or put them in silent mode while viewing the art.

08 Most of us make at least three important decisions in our lives: where to live, what to do, and whom to do it with. <모의>

고난도
09 Neither Novikov's theory nor Hawking's research definitely answers the question of what's on the other side of black holes.

어법
10 Lions form groups, hunt together, and help / helping each other raise babies.

TIP **절과 절의 병렬**

등위접속사나 상관접속사로 연결되는 절과 절도 문법적으로 기능이 같아야 한다.

Reading comics is worthwhile not only **because they make you laugh** but **because they contain wisdom**.
　　　　　　　　　　　　　　　　　　　<부사절>　　　　　　　　　　　　　　<부사절>

만화를 읽는 것은 그것들이 당신을 웃게 만들기 때문뿐만 아니라 그것들이 지혜를 담고 있기 때문이기도 해서 가치가 있다.

해설집 p.116

Chapter 11 등위절과 병렬 • 해커스 완전소화 구문독해

Chapter Test

[01-15] 다음 문장을 끊어 읽고 해석하시오.

01 Both spinach and almonds are a good natural source of vitamin E.

02 My grandfather always told me to seize the day, for time waits for no one.

03 Plane tickets are too expensive right now, so we will visit our relatives next year.

04 SNS is neither inherently good nor bad, but it can be used in either way.

05 Stop worrying about what other people say, and you will be happier with yourself.

06 Police interrogators often take on a firm yet empathetic tone when talking to suspects.

*interrogator: 심문관

07 Experts don't know when the storm will hit, nor do they know how serious it will be.

08 Either the manager or the director must approve the blueprint for the new building.

09 You cannot normally turn left at this intersection, but it is allowed on the weekends.

10 Change your passwords often, or you will be more vulnerable to hackers.

11 Temperatures in the desert are extreme not only during the day but also at night.

12 Some people collect things not because they are necessary but because they exist.

<모의응용>

고난도
13 Female wolf spiders are attentive to as well as fiercely protective of their young.

고난도
14 The camera's most exceptional feature is that it works equally well under the water, at high altitudes, and in the dark.

고난도
15 Friendship requires having mutual respect for one another's values, beliefs, and opinions, and participating in a shared life.

해설집 p.117

CHAPTER 12

관계사절

관계사절은 관계사(관계대명사, 관계부사)가 이끄는 절이며, 주로 명사를 꾸며주는 형용사 역할을 한다. 관계사로 쓰일 수 있는 것들은 한정적이므로 이를 학습해두면 문장 구조 파악을 쉽게 할 수 있다.

UNIT 68 | 주격 관계대명사절 해석하기

UNIT 69 | 목적격 관계대명사절 해석하기

UNIT 70 | 소유격 관계대명사절 해석하기

UNIT 71 | 관계부사절 해석하기

UNIT 72 | 관계사가 생략된 관계사절 해석하기

UNIT 73 | 콤마와 함께 쓰인 관계사절 해석하기

01 The book is about / *a person* [**who achieved 100 goals during his lifetime**]. <모의>

그 책은 ~에 대한 것이다 / [그의 일생 동안 100가지의 목표를 달성한] 사람

> 관계사절 안에서 관계대명사가 주어 역할을 할 때 who, which, that을 쓰고, '~하는/한 (선행사)'라고 해석한다.

02 The subway line which runs through the city will be expanded.

03 Tango is a type of social dance that originated in Argentina and Uruguay.

04 I saw a half-hour documentary about the soldiers who fought in World War I.

05 Amanda doesn't like to cook meals that take a lot of time to prepare.

06 Workers had a break because the machine which prints out labels was out of service.

07 I enjoy watching films that depict different cultures around the world.

08 Those who wish to enter the talent contest must register by Thursday, March 24.

09 Honesty and integrity are the principles which have guided me throughout my life.

고난도
10 There is evidence that shows that patients who actively participate in their care often have better outcomes.

> TIP
> **주격 관계대명사절 안에 있는 동사의 수 일치**
> 주격 관계대명사절 안에 있는 동사는 선행사와 수를 일치시킨다.
> Mr. Smith purchased *a car* [which **has** lots of convenient functions].
> Smith씨는 [많은 편리한 기능들을 가진] 차를 구매했다.
> This award is given to *writers* [who **possess** great potential].
> 이 상은 [큰 잠재력을 가진] 작가들에게 수여된다.

해설집 p.119

UNIT 69 목적격 관계대명사절 해석하기

관계대명사가 동사의 목적어인 목적격 관계대명사절 해석하기

01 Aristotle established / *a college* [**which he called Lyceum**]. <모의>

아리스토텔레스는 설립했다 / [그가 리시움(학원)이라고 부른] 대학을

> 관계사절 안에서 관계대명사가 목적어 역할을 할 때 who(m), which, that을 쓰고, '~하는/한 (선행사)'라고 해석한다.

02 Someday, you will learn how to accept the things that you cannot change.

03 The artists whom Chris interviewed for the radio show were from the same city.

04 The children avoided eating any of the snacks which they did not like.

05 There is a poetry workshop that I want to attend this Friday afternoon.

06 Keira got a thoughtful gift from a friend whom she had known for years.

07 We generally don't go outside the box which society has created for us. <모의>

08 For the French revolutionaries, freedom was the value that they cherished most.

09 The amusement park which we visited last weekend is now closed due to inspection.

10 When people interact with someone whom they don't expect to meet again, they rarely talk about themselves.

고난도
11 Citizens were warned not to travel to the countries that the government had declared hazardous.

관계대명사가 전치사의 목적어인 목적격 관계대명사절 해석하기

12 We share similar beliefs / with *someone* [**whom we have a relationship with**]. <수능응용>

우리는 비슷한 믿음을 공유한다 / [우리가 관계를 맺고 있는] 누군가와

(= We share similar beliefs with someone **with whom we have a relationship**.)

관계대명사가 전치사의 목적어인 경우 전치사는 관계대명사절의 끝이나 관계대명사 바로 앞에 온다. 전치사가 관계대명사 앞에 올 때는 who나 that을 쓸 수 없다.

13 Tim sings in an indie band that most people have never heard of.

14 The servers brought a variety of dishes to the table at which we sat.

15 It is important to become the kind of leader who people will listen to.

16 You can succeed in almost every field for which you have a genuine passion.

17 The project that we are working on is financially supported by several companies.

18 Mark refused to give us the name of the person from whom he got the information.

19 In order to learn a language, an infant must make sense of the contexts in which that language occurs. <모의>

20 Writing down a list of things that you are proud of about yourself might help you boost your confidence.

21 The product that Aida received in the mail was not the one that she had paid for.

고난도
22 Students should be taught how to converse with others with whom they disagree from an early age.

해설집 p.120

01 *People* [**whose fears last too long**] / might need help to overcome them. <모의>

[두려움이 너무 오래 지속되는] 사람들은 / 그것들을 극복하기 위해 도움이 필요할 수도 있다

> 관계사절 안에서 관계대명사가 소유격 역할을 할 때 whose를 쓰고, whose 뒤에는 소유하는 대상이 되는 명사가 온다. 이때 '(명사)가 ~하는/한 (선행사)'라고 해석한다.

02 At the party, I met a man whose face reminded me of my uncle's.

03 The librarian had to call patrons whose library card had expired.

04 Passengers whose flight is delayed will be given a hotel room to stay in.

05 The company hired the applicant whose experience included overseas work.

06 It is not easy to be part of a group whose interests are different from yours.

07 Mars is a terrestrial planet whose surface is mostly covered with red dust.

*terrestrial: 지구형의, 지구와 비슷한

08 This checkout lane is for customers whose shopping cart contains fewer than ten items.

09 The fashion show will feature designers whose pieces are made from recyclable material.

10 A child whose behavior is out of control improves when clear limits on their behavior are set and enforced. <모의>

고난도
11 Those whose only priorities are fame and fortune may end up feeling empty after achieving them.

01 Select appropriate clothing / for *the environment* [**where you'll be exercising**]. <모의응용>

적절한 옷을 선택해라 / [당신이 운동할] 환경에

02 The Internet has significantly changed / **how people collect information.**

인터넷은 상당히 바꿨다 / 사람들이 정보를 모으는 방법을

관계부사 where, when, why, how는 아래와 같이 해석하며, 「전치사+관계대명사」로 바꿔 쓸 수 있다. 선행사가 place, time, reason, way와 같은 일반적인 명사인 경우 관계부사 대신 that이 올 수도 있다.

관계부사	선행사	해석	전치사+관계대명사
where	place/house/city 등	~하는/한 (장소)	at/on/in/to+which
when	time/day/year 등	~하는/한 (시간)	at/on/in/during+which
why	reason	~하는/한 이유	for+which
how	way	~하는/한 방법	in+which

*how는 way와 함께 쓸 수 없으며, way that이나 way in which로 바꿔 쓸 수 있다.

03 Lunar New Year is a time when many Asian families gather together.

04 The article did not reveal the reason why the social media site shut down.

05 Ethan will never forget the day when he met his favorite singer.

06 Tuscany is one of the cities where you can try quality wines at famous local wineries.

07 World historians seek to understand human history by studying how societies relate to each other. <모의응용>

고난도
08 Modern medicine began to emerge during the time when the Industrial Revolution was at its peak.

TIP 관계대명사와 관계부사의 구분

• 관계대명사는 뒤에 있는 절의 주어나 목적어의 역할을 하기 때문에, 불완전한 절 앞에 온다.

We dined at a restaurant **which** opened yesterday. 우리는 어제 연 식당에서 식사했다.
<주어가 없는 불완전한 절>

• 관계부사나 「전치사+관계대명사」는 뒤에 있는 절의 수식어 역할을 하기 때문에, 완전한 절 앞에 온다.

We dined at a restaurant **where** everything was under $10. 우리는 모든 것이 10달러 미만인 식당에서 식사했다.
<완전한 절>

해설집 p.124

UNIT 72 관계사가 생략된 관계사절 해석하기

p.125

목적격 관계대명사가 생략된 관계사절 해석하기

01 Travel gives us / the chance (to do *things* [**we have only imagined**]). <수능>

여행은 우리에게 준다 / ([우리가 상상만 해왔던] 것들을 할) 기회를

> 목적격 관계대명사는 생략될 수 있다. 명사 뒤에 「주어+동사」가 바로 이어지고, 해당 절에 목적어가 빠져 있다면 목적격 관계대명사가 생략된 구문임을 알 수 있다. 단, 전치사 바로 뒤에서 전치사의 목적어 역할을 하는 관계대명사는 생략될 수 없다.

02 Sometimes, we make choices we regret, but they teach us valuable lessons.

03 Dr. Spencer was deeply respected by the staff she worked with at the center.

04 The man in the black hat is the person the police have been looking for since last month.

고난도
05 It is hard to be grateful when all you think about is what you don't have. <모의>

관계부사가 생략된 관계사절 해석하기

06 Individual sellers can choose / *the time* [**they close their booth**]. <모의응용>

각각의 판매자들은 선택할 수 있다 / [그들이 그들의 점포를 닫는] 시간을

> 관계부사의 선행사가 place, time, reason과 같은 일반적인 명사인 경우 관계부사가 생략될 수 있다.

07 I could not really understand the reason Matt reacted angrily to my suggestion.

08 Sarah still remembers the time she and her family went on a camping holiday in Spain.

09 The tourists stopped by the place the world's first publication company was established.

10 Storm chasers go to places hurricanes and tornadoes form in order to capture them on video.

고난도
11 The reason sugar turns brown when heated has to do with the presence of carbon. <모의>

해설집 p.125

콤마와 함께 쓰인 관계대명사절 해석하기

01 This year's adviser is *Ms. Williams*, / **who is a math teacher at our school**. <수능>

올해의 지도 교사는 Williams 선생님이다 / 그리고 그녀는 우리 학교의 수학 선생님이다

02 *Ulysses*, / **which was written by James Joyce**, / is widely regarded as a masterpiece.

'율리시스'는 / 제임스 조이스에 의해 쓰였으며 / 걸작으로 널리 여겨진다

> 관계대명사 who, which, whose 앞에 콤마(,)가 쓰인 관계대명사절은 선행사에 대한 부가적인 정보를 덧붙인다. 이때 문맥에 따라 '그리고/그런데 (선행사)는 ~이다' 또는 '(선행사)는 ~이며/인데'라고 앞에서부터 차례대로 해석한다. 이런 역할의 which는 앞에 나오는 구나 절도 선행사로 가질 수 있다.

03 Mr. Taylor told us to hand in the homework to Maria, who is our class president.

04 Cora, who is a new member, was personally invited to the club by Anna. <수능>

05 Ross gave a moving speech in honor of his professor, which made almost everyone cry.

06 Lora admires The Rolling Stones, whose musical style greatly influenced the rock-and-roll genre.

고난도
07 Carl Jung, who founded analytical psychology, developed the idea of the "shadow" or repressed self.

*analytical psychology: 분석 심리학

콤마 뒤에서 수량 표현과 함께 쓰인 관계대명사절 해석하기

08 There are *many different points of view*, / **all of which have something useful (to say)**.

<모의>

많은 다양한 관점들이 있다 / 그리고 그것들 모두는 (이야기할) 유익한 무언가를 가지고 있다

> 콤마 뒤에서 all/most/many/half/some/one of whom[which]의 형태로 쓰인 관계대명사절은 '그리고/그런데 그(것)들 중 모두/대부분/다수/절반/몇몇/하나는 ~이다'라고 해석한다.

09 The mountain has hundreds of caves, some of which are quite large.

10 The judges, all of whom were former figure skaters, gave Yuna Kim a high score.

11 The band's album consists of 16 songs, one of which is available for free online.

12 Firefighters rescued 27 people, most of whom needed immediate medical treatment.

13 The slowing economy hurt local businesses, half of which had to close down.

14 Logic has extensive and well-defined guidelines, many of which are all too easy to unintentionally violate. <모의>

콤마와 함께 쓰인 관계부사절 해석하기

15 The Dutch Ice Hotel is located in *a refrigerated warehouse*, / **where the temperature stays below zero.** <모의응용>

Dutch Ice Hotel은 냉동고 안에 위치해 있다 / 그리고 그곳에는 온도가 영하로 유지된다

> 관계부사 where와 when도 콤마와 함께 쓰여 선행사에 대한 부가적인 정보를 덧붙일 수 있다. 이때 문맥에 따라 '**그리고/그런데 그곳에/ 그때 ~하다**'라고 해석한다. 관계부사 why와 how는 이런 역할로 쓰이지 않는다.

16 Sophie moved to Paris, where she started her own business.

17 I ran into Chris at the airport last Saturday, when I was coming back from vacation.

18 Drivers were advised to detour around Fifth Street, where construction was taking place.

*detour: 우회하다

19 Oxygen reached one-third of its present concentration about 500 million years ago, when plants first spread onto land. <모의응용>

*concentration: 농도, 농축

> **TIP** **선행사를 꾸며주는 관계사와 부가적인 정보를 덧붙이는 관계사의 구분**
> • 선행사를 꾸며주는 관계사는 선행사의 의미를 한정하여 이를 특정한 것으로 만들며, 선행사가 일반 명사인 경우가 많다.
> I get along with *the man* [**who lives next door**]. 나는 [옆집에 사는] 남자와 잘 지낸다.
>
> • 선행사에 대한 부가적인 정보를 덧붙이는 관계사는 특정한 사람이나 사물에 대해 설명하며, 선행사가 고유 명사인 경우가 많다.
> I get along with *Kurtis*, **who lives next door.** 나는 Kurtis와 잘 지내는데, 그는 옆집에 산다.

해설집 p.127

Chapter Test

[01-15] 다음 문장을 끊어 읽고 해석하시오.

01 The jokes which I found funny were not humorous to anyone else.

02 Carol has some elderly relatives, whom she is willing to look after.

03 This best-selling novel is based on real events that happened in Seoul in the 1960s.

04 We were surprised at the efficiency with which the factory was run.

05 For some Native Americans, the Grand Canyon was the place they called home.

06 Children whose parents exercise every day are likely to lead a healthy lifestyle.

07 The team Rachel rooted for did not end up winning the championship.

*root for: 응원하다

08 The school deducts points from students who arrive at school late more than five times.

09 No one knows how the burglar disabled the alarm and broke into the public museum.

10 The virus from Borneo, where it was first discovered, continued to mutate and change.

*mutate: 변이를 일으키다

11 Goya painted some of his finest portraits around the time when he married in 1805.

<모의>

12 Leo, which represents a lion, can be seen in the southern skies in spring.

*Leo: 사자자리

13 Dr. Singer is an outstanding scholar and teacher who the committee thinks highly of.

고난도
14 Cosmetics such as toners, lotions, and sunscreens may contain chemicals, some of which cause allergic reactions. <모의응용>

고난도
15 Percy Fawcett, who was a British explorer, went looking for the mythical City of Z in the Brazilian rainforest in 1925.

해설집 p.129

CHAPTER 13

부사절

부사절은 문장에서 부사 역할을 한다. 부사절을 이끄는 다양한 접속사의 의미를 알아두면 부사절에서 말하고자 하는 부가적인 내용을 빠르게 해석할 수 있다.

UNIT 74 | 시간을 나타내는 부사절 해석하기

UNIT 75 | 원인을 나타내는 부사절 해석하기

UNIT 76 | 조건을 나타내는 부사절 해석하기

UNIT 77 | 양보·대조를 나타내는 부사절 해석하기

UNIT 78 | 목적/결과를 나타내는 부사절 해석하기

UNIT 79 | 양태를 나타내는 부사절 해석하기

UNIT 80 | 복합관계대명사가 이끄는 부사절 해석하기

UNIT 81 | 복합관계부사가 이끄는 부사절 해석하기

01 **When buttons first came to be used**, / they were extremely expensive. <모의>

단추들이 처음 사용되게 되었을 때 / 그것들은 몹시 비쌌다

시간을 나타내는 부사절을 이끄는 접속사는 아래와 같이 해석한다.

when	~할 때	until/till	~할 때까지
while	~하는 동안	not … until ~	~할 때까지 …하지 않다
as	~할 때, ~하면서	once	일단 ~하면, ~하는 대로
before	~하기 전에	as soon as	~하자마자
after	~한 후에	as[so] long as	~하는 동안
since	~한 이래로, ~한 이후로	by the time	~할 무렵에는, ~할 때까지는

02 Don't count your chickens before they hatch. <속담>

03 My computer stopped working while I was typing my report. <모의>

04 As the chocolate melts in the pot, you should keep stirring it with a spoon.

05 Joe has been scared of big dogs since he was bitten by one a few years ago.

06 As soon as the last passengers boarded, the cruise ship took off for its destination.

07 My manager hardly changes her mind once she has made a decision.

08 Drugs are not made publicly available until they have been thoroughly tested.

09 After he claimed that Earth revolved around the Sun, Galileo was heavily criticized.

10 As long as I live, I'll never forget the advice my mentor gave me: Do what you love and love what you do.

고난도
11 When a company comes out with a new product, its competitors typically go on the defensive. <모의>

고난도
12 Environmentalists worry that the damaging effects of climate change will become irreversible by the time we begin to act.

해설집 p.132

01 People say / that water has no enemy / **because it is essential to all life.** <모의응용>
사람들은 말한다 / 물이 적을 가지고 있지 않다고 / 그것은 모든 생명에 필수적이기 때문에

원인을 나타내는 부사절을 이끄는 접속사는 아래와 같이 해석한다.

because	~하기 때문에	now (that)	~이니까, ~이므로
since/as	~하기 때문에, ~이므로	seeing (that)	~이니까, ~인 것으로 보아
that	~해서, ~하다니	in that	~라는 점에서, ~이므로

*접속사처럼 쓰이는 「전치사+명사+that」: for the reason that(~라는 이유로), on the grounds that(~라는 근거[이유]로)

02 Now that the economy is better, more people are shopping again.

03 I was disappointed that the store didn't sell what I wanted to buy.

04 Seeing that Colin called in sick, he won't be able to attend today's meeting.

05 The river in my town flooded last week because it had rained for three days in a row.

06 Since arctic animals have thick skin and fur, they can survive the freezing cold.

07 Businesses tend to use celebrities in their ads for the reason that they can enhance a brand's image.

08 Jamie was very annoyed that he lost the watch his father had bought him for his birthday.

09 The prime minister objected to the proposal on the grounds that it would cost too much.

고난도
10 Our living space on Earth is very limited in that we cannot make use of the vast underwater world as a land-based species. <모의응용>

해설집 p.133

01 If a bike does not have good brakes, / it cannot be stopped effectively. <수능>

만약 자전거가 좋은 브레이크를 가지고 있지 않다면 / 그것은 효과적으로 멈춰질 수 없다

조건을 나타내는 부사절을 이끄는 접속사는 아래와 같이 해석한다.

if	만약 ~한다면
unless	만약 ~하지 않는다면(= if ~ not)
in case (that)	~한 경우에
as[so] long as	~하기만 하면, ~하는 한
provided[providing] (that)	~라는 조건하에, 만약 ~한다면
suppose[supposing] (that)	~라고 가정하면, 만약 ~한다면

*접속사처럼 쓰이는 「전치사+명사+that」: on (the) condition that(~라는 조건하에)

02 Sam's parents said he could adopt a dog as long as he took care of it.

03 If we're confident about ourselves, we may even look at a failure in a bright light. <수능응용>

04 In case you are not fully satisfied with our service, you can contact us anytime.

05 Unless the Tigers win tonight's game, the team will not make it to the finals.

06 Resort guests are welcome to go scuba diving, providing they have a certification.

07 Supposing that my colleague helps me, I should be done with the work tomorrow.

08 Potato chips will remain crisp for several days if you store them in a sealed container.

09 Employees are permitted to listen to music in the office, provided that they use earphones.

[고난도]
10 The witness agreed to speak to the reporter about the incident on condition that she would not be identified.

[어법]
11 If / Unless you don't turn in the essay on time, you'll be given a penalty.

해설집 p.134

UNIT 77 양보·대조를 나타내는 부사절 해석하기

01 **Although an apple may appear red**, / its atoms themselves are not red. <수능>

비록 사과는 빨갛게 보일 수도 있지만 / 그것의 원자들 자체는 빨갛지 않다

양보·대조를 나타내는 부사절을 이끄는 접속사는 아래와 같이 해석한다.

(al)though	비록 ~이지만
even though	비록 ~이지만 (사실인 내용이 뒤에 온다.)
even if	비록 ~일지라도 (가정하는 내용이 뒤에 온다.)
when	~에도 불구하고, ~인데
while	~에도 불구하고, ~인 반면에(= whereas)
whether ~ or ⋯	~이든 ⋯이든
명사/형용사/부사+as+S´+V´	비록 ~이지만

02 Though Jessica and I see each other every day, I don't know much about her.

03 There might not be enough seats at the theater for all of us, even if we arrive early.

04 While most viewers think the show is hilarious, some find it rather offensive.

05 Whether I drive or take the subway there, it will take about the same amount of time.

06 Difficult as it was to play, the video game became hugely popular with teenagers.

07 Ted is basically a kind and generous person, even though he acts tough in front of strangers.

08 Why do you want to eat out when we could have a delicious and healthy meal at home?

09 Alexander Fleming discovered penicillin in 1928, although the finding was made completely by accident.

*penicillin: 페니실린(항생제의 일종)

고난도
10 Daredevil as she was, Lila could not consider jumping off a cliff with only a wingsuit and no parachute.

*daredevil: 대담한 사람

해설집 p.136

목적을 나타내는 부사절 해석하기

01 Scientists collect information worldwide / **so that they can predict changes** (**in the climate**). <모의응용>

과학자들은 전세계적으로 정보를 수집한다 / 그들이 (기후의) 변화를 예측할 수 있도록

목적을 나타내는 부사절을 이끄는 접속사는 아래와 같이 해석한다.

so (that) in order that	~하도록, ~하기 위해
lest+S′(+should)+V′	~하지 않도록, ~하지 않기 위해

02 The sign-up process for volunteer work should be simplified so that everyone can easily apply.

03 My father boarded up all the windows in the house lest the hurricane break them.

고난도
04 The mayor rearranged the budget in order that more funding could be given to public schools.

결과를 나타내는 부사절 해석하기

05 The weather was **so** cold / **that over four inches of ice formed** / **on the lake**. <모의>

날씨가 너무 추워서 / 4인치가 넘는 얼음이 형성되었다 / 그 호수에

결과를 나타내는 부사절을 이끄는 접속사는 아래와 같이 해석한다.

so+형용사/부사+that … such(+a/an)(+형용사)+명사+that … so+형용사(+a/an)+명사+that …	너무 ~해서 …하다

06 It was such a clear night that Venus could be seen with the naked eye.

07 Gary stacked the boxes so carelessly that they fell over almost right away.

고난도
08 Infinity is so abstract a concept that humans cannot truly grasp what it means.

*infinity: 무한성

해설집 p.137

UNIT 79 양태를 나타내는 부사절 해석하기

01 The Sun looks / **as if it is on fire** / when viewed / through a telescope. <모의응용>

태양은 보인다 / 마치 그것이 불타는 것처럼 / 관찰될 때 / 망원경으로

양태를 나타내는 부사절을 이끄는 접속사는 아래와 같이 해석한다.	
as	~인 것처럼, ~듯이
as if[though]	마치 ~인 것처럼
just as ~, so ...	꼭 ~인 것처럼 …하다

02 Martin became the student president, as his older sister did before him.

03 It seems as if I have to stay up all night to finish this reading assignment.

04 Good times will come after much hardship, as flowers bloom after a hard winter.

05 Lindsay is sweating a lot as though she has just had a run.

06 Just as information technologies reinforce existing prejudices, so they increase inequality. <모의응용>

고난도
07 People tend to be overconfident when they feel as though they have control of the outcome even when this is not the case. <수능응용>

TIP **as의 다양한 쓰임과 의미**

as는 접속사나 전치사로 쓰여 다양한 의미를 나타낼 수 있으며, 접속사 as 뒤에는 절이 오고 전치사 as 뒤에는 명사(구)가 온다.

접속사	~할 때, ~하면서	I saw Mr. Pearson **as** I was getting off the train. 나는 기차에서 내리면서 Pearson씨를 봤다.
	~하기 때문에, ~이므로	We decided to go on a picnic **as** it was a nice day. 날이 좋았기 때문에 우리는 소풍을 가기로 결정했다.
	~인 것처럼, ~듯이	They had to keep relocating, **as** their parents did. 그들은 그들의 부모님이 그랬던 것처럼 계속 이사를 다녀야 했다.
	비록 ~이지만	Young **as** she is, Lucy can think like an adult. 비록 어리지만, Lucy는 어른처럼 생각할 수 있다.
	~할수록, ~함에 따라	**As** you get older, you might look at things differently. 나이가 들수록, 너는 사물들을 다르게 볼 수도 있다.
	~하는 만큼	I love traveling as much **as** you do. 나도 네가 좋아하는 만큼 여행을 좋아한다.
전치사	~로서, ~처럼	**As** a soccer player, he exercises every day. 축구 선수로서, 그는 매일 운동한다.

해설집 p.138

01 <u>**Whatever the trends are in children's products**</u>, / children have always enjoyed
      SC'   S'   V'   M'

slides. <모의응용>

아동 제품에 있어서 유행이 무엇이더라도 / 아이들은 항상 미끄럼틀을 즐겨왔다

(= **No matter what the trends are in children's products**, children have always enjoyed slides.)
      SC'   S'   V'   M'

복합관계대명사는 부사절을 이끌 때 아래와 같이 해석하며, 부사절 안에서 S´, O´, SC´의 역할을 한다.	
who(m)ever	누가[누구를] ~하더라도, S가 누구더라도(= no matter who(m))
whatever	무엇이[을] ~하더라도, S가 무엇이더라도(= no matter what)
whichever	어느 것이[을] ~하더라도, S가 어느 것이더라도(= no matter which)

*whatever와 whichever는 복합관계형용사로 쓰여 명사를 꾸며줄 수 있다.

02 Whomever the coach makes the captain, the rest of the team will stand behind him.

03 The application period will close on April 1 or when all the vacancies are filled, whichever is sooner.

04 Whatever the results of the competition are, you should be proud of what you have done.

05 Certain governmental policies do not change, no matter which political party is in office.

06 Whatever purpose they may have, people are now trying to search for wild food resources. <모의응용>

07 Justice must be done, no matter who is involved and no matter what the circumstances are.

고난도
08 Whichever topic you choose for your paper, you must cite enough sources to back up any claims you make.

해설집 p.139

01 **Whenever Ben is curious about something**, / he looks it up online. <모의응용>

Ben은 무언가에 대해 궁금할 때마다 / 그는 온라인으로 그것을 찾아본다

(= **Every time that Ben is curious about something**, he looks it up online.)

02 I couldn't get the jammed door unlocked, / **however hard I tried**. <모의응용>

나는 꼼짝도 하지 않는 문을 열리게 할 수 없었다 / 내가 아무리 열심히 노력했더라도

(= I couldn't get the jammed door unlocked, **no matter how hard I tried**.)

복합관계부사는 부사절을 이끌 때 아래와 같이 해석하며, 부사절 안에서 부사의 역할을 한다.

복합관계부사	장소·시간·방법의 부사절	양보의 부사절
wherever	~하는 곳은 어디든 (= at/in/to any place that)	어디에(서) ~하더라도 (= no matter where)
whenever	~할 때마다, ~할 때는 언제든 (= every/any time that)	언제 ~하더라도 (= no matter when)
however	~하는 어떤 방법으로든 (= in whatever way that)	아무리 ~하더라도 (= no matter how) *이때 however 뒤에는 형용사나 부사가 온다.

03 Tom's little sister is very fond of him and follows him wherever he goes.

04 Katy gets emotional and cries whenever she watches the movie *Titanic*.

05 The explorers wish to journey to the South Pole, however expensive the trip may be.

06 There are always going to be pros and cons no matter where you work.

07 People have the freedom to share their thoughts and feelings however they like.

08 No matter when my friend finishes soccer practice, he and I will go to a movie together.

09 Any kind of information, no matter how trivial it seems, might help the investigation move forward.

*trivial: 사소한

고난도
10 Whenever an athlete sets a new world record, it inspires others to bring out the best within themselves. <수능응용>

해설집 p.140

Chapter Test

[01-14] 다음 문장을 끊어 읽고 해석하시오.

01 I was not able to attend the weekly seminar because I caught the flu.

02 The graduation ceremony will be held outdoors, as long as the weather is good.

03 The article had been printed before the journalist realized that he had made a mistake.

04 Societies and cultures did not form until humankind learned how to farm.

05 Lena stayed in the classroom to study on her own even though school was over.

06 Human reactions are so complex that they could be difficult to interpret objectively. <모의>

07 The handles must be wrapped with rubber in order that workers can grip them firmly.

08 Jack works part-time as an assistant since he has to earn money to cover his tuition.

09 Some trees grow quickly if you just water them on a regular basis, wherever they are planted.

10 While extroverts like to socialize with people, introverts prefer to spend time alone.

11 You should treat everyone with respect, whoever they are and whatever they do.

12 The politician said he would take any questions no matter how sensitive the topics may be.

고난도
13 While taking a close look at the ancient palace, I felt as though I was experiencing a world that was totally new to me. <모의응용>

고난도
14 Fumes from the chemicals escape into the atmosphere whichever way the wind is blowing.

해설집 p.142

CHAPTER 14

가정법

가정법은 사실과 반대되거나 실현 가능성이 거의 없는 일을 가정하여 말하는 것이다. 가정법의 시제는 실제로 그것이 가리키는 시점과 일치하지 않아 혼동하기 쉽지만, 공식처럼 쓰이는 구문이 있으므로 이를 학습해두면 쉽고 빠르게 문장을 해석할 수 있다.

UNIT 82 | if가 쓰인 가정법 해석하기

UNIT 83 | if+주어+should/were to 가정법 해석하기

UNIT 84 | if가 생략된 가정법 해석하기

UNIT 85 | S+wish 가정법 해석하기

UNIT 86 | as if[though] 가정법 해석하기

UNIT 87 | 다양한 가정법 표현 해석하기

if가 쓰인 가정법 해석하기

01 **If** I **were** a genius, / I **could help** my classmates with their studies. <수능응용>

만약 내가 천재라면 / 나는 나의 반 친구들의 공부를 도와줄 수 있을 텐데

> 가정법 과거는 현재의 사실과 반대되거나 실현 가능성이 거의 없는 일을 가정할 때 쓴다. if가 쓰인 가정법 과거는 「If+S´+동사의 과거형(be 동사는 were) ~, S+would/could/might+동사원형 …」의 형태이며, '만약 (현재에) ~한다면 (현재에) …할 텐데'라고 해석한다.

02 If dung beetles grew to the size of people, they could even lift cars.

03 If I were given a chance to turn back time, I would go back to my childhood.

04 If Jack won the lottery, he might donate some of his winnings to charity.

*winnings: 당첨금, 상금

05 If the guidelines were clear and simple, everyone could understand them without difficulty.

고난도
06 If we lived in a world where things changed at random, we would not be able to make any predictions. <모의응용>

어법
07 If Darren is / were here, he would definitely tell us what to do next.

08 **If** the truck **had been** closer to our train, / it **would have been** a disaster. <모의응용>

만약 그 트럭이 우리의 기차에 더 가까이 있었더라면 / 그것은 재앙이었을 텐데

> 가정법 과거완료는 과거의 사실과 반대되는 일을 가정할 때 쓴다. if가 쓰인 가정법 과거완료는 「If+S´+had p.p. ~, S+would/could/ might+have p.p. …」의 형태이며, '만약 (과거에) ~했더라면 (과거에) …했을 텐데'라고 해석한다.

09 If Olivia had sincerely apologized for her mistake, I wouldn't have been so angry.

10 If Isaac Newton hadn't been hit by a falling apple, could he have discovered gravity?

11 If the weather had been nicer, the climbers might have reached the top of the mountain.

12 If you hadn't called, I wouldn't have known that the meeting had been postponed.

13 If education had been focused on creativity, more people could have become great artists. <수능응용>

[어법]
14 The athlete might have won a gold medal in the 100 meters if she | hasn't / hadn't | fallen down.

---

if가 쓰인 혼합가정법 해석하기

15 **If** Leonardo da Vinci **had become** a farmer, / the world today **would be** different. <모의응용>

만약 레오나르도 다빈치가 농부가 되었더라면 / 오늘날 세상은 다를 텐데

> 혼합가정법은 if절과 주절의 시점이 서로 다를 때 쓴다. if가 쓰인 혼합가정법은 「If+S´+had p.p. ~, S+would/could/might+동사원형 …」의 형태로 자주 나타나며, '**만약** (과거에) **~했더라면** (현재에) …**할 텐데**'라고 해석한다.

16 If Tina had carefully followed the directions, she might already be here.

17 If you had left the shopping mall a bit later, you would be stuck in traffic now.

18 I could have a decent job with a higher salary if I had worked harder at school.

19 If camels had evolved in the rain forest, they might not have humps on their back.

[고난도]
20 If the restoration project had been completed on schedule, the cathedral would be open to the public now.

*cathedral: 성당

해설집 p.144

01 **If** an emergency **should arise** / in the woods, / you **could use** a flare gun.

만약 비상 사태가 발생한다면 / 숲에서 / 너는 비상 조명탄을 사용할 수 있을 텐데

> if절에 should나 were to가 있는 가정법은 미래에 실현 가능성이 거의 없거나 불가능한 일을 가정할 때 쓰며, 둘 다 '**만약** (미래에) **~한다면** (미래에) **…할 텐데**'라고 해석한다.
>
> | 「If+S´+should」 가정법 | If+S´+should+동사원형 ~, S+would/could/might+동사원형 … |
> | --- | --- |
> | 「If+S´+were to」 가정법 | If+S´+were to+동사원형 ~, S+would/could/might+동사원형 … |
>
> *「If+S´+should」는 주절에 조동사의 현재형(will/can/may)이나 명령문이 올 수 있다.

02 If I were to have no friends to hang out with, I would feel terribly lonely.

03 If the ship should sink, the crew and passengers would run to the lifeboats.

04 If you were to speak any language perfectly, what would you choose?

05 If you should find the missing dog, contact the owner immediately.

06 If scientists should bring extinct species back to life, it might cause chaos.

07 If aliens from another planet were to visit Earth, what would they do here?

08 If I were to get free airline tickets to any destination in the world, I would go to Iceland.

09 If the sky that we look upon should tumble and fall, would you stand by me? – Ben E. King

10 If you were to stop consuming animal products, you might become deficient in nutrients.

*deficient: 부족한, 결핍된

11 If global temperatures should increase by just two degrees, sea levels could rise significantly.

고난도
12 If I were to suffer from heart failure and depend upon an artificial heart, I wouldn't be myself anymore. <모의응용>

해설집 p.146

UNIT 84 if가 생략된 가정법 해석하기

01 Should trees **disappear,** / fruit-eating animals **would be endangered.** <모의응용>

만약 나무들이 사라진다면 / 과일을 먹는 동물들이 위태로워질 텐데

(= If trees should disappear, fruit-eating animals would be endangered.)

가정법에서 if절의 (조)동사가 were, had, should인 경우 if를 생략할 수 있으며, 이때 주어와 (조)동사의 위치가 바뀐다. 해석은 if가 쓰인 가정법과 동일하게 한다.

구분	if가 생략된 가정법의 형태 (← 가정법의 기본 형태)
가정법 과거	Were+S´ ~ (← If+S´+were ~)
가정법 과거완료	Had+S´+p.p. ~ (← If+S´+had p.p. ~)
「If+S´+should」 가정법	Should+S´+동사원형 ~ (← If+S´+should+동사원형 ~)

02 Were it warmer in the evening, we could have dinner on the balcony.

03 Should the trend continue, we might soon see a four-day working week.

04 Had Nina done better on the final exam, she could have won the scholarship.

05 Were Anthony not able to carry out his tasks, they would be given to someone else.

06 Had the advice of experts not been ignored, the accident could have been avoided.

07 Should the Internet go down forever, it would have a critical impact on the world economy.

08 Were fossil fuels easy to replace, oil and gas companies would not be profitable.

09 Had the computer been invented 300 years ago, what discoveries would we have made by now?

고난도
10 Should private transport companies fail to comply with the safety regulations, they would face heavy fines.

어법
11 Had / Should I stayed longer in England, I could have improved my English.

해설집 p.147

S+wish 가정법 해석하기

01 I **wish** / I **had** great presentation skills / like Steve Jobs. <모의응용>

좋을 텐데 / 내가 훌륭한 발표 능력을 가진다면 / 스티브 잡스처럼

02 Jenny **wished** / she **hadn't spent** all her money / on clothes and shoes.

Jenny는 바랐다 / 그녀가 그녀의 모든 돈을 쓰지 않았길 / 옷과 신발에

「S+wish」 가정법 과거는 주절의 시제와 같은 시점에 실현 가능성이 거의 없거나 불가능한 일을 소망할 때 쓴다. 「S+wish」 가정법 과거완료는 주절의 시제보다 앞선 시점에 이루지 못했던 일 또는 이미 일어난 일에 대한 아쉬움을 나타낼 때 쓴다.

주절	가정법 과거	해석
S+wish	S'+(조)동사의 과거형(be동사는 were) ~	S가 ~하면 좋을 텐데/~하길 바란다
S+wished		S가 ~하면 좋았을 텐데/~하길 바랐다
주절	가정법 과거완료	해석
S+wish	S'+had p.p. ~	S가 ~했더라면 좋을 텐데/~했길 바란다
S+wished		S가 ~했더라면 좋았을 텐데/~했길 바랐다

03 Alexis wishes she could sing and play the guitar at the same time.

04 I wish I hadn't eaten that second plate of food before having dessert.

05 When Logan was a middle school student, he wished he were taller.

06 Being tired during a long walk along the coast, Emma wished she were back home.

07 For the first time, I really wished I had listened to what my parents told me.

08 The writer wished she could think of a good opening line that would catch readers' attention.

09 According to a survey, one in four university students wish they had chosen a different major.

고난도
10 The animal rights activists wished the law protecting the whales had been passed sooner.

고난도
11 Many physicists wish they could find a unified theory of the forces in the universe.

해설집 p.149

UNIT 86 as if[though] 가정법 해석하기

01 Emily often **interferes** in my personal affairs / **as if** they **were** her own. <수능응용>

Emily는 종종 나의 사적인 일들에 간섭한다 / 마치 그것들이 그녀 자신의 것인 것처럼

02 It **appeared** / **as though** the entire sky **had turned** / into a deep ocean. <모의응용>

보였다 / 마치 온 하늘이 변했던 것처럼 / 깊은 바다로

as if[though] 가정법 과거는 주절의 시제와 같은 시점의 사실과 반대되는 일을 가정할 때 쓰고, as if[though] 가정법 과거완료는 주절의 시제보다 앞선 시점의 사실과 반대되는 일을 가정할 때 쓴다.

주절	가정법 과거	해석
S+현재시제	as if[though]+S´+동사의 과거형(be동사는 were) ~	마치 S´가 ~한 것처럼 …한다
S+과거시제		마치 S´가 ~한 것처럼 …했다
주절	가정법 과거완료	해석
S+현재시제	as if[though]+S´+had p.p. ~	마치 S´가 ~했던 것처럼 …한다
S+과거시제		마치 S´가 ~했던 것처럼 …했다

03 The CEO often behaves as though he were the king of some powerful empire.

04 A few days after our fight, Tom began talking to me as if nothing had happened.

05 Throughout the trip, Jason showed us around the city as if he were a tour guide.

06 The band was formed only a month ago, but they performed as if they had been together for years.

고난도
07 Writing in her diary, Anne Frank found refuge from her situation as though the war were miles away in some other place.

*refuge: 안식처

고난도
08 Some self-help books recommend that people should act as if they had already achieved their goal.

TIP **as if[though] 직설법**

as if[though]는 사실일 가능성이 있는 일도 나타낼 수 있으며, 이때 as if[though] 뒤에 실제 시제에 맞는 동사를 쓴다.

He talks as if he **is** a doctor. <직설법> 그는 마치 그가 의사인 것처럼 말한다. (그는 의사일 가능성이 있음)

He talks as if he **were** a doctor. <가정법> 그는 마치 그가 의사인 것처럼 말한다. (그는 의사가 아님)

해설집 p.150

다양한 가정법 표현 해석하기

without[but for] 가정법 해석하기

01 **Without[But for]** vacations, / most children **would be stressed out**. <모의응용>

만약 방학이 없다면 / 대부분의 아이들은 스트레스를 받을 텐데

(= If it were not for[Were it not for] vacations, most children would be stressed out.)

「Without[But for]+명사」는 가정법의 if절을 대신하며, 아래와 같이 해석한다.

without[but for] 가정법 과거	해석
Without[But for]+명사, S+would/could/might+동사원형 ··· = If it were not for[Were it not for]+명사	만약 (현재에) ~가 없다면, (현재에) ···할 텐데
without[but for] 가정법 과거완료	**해석**
Without[But for]+명사, S+would/could/might+have p.p. ··· = If it had not been for[Had it not been for]+명사	만약 (과거에) ~가 없었더라면, (과거에) ···했을 텐데

02 Without the flashlight, the scouts would be unable to see in the dark woods.

03 But for the invention of the printing press, few people might know how to read and write.

04 Without his efforts and diligence, the billionaire could not have built his fortune.

고난도
05 But for the calculations of Katherine Johnson, NASA would have struggled to send astronauts into space.

otherwise 가정법 해석하기

06 We should buy tickets in advance. // **Otherwise** we **would have to stand** in line. <모의>

우리는 미리 표를 사야 한다. // 그렇지 않으면 우리는 줄을 서야 할 것이다.

otherwise 가정법은 뒤에 가정법 과거가 올 때 '그렇지 않으면 ~할 것이다'라고 해석하고, 가정법 과거완료가 올 때 '그렇지 않았더라면 ~했을 것이다'라고 해석한다.

07 I set the plant by the window, otherwise it would lack the sunlight it requires to survive.

08 Dr. Thompson was a few hours behind schedule; otherwise he could have joined us for lunch.

09 The lovers in a romantic story need to have a conflict. Otherwise there would be little satisfaction when they are reunited.

---

suppose[supposing] (that) 가정법 해석하기

10 **Suppose that** you **got lost** in a foreign country, / what **would** you **do**?

만약 네가 외국에서 길을 잃는다면 / 너는 무엇을 할 거니

> suppose[supposing] (that) 가정법은 뒤에 가정법 과거가 올 때 '**만약 ~한다면**'이라고 해석하고, 가정법 과거완료가 올 때 '**만약 ~했더라면**'이라고 해석한다.

11 Suppose your engine broke down in the desert, you would have to repair it yourself.

12 Supposing you had the powers of a superhero, would you use them to help the community?

13 Supposing that the disease had been treated with proper care and attention, it might not have led to brain damage.

---

it's time 가정법 해석하기

14 **It's time / that** you **started** thinking about other people's lives. ‹수능응용›

때이다 / 네가 다른 사람들의 삶에 대해 생각하기 시작해야 할

> it's time 가정법은 '(S'가) **~해야 할 때이다**'라고 해석하며, 아래와 같은 형태이다.
>
> | It's (high/about) time (that)+ | S'+동사의 과거형(be동사는 were) |
> | --- | --- |
> | | S'+should+동사원형 |

15 It's about time I left for the airport to catch my flight to Madrid.

16 It's high time the government began providing more affordable housing for young people.

17 It's time that we should reconsider the seriousness of the problem and do something about it. ‹수능응용›

해설집 p.151

Chapter Test

[01-14] 다음 문장을 끊어 읽고 해석하시오.

01 If I were to be elected as president, I would change the country in many ways.

02 If Laura had gotten a law degree, she might have worked in a legal department.

03 Were you in my position, you could understand how difficult it is to manage a team.

04 Without a smartphone to entertain her, Dorothy would get bored and restless.

05 If Ricky hadn't lost so many matches last year, he would have more confidence now.

06 Because of the fine dust, the city looked as though it were covered in a thick fog.

07 If the firm made a positive contribution to society, it might gain a good reputation.

08 Had the pilot noticed the warning light in the cockpit, he wouldn't have taken off.

*cockpit: 조종석

09 Lee wished he could have seen what the farm had looked like in his father's youth.

10 Should there be no air at all, a coin dropped from a skyscraper could cause an injury.

11 Supposing all cars had electric engines, air pollution would be reduced dramatically.

고난도
12 It was fortunate that the peace negotiations were swift; otherwise the dispute would have brought more destruction.

고난도
13 Given the current tension in our culture, it's time people started using better judgment when they post on social media.

고난도
14 Charles Darwin might not have come up with his theory of evolution if it had not been for the thousands of sketches he drew. <모의응용>

해설집 p.153

CHAPTER 15

비교구문

비교구문은 두 가지 이상의 대상을 서로 견주어 비교하는 문장이다. 비교구문은 기존 형용사와 부사의 의미에 더욱 풍부한 내용을 더해준다. 다양한 비교구문 학습을 통해 비교하는 대상이 무엇인지 파악하면 문장을 빠르게 해석할 수 있다.

UNIT 88 | 원급/비교급/최상급 비교 해석하기

UNIT 89 | 원급 표현 해석하기

UNIT 90 | 비교급 표현 해석하기

UNIT 91 | 헷갈리는 비교급 표현 해석하기

UNIT 92 | 최상급 표현 해석하기

UNIT 93 | 최상급의 의미를 나타내는 원급/비교급 표현 해석하기

원급 비교 해석하기

01 Driving slowly on the highway / is **as dangerous** / **as** racing in the cities. <모의>

고속도로에서 천천히 운전하는 것은 / 위험하다 / 시내에서 질주하는 것만큼

> 「as+형용사/부사의 원급+as」는 두 비교 대상의 정도가 비슷하거나 같음을 나타내며, '…**만큼 ~한/하게**'라고 해석한다. 부정문인 「not as[so]+형용사/부사의 원급+as」는 '…**만큼 ~하지 않은/않게**'라고 해석한다.

02 My sister, Tara, was not as adventurous as my younger brother and me. <모의응용>

03 Katy is an excellent ballerina who is as graceful as a swan.

04 After so many years on the factory line, he worked as efficiently as any machine.

05 The philanthropist is as beloved as he is admired for his generosity.

*philanthropist: 자선가, 박애주의자

06 Even an invention as elementary as finger-counting changes our cognitive abilities dramatically. <수능>

고난도
07 The newly developed synthetic material is still not so biodegradable as plant products.

*biodegradable: 생분해성의(미생물에 의해 분해되는)

비교급 비교 해석하기

08 We imagine impressive outcomes **more readily** / **than** ordinary ones. <모의>

우리는 인상적인 결과들을 더 쉽게 상상한다 / 평범한 것들보다

> 「형용사/부사의 비교급+than」은 두 비교 대상의 차이를 나타내며, '…**보다 더 ~한/하게**'라고 해석한다. 「less+형용사/부사의 원급+than」은 '…**보다 덜 ~한/하게**'라고 해석한다.

09 Mammals tend to be less colorful than other animal groups. <모의>

10 Science articles must be read more carefully than other papers.

11 The vegetables in the front are fresher than the ones stocked towards the back.

12 I don't want the fabric sofa, because it's less durable than the others. <모의응용>

13 Ask Jean about the matter, as she is more knowledgeable about it than I am.

^{고난도}
14 In a potentially severe situation, everyone will appear less concerned than they actually are. <모의응용>

최상급 비교 해석하기

15 The Great Salt Lake is **the largest** salt lake / in the Western Hemisphere. <수능>

그레이트 솔트 호수는 가장 큰 소금 호수이다 / 서반구에서

> 「the+형용사/부사의 최상급」은 셋 이상의 비교 대상 중 하나의 정도가 가장 높음을 나타내며, '**가장 ~한/하게**'라고 해석한다.

16 The proportion of spending on food dropped the most sharply in 2013. <모의>

17 *Alice's Adventures in Wonderland* is the most recognized work of Lewis Carroll.

18 I missed the most recent episode of the drama since I had to study for an exam.

19 Cattle are attacked by wolves the most frequently during the summer months.

^{고난도}
20 Vostok Station in Antarctica recorded the lowest natural temperature in 1983 with a reading of -89.2°C.

TIP **원급/비교급/최상급을 강조하는 부사**

- 원급을 강조하는 부사: just/exactly(딱, 꼭), nearly/almost(거의, ~이나)
  I enjoy buying groceries *nearly* **as much as** browsing a good bookstore. <모의응용>
  나는 좋은 서점을 구경하는 것만큼이나 식료품을 사는 것을 즐긴다.

- 비교급을 강조하는 부사: much/even/far/a lot(훨씬)
  The influence of peers is *much* **stronger than** that of parents. <모의응용>
  또래의 영향력은 부모의 것보다 훨씬 더 강하다.

- 최상급을 강조하는 부사: by far/quite/easily(단연코), the very(단연코, 정말), much(정말, 그야말로)
  Houseplants are *by far* **the best** way to filter indoor air. <모의>
  화초는 실내 공기를 정화해줄 단연코 가장 좋은 방법이다.

해설집 p.156

01 Two hours of shopping / burns **as much as** 300 calories. <모의>

두 시간의 쇼핑은 / 300칼로리나 되는 열량을 태운다

원급을 이용한 표현은 아래와 같이 해석한다.

as+many[much]/few[little] as+숫자	~나 되는/~밖에 안 되는
배수사+as+원급+as	…보다 -배 ~한/하게
as+원급+as+possible	가능한 한 ~한/하게
as+원급+as+주어+can/could	…가 할 수 있는 한 ~한/하게
as+원급+as ever	여전히[변함없이] ~한/하게

02 When you don't know something, admit it as quickly as possible. <모의응용>

03 The rate of boys' obesity was three times as high as that of girls'. <모의응용>

04 The city evacuated as many as 3,000 people today because of the forest fires.

05 The last experiment we conducted took twice as long as the previous one.

06 Ms. Garret spent her days at the resort as peacefully and as quietly as she could.

07 Ethan was as loyal as ever when I needed him to stand beside me the most.

08 Although the customer had angrily raised his voice, the clerk replied to his questions as calmly as possible.

고난도
09 The genetic evidence suggests that as few as several hundred individuals went first to India and then to Southeast Asia. <모의응용>

TIP 관용적으로 쓰이는 원급 표현

- as good as: (거의) ~나 다름없는
  She cleaned the jewelry, and now it's **as good as** new.
  그녀는 보석을 닦았고, 이제 그것은 거의 새 것이나 다름없다.

- not so much A as B: A라기 보다는 B
  Nick was **not so much** disappointed **as** sad to hear the news.
  Nick은 그 소식을 듣고 실망을 느끼기 보다는 슬펐다.

해설집 p.158

UNIT 90 비교급 표현 해석하기

01 Colored rubber tires / were **five times tougher** / **than** the uncolored ones. <모의>

채색된 고무 타이어들은 / 5배 더 튼튼했다 / 채색되지 않은 것들보다

비교급을 이용한 표현은 아래와 같이 해석한다.

배수사+비교급+than	…보다 -배 더 ~한/하게
the+비교급, the+비교급	…하면 할수록 더 ~하다
비교급+and+비교급	점점 더 ~한/하게

02 The more you move your body, the healthier and happier you become. <모의>

03 Unless we take action now, traffic congestion will get worse and worse. <수능>

04 Warren grew more afraid as the hot air balloon rose higher and higher into the air.

05 Normally, the more expensive an electronic device is, the more features it has.

06 As the sun set over the desert, the lower and lower the temperature fell.

07 Studies show that the latest air purifiers are ten times more efficient than existing models.

08 The better we understand something, the less effort we put into thinking about it. <모의>

고난도
09 The poison of a black widow spider is 15 times more potent than that of a rattlesnake.

고난도
10 Many people have become passive listeners to music, and fewer and fewer people are playing musical instruments for fun. <모의응용>

TIP **than 대신 to가 오는 비교 표현**

자체적으로 비교의 뜻을 가지고 있는 일부 단어 뒤에는 than 대신에 to가 온다.

be superior to ~보다 우수하다	be senior to ~보다 손위이다	be prior to ~보다 전이다
be inferior to ~보다 열등하다	be junior to ~보다 손아래다	be preferable to ~보다 선호되다

해설집 p.159

not more/less than 해석하기

01 Meat was served only on special days, / often **not more than** once a month. <모의>

고기는 특별한 날에만 제공되었다 / 대개 많아야 한 달에 한 번

02 Profit before tax / is expected to be **not less than** $60 million.

세전 이익이 / 적어도 6,000만 달러 이상일 것으로 예상된다

> not more than은 '**많아야 (~이하)**'라고 해석하고, not less than은 '**적어도 (~이상)**'이라고 해석한다.

03 Ideally, not less than a quarter of your wages ought to be saved.

04 The farmland he wanted to buy was not more than a hundred square kilometers.

05 The miners found not less than 40 carats worth of diamonds in the cave.

고난도
06 Guests should not abuse the host's hospitality and should usually stay not more than three days. <모의응용>

no more/less than 해석하기

07 Even the biggest species of lanternfish / are **no more than** six inches long. <모의응용>

심지어 가장 큰 종의 발광어도 / 길이가 겨우 6인치이다

08 Newborns' brains use / **no less than** two thirds of their energy. <모의응용>

신생아들의 뇌는 사용한다 / 그들의 에너지의 3분의 2나

> no more than은 '**단지/겨우 (~인)**'이라고 해석하고, no less than은 '**~나 (되는)**'이라고 해석한다.

09 Surprisingly, whole milk has no more than 3.25% milk fat by weight.

*whole milk: 전유(지방을 빼지 않은 우유)

10 There are no less than three major amusement parks within walking distance.

11 The team has been to the finals no more than twice over the past 20 years.

고난도
12 Without hats, people lose no less than half of their body heat through their heads and necks.

A not more/less ~ than B 해석하기

13 Selling products internationally / is **not more difficult** / **than** selling domestically.

해외에 제품을 판매하는 것이 / 더 어려운 것은 아니다 / 국내에 판매하는 것보다

14 Your comfort and well-being / is **not less important** / **than** others' feelings.

너의 편안함과 행복이 / 덜 중요한 것은 아니다 / 다른 사람들의 기분보다

> A not more ~ than B는 'A가 B보다 더 ~한 것은 아니다(= A가 B보다 덜 ~하거나 같다)'라고 해석하고, A not less ~ than B는 'A가 B보다 덜 ~한 것은 아니다(= A가 B보다 더 ~하거나 같다)'라고 해석한다.

15 The trip to the museum was not less enjoyable than visiting the art gallery.

16 This new study on heart disease is not more influential than any of its predecessors.

고난도
17 Recent progress in telecommunications technologies is not more revolutionary than that of the nineteenth century. <모의응용>

A no more/less ~ than B 해석하기

18 Making quesadillas / is **no more complicated** / **than** making sandwiches.

케사디야를 만드는 것은 / 복잡하지 않다 / 샌드위치를 만드는 것과 마찬가지로

19 Our intuitive abilities / are **no less marvelous** / **than** the insights of professionals. <모의응용>

우리의 직관적인 능력은 / 놀랍다 / 전문가의 통찰력만큼이나

> A no more ~ than B는 'A는 B와 마찬가지로 ~하지 않다(= A와 B 둘 다 ~하지 않다)'라고 해석하고, A no less ~ than B는 'A는 B만큼이나 ~하다(= A와 B 둘 다 ~하다)'라고 해석한다.

20 It is no less necessary to floss than to brush one's teeth.

21 Scientists stated that the virus was no more harmful than the common cold.

22 Peter is no less accomplished in his academic successes than his older brother.

해설집 p.160

01 Henry Moore is **one of the greatest British artists** / of the 20th century. <모의응용>

헨리 무어는 가장 위대한 영국 예술가들 중 하나이다 / 20세기의

최상급을 이용한 표현은 아래와 같이 해석한다.

one of the+최상급+복수명사	가장 ~한 (명사) 중 하나
the+최상급+명사+that+have ever+p.p.	지금까지 …한 (명사) 중에서 가장 ~한 (명사)
the+서수+최상급	… 번째로 가장 ~한

02 Africa is the second largest continent in terms of both size and population.

03 The deepest dam that has ever been built is the Parker Dam in Arizona, USA.

04 One of the most popular dishes in this restaurant is grilled salmon.

05 Michael Jordan is perhaps the greatest player that has ever played in the NBA.

06 Historians agree that the wheel was one of the most important inventions in history.

07 Black Friday, the day following Thanksgiving, is one of the busiest shopping days of the year. <모의>

08 Director Christopher Nolan's *Tenet* was the fifth highest-grossing movie in 2020.

09 The Baja Peninsula of Mexico is one of the best places in the world to observe whales up close. <모의응용>

TIP **관용적으로 쓰이는 최상급 표현**

- the last person/thing+관계사절: 가장 마지막에 ~할 사람/것(= 가장 ~하지 않은 사람/것)

  The last thing I wanted to do was to spend hours in traffic. <모의>

  내가 가장 마지막에 하고 싶었던 것은(= 내가 가장 하고 싶지 않았던 것은) 교통체증 속에서 몇 시간씩 보내는 것이었다.

- at best/worst: 기껏해야/최악의 경우에

  The chemical is **at best** ineffective and **at worst** dangerous.

  그 화학물질은 기껏해야 효과가 없고 최악의 경우에 위험하기까지 하다.

해설집 p.162

UNIT 93 최상급의 의미를 나타내는 원급/비교급 표현 해석하기

01 **No other** literature genre is **as popular** / **as** fiction. <모의응용>

어떤 문학 장르도 인기 있지 않다 / 소설만큼

(= Fiction is **the most popular** literature genre.)

최상급의 의미를 나타내는 원급/비교급 표현은 아래와 같이 해석한다.

No (other)+단수명사 ~ as+원급+as	어떤 (명사)도 …만큼 ~하지 않은
No (other)+단수명사 ~ 비교급+than	어떤 (명사)도 …보다 더 ~하지 않은
비교급+than any other+단수명사	다른 어떤 (명사)보다 더 ~한
비교급+than all the other+복수명사	다른 모든 (명사)보다 더 ~한

02 This hiking trail is more challenging than all the other trails in the park.

03 No fossil discovery was more valuable to the archeologists than the T-Rex skull.

04 No other remake of the song is as moving as the one written by her.

05 Insects are more abundant than all the other animal species on Earth.

06 No policy is more complicated to understand than the immigration rules.

07 No other sight is as splendid as the view from the mountaintop at sunset.

08 Special Operations Forces are harder to train for than any other military unit.

*Special Operations Forces: 특수 작전 부대

09 No other evidence is more compelling than the fingerprint found at the crime scene.

고난도
10 Fabrics made of Egyptian cotton are softer and last longer than those made of any other cotton in the world. <모의응용>

해설집 p.163

Chapter 15 비교구문 • 해커스완전숙달구문독해

Chapter Test

[01-15] 다음 문장을 끊어 읽고 해석하시오.

01 The final report should be not more than ten pages or 5,000 words.

02 My grandparents' house is three times as far away as my uncle's.

03 What you eat might not be as important as who you eat with. <모의응용>

04 Jupiter is the biggest planet and has stronger gravity than all the other planets. <모의응용>

05 Galileo was persecuted much more harshly than his colleagues for his theories.

06 The company's new smartphone has by far the most appealing design to young adults.

07 The food fair had as many as 200 different booths that served local cuisine.

08 The longer guests had to wait in line in the sun, the more tired they became.

09 Hippos are no less aggressive than crocodiles when defending their territory.

10 The manager is not more nervous than we are about launching our first collection.

11 Some believe that acupuncture is superior to certain types of medication.

*acupuncture: 침술

12 No other organization is as capable of handling the global food shortage as the WFP.

*WFP(World Food Programme): 세계식량계획

고난도
13 Fear is sometimes not so much a feeling of dread as a heightening of all the senses.

고난도
14 Future generations should have opportunities as good as or better than previous ones.

고난도
15 Many features of matter and the forces of nature were either unknown or, at best, poorly understood. <모의응용>

해설집 p.165

CHAPTER 16

특수구문

특수구문은 문장에서 말하고자 하는 내용을 더욱 효과적으로 전달하기 위해 기본적인 문장 구조를 변형한 것이다. 기본적인 문장 구조와는 다른 형태를 가지고 있기 때문에 어렵게 보일 수 있지만, 구문 별로 주요한 패턴이 있으므로 이를 학습해두면 쉽게 문장 구조를 파악할 수 있다.

UNIT 94 | 강조 구문 해석하기

UNIT 95 | 부정 구문 해석하기

UNIT 96 | 도치 구문 해석하기

UNIT 97 | 동격 구문 해석하기

UNIT 98 | 삽입 구문 해석하기

UNIT 99 | 생략 구문 해석하기

동사/명사/부정어/의문문 강조 구문 해석하기

01 Depression **does** *change* / the way [you see the world]. <모의응용>

우울증은 분명히 바꾼다 / [네가 세상을 보는] 방식을

동사, 명사, 부정어, 의문문은 아래와 같이 강조할 수 있으며, 문맥을 잘 파악하여 자연스럽게 해석한다.

강조 대상	형태	해석
동사	do/does/did+동사원형	분명히/정말로 ~하다
명사	the very+명사	바로 그 ~, 맨/가장 ~
부정어	not ~ at all/in the least/by any means	전혀 ~ 않다
의문문	의문사+on earth/in the world	도대체 ~

02 My arrow hit the very center of the yellow circle. <수능>

03 Do you remember where in the world I put my car keys?

04 A solid ball made of clay would not bounce by any means. <모의응용>

05 Maya didn't get me a present, but she did give me a card on my birthday.

06 How on earth do they get up early every morning to go jogging? <모의응용>

07 William is not concerned in the least about moving to a foreign country.

08 This warranty does cover any damages to the watch for a year.

09 The lights in our house did not turn on at all after lightning struck the power line.

10 Why on earth would I leave a tip when the service was so bad?

11 The very concept of flying was thought to be ridiculous a century ago.

고난도
12 The accommodations provided by the company were decent but were not glamorous by any means.

It ~ that 강조 구문 해석하기

13 **It is** *brainpower* / **that** can guarantee our success / in the current world market. <수능응용>

바로 지적 능력이다 / 우리의 성공을 보장할 수 있는 것은 / 현재 세계 시장에서

> 동사와 보어를 제외한 문장 성분(주어, 목적어, 부사구/절)은 「It is/was ~ that …」 구문으로 강조할 수 있으며, '…**한/했던 것은 바로 ~이다/였다**'라고 해석한다.

14 It was in Pennsylvania that the Battle of Gettysburg took place in 1863.

15 It was after five hours that NASA was finally able to contact the astronauts.

16 It was computer software that we developed to organize all our projects.

17 It was during the closing ceremony that some athletes started to cry.

18 It is meditation that can help a person calm one's mind and find peace.

19 It was a man in a blue shirt jaywalking across the street that caused the accident.

*jaywalk: 무단 횡단하다

20 It was while he was taking a bath that Archimedes found a new principle of physics.

고난도
21 It is the complicated language of the country that makes it harder for Emily
to communicate.

> **TIP** **It ~ that 강조 구문과 가주어-진주어 구문의 구분**
>
> It ~ that 강조 구문의 that 이하에는 주어 또는 목적어가 없는 불완전한 절이 오거나 의미상 It ~ that 사이에 있는 부사구/절의 꾸밈을 받는 절이 온다. 가주어-진주어 구문의 that 이하에는 완전한 절이 온다.
>
> • It ~ that 강조 구문
> **It was** *your brother* **that** I bumped into (□) in town last night. 내가 어젯밤 시내에서 마주쳤던 것은 너의 형이었다.
>   <목적어가 없는 불완전한 절>
> **It was** *last night* **that** I bumped into your brother in town. 내가 시내에서 너의 형을 마주쳤던 것은 어젯밤이었다.
>   <의미상 부사구(last night)의 꾸밈을 받는 절>
>
> • 가주어-진주어 구문
> **It is** still my belief **that** I did the right thing at that time. 그 당시에 내가 옳은 일을 했다는 것은 여전히 나의 신념이다.
>   <완전한 절>

해설집 p.167

전체 부정 해석하기

01 **No** photography is allowed / inside the art gallery. <모의응용>

어떤 사진 촬영도 허용되지 않는다 / 미술관 안에서는

> 「no+명사」는 '**어떤/아무 …도 ~않다**'라고 해석하고, 「none/neither of+명사」는 '**… 중 아무(것)도/어느 쪽도 ~않다**'라고 해석한다.

02 At least neither of the children was crying or being difficult. <모의>

03 Luckily, none of the passengers on the train was injured from the crash.

04 No kids under 15 are permitted to enter the factory without adult supervision.

05 Despite Ed's and Jack's best efforts, neither of them could win the tennis tournament.

고난도
06 Strawberry ice cream tinted with red coloring seems to have a stronger flavor than one that has no coloring. <모의응용>

부분 부정 해석하기

07 A good intention does **not always** lead / to expected results. <수능응용>

좋은 의도가 항상 이어지는 것은 아니다 / 기대된 결과로

> 「not+always/necessarily/entirely/all/every」는 '**항상/반드시/완전히/모두/모든 ~은 아니다**'라고 해석한다.

08 Not every play written by the author was focused on social issues.

09 In spite of modernization, the villagers have not entirely abandoned their traditional ways.

10 Not all of the programs at the community youth center are provided free of charge.

고난도
11 Opinions demonstrated in the article do not necessarily reflect the publication's stance on the matter.

해설집 p.169

UNIT 96 도치 구문 해석하기

부정어(구)가 절 앞에 온 도치 구문 해석하기

01 *Not only* **was the shirt** expensive, // but it was also low in quality.
부정어구   be동사   S¹   SC¹   S²   V²   M²   SC²
그 셔츠는 비쌌을 뿐만 아니라 // 그것은 품질이 낮기도 했다

02 *Never* **did the players think** / that they would lose the game.
부정어   조동사   S   Vr   O
그 선수들은 결코 생각하지 않았다 / 그들이 경기에서 질 것이라고

no, not, never 등이 포함된 부정어(구)가 절 앞에 오면 아래와 같은 어순이 되며, 해석은 원래처럼 「주어+동사+부정어(구)」 순으로 한다.	
be동사/조동사가 있는 문장	부정어(구)+be동사/조동사+주어
일반동사가 있는 문장	부정어(구)+조동사 do/does/did+주어+동사원형

*그 외 부정을 뜻하는 표현: little/hardly/scarcely(거의 ~않는), seldom/rarely(좀처럼 ~않는), only(오직)

03 No way would the chef use any ingredient that was prepackaged, frozen, or processed.

04 Not often do you get the opportunity to remedy a mistake, so you should take it if it comes.

05 Only by testing ourselves can we actually determine whether or not we really understand something. <모의>

고난도
06 Rarely is a computer more sensitive than a human in managing the same geographical or environmental factors. <수능>

장소/방향의 부사(구)가 절 앞에 온 도치 구문 해석하기

07 *On the island of Hawaii* **live** / some of the most colorful birds (in the world). <모의>
장소의 부사구   V   S
하와이 섬에 산다 / (세계에서) 가장 화려한 새들 중 몇몇이

08 *Here* **comes** / a marching band (with Halloween masks and costumes). <모의응용>
방향의 부사   V   S
여기로 온다 / (핼러윈 가면과 복장을 갖춘) 행진 악단이

장소/방향의 부사(구)가 절 앞에 오면 「부사(구)+동사+주어」의 어순이 되며, 해석은 「부사(구)+주어+동사」 또는 「주어+부사(구)+동사」 순으로 한다.
*주어가 대명사일 경우 주어와 동사가 도치되지 않는다.

09 Here lie the well-preserved tombs of five senior officials from the Old Kingdom of Egypt.

10 Through the tunnel drive the cars taking the fastest route to the airport.

11 By the coastline rest many low-lying cities that are threatened by rising sea levels.

고난도
12 Near the summit of the volcano sits one of the largest astronomical research facilities named Mauna Kea Observatories.

*observatory: 천문대

보어가 절 앞에 온 도치 구문 해석하기

13 *So excited* **were the party guests** / when the host finally served dinner.
SC   V   S   M
그 파티 손님들은 매우 신이 났다 / 주최자가 마침내 저녁을 제공했을 때

> 보어가 절 앞에 오면 「보어+동사+주어」의 어순이 되며, 해석은 「보어+주어+동사」 또는 「주어+동사+보어」 순으로 한다.

14 Cold is the winter air that blows in from the northern mountains.

15 Matthew's talent is great, but more impressive is his attitude.

16 Kind is the person who attends to others' needs before his or her own.

so나 neither[nor]가 절 앞에 온 도치 구문 해석하기

17 As time passed, / living conditions improved, // and *so* **did the life expectancy**. <모의응용>
M   S¹   V¹   조동사   S²
시간이 지나면서 / 생활 조건이 향상했다 // 그리고 기대 수명도 그랬다

> so나 neither[nor]가 절 앞에 오면 「so/neither[nor]+be동사/조동사+주어」의 어순이 되며, 각각 '~도 …하다', '~도 …하지 않다'라고 해석한다.

18 My sister's clothes don't fit me, nor are they even to my taste.

19 Nathan has never bought anything on the Internet, and neither have his parents.

20 The popularity of the brand began to wane, and so did funding from investors.

해설집 p.171

01 *My mother*, **a nurse**, / had to work overtime / during the global pandemic.

간호사인 나의 어머니는 / 초과 근무를 해야 했다 / 전 세계적인 유행병 동안에

명사 A 뒤에 또 다른 명사(구)나 명사절을 써서 구체적인 설명을 덧붙인 동격 구문은 아래와 같이 해석한다.

A, 명사(구)	~인 A
A of 명사(구)	~인/하는 A
A, or 명사(구)	A, 즉 ~
A+that절	~라는 A

02 The *Mona Lisa*, da Vinci's most famous work, is displayed in the Louvre Museum.

03 We cannot change the fact that people will act in a certain way. <모의>

04 Vlogging, or video blogging, rose in popularity with the launch of YouTube in 2005.

05 I couldn't bear the thought of going back to an empty apartment. <모의응용>

06 It takes a long time to beat the final boss, the game's toughest opponent.

07 He was troubled by the news that the economy may soon go into a recession.

08 Up to 15 percent of the world's population has arachnophobia, or the fear of spiders.

*arachnophobia: 거미 공포증

09 The organization was founded on the belief that all animals should be respected and treated with kindness. <모의응용>

고난도
10 The custom of celebrating loved ones who have passed is one that many cultures adhere to.

TIP **동격의 that절과 자주 쓰이는 명사**

news that ~라는 소식   belief that ~라는 신념/믿음   thought that ~라는 생각

hope that ~라는 희망   opinion that ~라는 의견   possibility that ~라는 가능성

해설집 p.173

01 Poor countries((, **experts say,**)) should improve / crop storage and packaging. <모의>

가난한 국가들은 ((전문가들이 말하길)) 개선해야 한다 / 농작물 보관과 포장을

02 Childhood friends/((—**friends you've known forever**—))/are really special. <모의>

어린 시절 친구들은 / ((네가 아주 오랜 시간 알고 지내온 친구들인)) / 정말 특별하다

03 I ignored his advice / and continued to paint / what ((**I thought**)) was popular. <모의응용>

나는 그의 조언을 무시했다 / 그리고 그리는 것을 계속했다 / ((내가 생각하기에)) 인기 있는 것을

삽입 구문은 콤마(,)/대시(—) 사이 또는 관계사 뒤에 쓰여 부가적인 내용을 덧붙이거나 표현을 완곡하게 만든다. 종종 삽입되는 표현들은 아래와 같다.

if any	만약 있다고 해도	if ever	만약 한다 할지라도
in any case	어쨌든, 어차피	in a sense	어떤 의미로는
I think[suppose]/believe	내가 생각하기에/믿기에	I hear	내가 듣기에

---

04 The two lifelong competitors were, in a sense, also the closest mates.

05 Few idol groups, if any, won as many music awards as this one.

06 It will be difficult to make the soccer team, but, in any case, I'm going to try.

07 Min, Aaron, and Judy—my former colleagues—are coming to my party next month.

08 I fell down the stairs yesterday, but the good thing, I suppose, is that I only sprained my ankle.

09 People will vote for a candidate who they think is capable of running the country fairly.

고난도
10 Advertisements use surprise—an emotion that increases alertness quickly—to grab consumers' attention.

고난도
11 Seldom, if ever, does this company require you to go abroad for business trips.

해설집 p.174

반복되는 어구가 생략된 구문 해석하기

01 There was no need to fly; // people simply wanted to. **(fly)** <모의>

날 필요는 없었다 // 사람들이 단지 그렇게 하기를(= 날기를) 원했을 뿐이었다

02 Your coat may rest on the hook / and **(your coat)** will dry shortly. <모의응용>

너의 코트는 걸이에 걸려도 된다 / 그러면 (너의 코트는) 곧 마를 것이다

> 문장에서 반복되는 어구는 주로 생략되며, 그 상태로 자연스럽게 해석한다. 하지만 문맥이 어색한 경우, 생략된 부분을 다시 넣거나 대명사 또는 대동사를 추가해 해석하기도 한다.

03 Even though he shouldn't, Ben stays up past midnight almost every night.

04 We save our money because the culture we belong to compels us to. <모의응용>

05 During the winter, water evaporates from the ocean and accumulates as ice and snow on the high mountains. <모의응용>

고난도
06 Sibling rivalry can occur when too much attention is paid to the firstborn and too little to the younger ones.

부사절의 「주어+be동사」가 생략된 구문 해석하기

07 I happened to drop a tray of rings / while **(I was)** arranging the display stand. <모의>

나는 반지함을 떨어트리게 되었다 / (내가) 진열대를 정리하고 있는 동안

> 부사절의 주어와 주절의 주어가 같을 때, 일부 부사절의 「주어+be동사」는 생략될 수 있다. 해석은 주로 생략한다.

08 When in a business meeting, be a good listener and ask appropriate questions.

09 Though naturally adventurous, Ellen is a little anxious about going to the Amazon alone.

고난도
10 Exotic animals, unless confined to a small area, are not usually discovered or reported. <모의응용>

해설집 p.176

Chapter Test

[01-14] 다음 문장을 끊어 읽고 해석하시오.

01 In the attic, I found the very diary I had used when I was just a child.

02 Neither of the boys knew what caused the speaker to stop working.

03 Never have I felt happier than when I traveled in Europe on my own.

04 It was helping slaves escape that Harriet Tubman devoted her life to.

05 Not every parent supported the changes to the school's dress code policy.

06 Very courageous were the men who ran into the burning building to save people.

07 The artist mentioned that it does affect his mental health to complete a piece.

08 There has been an increase—at least in some parts of the country—in the number of homeschooling children.

09 How in the world could such a popular restaurant go bankrupt so suddenly?

10 One-sided relationships usually don't work, and neither do one-sided conversations. <모의>

11 The owner of the house, I hear, has decided to list it for sale for a record-setting amount.

고난도
12 The possibility that the astronomer might be wrong about the meteor could not be disregarded.

고난도
13 It was Dr. Ray, my mentor, that I ended up debating with at the academic conference.

고난도
14 People who exhibit assertive behavior can handle conflict with ease while maintaining good interpersonal relations. <모의응용>

해설집 p.177

수능 영어 꽉 잡는 **직독직해** 훈련서

해커스
완전축련
구문독해 기본

초판 2쇄 발행 2023년 1월 2일

초판 1쇄 발행 2022년 10월 4일

지은이	해커스 어학연구소
펴낸곳	㈜해커스 어학연구소
펴낸이	해커스 어학연구소 출판팀
주소	서울특별시 서초구 강남대로61길 23 ㈜해커스 어학연구소
고객센터	02-537-5000
교재 관련 문의	publishing@hackers.com
	해커스북 사이트(HackersBook.com) 고객센터 Q&A 게시판
동영상강의	star.Hackers.com
ISBN	978-89-6542-517-5 (53740)
Serial Number	01-02-01

저작권자 ⓒ 2022, 해커스 어학연구소

중고등영어 1위,
해커스북 HackersBook.com

· 복습이 간편해지는 **문장 MP3**
· 서술형 시험을 완벽하게 대비할 수 있는 **영작/해석 워크시트**
· 효과적인 단어 암기를 돕는 **어휘 리스트 및 어휘 테스트**

해커스 중고등 교재 MAP

나에게 맞는 교재 선택!

	예비중	중1	중2	중3
문법	Hackers Grammar Smart Starter	Hackers Grammar Smart Level 1	Hackers Grammar Smart Level 2	Hackers Grammar Smart Level 3
		기출로 적중 해커스 중학영문법 1학년	기출로 적중 해커스 중학영문법 2학년	기출로 적중 해커스 중학영문법 3학년
서술형		해커스 쓰기 자신감 Level 1	해커스 쓰기 자신감 Level 2	해커스 쓰기 자신감 Level 3
구문				
독해	Hackers Reading Smart Level 1	Hackers Reading Smart Level 2	Hackers Reading Smart Level 3	Hackers Reading Smart Level 4
		Hackers Reading Path Level 1	Hackers Reading Path Level 2	Hackers Reading Path Level 3
			해커스 첫수능 영어 기초독해	해커스 첫수능 영어 유형독해
듣기		해커스 중학영어듣기 모의고사 24회 Level 1	해커스 중학영어듣기 모의고사 24회 Level 2	해커스 중학영어듣기 모의고사 24회 Level 3
어휘		해커스 3연타 중학영단어		
		해커스 보카 중학 기초	해커스 보카 중학 필수	해커스 보카 중학 고난도
			해커스 보카 중학 숙어	

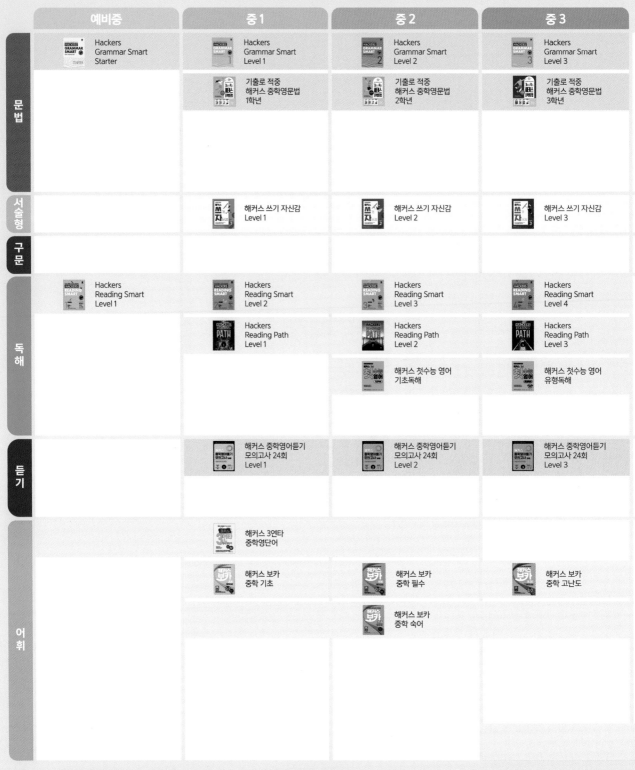

토플	READING	LISTENING	VOCA
	HACKERS APEX READING for the TOEFL iBT Basic/Intermediate/Advanced/Expert	HACKERS APEX LISTENING for the TOEFL iBT Basic/Intermediate/Advanced/Expert	HACKERS APEX VOCA for the TOEFL iBT HACKERS VOCABULARY

예비고	고1	고2	고3
기출로 적중 해커스 고등영문법			
해커스 어법 제대로			
	해커스 수능 어법 불변의 패턴 필수편	해커스 수능 어법 불변의 패턴 실력편	
해커스 완전숙련 구문독해 입문	해커스 완전숙련 구문독해 기본	해커스 완전숙련 구문독해 심화	
해커스 독해 제대로 기본독해	해커스 독해 제대로 구문독해		
Hackers Reading Path Level 4			
	해커스 수능 독해 불변의 패턴 유형편		해커스 수능 독해 불변의 패턴 실전편
해커스 수능영어독해 미니 모의고사 12+2회 기본	해커스 수능영어독해 미니 모의고사 12+2회 필수		해커스 수능영어독해 미니 모의고사 12+2회 완성 (* 출간 예정)
	해커스 수능영어듣기 모의고사 20+4회 기본	해커스 수능영어듣기 모의고사 20+4회 실전	
	해커스 수능영어듣기 모의고사 30+5회 기본		해커스 수능영어듣기 모의고사 30+5회 실전
해커스 보카 고등 기본			
	해커스 보카 수능 필수 2000+		
		해커스 보카 수능 완성 1800+	
		해커스 보카 수능 심화	
		해커스 보카 수능 숙어	
해커스 보카 어원편			

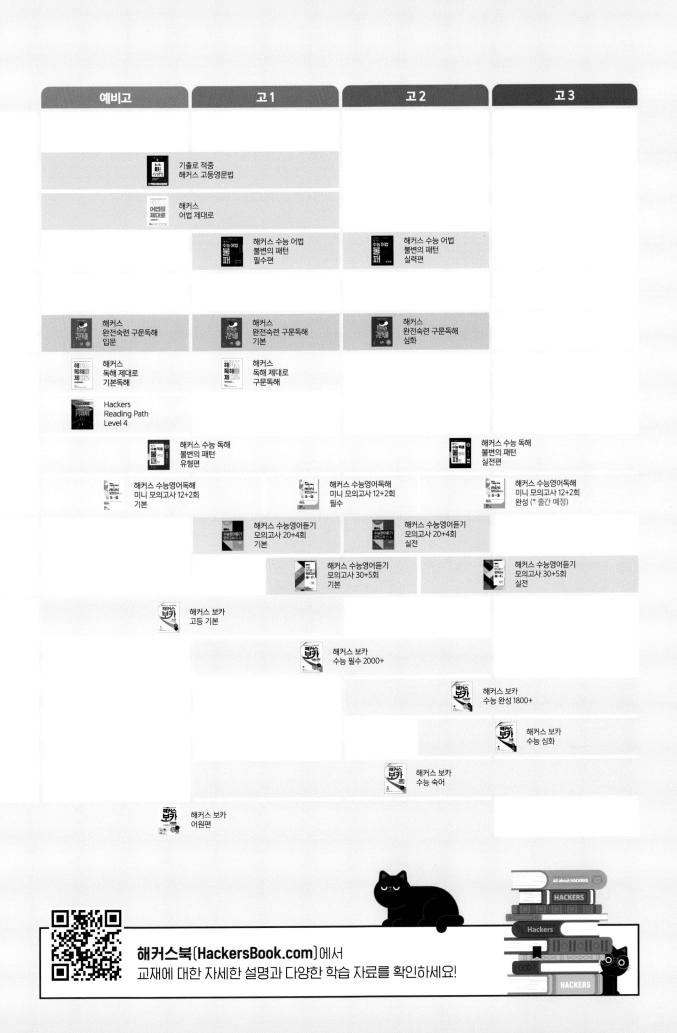

해커스북(HackersBook.com)에서
교재에 대한 자세한 설명과 다양한 학습 자료를 확인하세요!

수능 영어 꽉 잡는 **직독직해** 훈련서

해커스

완전숙련 구문독해

입문 · 기본 · 심화

입문	기본	심화
(예비고)	(고1)	(고2)

해커스 완전숙련 구문독해가 특별한 이유!

독해에 꼭 필요한 핵심 구문을 모두 담았으니까!

1. 해석에 꼭 필요한 모든 구문을 **실제 기출 문장으로 학습**

2. 독해를 쉽고 빠르게 할 수 있는 **친절하고 간결한 구문 설명**

촘촘한 훈련으로 배운 구문을 완전히 내 것으로 만드니까!

3. 어떤 문장이든 자신 있게 직독직해할 수 있는 **1,400여 개의 문장 끊어 읽기 연습**

4. 영작/해석 워크시트, 어휘 리스트/테스트 등 **다양한 부가 학습 자료로 독해 완전숙련**

부가 자료

해커스북(HackersBook.com)에서
본 교재에 대한 다양한
부가 학습 자료를 이용하세요!

정가 19,000원

53740

9 788965 425175

ISBN 978-89-6542-517-5

해커스

완전숙련

구문독해

기본

깊은 **이해**로 이끄는

친절한
해설집

해커스 완전숙련 구문독해 기본

깊은 이해로 이끄는

친절한 해설집

해커스 어학연구소

CHAPTER 01 문장의 형식

UNIT 01 1형식 문장 해석하기

본책 p.16

01 The train **arrived** / at my destination. <수능응용>
$\quad$ S $\qquad$ V $\qquad$ M

그 기차는 도착했다 / 나의 목적지에 → 그 기차는 나의 목적지에 도착했다.

어휘 destination 몡 목적지

02 A boat **is floating** / on the river.
$\quad$ S $\qquad$ V $\qquad$ M

배 한 척이 떠 있다 / 강 위에 → 배 한 척이 강 위에 떠 있다.

어휘 float 동 떠 있다

03 The medicine **worked** / instantly.
$\qquad$ S $\qquad$ V $\qquad$ M

그 약은 효과가 있었다 / 즉각적으로 → 그 약은 즉각적으로 효과가 있었다.

◑ work는 1형식 동사로 쓰였으며, '효과가 있다'라고 해석한다.

어휘 instantly 틧 즉각적으로

04 Crime never **pays** / in the end.
$\quad$ S $\quad$ M $\quad$ V $\qquad$ M

범죄는 절대 이익이 되지 않는다 / 결국에는 → 범죄는 결국에는 절대 이익이 되지 않는다.

◑ pay는 1형식 동사로 쓰였으며, '이익이 되다'라고 해석한다.

어휘 in the end 결국에는, 마침내

05 People normally **sleep** / during the night. <수능응용>
$\quad$ S $\qquad$ M $\qquad$ V $\qquad$ M

사람들은 일반적으로 잔다 / 밤 중에 → 사람들은 일반적으로 밤 중에 잔다.

06 The plane **took off** late / but **arrived** on time.
$\quad$ S $\qquad$ V¹ $\quad$ M¹ $\qquad$ V² $\quad$ M²

그 비행기는 늦게 이륙했다 / 하지만 제시간에 도착했다 → 그 비행기는 늦게 이륙했지만 제시간에 도착했다.

어휘 take off 이륙하다 on time 제시간에

07 Some religious wars **occurred** / between 1096 and 1291.
$\qquad\qquad$ S $\qquad\qquad$ V $\qquad\qquad$ M

몇몇 종교적인 전쟁들이 일어났다 / 1096년과 1291년 사이에 → 1096년과 1291년 사이에 몇몇 종교적인 전쟁들이 일어났다.

어휘 religious 혱 종교적인

08 This many floral decorations **will do** / for the wedding.
$\qquad\qquad$ S $\qquad\qquad$ V $\qquad$ M

이렇게 많은 꽃 장식은 충분할 것이다 / 결혼식을 위해서 → 이렇게 많은 꽃 장식은 결혼식을 위해서 충분할 것이다.

◑ do는 1형식 동사로 쓰였으며, '충분하다'라고 해석한다.

어휘 decoration 몡 장식

09 The battery life (of this new smartphone) **lasts** / almost all day.
 S V M

(이 새로운 스마트폰의) 배터리 수명은 지속된다 / 거의 하루 종일 → 이 새로운 스마트폰의 배터리 수명은 거의 하루 종일 지속된다.

○ last는 1형식 동사로 쓰였으며, '지속되다'라고 해석한다.

고난도
10 The language and culture (of many indigenous tribes) / **have vanished**.
 S V

(많은 토착 부족들의) 언어와 문화가 / 사라져왔다

어휘 vanish 통 사라지다

UNIT 02 2형식 문장 해석하기

01 Walking **is** a good exercise. <모의>
 S V SC

걷는 것은 좋은 운동이다.

○ 동명사 Walking은 문장에서 주어 역할을 하고 있다.

02 This sugar-free cake **tastes** sweet.
 S V SC

이 무설탕 케이크는 달콤한 맛이 난다.

03 The leaves **will turn** red / soon.
 S V SC M

나뭇잎들은 붉어질 것이다 / 곧 → 나뭇잎들은 곧 붉어질 것이다.

04 Food **goes** bad fast / during summer.
 S V SC M M

음식은 빠르게 상한다 / 여름 중에 → 음식은 여름 중에 빠르게 상한다.

어휘 bad 형 (음식이) 상한, 안 좋은

05 The treasure **remained** hidden / under the ocean.
 S V SC M

그 보물은 숨겨진 상태로 있었다 / 바다 아래에 → 그 보물은 바다 아래에 숨겨진 상태로 있었다.

06 The coach **seems** intimidating, // but he **is** actually kind.
 S¹ V¹ SC¹ S² V² M² SC²

그 코치는 위협적인 것처럼 보인다 // 하지만 그는 사실 친절하다 → 그 코치는 위협적인 것처럼 보이지만, 사실 친절하다.

어휘 intimidating 형 위협적인, 겁을 주는

07 Such a strange event **appears** unlikely / to me.
 S V SC M

그러한 이상한 사건은 있을 법하지 않은 것처럼 보인다 / 나에게는 → 그러한 이상한 사건은 나에게는 있을 법하지 않은 것처럼 보인다.

어휘 unlikely 형 있을 법하지 않은

고난도
08 The researcher **looked** calm, / even when he was speaking / in public.
 S V SC S' V' M' M

그 연구자는 차분하게 보였다 / 심지어 그가 연설하고 있었을 때도 / 대중 앞에서 → 그 연구자는 심지어 대중 앞에서 연설하고 있었을 때도 차분하게 보였다.

01 Governments **have** / a responsibility (to protect and promote culture). <모의응용>
    S   V   O

정부들은 가진다 / (문화를 보호하고 홍보할) 책임을 → 정부들은 문화를 보호하고 홍보할 책임을 가진다.

○ to부정사구 to protect ~ culture는 responsibility를 꾸며주는 형용사적 용법으로 쓰였다.

어휘 responsibility 몡 책임, 의무 promote 통 홍보하다, 촉진하다

02 Charles Darwin **wrote** / eight books (about botany).
        S   V   O

찰스 다윈은 썼다 / (식물학에 대한) 여덟 권의 책을 → 찰스 다윈은 식물학에 대한 여덟 권의 책을 썼다.

어휘 botany 몡 식물학

03 Babies **imitate** / the facial expressions (of their parents).
    S   V   O

아기들은 모방한다 / (그들 부모의) 표정을 → 아기들은 부모의 표정을 모방한다.

어휘 imitate 통 모방하다, 흉내 내다 facial expression 표정

04 I **placed** my watch on the table, // but I **can't find** it now.
   S¹ V¹   O¹   M¹   S²   V²   O² M²

나는 나의 시계를 탁자 위에 뒀다 // 하지만 나는 그것을 지금 찾을 수 없다 → 나는 시계를 탁자 위에 뒀지만, 지금 찾을 수 없다.

○ watch 대신 대명사 it이 쓰였다.

05 Astronomers **discovered** / evidence (of black holes (in the galaxy)).
      S   V   O

천문학자들은 발견했다 / ((은하계 안의) 블랙홀에 대한) 증거를 → 천문학자들은 은하계 안의 블랙홀에 대한 증거를 발견했다.

어휘 astronomer 몡 천문학자 galaxy 몡 은하계

06 Some consumers **trust** certain products more / when they are organic.
      S   V   O   M   M (S' V' SC')

몇몇 소비자들은 특정 제품들을 더 믿는다 / 그것들이 유기농일 때 → 몇몇 소비자들은 특정 제품들이 유기농일 때 그것들을 더 믿는다.

○ products 대신 대명사 they가 쓰였다.

어휘 organic 형 유기농의

07 Historians still **do not know** / the exact technique (of pyramid construction).
    S   M   V   O

사학자들은 아직 모른다 / (피라미드 건축의) 정확한 기술을 → 사학자들은 피라미드 건축의 정확한 기술을 아직 모른다.

어휘 exact 형 정확한 construction 몡 건축(물)

08 The documentary **inspired** me, // so I **will live** / a more meaningful life / from now on.
     S¹   V¹   O¹   S²   V²   O²   M²

그 다큐멘터리는 나를 분발하게 했다 // 그래서 나는 살 것이다 / 더 의미 있는 삶을 / 지금부터
→ 그 다큐멘터리는 나를 분발하게 해서, 나는 지금부터 더 의미 있는 삶을 살 것이다.

어휘 inspire 통 분발하게 하다, 격려하다

09 The company **hired** a professional designer / to set up its website.
      S   V   O   M

그 회사는 전문 디자이너를 고용했다 / 그것의 웹 사이트를 개설하기 위해 → 그 회사는 웹 사이트를 개설하기 위해 전문 디자이너를 고용했다.

○ to부정사구 to set up its website는 목적을 나타내는 부사적 용법으로 쓰였다.

어휘 hire 통 고용하다 professional 형 전문적인, 직업의

10 Celebrities **should avoid** / making controversial comments / on TV.
      S   V   O

유명 인사들은 피하는 것이 좋다 / 논쟁의 여지가 있는 말을 하는 것을 / TV에서 → 유명 인사들은 TV에서 논쟁의 여지가 있는 말을 하는 것을 피하는 것이 좋다.

❶ 동명사구 making ~ TV는 동사 should avoid의 목적어로 쓰였다.

어휘 celebrity 몡 유명 인사 controversial 혱 논쟁의 여지가 있는

UNIT 04 주의해야 할 3형식 문장 해석하기
본책 p.19

01 The general **thought of** / an unusual battle plan.
         S   V   O

그 사령관은 생각해냈다 / 비범한 전투 계획을 → 그 사령관은 비범한 전투 계획을 생각해냈다.

어휘 general 몡 사령관 혱 일반적인 unusual 혱 비범한, 특이한

02 Some people **deal with** / their stress / by exercising.
        S   V   O   M

몇몇 사람들은 대처한다 / 그들의 스트레스에 / 운동함으로써 → 몇몇 사람들은 운동함으로써 그들의 스트레스에 대처한다.

03 The Civil Liberties Union **looks for** / ways (to preserve our rights).
         S   V   O

시민자유연합은 찾는다 / (우리의 권리를 보호할) 방법들을 → 시민자유연합은 우리의 권리를 보호할 방법들을 찾는다.

❶ to부정사구 to preserve our rights는 ways를 꾸며주는 형용사적 용법으로 쓰였다.

어휘 preserve 동 보호하다, 보존하다 right 몡 권리 혱 옳은

04 **Don't put up with** / belittlement or prejudice / anywhere.
         V   O   M

참지 마라 / 업신여김이나 편견을 / 어디서든 → 어디서든 업신여김이나 편견을 참지 마라.

❶ 주어 없이 동사로 시작하는 명령문이다.

어휘 prejudice 몡 편견

05 The survival (of a farmer) **relies on** / the cooperation (of others (in the community)). <모의>
         S   V   O

(농부의) 생존은 의지한다 / ((공동체 안의) 다른 사람들과의) 협력에 → 농부의 생존은 공동체 안의 다른 사람들과의 협력에 의지한다.

어휘 cooperation 몡 협력 community 몡 공동체, 지역 사회

06 She **explained** / her struggles and feelings. <모의>
       S   V   O

그녀는 설명했다 / 그녀의 힘든 일들과 감정들에 대해 → 그녀는 자신의 힘든 일들과 감정들에 대해 설명했다.

❶ She explained *about* her struggles and feelings. (X)

어휘 struggle 몡 힘든 일

07 The shape (of ginseng) **resembles** / the human body. <모의응용>
         S   V   O

(인삼의) 모양은 닮았다 / 사람의 신체와 → 인삼의 모양은 사람의 신체와 닮았다.

❶ The shape of ginseng resembles *with* the human body. (X)

어휘 ginseng 몡 인삼

08 The radio broadcast **discusses** / many political issues.

　　　　　S　　　　　　　V　　　　　　O

그 라디오 방송은 논의한다 / 많은 정치적인 사안들에 대해 → 그 라디오 방송은 많은 정치적인 사안들에 대해 논의한다.

◑ The radio broadcast discusses *about* many political issues. (X)

어휘 broadcast 圐 방송　political 圐 정치적인

고난도
09 In auto races, / drivers will see a checkered flag / as they **reach** the finish line. <모의용응>

　　　　M　　　　　　　S　　　V　　　　　　O　　　　　　S'　　　V'　　　　　　O'

　　　　　　　　　　　　　　　　　　　　　　　　　　　　　　　　　　　M

자동차 경주에서 / 운전자들은 체크 무늬 깃발을 볼 것이다 / 그들이 결승선에 도달할 때
→ 자동차 경주에서, 운전자들은 결승선에 도달할 때 체크 무늬 깃발을 볼 것이다.

◑ In auto races, drivers will see a checkered flag as they reach *to* the finish line. (X)

어휘 checkered 圐 체크 무늬의

UNIT 05 4형식 문장 해석하기
본책 p.20

01 The doctor **wrote** / the patient a prescription (for his disease). <모의용응>

　　　S　　　V　　　　IO　　　　　DO

그 의사는 써 줬다 / 환자에게 (그의 병에 대한) 처방전을 → 그 의사는 환자에게 병에 대한 처방전을 써 줬다.

어휘 patient 圐 환자　prescription 圐 처방전　disease 圐 병, 질환

02 Please **bring** me today's newspaper.

　　　M　　　V　　IO　　　DO

저에게 오늘 신문을 가져다주세요.

◑ 주어 없이 동사로 시작하는 명령문이며, please를 붙이면 정중한 표현이 된다.

03 The emperor **built** / his sick wife a palace.

　　　S　　　V　　　IO　　　DO

그 황제는 지어 줬다 / 그의 아픈 아내에게 궁전을 → 그 황제는 그의 아픈 아내에게 궁전을 지어 줬다.

어휘 emperor 圐 황제

04 I **didn't tell** / anyone your secret / as I promised.

　S　　V　　　IO　　　DO　　　　S'　V'

　　　　　　　　　　　　　　　　　　M

나는 말하지 않았다 / 누구에게도 너의 비밀을 / 내가 약속했듯이 → 내가 약속했듯이 나는 누구에게도 너의 비밀을 말하지 않았다.

05 The store **sends** / all its customers coupons / during the holiday season.

　　S　　　V　　　IO　　　DO　　　　　　M

그 상점은 발송한다 / 그곳의 모든 고객들에게 쿠폰을 / 연휴 기간 중에 → 그 상점은 연휴 기간 중에 그곳의 모든 고객들에게 쿠폰을 발송한다.

06 Ms. Harris **made** / her husband a cake / on his 50th birthday.

　　S　　　V　　　IO　　　DO　　　　M

Harris씨는 만들어 줬다 / 그녀의 남편에게 케이크를 / 그의 50번째 생일에 → Harris씨는 남편의 50번째 생일에 그에게 케이크를 만들어 줬다.

07 His boss **offered** / him a position (as the director (of the new branch)). <모의>

　　S　　　V　　　IO　　　　DO

그의 상사는 제안했다 / 그에게 ((새로운 지사의) 관리자로서의) 자리를 → 그의 상사는 그에게 새로운 지사의 관리자로서의 자리를 제안했다.

어휘 director 圐 관리자, 책임자　branch 圐 지사

08 Girl Scouts **sold** / people cookies / to raise money (for charity).
S V IO DO M

걸스카우트 단원들은 팔았다 / 사람들에게 쿠키를 / (자선기부를 위한) 돈을 모금하기 위해
→ 걸스카우트 단원들은 자선기부를 위한 돈을 모금하기 위해 사람들에게 쿠키를 팔았다.

⊙ to부정사구 to raise ~ charity는 목적을 나타내는 부사적 용법으로 쓰였다.

어휘 raise [동] 모금하다 charity [명] 자선기부, 자선 단체

09 The caterer **cooked** / people a five-course meal / at a party.
S V IO DO M

그 출장 요리사는 요리해 줬다 / 사람들에게 다섯 가지로 구성된 코스 요리를 / 한 파티에서
→ 그 출장 요리사는 한 파티에서 사람들에게 다섯 가지로 구성된 코스 요리를 요리해 줬다.

어휘 caterer [명] 출장 요리사

10 The brain **sends** / us a signal / in dangerous situations. <모의응용>
S V IO DO M

뇌는 보낸다 / 우리에게 신호를 / 위험한 상황에서 → 뇌는 위험한 상황에서 우리에게 신호를 보낸다.

어휘 signal [명] 신호

[고난도]
11 The professor **taught** / the class a lesson (about the theory of gravity).
S V IO DO

그 교수님은 가르쳤다 / 반 학생들에게 (중력 이론에 대한) 수업을 → 그 교수님은 반 학생들에게 중력 이론에 대한 수업을 가르쳤다.

어휘 gravity [명] 중력

UNIT 06 5형식 문장 해석하기

본책 p.21

01 Abilities (like empathy and communication) **make** / us human. <모의응용>
S V O OC

(공감과 의사소통 같은) 능력들은 만든다 / 우리를 인간적으로 → 공감과 의사소통 같은 능력들은 우리를 인간적으로 만든다.

어휘 empathy [명] 공감, 감정이입

02 They **kept** / his birthday party a secret / because they wanted to surprise him.
S V O OC M (S′ V′ O′)

그들은 뒀다 / 그의 생일 파티를 비밀로 / 그들이 그를 놀라게 하는 것을 원했기 때문에
→ 그들은 그를 놀라게 하는 것을 원했기 때문에 그의 생일 파티를 비밀로 뒀다.

03 The judge **considered** / the suspect guilty / because of the hard evidence.
S V O OC M

판사는 생각했다 / 그 용의자가 유죄라고 / 확실한 증거 때문에 → 판사는 확실한 증거 때문에 그 용의자가 유죄라고 생각했다.

⊙ because of 뒤에는 명사(구)가 오며, 의미가 비슷한 접속사 because 뒤에는 절이 온다.

어휘 suspect [명] 용의자 guilty [형] 유죄의 hard [형] 확실한, 단단한 evidence [명] 증거

04 My friend sometimes **makes** me upset / by complaining about everything.
S M V O OC M

나의 친구는 가끔 나를 화나게 만든다 / 모든 것에 대해 불평함으로써 → 나의 친구는 모든 것에 대해 불평함으로써 가끔 나를 화나게 만든다.

어휘 complain [동] 불평하다

05 We **call** oil "black gold" / since we can create / hundreds of other things / with it. <모의응용>
S V O OC M (S′ V′ O′ M′)

우리는 석유를 "검은 금"이라고 부른다 / 우리가 만들 수 있기 때문에 / 수백 개의 다른 것들을 / 그것을 가지고
→ 석유를 가지고 수백 개의 다른 것들을 만들 수 있기 때문에 우리는 그것을 "검은 금"이라고 부른다.

06 The kings **found** / golf so enjoyable, // so it was known / as "the royal game." <수능>

S¹　　V¹　　O¹　　　OC¹　　　　S²　　V²　　　M²

왕들은 생각했다 / 골프가 매우 즐겁다고 // 그래서 그것은 알려져 있었다 / "왕족 게임"으로

→ 왕들은 골프가 매우 즐겁다고 생각해서, 그것은 "왕족 게임"으로 알려져 있었다.

어휘 royal 혱 왕족의

07 The people **elected** / Abraham Lincoln president (of the Unites States) / in 1861.

S　　V　　　O　　　　　　OC　　　　　M

국민들은 뽑았다 / 아브라함 링컨을 (미국의) 대통령으로 / 1861년에 → 국민들은 1861년에 아브라함 링컨을 미국의 대통령으로 뽑았다.

08 The same old things **make** us bored, // and boredom fosters bad attitudes. <모의>

S¹　　　V¹　O¹　OC¹　　　S²　　V²　　O²

똑같은 오래된 것들은 우리를 지루하게 만든다 // 그리고 지루함은 나쁜 태도를 기른다

→ 똑같은 오래된 것들은 우리를 지루하게 만들고, 지루함은 나쁜 태도를 기른다.

어휘 boredom 혱 지루함　foster 동 기르다, 촉진하다

09 Some historians **call** / the Battle of Stalingrad the greatest battle of World War II.

S　　V　　　O　　　　　　OC

몇몇 사학자들은 부른다 / 스탈린그라드 전투를 제2차 세계대전에서 가장 큰 전투라고

→ 몇몇 사학자들은 스탈린그라드 전투를 제2차 세계대전에서 가장 큰 전투라고 부른다.

고난도
10 I **consider** / the information reliable, / because it was verified by experts.

S　　V　　　O　　　OC　　　　　S'　V'　　　M'

　　　　　　　　　　　　　　　　　　　　M

나는 생각한다 / 그 정보가 신뢰할 만하다고 / 그것이 전문가들에 의해 검증되었기 때문에

→ 나는 그 정보가 전문가들에 의해 검증되었기 때문에 신뢰할 만하다고 생각한다.

어휘 reliable 혱 신뢰할 만한　verify 동 검증하다, 확인하다　expert 혱 전문가

Chapter Test

본책 p.22

01 Desire **makes** us different / from animals. <모의응용>

S　　V　O　OC　　　M

열망은 우리를 다르게 만든다 / 동물들과 → 열망은 동물들과 우리를 다르게 만든다.

어휘 desire 혱 열망

02 The car **appeared** / out of nowhere / and **surprised** me.

S　　V¹　　　M¹　　　V²　O²

그 차는 나타났다 / 어디선지 모르게 / 그리고 나를 놀라게 했다 → 그 차는 어디선지 모르게 나타났고 나를 놀라게 했다.

어휘 out of nowhere 어디선지 모르게

03 We **left** / later on / in order to avoid rush hour.

S　V　　M　　　M

우리는 떠났다 / 나중에 / 혼잡 시간대를 피하기 위해 → 우리는 혼잡 시간대를 피하기 위해 나중에 떠났다.

❶ to부정사구 to avoid rush hour는 목적을 나타내는 부사적 용법으로 쓰였으며, to 대신 in order to가 왔다.

어휘 rush hour 혱 혼잡 시간대

04 The athletes **stood** / in front of the flag / during the national anthem.

S　　V　　　M　　　　　M

그 운동선수들은 섰다 / 국기 앞에 / 국가가 나오는 동안 → 그 운동선수들은 국가가 나오는 동안 국기 앞에 섰다.

05 Ethan **looked** fabulous / in his new suit / at the senior prom.

S　　V　　SC　　　M　　　　M

Ethan은 멋지게 보였다 / 그의 새 정장을 입고 / 졸업반 무도회에서 → Ethan은 졸업반 무도회에서 새 정장을 입고 멋지게 보였다.

06 Lucretia Mott **supported** / the women's rights movement / in the 19th century.
　　 S 　　　　 V 　　　　　　　 O 　　　　　　　　　　 M

루크리셔 모트는 지지했다 / 여성들의 인권 운동을 / 19세기에 → 루크리셔 모트는 19세기에 여성들의 인권 운동을 지지했다.

07 Climate change **has resulted in** / water shortage / globally.
　　　　 S 　　　　　　 V 　　　　　 O 　　　　 M

기후 변화는 야기했다 / 물 부족을 / 전세계적으로 → 기후 변화는 전세계적으로 물 부족을 야기했다.

어휘 shortage 몡 부족

08 Your laziness / **will** only **be** a burden / as time **goes on**.
　　　 S 　　　　 M V 　　 SC 　　　　　 M

너의 게으름은 / 짐이 될 뿐일 것이다 / 시간이 흐르면서 → 너의 게으름은 시간이 흐르면서 짐이 될 뿐일 것이다.

어휘 burden 몡 짐, 부담

09 The couple **named** / their son Aaron, / after his great-grandfather.
　　 S 　　　 V 　　　　 O 　　 OC 　　　　　　 M

그 부부는 이름 지었다 / 그들의 아들을 Aaron이라고 / 그의 증조부를 따라서 → 그 부부는 증조부를 따라서 아들을 Aaron이라고 이름 지었다.

10 Responding to people in a harsh tone / **makes** things worse. <모의응용>
　　　　　　　 S 　　　　　　　　　 V 　 O 　 OC

사람들에게 격한 어조로 대응하는 것은 / 일을 더 나쁘게 만든다

○ 동명사구 Responding ~ tone은 문장에서 주어 역할을 하고 있다.

어휘 harsh 혱 격한, 거친

11 Many universities **give** / students a scholarship / for academic excellence.
　　 S 　　　　 V 　　 IO 　　 DO 　　　　　 M

많은 대학들은 준다 / 학생들에게 장학금을 / 학문적인 우수함에 대해 → 많은 대학들은 학문적인 우수함에 대해 학생들에게 장학금을 준다.

12 The customer **sent** / the store a letter (of complaint) / due to the poor quality (of the
　　 S 　　　 V 　　 IO 　　　 DO 　　　　　　　　 M

product).

그 고객은 보냈다 / 그 상점에게 (항의의) 편지를 / (제품의) 낮은 품질 때문에 → 그 고객은 제품의 낮은 품질 때문에 그 상점에게 항의의 편지를 보냈다.

어휘 complaint 몡 항의, 불평

13 Before the 1800s, / many patients **fell** ill / because hospitals **didn't clean** the equipment.
　　　 M 　　　　　 S 　　 V SC 　　　　 S′ 　　 V′ 　　 O′
　　　　　　　　　　　　　　　　　　　　　　　　　　　 M

1800년대 이전에 / 많은 환자들이 아프게 되었다 / 병원들이 장비를 세척하지 않았기 때문에
→ 1800년대 이전에, 병원들이 장비를 세척하지 않았기 때문에 많은 환자들이 아프게 되었다.

어휘 equipment 몡 장비

고난도
14 We **call** a word "ambiguous" / when the meaning **is** vague / in the particular context.
　　 S 　 V 　 O 　　 OC 　　　　　　 S′ 　　 V′ 　 SC′ 　　　 M′
　　　　　　　　　　　　　　　　　　　　 M 　　　　　　　 <모의응용>

우리는 단어를 "애매모호한"이라고 부른다 / 그 의미가 모호할 때 / 특정 맥락상에서
→ 우리는 단어의 의미가 특정 맥락상에서 모호할 때 그 단어를 "애매모호한"이라고 부른다.

어휘 ambiguous 혱 애매모호한 vague 혱 모호한, 희미한 context 몡 맥락

고난도
15 The United Nations **declared** / this year "The Year of the Teen." <모의>
　　　　 S 　　　　 V 　　　 O 　　　　 OC

국제연합은 선언했다 / 올해를 "십대들의 해"로 → 국제연합은 올해를 "십대들의 해"로 선언했다.

어휘 declare 통 선언하다

CHAPTER 02 주어

UNIT 07 to부정사/동명사 주어 해석하기

본책 p.24

01 **To work a part-time job** / is common / for college students.
$\quad$S $\qquad$ V $\quad$ SC $\qquad$ M

시간제 근무를 하는 것은 / 일반적이다 / 대학생들에게 → 시간제 근무를 하는 것은 대학생들에게 일반적이다.

◎ = It is common for college students to work a part-time job.

02 **Respecting the rules** / is important / in preserving sports. <모의>
$\quad$S $\qquad$ V $\quad$ SC $\qquad$ M

규칙을 준수하는 것은 / 중요하다 / 스포츠를 보존하는 것에 있어서 → 규칙을 준수하는 것은 스포츠를 보존하는 것에 있어서 중요하다.

어휘 preserve 통 보존하다

03 **Bathing a cat** / is not really necessary.
$\quad$S $\qquad$ V $\quad$ M $\quad$ SC

고양이를 씻기는 것은 / 꼭 필요하지는 않다

04 **To feel cheerful** / is natural / when we hear someone laughing. <모의응용>
$\quad$S $\qquad$ V $\quad$ SC $\qquad$ M

즐겁게 느끼는 것은 / 자연스럽다 / 우리가 누군가가 웃고 있는 것을 들을 때 → 누군가가 웃고 있는 것을 들을 때 우리가 즐겁게 느끼는 것은 자연스럽다.

◎ = It is natural to feel cheerful when we hear someone laughing.
◎ 「hear+목적어(someone)+목적격 보어(laughing)」의 구조이다.

어휘 cheerful 형 즐거운

05 **To see the pyramids (of Egypt) in person** / was an amazing experience.
$\qquad\qquad$S $\qquad\qquad$ V $\quad$ SC

(이집트의) 피라미드를 직접 보는 것은 / 놀라운 경험이었다

◎ = It was an amazing experience to see the pyramids of Egypt in person.

어휘 in person 직접

06 **Repairing the machine** / will cost / the company a lot of money.
$\qquad$S $\qquad$ V $\quad$ IO $\qquad$ DO

그 기계를 고치는 것은 / 지불하게 할 것이다 / 그 회사에게 많은 돈을 → 그 기계를 고치는 것은 그 회사에게 많은 돈을 지불하게 할 것이다.

어휘 cost 통 (돈을) 지불하게 하다

07 **Learning some phrases in Spanish** / will be helpful / if you visit South America.
$\qquad\qquad$S $\qquad\qquad$ V $\quad$ SC $\qquad$ M

스페인어로 된 몇몇 어구를 익히는 것은 / 도움이 될 것이다 / 만약 네가 남아메리카를 방문한다면
→ 만약 네가 남아메리카를 방문한다면 스페인어로 된 몇몇 어구를 익히는 것은 도움이 될 것이다.

어휘 phrase 명 어구

08 **To understand behavior** / requires / looking at both the mind and the environment. <모의>
　　　S　　　　　　　V　　　　　　O

행동을 이해하는 것은 / 필요로 한다 / 마음과 환경 둘 다를 들여다보는 것을 → 행동을 이해하는 것은 마음과 환경 둘 다를 들여다보는 것을 필요로 한다.

❍ = It requires looking at both the mind and the environment to understand behavior.
❍ 동명사구 looking ~ environment는 동사 requires의 목적어로 쓰였다.
❍ both A and B는 'A와 B 둘 다'라고 해석한다.

어휘 require 图 필요로 하다

09 **Keeping highly intelligent animals in captivity** / affects their mental health.
　　　　　　　　　　S　　　　　　　　　　　　V　　　　O

매우 지능적인 동물들을 감금한 상태로 두는 것은 / 그들의 정신 건강에 영향을 미친다

어휘 captivity 图 감금　affect 图 영향을 미치다　mental 图 정신의

10 **Being honest** / is important / when you review someone's work.
　　　S　　　V　　SC　　　　S'　　V'　　　　O'
　　　　　　　　　　　　　　　　　　　M

솔직한 것은 / 중요하다 / 네가 누군가의 작품을 비평할 때 → 네가 누군가의 작품을 비평할 때 솔직한 것은 중요하다.

어휘 honest 图 솔직한　review 图 비평하다

11 **Encouraging children to use their imagination** / is an essential part (of their
　　　　　　　　　S　　　　　　　　　　　　　V　　　　SC

development).

아이들이 그들의 상상력을 사용하도록 독려하는 것은 / (그들의 발달의) 중요한 부분이다
❍ 「encourage+목적어(children)+목적격 보어(to use their imagination)」의 구조이다.

어휘 essential 图 중요한

12 **Highlighting the costs (of not changing behavior)** / works well / for modifying it. <모의용용>
　　　　　　　　　　S　　　　　　　　　　　　V　　M　　　　M

(행동을 변화시키지 않는 것의) 손실을 강조하는 것은 / 효과가 좋다 / 그것을 교정하는 것에
→ 행동을 변화시키지 않는 것의 손실을 강조하는 것은 그것을 교정하는 것에 효과가 좋다.
❍ behavior 대신 대명사 it이 쓰였다.

어휘 highlight 图 강조하다　modify 图 교정하다

UNIT 08 **that/whether가 이끄는 명사절 주어 해석하기**
本책 p.25

01 **That we were going to have a power outage** / was a problem. <모의용용>
　　　　S'　　V'　　　　　　　　O'　　　　　V　SC
　　　　　　　　　S

우리가 정전을 겪게 될 것이라는 것은 / 문제였다
❍ = It was a problem that we were going to have a power outage.

어휘 power outage 图 정전

02 **Whether this children's song will be a big hit** / is doubtful.
　　　　　S'　　　　　　　　V'　　　SC'　　　V　SC
　　　　　　　　　　S

이 동요가 큰 성공이 될지는 / 의문스럽다
❍ = It is doubtful whether this children's song will be a big hit.

어휘 doubtful 图 의문스러운

03 **That Lauren wants to camp with us** / is great!

Lauren이 우리와 캠핑하기를 원한다는 것은 / 아주 좋다

○ = It is great that Lauren wants to camp with us!
○ to부정사구 to camp with us는 동사 wants의 목적어로 쓰였다.

04 **Whether the security program is running properly** / needs to be examined.

그 보안 프로그램이 제대로 작동하고 있는지는 / 검사되는 것이 필요하다

○ = It needs to be examined whether the security program is running properly.
○ to부정사구 to be examined는 동사 needs의 목적어로 쓰였다.

어휘 security 혱 보안의 run 됭 작동하다, 달리다 examine 됭 검사하다, 조사하다

05 **That the popular singer writes his own music** / surprised his fans.

그 인기 있는 가수가 자신의 곡을 쓴다는 것은 / 그의 팬들을 놀라게 했다

○ = It surprised his fans that the popular singer writes his own music.

06 **Whether our boss will go on vacation this month** / will be told / to us / tomorrow.

우리의 상사가 이번 달에 휴가를 갈지는 / 말해질 것이다 / 우리에게 / 내일 → 우리의 상사가 이번 달에 휴가를 갈지는 우리에게 내일 말해질 것이다.

○ = It will be told to us tomorrow whether our boss will go on vacation this month.

07 **That the dry air started the forest fire** / is just an assumption.

건조한 공기가 산불을 일으켰다는 것은 / 그저 추측이다

○ = It is just an assumption that the dry air started the forest fire.

어휘 assumption 혱 추측

08 **Whether your life is full of joy or not** / depends on your attitude.

너의 삶이 즐거움으로 가득 차 있는지 아닌지는 / 너의 태도에 달려 있다

○ = It depends on your attitude whether your life is full of joy or not.

어휘 attitude 혱 태도

09 **That the artifact is more than 1,000 years old** / was recently discovered.

그 유물이 1,000년도 더 되었다는 것은 / 최근에 밝혀졌다

○ = It was recently discovered that the artifact is more than 1,000 years old.

어휘 artifact 혱 유물

10 **Whether the movie can exceed its break-even point** / is questionable.

그 영화가 그것의 손익분기점을 넘을 수 있을지는 / 의문이다

○ = It is questionable whether the movie can exceed its break-even point.

어휘 exceed 됭 넘다, 초과하다 questionable 혱 의문인

11 **That inflation rose so quickly** / caused many problems / in the market.

물가 상승률이 매우 빠르게 올랐다는 것은 / 많은 문제들을 야기했다 / 시장에서 → 물가 상승률이 매우 빠르게 오른 것은 시장에서 많은 문제들을 야기했다.

○ = It caused many problems in the market that inflation rose so quickly.

어휘 inflation 혱 물가 상승률

12 <u>That the two nations haven't come to an agreement</u> / is very discouraging.
　　　　S'　　　　　　V'　　　　　　　　　　M'　　　　V　　　SC
　　　　　　　　　　　　　S　　　　　　　　　　　　　

두 나라가 합의에 이르지 않았다는 것은 / 매우 실망스럽다

◎ = It is very discouraging that the two nations haven't come to an agreement.

어휘 come to ~에 이르다, ~가 되다　agreement 圀 합의　discouraging 阌 실망스러운

13 <u>Whether the coin comes up heads or tails</u> / is not certain / before we toss it. <모의용용>
　　　　　　　　　S'　　V'　　　　　　M'　　　　V　　SC　　　S'　V' O'
　　　　　　　　　　　S　　　　　　　　　　　　　V　　SC　　　　M

동전이 앞이 나올지 뒤가 나올지는 / 확실하지 않다 / 우리가 그것을 던지기 전에

→ 동전이 앞이 나올지 뒤가 나올지는 우리가 동전을 던지기 전에는 확실하지 않다.

◎ = It is not certain whether the coin comes up heads or tails before we toss it.

어휘 toss 圄 던지다

의문사가 이끄는 명사절 주어 해석하기

본책 p.26

01 <u>Who will be in charge of the department</u> / is uncertain. <모의용용>
　　　　S'　V'　　　　　　　　　　SC'　　　　　V　　SC
　　　　　　　　　　　S　　　　　　　　　　　　V　　SC

누가 그 부서를 담당할지는 / 불확실하다

어휘 be in charge of ~을 담당하다　uncertain 阌 불확실한

02 <u>What the biologists found out</u> / hasn't been revealed yet.
　　　O'　　　S'　　　　　V'　　　　　　　V　　　　M
　　　　　　　　S　　　　　　　　　　　　V　　　M

그 생물학자들이 무엇을 발견했는지는 / 아직 밝혀지지 않았다

어휘 biologist 圀 생물학자　reveal 圄 밝히다, 드러내다

03 <u>Who discovered America first</u> / is still unknown / for sure.
　　　S'　　V'　　　O'　　　M'　　　V　M　　SC　　　M
　　　　　　　　S　　　　　　　　　V　M　SC　　　M

누가 아메리카 대륙을 처음 발견했는지는 / 아직도 알려지지 않았다 / 확실하게는

→ 누가 아메리카 대륙을 처음 발견했는지는 아직도 확실하게는 알려지지 않았다.

어휘 for sure 확실하게

04 <u>What you do</u> / doesn't always show / your personality. <모의용용>
　　　O'　S'　V'　　　　　M　　　　　　　　　O
　　　　S　　　　　　　V　　　　　　　　　O

네가 무엇을 하는지는 / 항상 보여주는 것은 아니다 / 너의 인격을　→ 네가 무엇을 하는지가 너의 인격을 항상 보여주는 것은 아니다.

어휘 personality 圀 인격, 성격

05 <u>Whom you will be working with</u> / will be announced tomorrow.
　　　O'　S'　　　V'　　　　　　　　　V　　　　　　M
　　　　　　　S　　　　　　　　　　V　　　　　M

네가 누구와 일하게 될지는 / 내일 발표될 것이다

어휘 announce 圄 발표하다, 알리다

06 <u>What caused the mysterious crater to form in Siberia</u> / is hard to know.
　　　S'　V'　　　　　　O'　　　　　OC'　　　M'　　　V　SC
　　　　　　　　　　　S　　　　　　　　　　　　V　SC

무엇이 시베리아에 불가사의한 큰 구멍이 생기도록 했는지는 / 알기에 어렵다

◎ to부정사 to know는 hard를 꾸며주는 부사적 용법으로 쓰였다.

어휘 mysterious 阌 불가사의한

07 **What the museum will exhibit** / will open to the public soon.

그 박물관이 무엇을 전시할지는 / 대중들에게 곧 공개될 것이다

어휘 exhibit 통 전시하다 public 명 대중

고난도
08 **Who we are** / is more important / than what we have. <모의응용>

우리가 누구인지는 / 더 중요하다 / 우리가 무엇을 가졌는지보다 → 우리가 누구인지는 우리가 무엇을 가졌는지보다 더 중요하다.

◉ 「형용사/부사의 비교급+than」은 '…보다 더 ~한/하게'라고 해석한다.

09 In fashion, / **which color will be popular in the next season** / must be chosen / a year before. <모의>

패션계에서 / 어느 색이 다음 시즌에 인기 있을지는 / 선택되어야 한다 / 일 년 전에
→ 패션계에서, 어느 색이 다음 시즌에 인기 있을지는 일 년 전에 선택되어야 한다.

10 **Whose class I will choose** / depends on the contents (of the class). <모의응용>

내가 누구의 수업을 선택할지는 / (수업의) 내용에 달려 있다

어휘 contents 명 내용

11 **What new discoveries (in space) will occur** / is highly anticipated.

무슨 새로운 (우주에서의) 발견들이 나타날지는 / 매우 기대된다

어휘 anticipate 통 기대하다, 예상하다

12 **Which participant won the competition** / has not been released yet.

어느 참가자가 대회에서 우승했는지는 / 아직 공개되지 않았다

어휘 participant 명 참가자 competition 명 대회

13 **Which major species will go extinct next** / is one of the scientists' concerns.

어느 주요 종이 다음에 멸종하게 될지는 / 과학자들의 우려 중 하나이다

◉ go는 2형식 동사로 쓰였으며, '(~한 상태가) 되다, ~해지다'라고 해석한다.

어휘 species 명 종

14 **What mysteries lie in the island** / has been only partially documented.

무슨 수수께끼들이 그 섬에 놓여 있는지는 / 오직 부분적으로만 문서로 기록되어 있다

어휘 partially 튀 부분적으로 document 통 기록하다

15 **Whose policies the voters support** / will affect the result (of the vote).

유권자들이 누구의 정책을 지지하는지는 / (투표의) 결과에 영향을 미칠 것이다

어휘 policy 명 정책 support 통 지지하다

고난도
16 **Whose talents will be the most appropriate for the show** / hasn't been determined yet.

누구의 재능이 그 공연에 가장 적절할지는 / 아직 결정되지 않았다

○ 「the+최상급」은 '가장 ~한/하게'라고 해석한다.

어휘 appropriate 혱 적절한 determine 통 결정하다

---

17 **How you manage conflicts at work** / can affect your stress level. <모의응용>

네가 어떻게 직장에서 갈등을 다루는지는 / 너의 스트레스 수준에 영향을 미칠 수 있다

어휘 manage 통 다루다, 잘 해내다 conflict 몡 갈등

---

18 **Where we spend our vacation** / determines the total expenditure.

우리가 어디서 우리의 휴가를 보내는지는 / 총 경비를 결정한다

---

19 **When the ice age occurred** / provides a rough geological timeline (of Earth).

빙하기가 언제 일어났는지는 / (지구의) 대략적인 지질학적 연대표를 제공한다

어휘 rough 혱 대략적인 geological 혱 지질학적인 timeline 몡 연대표

---

20 **Why the pop group suddenly broke up** / was not revealed.

그 팝 그룹이 왜 갑자기 해체했는지는 / 밝혀지지 않았다

[고난도]
21 **How the human face became so expressive** / is due to our ancestors having used

nonverbal cues. <모의응용>

인간의 얼굴 표정이 어떻게 매우 표현이 풍부하게 되었는지는 / 우리의 조상들이 비언어적 신호를 사용했던 것에 기인한다

○ 동명사구 having ~ cues의 의미상 주어로 our ancestors가 쓰였다.

어휘 expressive 혱 표현이 풍부한 nonverbal 혱 비언어적인 cue 몡 신호

UNIT 10 관계대명사가 이끄는 명사절 주어 해석하기

본책 p.28

---

01 **What we call ice cream today** / appeared in the early 17th century. <모의>

우리가 오늘날 아이스크림이라고 부르는 것은 / 17세기 초에 나타났다

○ = The thing which[that] we call ice cream today appeared in the early 17th century.

어휘 appear 통 나타나다

---

02 **What we learn from pleasurable experiences** / lasts for a long time.

우리가 유쾌한 경험들로부터 배우는 것은 / 오랫동안 지속된다

○ = The thing which[that] we learn from pleasurable experiences lasts for a long time.

어휘 pleasurable 혱 유쾌한, 즐거운

---

03 **What suddenly emerged in the sky** / disappeared just as quickly.

하늘에 갑자기 나타난 것은 / 마찬가지로 빠르게 사라졌다

○ = The thing which[that] suddenly emerged in the sky disappeared just as quickly.

어휘 emerge 통 나타나다

04 <u>What experts worry about</u> / <u>is</u> <u>the rising sea levels.</u>
　　　O'　 S'　　 V'　　　　 V　　 SC
　　S

전문가들이 걱정하는 것은 / 상승하고 있는 해수면이다

◐ = The thing which[that] experts worry about is the rising sea levels.

어휘 expert 몡 전문가　sea level 몡 해수면

05 <u>What is important</u> / <u>is</u> <u>running in the right direction</u> / <u>even though it takes time.</u> <모의응용>
　　　S' V'　　　　　　 V　　 SC　　　　　　　　　　 S' V' O'
　　S　　　　　　　　　　　　　　　　　　　　　　　 M

중요한 것은 / 올바른 방향으로 달리는 것이다 / 비록 시간이 걸릴지라도 → 중요한 것은 비록 시간이 걸릴지라도 올바른 방향으로 달리는 것이다.

◐ = The thing which[that] is important is running in the right direction even though it takes time.

어휘 direction 몡 방향

[고난도]
06 <u>What we experience inside our bodies</u> / <u>could have</u> <u>indications</u> / <u>on the outside.</u> <모의>
　　　O'　 S'　　 V'　　　　　 M'　　　　　 V　　　 O　　　　 M
　　　　　　　　 S

우리가 우리 몸 안에서 겪는 것은 / 증상들이 나타날 수 있다 / 바깥쪽에 → 우리가 우리 몸 안에서 겪는 것은 바깥쪽에 증상들이 나타날 수 있다.

◐ = The thing which[that] we experience inside our bodies could have indications on the outside.

어휘 indication 몡 증상

07 <u>Whoever catches the fewest fish</u> / <u>will pay</u> <u>for dinner.</u> <모의>
　　　　　 S'　 V'　　　　 O'　　　　　 V　　 M
　　　　　　　　 S

가장 적은 양의 물고기를 잡는 누구든지 / 저녁 값을 낼 것이다

08 <u>Whoever wishes to go hiking</u> / <u>is</u> <u>welcome</u> <u>to join me.</u>
　　　　　 S'　 V'　　 O'　　　　 V　 SC　　 M
　　　　　　　 S

도보 여행을 가기를 바라는 누구든지 / 자유롭게 나에게 합류할 수 있다

◐ to부정사구 to go hiking은 동사 wishes의 목적어로 쓰였다.

09 <u>Whatever the refugees need</u> / <u>will be provided</u> / <u>by the relief group.</u>
　　　　 O'　　 S'　　 V'　　　　　 V　　　　　　 M
　　　　　 S

난민들이 필요로 하는 무엇이든지 / 제공될 것이다 / 구호 단체에 의해 → 난민들이 필요로 하는 무엇이든지 구호 단체에 의해 제공될 것이다.

어휘 refugee 몡 난민

10 <u>Whichever person leaves last</u> / <u>should turn off</u> <u>all the lights.</u>
　　　　　　 S'　　 V'　 M'　　　　　 V　　　　 O
　　　　　 S

마지막으로 떠나는 어느 사람이든지 / 모든 불을 꺼야 한다

[고난도]
11 <u>Whoever offered the most useful object</u> / <u>would become</u> <u>the patron (of the city).</u> <모의>
　　　　　 S'　 V'　　　　 O'　　　　　　 V　　　　 SC
　　　　　 S

가장 유용한 물건을 제공한 누구든지 / (도시의) 수호자가 될 것이었다

◐ 「the+최상급」은 '가장 ~한/하게'라고 해석한다.

어휘 patron 몡 수호자

01 **It** is easy / **to fall into the habit (of criticizing others)**. <모의>
S(가주어) V SC S(진주어)

쉽다 / (다른 사람들을 비판하는) 습관에 빠지는 것은 → 다른 사람들을 비판하는 습관에 빠지는 것은 쉽다.

어휘 criticize 图 비판하다

02 **It** is undeniable / **that students need all-day access (to library resources)**. <모의>
S(가주어) V SC S(진주어)

명백하다 / 학생들이 (도서관 자원에 대한) 하루 종일의 접근권이 필요하다는 것은
→ 학생들이 도서관 자원에 대한 하루 종일의 접근권이 필요하다는 것은 명백하다.

어휘 undeniable 图 명백한 access 图 접근권 resource 图 자원

03 **It** is difficult / **to find qualified interns** / these days.
S(가주어) V SC S(진주어) M

어렵다 / 자격이 갖춰진 인턴들을 찾는 것은 / 요즘에 → 요즘에 자격이 갖춰진 인턴들을 찾는 것은 어렵다.

어휘 qualified 图 자격이 갖춰진

04 **It** is true / **that mental skills are important** / **at competitions**. <모의>
S(가주어) V SC S(진주어)

사실이다 / 정신적 기술이 중요하다는 것은 / 경쟁에서 → 경쟁에서 정신적 기술이 중요하다는 것은 사실이다.

05 **It** is better / **to wear comfortable clothes** / when you climb a mountain.
S(가주어) V SC S(진주어) M

더 좋다 / 편한 옷을 입는 것은 / 네가 산을 오를 때 → 네가 산을 오를 때 편한 옷을 입는 것이 더 좋다.

06 **It** is uncertain / **whether birds (hatched in the spring) will breed** / during the summer.
S(가주어) V SC S(진주어) M

불분명하다 / (봄에 부화한) 새들이 새끼를 낳을지는 / 여름 동안에 → 봄에 부화한 새들이 여름 동안에 새끼를 낳을지는 불분명하다.

○ 과거분사구 hatched ~ spring은 birds를 꾸며준다.

어휘 hatch 图 부화되다 breed 图 새끼를 낳다

07 **It** is surprising / **how visual input overrides taste and smell**. <모의>
S(가주어) V SC S(진주어)

놀랍다 / 시각적 입력이 어떻게 미각과 후각을 압도하는지는 → 시각적 입력이 어떻게 미각과 후각을 압도하는지는 놀랍다.

○ 명사 taste와 smell이 등위접속사 and로 연결되어 병렬 구문을 이룬다.

어휘 visual 图 시각적인 input 图 입력, 투입

08 **It** is common / **to discover new insect species** / in tropical rainforests.
S(가주어) V SC S(진주어)

일반적이다 / 새로운 곤충 종을 발견하는 것은 / 열대 우림에서 → 열대 우림에서 새로운 곤충 종을 발견하는 것은 일반적이다.

09 **It** is doubtful / **why this small restaurant brought** / **so many chairs**.
S(가주어) V SC S(진주어)

의문이다 / 이 작은 식당이 왜 가져다 두었는지는 / 그렇게 많은 의자들을 → 이 작은 식당이 왜 그렇게 많은 의자들을 가져다 두었는지는 의문이다.

10 **It** cannot be anticipated / **when the next innovation [that pushes humanity forward]**
S(가주어)   V   S(진주어)   S'

will emerge.
V'

예상될 수 없다 / [인류를 앞으로 나아가게 하는] 다음 혁신이 언제 나타날지는 → 인류를 앞으로 나아가게 하는 다음 혁신이 언제 나타날지는 예상될 수 없다.

◯ that ~ forward는 innovation을 꾸며주는 주격 관계대명사절이다.

어휘 innovation 圐 혁신

11 **It** is best / **to examine your car** / **before starting it**, / in order to ensure safe driving. <모의>
S(가주어) V SC   S(진주어)   M

최선이다 / 너의 차를 검사하는 것이 / 그것에 시동을 걸기 전에 / 안전한 운전을 보장하기 위해
→ 안전한 운전을 보장하기 위해 시동을 걸기 전에 너의 차를 검사하는 것이 최선이다.

◯ to부정사구 to ensure safe driving은 목적을 나타내는 부사적 용법으로 쓰였으며, to 대신 in order to가 왔다.

정답 to examine
해설 동사 is가 따로 있고 가주어 It, 주격 보어 best 뒤의 진주어 자리이므로 to부정사 to examine이 정답이다.

어휘 ensure 圄 보장하다

UNIT 12 주어로 쓰인 it 해석하기

본책 p.30

01 **It** rained so much, // so we stayed inside. <모의응용>

비가 너무 많이 왔다 // 그래서 우리는 안에 머물렀다 → 비가 너무 많이 와서, 우리는 안에 머물렀다.

◯ 날씨를 나타내는 비인칭 주어 it

02 **It** is Friday night, // and we love this time the most.

금요일 저녁이다 // 그리고 우리는 이 시간을 가장 사랑한다 → 금요일 저녁이고, 우리는 이 시간을 가장 사랑한다.

◯ 시간을 나타내는 비인칭 주어 it

03 **It** snowed a lot / this winter / because of changes (in climate patterns).

눈이 많이 왔다 / 이번 겨울에 / (기후 양상의) 변화 때문에 → 이번 겨울에 기후 양상의 변화 때문에 눈이 많이 왔다.

◯ 날씨를 나타내는 비인칭 주어 it

어휘 climate 圐 기후

04 **It** was extremely crowded / on the subway, // so I could barely move.

몹시 붐볐다 / 지하철 안이 // 그래서 나는 거의 움직일 수 없었다 → 지하철 안이 몹시 붐벼서, 나는 거의 움직일 수 없었다.

◯ 상황을 나타내는 비인칭 주어 it

05 **It** was already one o'clock, // and I was hungry. <수능>

벌써 한 시였다 // 그리고 나는 배가 고팠다 → 벌써 한 시였고, 나는 배가 고팠다.

◯ 시간을 나타내는 비인칭 주어 it

06 **It** was really quiet / in the library, // so everyone could focus well.

아주 조용했다 / 도서관 안이 // 그래서 모두가 잘 집중할 수 있었다 → 도서관 안이 아주 조용해서, 모두가 잘 집중할 수 있었다.

◯ 상황을 나타내는 비인칭 주어 it

07 **It** takes him a long time to learn new things. <모의>

그가 새로운 것들을 배우는 데 오랜 시간이 걸린다.

08 **It** seems that this device is too big for our house. <모의>

이 기기가 우리 집에는 너무 큰 것 같다.

어휘 device 圏 기기

09 **It** seemed that he would accept the job offer.

그가 그 일자리 제안을 받아들일 것 같았다.

어휘 accept 图 받아들이다

10 **It** takes her a lot of money to maintain a private plane.

그녀가 전용기를 유지하는 데 많은 돈이 든다.

고난도
11 **It** didn't appear that the small mammal was aggressive, // but it was unexpectedly ferocious.

그 작은 포유류가 공격적인 것 같지 않았다 // 하지만 그것은 예상외로 흉포했다 → 그 작은 포유류는 공격적인 것 같지 않았지만, 예상외로 흉포했다.

어휘 mammal 圏 포유류 aggressive 圏 공격적인 unexpectedly 图 예상외로

의미상의 주어 해석하기

01 Magazines provide / a way (**for advertisers** *to show* high-quality images). <모의>
　　　　 S　　　 V 　　 O 　　 의미상의 주어 　　　　　　　 M

잡지들은 제공한다 / (광고주들이 높은 품질의 사진들을 보여줄) 방법을 → 잡지들은 광고주들이 높은 품질의 사진들을 보여줄 방법을 제공한다.

○ to부정사구 to show ~ images는 way를 꾸며주는 형용사적 용법으로 쓰였다.

어휘 advertiser 圏 광고주

02 It was careless / **of me** *to spill* my coffee. <모의>
　　 S(가주어) V　　 SC 　　 의미상의 주어　 S(진주어)

부주의했다 / 내가 나의 커피를 쏟은 것은 → 내가 나의 커피를 쏟은 것은 부주의했다.

어휘 careless 圏 부주의한

03 It is common / **for jealousy** *to develop* / among siblings.
　　 S(가주어) V　 SC 　　 의미상의 주어　 S(진주어)

일반적이다 / 질투가 생기는 것은 / 형제자매 사이에 → 형제자매 사이에 질투가 생기는 것은 일반적이다.

어휘 jealousy 圏 질투 develop 图 생기다, 발달시키다 siblings 圏 형제자매

04 It was kind / **of her** *to bring* me some soup / when I was sick.
　 S(가주어) V　 SC 　 의미상의 주어 　　 S(진주어)

친절했다 / 그녀가 나에게 죽을 좀 가지고 온 것이 / 내가 아팠을 때 → 내가 아팠을 때 그녀가 나에게 죽을 좀 가지고 온 것은 친절했다.

05 The farm has / spacious land (**for livestock** *to graze on*).
　　 S　 V　　 O 　　　 의미상의 주어　 M

그 농장은 가지고 있다 / (가축들이 풀을 뜯을) 넓은 토지를 → 그 농장은 가축들이 풀을 뜯을 넓은 토지를 가지고 있다.

○ to부정사구 to graze on은 land를 꾸며주는 형용사적 용법으로 쓰였다.

어휘 spacious 圏 넓은 livestock 圏 가축 graze 图 풀을 뜯다

Chapter 02 주어 **19**

06 It was admirable / **of you** *to give up* the opportunity / in order to help others.
S(가주어) V SC 의미상의 주어 S(진주어)

존경스러웠다 / 네가 그 기회를 포기한 것은 / 다른 사람들을 돕기 위해 → 네가 다른 사람들을 돕기 위해 그 기회를 포기한 것은 존경스러웠다.

어휘 admirable [형] 존경스러운 opportunity [명] 기회

07 Slides have / a slope (**for children** *to slide down* for fun). <모의응용>
S V O 의미상의 주어 M

미끄럼틀은 있다 / (아이들이 재미를 위해 미끄러져 내려갈) 경사면이 → 미끄럼틀은 아이들이 재미를 위해 미끄러져 내려갈 경사면이 있다.

● to부정사구 to slide ~ fun은 slope를 꾸며주는 형용사적 용법으로 쓰였다.

어휘 slide [명] 미끄럼틀 [동] 미끄러지다 slope [명] 경사면

08 It was rude / **of the fans** *to yell* / at the opposing team's players.
S(가주어) V SC 의미상의 주어 S(진주어)

무례했다 / 팬들이 소리지른 것은 / 상대 팀의 선수들에게 → 상대 팀의 선수들에게 팬들이 소리지른 것은 무례했다.

어휘 opposing [형] 상대의, 대립하는

[고난도]
09 It is difficult / **for us** *to see* ourselves / fully through the eyes of others. <모의>
S(가주어) V SC 의미상의 주어 S(진주어)

어렵다 / 우리가 우리 자신을 보는 것은 / 온전히 다른 사람의 시선을 통해 → 우리가 온전히 다른 사람의 시선을 통해 우리 자신을 보는 것은 어렵다.

● to부정사의 행위의 주체와 목적어가 같은 대상이므로 재귀대명사 ourselves를 쓰며, '자기 자신'이라고 해석한다.

의미상의 주어
10 I appreciate / **your** *accepting* my request. <모의>
S V O

나는 고맙게 생각한다 / 네가 나의 요청을 받아준 것을 → 나는 네가 나의 요청을 받아준 것을 고맙게 생각한다.

어휘 appreciate [동] 고맙게 생각하다 request [명] 요청

의미상의 주어
11 **Your** *believing* in me / led me to achieve my dream.
S V O OC

네가 나를 믿어준 것은 / 내가 나의 꿈을 성취하도록 이끌었다

● 「lead+목적어(me)+목적격 보어(to achieve my dream)」의 구조이다.

의미상의 주어 S' V' SC' M'
12 I could hear / **his** *calling* my name, / even though it was noisy / in the restaurant.
S V O M

나는 들을 수 있었다 / 그가 나의 이름을 부르는 것을 / 비록 시끄러웠지만 / 음식점 안이
→ 비록 음식점 안이 시끄러웠지만, 나는 그가 나의 이름을 부르는 것을 들을 수 있었다.

● 상황을 나타내는 비인칭 주어 it이 쓰였으며, 이때 it은 의미를 가지지 않으므로 해석하지 않는다.

의미상의 주어
13 **The character's** *betraying* his family / shocked the viewers.
S V O

그 등장인물이 그의 가족을 배신한 것은 / 시청자들을 충격받게 했다

어휘 betray [동] 배신하다

의미상의 주어
14 I took a picture of / **my friends'** *dancing* / by the river.
S V O 전치사 O'(전치사의 목적어) M

나는 ~의 사진을 찍었다 / 나의 친구들이 춤추는 것 / 강가에서 → 나는 강가에서 친구들이 춤추는 것의 사진을 찍었다.

[고난도] 의미상의 주어
15 **The petition** *receiving* hundreds of signatures / made lawmakers free the activist.
S V O OC

그 탄원서가 수백 개의 서명을 받은 것은 / 국회의원들이 그 사회운동가를 석방하도록 만들었다

● 「make+목적어(lawmakers)+목적격 보어(free the activist)」의 구조이다.
● free는 3형식 동사로 쓰였으며, '~를 석방하다, 자유롭게 하다'라고 해석한다.

어휘 signature [명] 서명 lawmaker [명] 국회의원 activist [명] 사회운동가

UNIT 14 무생물 주어 해석하기

본책 p.33

01 **Her smile** made me happy. <모의>
　　　　S　　　V　　O　　OC

그녀의 미소가 나를 행복하게 만들었다. → 그녀의 미소로 인해 내가 행복해졌다.

❍ 「make+목적어(me)+목적격 보어(happy)」의 구조이다.

02 **The shortcut** will enable / you to save time. <모의>
　　　　　S　　　　V　　　O　　　OC

그 지름길이 가능하게 할 것이다 / 네가 시간을 절약하는 것을 → 그 지름길을 통해 너는 시간을 절약할 수 있다.

❍ 「enable+목적어(you)+목적격 보어(to save time)」의 구조이다.

어휘 shortcut 몡 지름길

03 **Curiosity** makes young children explore new things.
　　　　S　　　V　　　O　　　　OC

호기심은 어린 아이들이 새로운 것들을 탐구하도록 만든다. → 호기심으로 인해 어린 아이들은 새로운 것들을 탐구한다.

❍ 「make+목적어(young children)+목적격 보어(explore new things)」의 구조이다.

어휘 curiosity 몡 호기심　explore 통 탐구하다

04 **Regular physical activity** / improves your overall quality (of life).
　　　　　　　S　　　　　　　V　　　　　O

규칙적인 신체 활동이 / 너의 전반적인 (삶의) 질을 향상시킨다 → 규칙적인 신체 활동을 통해 너의 전반적인 삶의 질이 향상된다.

어휘 regular 혱 규칙적인　physical 혱 신체적인　overall 혱 전반적인

05 **A month's worth of mail** / put him under pressure.
　　　　　　　S　　　　　　V　　O　　OC

한 달 치만큼의 우편물이 / 그를 압박감 아래 놓이게 했다 → 한 달 치만큼의 우편물 때문에 그는 압박감을 느꼈다.

어휘 pressure 몡 압박감

06 **Galileo's fascination (with the stars)** / greatly advanced astronomy.
　　　　　　　S　　　　　　　　　M　　V　　O

(별들에 대한) 갈릴레오의 흥미가 / 천문학을 크게 발전시켰다 → 갈릴레오의 별들에 대한 흥미로 인해 천문학이 크게 발전되었다.

어휘 fascination 몡 흥미, 매력　advance 통 발전되다　astronomy 몡 천문학

07 **Our long friendship** keeps / us from fighting with each other.
　　　　　　S　　　　V　　O　　　　M

우리의 긴 우정이 막는다 / 우리가 서로 싸우는 것을 → 우리의 긴 우정으로 인해 우리는 서로 싸우지 않는다.

❍ keep A from B는 'A가 B하는 것을 막다'라고 해석한다.

08 **Forgiveness** heals old wounds, // so it is a necessary step / for everyone.
　　　　S¹　　　V¹　　O¹　　S² V²　　SC²　　　M²

용서는 오래된 상처들을 치유한다 // 그래서 그것은 중요한 단계이다 / 모든 사람들에게
→ 용서를 통해 오래된 상처들이 치유될 수 있어서, 그것은 모든 사람들에게 중요한 단계이다.

어휘 forgiveness 몡 용서　heal 통 치유하다　wound 몡 상처

09 **Mining equipment** broke up / the rocky face (of the mountain) quickly.
　　　　　S　　　　V　　　　O　　　　　　　M

채굴 장비가 부쉈다 / (산의) 바위로 된 면을 빠르게 → 채굴 장비를 통해 산의 바위로 된 면을 빠르게 부쉈다.

어휘 mining 몡 채굴　face 몡 (물건의) 면, 얼굴

10 **Gossip** ruins a person's reputation, // so you should be careful / when you say
S¹ V¹ O¹ S² V² SC² M²

something.

소문은 한 사람의 평판을 망친다 // 그래서 너는 신중해야 한다 / 네가 무언가를 말할 때
→ 소문으로 인해 한 사람의 평판이 망가질 수 있어서, 너는 무언가를 말할 때 신중해야 한다.

어휘 gossip ⑲ 소문 ruin ⑧ 망치다 reputation ⑲ 평판

Chapter Test

본책 p.34

01 **Where the convention takes place** / changes every year.
S' V' S V M

그 집회가 어디서 열리는지는 / 매년 바뀐다

어휘 convention ⑲ 집회, 관습 take place 열리다, 개최되다

02 **Starving yourself to lose weight** / is unhealthy / for both your body and mind.
S V SC M

체중을 줄이기 위해 너 자신을 굶기는 것은 / 건강에 해롭다 / 너의 신체와 정신 둘 다에
→ 체중을 줄이기 위해 너 자신을 굶기는 것은 너의 신체와 정신 둘 다의 건강에 해롭다.

❍ to부정사구 to lose weight은 목적을 나타내는 부사적 용법으로 쓰였다.
❍ both A and B는 'A와 B 둘 다'라고 해석한다.

어휘 starve ⑧ 굶기다

03 **Whoever lives in this apartment** / must use the recycling bin.
S' V' M' S V O

이 아파트에 사는 누구든지 / 분리수거함을 사용해야 한다

04 **Who your true friend is** / comes out / during the most difficult times.
SC' S' V' S V M

너의 진정한 친구가 누구인지는 / 나타난다 / 가장 어려운 시기 동안 → 너의 진정한 친구가 누구인지는 가장 어려운 시기 동안 나타난다.

어휘 come out 나타나다, 드러나다

05 **Whether a famous artist created this painting** / is not important to me.
S' V' O' S V SC M

유명한 예술가가 이 그림을 만들었는지는 / 나에게 중요하지 않다

❍ = It is not important to me whether a famous artist created this painting.

06 **What we do** / when we are alone / shows our true character.
O' S' V' S V O

우리가 무엇을 하는지는 / 우리가 혼자 있을 때 / 우리의 본성을 보여준다 → 우리가 혼자 있을 때 무엇을 하는지는 우리의 본성을 보여준다.

❍ = The thing which[that] we do when we are alone shows our true character.

어휘 true character 본성

07 **It** took two years / to switch all the gas machines / to electric ones.

2년이 걸렸다 / 모든 가스 기계들을 교체하는 데 / 전기인 것들로 → 모든 가스 기계들을 전기 기계들로 교체하는 데 2년이 걸렸다.

❍ machines 대신 대명사 ones가 쓰였다.

08 **When Anna will be well enough to return to work** / cannot be determined.
S' V' SC' M' M' S V

Anna가 언제 일터로 돌아올 만큼 충분히 건강해질지는 / 파악될 수 없다

❍ 「형용사/부사+enough+to-v」는 '~할 만큼 (충분히) …한/하게'라고 해석한다.

09 **To talk about the success (of our research)** / is premature.
　　　　　　　　　　　　　S　　　　　　　　　　　　　　　　V　　SC

(우리 실험의) 성공에 대해 이야기하는 것은 / 시기상조이다

❍ = It is premature to talk about the success of our research.

어휘 premature 휑 시기상조의, 이른

10 **It** was very touching / **that Philip gave a speech** / **at his teacher's retirement**
　　S(진주어)　V　　　SC　　　　　　　　　　　　　　　　　　　　S(가주어)

ceremony.

매우 감동적이었다 / Philip이 연설을 했다는 것은 / 그의 스승의 퇴임식에서 → Philip이 스승의 퇴임식에서 연설을 했다는 것은 매우 감동적이었다.

어휘 touching 휑 감동적인 retirement ceremony 퇴임식

의미상의 주어

11 **Charlie's** *exaggerating* / makes him an unreliable person.
　　　　　　S　　　　　　　　　　V　　O　　　　OC

Charlie가 과장하는 것은 / 그를 신뢰할 수 없는 사람으로 만든다

❍ 「make+목적어(him)+목적격 보어(an unreliable person)」의 구조이다.

어휘 exaggerate 툉 과장하다 unreliable 휑 신뢰할 수 없는

12 **It** seems that Christmas sales are starting / earlier and earlier / year by year.

크리스마스 할인이 시작하고 있는 것 같다 / 점점 더 빨리 / 해가 갈수록 → 크리스마스 할인이 해가 갈수록 점점 더 빨리 시작하고 있는 것 같다.

❍ 「비교급+and+비교급」은 '점점 더 ~한/하게'라고 해석한다.

13 **Five hours' continuous work** / left the employees exhausted.
　　　　　　　S　　　　　　　　　　V　　　O　　　　OC

다섯 시간 동안의 끊임없는 일이 / 직원들을 지친 상태로 뒀다 → 다섯 시간 동안의 끊임없는 일 때문에 직원들은 지친 상태가 됐다.

❍ 「leave+목적어(the employees)+목적격 보어(exhausted)」의 구조이다.

어휘 continuous 휑 끊임없는 employee 휑 직원

고난도
14 **That failure is a part (of the process)** / should be accepted / by us.
　　　　　　　　　　S　　　　　　　　　　　　V　　　　　M

실패가 (과정의) 한 부분이라는 것은 / 받아들여져야 한다 / 우리에 의해 → 실패가 과정의 한 부분이라는 것은 우리에 의해 받아들여져야 한다.

❍ = It should be accepted by us that failure is a part of the process.
❍ 조동사가 있는 수동태는 「조동사+be+p.p.」의 형태이다.

어휘 failure 휑 실패 process 휑 과정

고난도
15 **It** is impractical / **for a person** *to start* **a business** / **without any information**.
　　S(가주어)　V　　SC　　의미상의 주어　　　　　　　　　　S(진주어)

비현실적이다 / 한 사람이 사업을 시작하는 것은 / 아무 정보 없이 → 한 사람이 아무 정보 없이 사업을 시작하는 것은 비현실적이다.

어휘 impractical 휑 비현실적인

CHAPTER 03 목적어

UNIT 15 to부정사/동명사 목적어 해석하기

본책 p.36

01 The director wanted / **to achieve structural harmony in the movie**. <모의응용>
S　　　　V　　　　　　　　　　O

감독은 원했다 / 영화 안에서 구조적인 조화를 성취하는 것을 → 감독은 영화 안에서 구조적인 조화를 성취하는 것을 원했다.

어휘 structural 휑 구조적인　harmony 몡 조화

02 You should avoid / **buying carrots (with cracks)**. <모의응용>
S　　V　　　　　　O

너는 피해야 한다 / (금이 있는) 당근을 사는 것을 → 너는 금이 있는 당근을 사는 것을 피해야 한다.

어휘 crack 몡 (무엇이 갈라져 생긴) 금

03 The volleyball team will finish / **training for the Olympics** / by March.
S　　　　　　V　　　　　　　　O　　　　　　M

그 배구 팀은 끝낼 것이다 / 올림픽을 위해 훈련하는 것을 / 3월까지 → 그 배구 팀은 3월까지 올림픽을 위해 훈련하는 것을 끝낼 것이다.

04 Greg chose / **not to work late today** / because he was tired.
S　　V　　　　O　　　　　　M (S' V' SC')

Greg는 결정했다 / 오늘 늦게까지 일하지 않는 것을 / 그가 피곤했기 때문에 → Greg는 피곤했기 때문에 오늘 늦게까지 일하지 않는 것을 결정했다.

[고난도]
05 The candidate promised / **to reform health-care service** / if he becomes president.
S　　　　V　　　　　　　O　　　　　　　　　M (S' V' SC')

그 출마자는 약속했다 / 보건 의료 서비스를 개혁할 것을 / 만약 그가 대통령이 된다면
→ 그 출마자는 만약 그가 대통령이 된다면 보건 의료 서비스를 개혁할 것을 약속했다.

어휘 candidate 몡 출마자, 후보자　reform 됭 개혁하다　health-care service 보건 의료 서비스

06 Irritated shoppers do not continue / **to shop[shopping]**. <모의>
S　　　　V　　　　　　O

화가 난 쇼핑객들은 계속하지 않는다 / 쇼핑하는 것을 → 화가 난 쇼핑객들은 쇼핑하는 것을 계속하지 않는다.

어휘 irritated 휑 화가 난

07 Shawn likes / **to take long walks on the weekend** / to clear his mind.
S　　V　　　　　　　O

Shawn은 좋아한다 / 주말에 긴 산책을 하는 것을 / 그의 마음을 비우기 위해 → Shawn은 그의 마음을 비우기 위해 주말에 긴 산책을 하는 것을 좋아한다.

○ = Shawn likes **taking** long walks on the weekend to clear his mind.
○ to부정사구 to clear his mind는 목적을 나타내는 부사적 용법으로 쓰였다.

08 Oil prices may begin / **to drop** / after having risen for several months.
S　　　V　　　O　　　　　　　M

기름값은 시작할 수도 있다 / 떨어지는 것을 / 수개월 동안 오른 후 → 기름값은 수개월 동안 오른 후 떨어지는 것을 시작할 수도 있다.

○ = Oil prices may begin **dropping** after having risen for several months.

고난도
09 Madeline prefers / **experimenting with cooking,** / as she loves / **finding new recipes.**
S V O S' V' M O'

Madeline은 선호한다 / 요리를 가지고 실험하는 것을 / 그녀가 사랑하기 때문에 / 새로운 요리법을 찾는 것을
→ Madeline은 새로운 요리법을 찾는 것을 사랑하기 때문에, 그녀는 요리를 가지고 실험하는 것을 선호한다.

◐ = Madeline prefers **to experiment** with cooking, as she loves **to find** new recipes.

어휘 experiment 통 실험하다

10 I remembered / **to prepare a wide table** / **for her birthday party.** <모의응용>
S V O

나는 기억했다 / 넓은 탁자를 준비할 것을 / 그녀의 생일 파티를 위해 → 나는 그녀의 생일 파티를 위해 넓은 탁자를 준비할 것을 기억했다.

11 He remembered / **sailing in rough seas** / **during a violent storm.** <수능>
S V O

그는 기억했다 / 거친 바다에서 항해한 것을 / 사나운 폭풍우 동안 → 그는 사나운 폭풍우 동안 거친 바다에서 항해한 것을 기억했다.

어휘 sail 통 항해하다 rough 형 거친, 파도가 심한 violent 형 사나운, 맹렬한

12 She forgot / **to set her alarm clock,** // so she woke up late.
S¹ V¹ O¹ S² V² M²

그녀는 잊었다 / 그녀의 알람 시계를 맞출 것을 // 그래서 그녀는 늦게 일어났다 → 그녀는 알람 시계를 맞출 것을 잊어서, 늦게 일어났다.

◐ cf. She **forgot** setting her alarm clock, so she set it again. 그녀는 그녀의 알람 시계를 맞춘 것을 잊어서, 그것을 다시 맞췄다.

13 I have never regretted / **moving back to my hometown.**
S V O

나는 한 번도 후회한 적이 없다 / 나의 고향으로 다시 이사온 것을 → 나는 한 번도 나의 고향으로 다시 이사온 것을 후회한 적이 없다.

◐ cf. We **regret** to tell you that your request was denied. 우리는 당신의 요청이 거절되었다는 것을 알리게 되어 유감입니다.

고난도
14 Some may try / **to discourage you,** // but it is best / to ignore negative people.
S¹ V¹ O¹ S²(가주어) V² SC² S²(진주어)

몇몇 사람들은 노력할 수도 있다 / 너를 좌절시키려고 // 하지만 최선이다 / 부정적인 사람들을 무시하는 것이
→ 몇몇 사람들은 너를 좌절시키려고 노력할 수도 있지만, 부정적인 사람들을 무시하는 것이 최선이다.

◐ cf. I **tried** pushing the red button, but nothing happened. 나는 빨간색 버튼을 눌러봤지만, 아무 일도 일어나지 않았다.

어휘 discourage 통 좌절시키다 ignore 통 무시하다 negative 형 부정적인

어법
15 Dylan couldn't remember / **falling asleep last night** / **on the sofa.**
S V O

Dylan은 기억할 수 없었다 / 어젯밤에 잠든 것을 / 소파 위에서 → Dylan은 어젯밤에 소파 위에서 잠든 것을 기억할 수 없었다.

정답 falling
해설 remember는 '~한 것을 기억하다'라고 해석할 때 목적어로 동명사를 가지므로 동명사 falling이 정답이다.

16 She knows / **what to do** / **to achieve her goals.** <모의응용>
S V O

그녀는 안다 / 무엇을 할지를 / 그녀의 목표를 성취하기 위해 → 그녀는 그녀의 목표를 성취하기 위해 무엇을 할지를 안다.

◐ to부정사구 to achieve her goals는 목적을 나타내는 부사적 용법으로 쓰였다.

17 The most successful leaders know / **when to take a chance.**
S V O

가장 성공적인 지도자들은 안다 / 언제 기회를 잡을지를 → 가장 성공적인 지도자들은 언제 기회를 잡을지를 안다.

◐ 「the+최상급」은 '가장 ~한/하게'라고 해석한다.

18 We couldn't decide / **where to stay during winter vacation.**
S V O

우리는 결정할 수 없었다 / 겨울 휴가 동안 어디서 머무를지를 → 우리는 겨울 휴가 동안 어디서 머무를지를 결정할 수 없었다.

고난도

19 All parents must learn / **how to give their children** / **the right kind of attention.** <모의>
　　　　S　　　　　V　　　　　　　　　　　　　　　　　　　　　　　　O

모든 부모들은 학습해야 한다 / 어떻게 그들의 아이들에게 줄지를 / 올바른 종류의 관심을
→ 모든 부모들은 어떻게 그들의 아이들에게 올바른 종류의 관심을 줄지를 학습해야 한다.

　◐ 「give+간접 목적어(their children)+직접 목적어(the right ~ attention)」의 구조이다.

UNIT 16

that/if[whether]가 이끄는 명사절 목적어 해석하기

본책 p.38

01 I believe / **(that) people can find their purpose in life.** <모의응용>
　　　S　V　　　　　S'　　　　V'　　　　　O'　　　　　M'

나는 믿는다 / 사람들은 삶에서 그들의 목적을 찾을 수 있다고 → 나는 사람들이 삶에서 그들의 목적을 찾을 수 있다고 믿는다.

어휘 purpose 몡 목적

02 Marketers wondered / **if[whether] the cake mix was artificial-tasting.** <모의>
　　　S　　　V　　　　　　　　　　　　S'　　　　V'　　SC'

마케팅 담당자들은 궁금해했다 / 그 케이크 믹스가 인공적인 맛인지를 → 마케팅 담당자들은 그 케이크 믹스가 인공적인 맛인지를 궁금해했다.

어휘 wonder 통 궁금해하다　marketer 몡 마케팅 담당자　artificial 휑 인공적인

03 Critics doubted / **whether the author could write another bestseller.**
　　　S　　V　　　　　　　　　　　S'　　　　　V'　　　　　O'

비평가들은 의심했다 / 그 작가가 또 다른 베스트셀러를 쓸 수 있는지를 → 비평가들은 그 작가가 또 다른 베스트셀러를 쓸 수 있는지를 의심했다.

어휘 critic 몡 비평가

04 The protestors insisted / **we should be treated equally** / **regardless of race or gender.**
　　　S　　　　　V　　　　　　S'　　　V'　　　　M'　　　　　M'

시위자들은 주장했다 / 우리가 동등하게 대우받아야 한다고 / 인종이나 성별에 상관없이
→ 시위자들은 우리가 인종이나 성별에 상관없이 동등하게 대우받아야 한다고 주장했다.

　◐ insisted와 we 사이에는 명사절 접속사 that이 생략되어 있다.
　◐ 요구/제안의 의미를 가진 동사 뒤 that절 안의 should는 생략될 수 있으며, 이때 should 뒤 동사원형의 형태는 바뀌지 않는다.

어휘 protestor 몡 시위자, 항의하는 사람　insist 통 주장하다　regardless of 젠 ~에 상관없이　race 몡 인종, 경주　gender 몡 성별

05 The program can check / **if there are errors in the computation.**
　　　S　　　　V　　　　　　　　　V'　　S'　　　　M'

그 프로그램은 확인할 수 있다 / 계산에 오류들이 있는지를 → 그 프로그램은 계산에 오류들이 있는지를 확인할 수 있다.

　◐ 「there+be동사+주어」는 '(주어)가 있(었)다'라고 해석한다.

어휘 computation 몡 계산

06 The weather report stated / **that a snowstorm would hit the city tomorrow.**
　　　　S　　　　　V　　　　　　　　　S'　　　　V'　　O'　　　M'

일기 예보는 언급했다 / 내일 눈보라가 그 도시를 강타할 것이라고 → 일기 예보는 내일 눈보라가 그 도시를 강타할 것이라고 언급했다.

07 People didn't know / **whether dinosaurs should be categorized as mammals.**
　　　S　　　V　　　　　　　　　　S'　　　V'　　　M'

사람들은 몰랐다 / 공룡들이 포유류로 분류되어야 하는지를 → 사람들은 공룡들이 포유류로 분류되어야 하는지를 몰랐다.

어휘 categorize 통 분류하다　mammal 몡 포유류

08 The mayor did not mention / **if he would be attending the charity ball.**
　　　S　　　V　　　　　　　　　S'　　　V'　　　　O'

그 시장은 언급하지 않았다 / 그가 자선 무도회에 참석할지를 → 그 시장은 그가 자선 무도회에 참석할지를 언급하지 않았다.

○ 3형식 동사 mention은 전치사가 뒤에 오는 것처럼 해석되지만 실제로는 전치사를 쓰지 않는다. e.g. The mayor did not mention *about* ~. (X)

어휘 charity 몡 자선 (단체) ball 몡 무도회

09 The manager announced / **that the office would be closed next week.**
S   V   S'   V'   M'

그 관리자는 발표했다 / 사무실이 다음 주에 닫힐 것이라고 → 그 관리자는 사무실이 다음 주에 닫힐 것이라고 발표했다.

10 Nicolas Appert wondered / **whether sugar could be used to preserve foods.** <모의응용>
S   V   S'   V'   O

니콜라 아페르는 궁금해했다 / 설탕이 음식을 보존하기 위해 사용될 수 있는지를 → 니콜라 아페르는 설탕이 음식을 보존하기 위해 사용될 수 있는지를 궁금해했다.

○ to부정사구 to preserve foods는 목적을 나타내는 부사적 용법으로 쓰였다.

어휘 preserve 통 보존하다

11 Financial experts couldn't forecast / **if the economy would recover** / **after the war.**
S   V   S'   V'   M'

금융 전문가들은 예측할 수 없었다 / 경제가 회복될지를 / 전쟁 이후에 → 금융 전문가들은 전쟁 이후에 경제가 회복될지를 예측할 수 없었다.

어휘 financial 몡 금융의 expert 몡 전문가 forecast 통 예측하다 economy 몡 경제, 경기 recover 통 회복되다

12 Some students complained / **that the classroom was too noisy** / **because of the**
S   V   S'   V'   SC'

construction.
M'

몇몇 학생들은 항의했다 / 교실이 너무 시끄럽다고 / 공사 때문에 → 몇몇 학생들은 공사 때문에 교실이 너무 시끄럽다고 항의했다.

어휘 complain 통 항의하다, 불평하다 construction 몡 공사

13 Companies cannot assert / **whether a product will sell,** / even after conducting market
S   V   S'   V'   M

research.

회사들은 단언할 수 없다 / 상품이 팔릴지를 / 시장 조사를 한 이후에도 → 회사들은 시장 조사를 한 이후에도 상품이 팔릴지를 단언할 수 없다.

어휘 assert 통 단언하다 sell 통 팔리다, 팔다 conduct 통 (특정한 활동을) 하다 market research 몡 시장 조사

고난도
14 Carl Jung theorized / **that humans are connected** / **through a set of shared**
S   V   S'   V'   M'

experiences.

칼 융은 이론화했다 / 인간들이 연결되어 있다는 것을 / 일련의 공유된 경험들을 통해
→ 칼 융은 인간들이 일련의 공유된 경험들을 통해 연결되어 있다는 것을 이론화했다.

어휘 theorize 통 이론화하다, 이론을 세우다 connect 통 연결하다 share 통 공유하다

17 의문사가 이끄는 명사절 목적어 해석하기

본책 p.39

01 Scientists had not known / **what gives flowers their delightful smell.** <모의응용>
S   V   S'   V' IO'   DO'
                                      O

과학자들은 몰랐다 / 무엇이 꽃들에게 그것들의 기분 좋은 향기를 주는지를 → 과학자들은 무엇이 꽃들에게 기분 좋은 향기를 주는지를 몰랐다.

○ 「give+간접 목적어(flowers)+직접 목적어(their delightful smell)」의 구조이다.

어휘 delightful 형 기분 좋은

02 Arranging the seats differently / can change / **what people will see.** <모의응용>

좌석들을 다르게 배치하는 것은 / 바꿀 수 있다 / 사람들이 무엇을 볼지를 → 좌석들을 다르게 배치하는 것은 사람들이 무엇을 볼지를 바꿀 수 있다.

● 동명사구 Arranging the seats differently는 문장에서 주어 역할을 하고 있다.

어휘 arrange [동] 배치하다

03 Businesses track down / **who senders (of e-mail) are** / for security. <수능>

사업체들은 추적한다 / (이메일의) 발송자들이 누구인지를 / 보안을 위해 → 사업체들은 보안을 위해 이메일의 발송자들이 누구인지를 추적한다.

어휘 track [동] 추적하다 security [명] 보안

04 We could not figure out / **who broke the copy machine.**

우리는 알아낼 수 없었다 / 누가 그 복사기를 망가트렸는지를 → 우리는 누가 그 복사기를 망가트렸는지를 알아낼 수 없었다.

어휘 figure out 알아내다, 계산해 내다

05 Anthropologists asked / **who the leader (of the tribe) was** / in order to interview him.

인류학자들은 물었다 / (부족의) 우두머리가 누구인지를 / 그를 인터뷰하기 위해 → 인류학자들은 인터뷰하기 위해 부족의 우두머리가 누구인지를 물었다.

● to부정사구 to interview him은 목적을 나타내는 부사적 용법으로 쓰였으며, to 대신 in order to가 왔다.

어휘 anthropologist [명] 인류학자

[고난도]
06 The members of Congress discussed / **what policies they should terminate.**

국회의원들은 논의했다 / 그들이 무슨 정책들을 없애야 하는지를 → 국회의원들은 무슨 정책들을 없애야 하는지를 논의했다.

어휘 discuss [동] 논의하다 policy [명] 정책 terminate [동] 없애다, 끝내다

07 We are deciding / **where we should have dinner.** <수능응용>

우리는 결정하고 있다 / 우리가 어디서 저녁을 먹어야 할지를 → 우리는 어디서 저녁을 먹어야 할지를 결정하고 있다.

08 Forensic science officers investigated / **why the plane went down.**

과학 수사 담당관들은 조사했다 / 그 비행기가 왜 추락했는지를 → 과학 수사 담당관들은 그 비행기가 왜 추락했는지를 조사했다.

09 The company revealed / **how the process (of their experiment) worked.**

그 회사는 밝혔다 / (그들의 실험의) 과정이 어떻게 작동하는지를 → 그 회사는 그들의 실험의 과정이 어떻게 작동하는지를 밝혔다.

어휘 reveal [동] 밝히다 process [명] 과정

[고난도]
10 The Education Department is discussing / **when the test (for university admission) should be scheduled.**

교육부는 논의하고 있다 / (대학 입학을 위한) 시험이 언제 예정되어야 하는지를 → 교육부는 대학 입학을 위한 시험이 언제 예정되어야 하는지를 논의하고 있다.

어휘 admission [명] 입학

01 People should repay / **what others provide to them**. <모의응용>
　　　S　　　V　　　O'　　　S'　　　V'　　　M'
　　　　　　　　　　　　　　　　　　O

사람들은 갚아야 한다 / 다른 사람들이 그들에게 제공하는 것을 → 사람들은 다른 사람들이 그들에게 제공하는 것을 갚아야 한다.

　◎ = People should repay the thing which[that] others provide to them.

어휘 repay 통 갚다

02 I can't remember / **what the teacher said during class**.
　　S　　V　　　　O'　　　S'　　　V'　　　　M'
　　　　　　　　　　　　　　　　O

나는 기억할 수 없다 / 선생님이 수업 중에 말씀하신 것을 → 나는 선생님이 수업 중에 말씀하신 것을 기억할 수 없다.

　◎ = I can't remember the thing which[that] teacher said during class.

03 The documentary showed / **what the criminal did to his victims**.
　　　　S　　　　　V　　　O'　　　S'　　　V'　　　M'
　　　　　　　　　　　　　　　　　O

그 다큐멘터리는 보여줬다 / 그 범죄자가 그의 피해자들에게 한 것을 → 그 다큐멘터리는 그 범죄자가 피해자들에게 한 것을 보여줬다.

　◎ = The documentary showed the thing which[that] the criminal did to his victims.

어휘 criminal 명 범죄자　victim 명 피해자

04 Most parents already know / **what their children really want for Christmas**.
　　　S　　　　　M　　V　　　O'　　　S'　　　M'　　V'　　　M'
　　　　　　　　　　　　　　　　　　　O

대부분의 부모들은 이미 알고 있다 / 그들의 아이들이 크리스마스에 정말 원하는 것을
→ 대부분의 부모들은 그들의 아이들이 크리스마스에 정말 원하는 것을 이미 알고 있다.

　◎ = Most parents already know the thing which[that] their children really want for Christmas.

05 Don't just say / **whatever crosses your mind**, // or you might say / something [you
　　　　　M'　　　　　S'　　V'　　　O'　　　　　　S²　　V²　　　　O²
　　　V¹
don't mean]. <모의응용>

그냥 말하지 마라 / 생각에 떠오르는 무엇이든지 // 그렇지 않으면 너는 말할 수도 있다 / [네가 의도하지 않은] 무언가를
→ 생각에 떠오르는 무엇이든지 그냥 말하면, 너는 네가 의도하지 않은 무언가를 말할 수도 있다.

　◎ cross one's mind는 '생각이 떠오르다'라고 해석한다.
　◎ 명령문 뒤에 나오는 or는 '그렇지 않으면'이라고 해석한다.
　◎ something과 you 사이에는 목적격 관계대명사가 생략되어 있다.

어휘 mean 통 의도하다, 의미하다

06 I won't forgive / **whoever took my lunch from the refrigerator**.
　S　　V　　　　S'　　V'　　　O'　　　M'
　　　　　　　　　　　　　　O

나는 용서하지 않을 것이다 / 냉장고에서 나의 점심을 가져간 누구든지 → 나는 냉장고에서 나의 점심을 가져간 누구든지 용서하지 않을 것이다.

어휘 forgive 통 용서하다　refrigerator 명 냉장고

07 When you fill out the questions (on the form), / please ignore / **whichever does not
　　　　S'　　V'　　　　O'　　　　　　　　　M　　　V　　　　S'
　　　　　　　　　　　M
apply to you**.
　V'　　M'

당신이 (양식 내) 질문들을 채울 때 / 무시해주세요 / 당신에게 적용되지 않는 어느 것이든지
→ 양식 내 질문들을 채울 때, 당신에게 적용되지 않는 어느 것이든지 무시해주세요.

어휘 apply 통 적용되다, 지원하다

08 If you blindly believe / **whatever everyone says**, / you will become too dependent on others' opinions.

만약 네가 맹목적으로 믿으면 / 모두가 말하는 무엇이든지 / 너는 다른 사람들의 의견에 너무 의존적이게 될 것이다

→ 만약 네가 모두가 말하는 무엇이든지 맹목적으로 믿으면, 너는 다른 사람들의 의견에 너무 의존적이게 될 것이다.

어휘 blindly (뷔) 맹목적으로 dependent (휑) 의존적인

고난도
09 Guests (at the hotel) may participate in / **whichever leisure activities they want**.

(호텔의) 투숙객들은 참여해도 된다 / 그들이 원하는 어느 여가 활동이든지 → 호텔의 투숙객들은 그들이 원하는 어느 여가 활동이든지 참여해도 된다.

어휘 leisure activity (휑) 여가 활동

UNIT 19 전치사의 목적어 해석하기

본책 p.41

01 Students must not be afraid of / **saying something wrong**. <모의응용>

학생들은 ~을 두려워해서는 안 된다 / 잘못된 무언가를 말하는 것 → 학생들은 잘못된 무언가를 말하는 것을 두려워해서는 안 된다.

02 The result (of the game) depends on / **what you choose**.

(게임의) 결과는 ~에 달렸다 / 네가 무엇을 고르는지 → 게임의 결과는 네가 무엇을 고르는지에 달렸다.

03 Wedding guests were curious about / **who the man (standing next to the groom) was**.

결혼식 하객들은 ~에 대해 궁금해했다 / (신랑 옆에 서 있는) 그 남자가 누구인지 → 결혼식 하객들은 신랑 옆에 서 있는 그 남자가 누구인지에 대해 궁금해했다.

○ 현재분사구 standing ~ groom은 man을 꾸며준다.

어휘 groom (휑) 신랑

04 The board members continued talking about / **how the company was being run**.

이사진들은 ~에 대해 이야기하는 것을 계속했다 / 회사가 어떻게 경영되고 있는지
→ 이사진들은 회사가 어떻게 경영되고 있는지에 대해 이야기하는 것을 계속했다.

어휘 run (동) 경영하다, 달리다

05 Andy hasn't decided on / **whether he will take the job or not**.

Andy는 ~에 대해 결정하지 않았다 / 그가 그 일을 맡을지 아닐지 → Andy는 그가 그 일을 맡을지 아닐지에 대해 결정하지 않았다.

06 My sister and I can't agree on / **when we are meeting for dinner**.

나의 여동생과 나는 ~에 합의할 수 없다 / 우리가 저녁 식사를 위해 언제 만날지 → 나의 여동생과 나는 우리가 저녁 식사를 위해 언제 만날지에 합의할 수 없다.

어휘 agree (동) 합의하다, 동의하다

07 Debaters must be proficient at / **arguing their point in a polite manner**.

토론자들은 ~에 능숙해야 한다 / 그들의 요점을 예의 바른 태도로 주장하는 것 → 토론자들은 그들의 요점을 예의 바른 태도로 주장하는 것에 능숙해야 한다.

○ in a manner는 '~하게, ~한 태도로'라고 해석하며, 양태를 나타내는 형용사와 함께 쓰여 행동의 양상을 나타낼 수 있다.

어휘 proficient (휑) 능숙한

08 The children complained about / **why they had to leave the amusement park early**.
　　　S　　　　　　　V　　　전치사　　　　　　　　　　　O'(전치사의 목적어)

아이들은 ~에 대해 불평했다 / 그들이 왜 놀이공원을 일찍 떠나야 했는지 → 아이들은 그들이 왜 놀이공원을 일찍 떠나야 했는지에 대해 불평했다.

09 The production company is confident about / **letting the young director lead the team**.
　　　　　　S　　　　　V　　SC　　전치사　　　　　　　O'(전치사의 목적어)

그 제작사는 ~에 대해 자신이 있다 / 젊은 관리자가 팀을 이끌도록 허락하는 것 → 그 제작사는 젊은 관리자가 팀을 이끌도록 허락하는 것에 대해 자신이 있다.

　◐ 「let+목적어(the young director)+목적격 보어(lead the team)」의 구조이다.

　어휘 confident 쥉 자신이 있는　director 쥉 관리자

10 Penelope looked at / **what she had achieved over the years**, // and she felt proud.
　　　S¹　　V¹　전치사¹　　　　　　O'¹(전치사의 목적어)　　　　　　S²　V²　SC²

Penelope는 ~을 봤다 / 그녀가 수년 동안 이뤄온 것 // 그리고 그녀는 자랑스럽게 느꼈다 → Penelope는 그녀가 수년 동안 이뤄온 것을 봤고, 자랑스럽게 느꼈다.

11 Residents (of the neighborhood) voted on / **whether they should renovate the area**.
　　　S　　　　　　　　　　　　　V　전치사　　　　　　O'(전치사의 목적어)

(그 지역의) 주민들은 ~에 대해 투표했다 / 그들이 그 지역을 보수해야 하는지 → 그 지역의 주민들은 그 지역을 보수해야 하는지에 대해 투표했다.

　어휘 resident 쥉 주민　renovate 튕 보수하다

12 The patient's parents did not consent to / **what the doctor told them**. <모의>
　　　　　S　　　　　　　V　　전치사　　　　　O'(전치사의 목적어)

그 환자의 부모는 ~에 동의하지 않았다 / 그 의사가 그들에게 말한 것 → 그 환자의 부모는 그 의사가 그들에게 말한 것에 동의하지 않았다.

　어휘 consent 튕 동의하다

13 Our family talked about / **where we will be moving** / at a family meeting.
　　　S　　　V　전치사　　　O'(전치사의 목적어)　　　M

우리 가족은 ~에 대해 이야기했다 / 우리가 어디로 이사 갈지 / 가족 회의에서 → 우리 가족은 가족 회의에서 우리가 어디로 이사 갈지에 대해 이야기했다.

[고난도]
14 The government worries about / **caring for old people and increasing the productivity**
　　　　S　　　　　V　전치사　　　　　　　O'(전치사의 목적어)

at the same time. <모의>

정부는 ~에 대해 우려한다 / 노인들을 돌보는 것과 동시에 생산성을 증가시키는 것
→ 정부는 노인들을 돌보는 것과 동시에 생산성을 증가시키는 것에 대해 우려한다.

　◐ 동명사 caring과 increasing이 등위접속사 and로 연결되어 병렬 구문을 이룬다.

　어휘 productivity 쥉 생산성

UNIT 20 **재귀대명사 목적어 해석하기**　　　　　본책 p.42

01 Sid allows **himself** to have a bowl of ice cream / once a month. <모의>
　　　S　V　　O　　　　　OC　　　　　M

Sid는 그 자신이 아이스크림 한 통을 먹도록 허락한다 / 한 달에 한 번 → Sid는 그 자신이 한 달에 한 번 아이스크림 한 통을 먹도록 허락한다.

　◐ 「allow+목적어(himself)+목적격 보어(to have ~ ice cream)」의 구조이다.

02 Damaging **yourself** with negative attitudes / has bad effects. <모의>
　　　　　　　　　S　　　　　　　　　　V　　O

부정적인 태도로 너 자신을 해치는 것은 / 나쁜 영향을 미친다

03 Bill Gates called **himself** a pioneer (of technology).
  S   V   O   OC

빌 게이츠는 그 자신을 (기술의) 선구자라고 불렀다.

어휘 technology 몡 기술

04 I can express **myself** more easily / through music.
  S   V   O   M   M

나는 나 자신을 더 쉽게 표현할 수 있다 / 음악을 통해서 → 나는 음악을 통해서 나 자신을 더 쉽게 표현할 수 있다.

05 The scientist **has dedicated himself to** the research / for years.
  S   V   O   M   M

그 과학자는 그 연구에 전념해왔다 / 수년 동안 → 그 과학자는 수년 동안 그 연구에 전념해왔다.

06 Having confidence in **ourselves** / is not easy for us.
  V′   O′전치사   O′(전치사의 목적어)   S   V   SC   M

우리 자신에 자신감을 가지는 것은 / 우리에게 쉽지 않다

07 Julia considered **herself** lucky / to have loyal friends.
  S   V   O   OC   M

Julia는 그녀 자신이 운이 좋다고 생각했다 / 진실한 친구들을 가져서 → Julia는 진실한 친구들을 가져서 그녀 자신이 운이 좋다고 생각했다.

◉ to부정사구 to have loyal friends는 판단의 근거를 나타내는 부사적 용법으로 쓰였다.

어휘 loyal 몡 진실한, 충실한

08 The host told the guests [who arrived] / to **make themselves at home**.
  S   V   O   V′   O′   OC′   OC

주인은 [도착한] 손님들에게 말했다 / 편하게 지내라고 → 주인은 도착한 손님들에게 편하게 지내라고 말했다.

◉ who arrived는 guests를 꾸며주는 주격 관계대명사절이다.

09 Frida Kahlo distinguished **herself** / from other artists / with her unique style.
  S   V   O   M   M

프리다 칼로는 그녀 자신을 구별했다 / 다른 예술가들과 / 그녀의 독특한 스타일로 → 프리다 칼로는 그녀의 독특한 스타일로 다른 예술가들과 그녀 자신을 구별했다.

◉ distinguish A from B는 'A를 B와 구별하다'라고 해석한다.

고난도
10 I often remind **myself** / of the future [I will have after all these efforts].
  S   M   V   O   M

나는 나 자신에게 종종 상기시킨다 / [이러한 노력들 이후 내가 가지게 될] 미래를 → 나는 이러한 노력들 이후 내가 가지게 될 미래를 나 자신에게 종종 상기시킨다.

◉ remind A of B는 'A에(게) B를 상기시키다'라고 해석한다.
◉ future와 I 사이에는 목적격 관계대명사가 생략되어 있다.

UNIT 21 가목적어 it 해석하기

본책 p.43

01 Some problems (in social science) make **it** difficult / **to pinpoint the reasons for**
  S   V   O(가목적어)   OC   O(진목적어)

certain behaviors. <모의응용>

(사회 과학의) 몇몇 문제들은 어렵게 만든다 / 특정 행동들의 원인을 정확히 집어내는 것을
→ 사회 과학의 몇몇 문제들은 특정 행동들의 원인을 정확히 집어내는 것을 어렵게 만든다.

어휘 social science 몡 사회 과학   pinpoint 몡 정확히 집어내다   behavior 몡 행동

02 Rosa made **it** clear / **that our happiness was important to her as well**. <모의>
   S   V O(가목적어) OC   S'   V'   SC'   M'   M'
                                                       O(진목적어)

Rosa는 분명히 했다 / 우리의 행복이 그녀에게도 중요하다는 것을 → Rosa는 우리의 행복이 그녀에게도 중요하다는 것을 분명히 했다.

03 The dust (in the air) made **it** hard / **to see the others (in front of me)**.
        S   V O(가목적어) OC   O(진목적어)

(공기 중의) 먼지는 어렵게 했다 / (내 앞에 있는) 다른 사람들을 보는 것을 → 공기 중의 먼지는 내 앞에 있는 다른 사람들을 보는 것을 어렵게 했다.

04 The brain does not consider **it** valuable / **to remember every single detail**. <모의>
        S   V   O(가목적어) OC   O(진목적어)

뇌는 가치 있다고 생각하지 않는다 / 모든 세부사항을 기억하는 것을 → 뇌는 모든 세부사항을 기억하는 것을 가치 있다고 생각하지 않는다.

05 Everyone thought **it** remarkable / **that the man survived on the island alone for three years**.
     S   V O(가목적어)   OC   S'   V'   M'   M'
     M'   O(진목적어)

모두가 놀랍다고 생각했다 / 그 남자가 혼자 섬에서 3년 동안 생존한 것을 → 모두가 그 남자가 혼자 섬에서 3년 동안 생존한 것을 놀랍다고 생각했다.

어휘 remarkable 휑 놀라운

06 The archeologists consider **it** regrettable / **that many artworks were destroyed during war**.
         S   V O(가목적어)   OC   S'   V'
       M'   O(진목적어)

고고학자들은 유감스럽다고 생각한다 / 많은 예술 작품들이 전쟁 중에 훼손된 것을
→ 고고학자들은 많은 예술 작품들이 전쟁 중에 훼손된 것을 유감스럽다고 생각한다.

어휘 archeologist 똉 고고학자 regrettable 휑 유감스러운 destroy 통 훼손하다

07 The speaker's way (of delivering words) makes **it** easy / **to understand her message clearly**.
                  S   V O(가목적어) OC   O(진목적어)

그 연설자의 (말을 전달하는) 방식은 쉽게 만든다 / 그녀의 메시지를 분명하게 이해하는 것을
→ 그 연설자의 말을 전달하는 방식은 메시지를 분명하게 이해하는 것을 쉽게 만든다.

어휘 deliver 통 전달하다, 배달하다

08 The captain (of the ship) made **it** apparent / **that he was mad** / **because of the crew's laziness**.
          S   V O(가목적어) OC   S'   V'   SC'
           M'   O(진목적어)

(그 배의) 선장은 명확하게 했다 / 그가 화가 났다는 것을 / 선원들의 게으름 때문에 → 그 배의 선장은 그가 선원들의 게으름 때문에 화가 났다는 것을 명확하게 했다.

어휘 apparent 휑 명확한

09 We find **it** impossible / **to regulate everything on the Internet**, / owing to its nature.
   S V O(가목적어)   OC   O(진목적어)   M

우리는 불가능하다고 생각한다 / 인터넷에 있는 모든 것을 통제하는 것을 / 그것의 특성 때문에
→ 인터넷의 특성 때문에, 우리는 인터넷에 있는 모든 것을 통제하는 것을 불가능하다고 생각한다.

어휘 regulate 통 통제하다 nature 똉 특성

고난도
10 The diversity of Romanticism makes **it** almost impossible / **to squeeze it into only one sentence**. <모의응용>
                S   V O(가목적어)   OC   O(진목적어)

낭만주의의 다양성은 거의 불가능하게 만든다 / 그것을 단 하나의 문장으로 압축하는 것을
→ 낭만주의의 다양성은 그것을 단 하나의 문장으로 압축하는 것을 거의 불가능하게 만든다.

어휘 diversity 똉 다양성 Romanticism 똉 낭만주의 squeeze 통 압축하다, 짜내다

Chapter Test

01 The firefighters hoped / **to find the missing person** / **inside the burning building**.
   S   V   O

소방관들은 희망했다 / 실종된 사람을 찾기를 / 불타고 있는 건물 안에서 → 소방관들은 불타고 있는 건물 안에서 실종된 사람을 찾기를 희망했다.

02 As he is a stubborn person, / he never knows / **when to give up**.
   M   S M   V   O

그는 고집 센 사람이기 때문에 / 그는 절대 모른다 / 언제 포기할지를 → 그는 고집 센 사람이기 때문에 언제 포기할지를 절대 모른다.

어휘 stubborn ⓗ 고집 센 give up 포기하다

03 The mayor announced / **that the policy would take effect** / **from next Monday**.
   S   V   S   V   M
                                            O

시장은 발표했다 / 그 정책이 시행될 것이라고 / 다음 주 월요일부터 → 시장은 그 정책이 다음 주 월요일부터 시행될 것이라고 발표했다.

어휘 mayor ⓝ 시장 take effect 시행되다

04 She couldn't decide / **whom to vote for**, // so she cast a blank ballot.
   S¹   V¹   O¹   S² V²   O²

그녀는 결정할 수 없었다 / 누구에게 투표할지를 // 그래서 그녀는 기권표를 던졌다 → 그녀는 누구에게 투표할지를 결정할 수 없어서, 기권표를 던졌다.

어휘 cast ⓥ (표를) 던지다

05 Mason thought about / **whether buying a home was financially possible for him**.
   S   V   전치사   S   V   M   SC   M
                                   O'(전치사의 목적어)

Mason은 ~에 대해 생각했다 / 집을 사는 것이 그에게 재정적으로 가능한지 → Mason은 집을 사는 것이 그에게 재정적으로 가능한지에 대해 생각했다.

어휘 financially ⓐ 재정적으로

06 I couldn't remember / **which book I checked out** / **from the library**.
   S   V   O' S   V   M
                                  O

나는 기억할 수 없었다 / 내가 어느 책을 빌렸는지를 / 도서관에서 → 나는 내가 도서관에서 어느 책을 빌렸는지를 기억할 수 없었다.

어휘 check out (책을) 빌리다

07 Archeologists are wondering / **who built the temple** / and **why they did so**.
   S   V   S¹ V¹   O¹   S² V² M²
                                         O

고고학자들은 궁금해하고 있다 / 누가 그 사원을 지었는지를 / 그리고 그들이 왜 그렇게 했는지를
→ 고고학자들은 누가 그 사원을 지었는지와 그들이 왜 그렇게 했는지를 궁금해하고 있다.

어휘 temple ⓝ 사원, 신전

08 Jimmy did not know / **why the manager turned down his suggestions (for the project)**.
   S   V   S   V   O'
                                       O

Jimmy는 알지 못했다 / 관리자가 왜 (프로젝트에 대한) 그의 제안을 거절했는지를
→ Jimmy는 관리자가 왜 프로젝트에 대한 그의 제안을 거절했는지를 알지 못했다.

어휘 turn down 거절하다 suggestion ⓝ 제안

09 The team at NASA is figuring out / **when they should send the satellite to space**.
   S   V   S   V   O   M

NASA의 팀은 계산하고 있다 / 그들이 언제 그 위성을 우주로 보내야 할지를 → NASA의 팀은 언제 그 위성을 우주로 보내야 할지를 계산하고 있다.

어휘 satellite ⓝ 위성

10 I thought **it** strange / **that my friend had been trying to conceal something**.
   S   V   O(가목적어) OC   S   V   O'
                                                O(진목적어)

나는 이상하다고 생각했다 / 나의 친구가 무언가를 감추려고 노력해왔던 것이 → 나는 나의 친구가 무언가를 감추려고 노력해왔던 것이 이상하다고 생각했다.

어휘 conceal ⓥ 감추다

11 The committee is concerned about / **whether the government will support their opinion.**

의회는 ~에 대해 걱정한다 / 정부가 그들의 의견을 지지할지 → 의회는 정부가 그들의 의견을 지지할지에 대해 걱정한다.

어휘 committee 몡 의회

12 The care facility provides new mothers with / **whatever they need after giving birth.**

그 요양 시설은 초보 엄마들에게 ~를 제공한다 / 출산 후에 그들이 필요한 무엇이든지
→ 그 요양 시설은 초보 엄마들에게 출산 후에 그들이 필요한 무엇이든지 제공한다.

○ provide A with B는 'A에(게) B를 제공하다'라고 해석한다.

어휘 give birth 출산하다

13 The donor wished / **to remain anonymous** / **about his contributions to the museum.**

그 기증자는 바랐다 / 익명인 채로 남는 것을 / 박물관에 대한 그의 기부에 대해 → 그 기증자는 박물관에 대한 그의 기부에 대해 익명인 채로 남는 것을 바랐다.

어휘 donor 몡 기증자 anonymous 혱 익명의 contribution 몡 기부, 기여

14 The incoming tornado made **it** necessary / **to evacuate the entire town** / as a precautionary measure.

닥쳐오는 토네이도는 필요하게 만들었다 / 온 마을을 대피시키는 것을 / 예방책으로서
→ 닥쳐오는 토네이도는 예방책으로서 온 마을을 대피시키는 것을 필요하게 만들었다.

어휘 incoming 혱 닥쳐오는, 들어오는 evacuate 동 대피시키다

고난도
15 A book (for traveling) must be complete / **in itself** / and capable of / **being read in a short time.** <모의>

(여행을 위한) 책은 완전해야 한다 / 그 자체로 / 그리고 ~이 가능해야 한다 / 짧은 시간 안에 읽히는 것
→ 여행을 위한 책은 그 자체로 완전해야 하고 짧은 시간 안에 읽히는 것이 가능해야 한다.

○ complete와 capable이 등위접속사 and로 연결되어 있으며, must be의 주격 보어 역할을 하는 형용사에 해당한다.
○ 동명사가 의미상 주어(book)와 수동 관계이므로 수동형이 쓰였다.

CHAPTER 04 보어

UNIT 22 다양한 주격 보어 해석하기

본책 p.46

01 The first step (to making a dream come true) / is **to have a dream.** <모의>
S / V / SC

(꿈이 실현되도록 만드는 것의) 첫 번째 단계는 / 꿈을 가지는 것이다

어휘 come true 실현되다

02 The purpose (of the study) / was **to record sea level changes.**
S / V / SC

(그 연구의) 목적은 / 해수면의 변화를 기록하는 것이었다

03 Her favorite hobby / is **jogging along the lake** / **every morning.**
S / V / SC

그녀가 가장 좋아하는 취미는 / 호수를 따라 조깅하는 것이다 / 매일 아침 → 그녀가 가장 좋아하는 취미는 매일 아침 호수를 따라 조깅하는 것이다.

04 The first thing (to do) / is **cleaning out the huge garage.**
S / V / SC

(해야 할) 첫 번째 일은 / 큰 차고를 청소하는 것이다

● to부정사 to do는 thing을 꾸며주는 형용사적 용법으로 쓰였다.

어휘 garage [명] 차고

05 The chef's most important rule / is **to use fresh ingredients.**
S / V / SC

그 요리사의 가장 중요한 원칙은 / 신선한 재료들을 사용하는 것이다

어휘 ingredient [명] 재료

06 Because of the air freshener, / it smelled **like oranges** / in the office.
M / S / V / SC / M

그 방향제 때문에 / 오렌지 같은 냄새가 났다 / 사무실에서 → 그 방향제 때문에, 사무실에서 오렌지 같은 냄새가 났다.

● 상황을 나타내는 비인칭 주어 it이 쓰였으며, 이때 it은 의미를 가지지 않으므로 해석하지 않는다.

어휘 air freshener [명] 방향제

07 If we cut off ourselves / from all other possibilities, / we become **boring.** <모의>
S′ V′ O′ M′ (M) / S / V / SC

만약 우리가 우리 자신을 단절시킨다면 / 다른 모든 가능성들로부터 / 우리는 지루해진다
→ 만약 우리가 다른 모든 가능성들로부터 우리 자신을 단절시킨다면, 우리는 지루해진다.

어휘 cut off 단절시키다 possibility [명] 가능성

08 The objective (of the space mission) / is **to collect soil samples** / **from Mars.**
S / V / SC

(그 우주 임무의) 목표는 / 토양 샘플을 수집하는 것이다 / 화성으로부터 → 그 우주 임무의 목표는 화성으로부터 토양 샘플을 수집하는 것이다.

어휘 objective [명] 목표

09 The conflicts (between employers and employees) / remained **unsettled.**
S V SC

(고용주들과 직원들 사이의) 갈등이 / 해결되지 않은 채로 남았다

어휘 conflict [명] 갈등 unsettled [형] 해결되지 않은

10 Frank's winning strategy / was **training every day / until the very day** (**of the bike race**).
S V SC

Frank의 승리 전략은 / 매일 연습하는 것이었다 / (자전거 경주의) 바로 그 날까지 → Frank의 승리 전략은 자전거 경주의 바로 그 날까지 매일 연습하는 것이었다.

◆ the very는 명사(day)를 강조하고 있으며, '바로 그'라고 해석한다.

어휘 winning strategy 승리 전략

[고난도]
11 The math problem appeared **too complicated / for me to solve.**
S V SC

그 수학 문제는 너무 어렵게 보였다 / 내가 풀기에 → 그 수학 문제는 내가 풀기에 너무 어렵게 보였다.

◆ 「too+형용사/부사+to-v」는 '~하기에 너무…한/하게'라고 해석한다.

◆ to부정사 to solve의 의미상 주어로 me가 쓰였다.

어휘 complicated [형] 어려운, 복잡한

12 My belief is / **(that) all music has a certain meaning behind the notes.** <수능>
S' V' O' M'
S V SC

나의 믿음은 ~이다 / 모든 음악이 음표 이면에 특정한 의미를 가지고 있다는 것 → 나의 믿음은 모든 음악이 음표 이면에 특정한 의미를 가지고 있다는 것이다.

어휘 note [명] 음표, 메모

13 The biggest issue (for the fans) is / **whether the concert will be canceled or not.**
S' V'
S V SC

(팬들의) 가장 큰 문제는 ~이다 / 콘서트가 취소될지 아닐지 → 팬들의 가장 큰 문제는 콘서트가 취소될지 아닐지이다.

어휘 issue [명] 문제(점)

14 A major problem with AI is / **that massive job loss will likely occur.**
S' V' M'
S V SC

AI의 주요한 문제는 ~이다 / 대규모 실직이 일어날 수 있다는 것 → AI의 주요한 문제는 대규모 실직이 일어날 수 있다는 것이다.

어휘 AI(Artificial Intelligence) [명] 인공 지능 massive [형] 대규모의

15 The pungent gas (from the ocean) is / **what gives ocean air "sort of a fishy smell."** <모의>
S' V' IO' DO'
S V SC

(바다에서 나온) 자극적인 가스는 ~이다 / 바다 공기에게 "일종의 비린내"를 주는 것 → 바다에서 나온 자극적인 가스는 바다 공기에 "일종의 비린내"를 주는 것이다.

16 A widely accepted theory is / **golf originated in Scotland during the Middle Ages.**
S' V' M' M'
S V SC

널리 받아들여진 이론은 ~이다 / 골프가 중세 시대 중에 스코틀랜드에서 유래했다는 것
→ 널리 받아들여진 이론은 골프가 중세 시대 중에 스코틀랜드에서 유래했다는 것이다.

◆ is와 golf 사이에는 명사절 접속사 that이 생략되어 있다.

어휘 accept [동] 받아들이다 originate [동] 유래하다 Middle Ages [명] 중세

17 The most important thing [you should find out] is / **what capabilities you have.** <모의>
O' S' V'
S V SC

[네가 찾아야 하는] 가장 중요한 것은 ~이다 / 네가 무슨 능력들을 가지고 있는지 → 네가 찾아야 하는 가장 중요한 것은 네가 무슨 능력들을 가지고 있는지이다.

◆ thing과 you 사이에는 목적격 관계대명사가 생략되어 있다.

◆ what은 명사를 꾸며주는 의문형용사로 쓰여 명사 capabilities 앞에 왔다.

어휘 capability [명] 능력

18 Congress' concern is / **when it is going to pass the new legislation**.
S   V   S'   V'   O'
                    SC

의회의 고민은 ~이다 / 그것이 언제 새 법률을 통과시킬지 → 의회의 고민은 그것이 언제 새 법률을 통과시킬지이다.

어휘 congress 몡 의회   concern 몡 고민, 관심사   pass 통 (법률을) 통과시키다   legislation 몡 법률

19 Her wish is / **that the proposal (submitted to the manager) gets approved**.
      S   V   S'   V'
                              SC

그녀의 바람은 ~이다 / (관리자에게 제출된) 제안서가 승인되는 것 → 그녀의 바람은 관리자에게 제출된 제안서가 승인되는 것이다.

    ◐ 과거분사구 submitted ~ manager는 proposal을 꾸며준다.

어휘 proposal 몡 제안(서)   submit 통 제출하다   approve 통 승인하다

고난도
20 In Quebec, / the subject (of ongoing debate) is / **why French should be the exclusive**
     M   S   V   S'
                SC'   M'   SC
language at businesses.

퀘벡에서 / (계속 진행 중인 토론의) 주제는 ~이다 / 프랑스어가 왜 사업에서 전용 언어가 되어야 하는지
→ 퀘벡에서, 계속 진행 중인 토론의 주제는 프랑스어가 왜 사업에서 전용 언어가 되어야 하는지이다.

어휘 subject 몡 주제   ongoing 톙 계속 진행 중인   exclusive 톙 전용의, 독점적인

고난도
        O'(전치사의 목적어)   S'   SC'   전치사
21 What scientists are curious about is / **how excessive use (of smartphones) lowers**
                S   V   S'   V'
                                            SC
the ability (to concentrate).
               O'

과학자들이 궁금해하는 것은 ~이다 / (스마트폰의) 과도한 사용이 어떻게 (집중하는) 능력을 떨어뜨리는지
→ 과학자들이 궁금해하는 것은 스마트폰의 과도한 사용이 어떻게 집중하는 능력을 떨어뜨리는지이다.

    ◐ What ~ about은 문장에서 주어 역할을 하는 명사절이다.
    ◐ to부정사 to concentrate는 ability를 꾸며주는 형용사적 용법으로 쓰였다.

어휘 curious 톙 궁금한   excessive 톙 과도한   concentrate 통 집중하다

UNIT 23   명사/형용사 목적격 보어 해석하기

본책 p.48

01 Selling his patents to many companies made / the inventor **a millionaire**. <모의응용>
                       S   V   O   OC

그의 특허권을 많은 회사들에게 판 것은 만들었다 / 그 발명가를 백만장자로 → 특허권을 많은 회사들에게 판 것은 그 발명가를 백만장자로 만들었다.

어휘 patent 몡 특허권

02 Taking one day off every week makes / me **more productive**. <모의>
                    S   V   O   OC

매주 하루를 쉬는 것은 만든다 / 나를 더 생산적이게 → 매주 하루를 쉬는 것은 나를 더 생산적이게 만든다.

어휘 productive 톙 생산적인

03 Living overseas made / me **more open to other cultures**.
           S   V   O   OC

외국에서 사는 것은 만들었다 / 나를 다른 문화들에 더 열려있게 → 외국에서 사는 것은 나를 다른 문화들에 더 열려있게 만들었다.

어휘 overseas 흼 해외에

04 Playing children's songs kept / my nephew **cheerful** / all afternoon.
               S   V   O   OC

동요를 재생하는 것은 뒀다 / 나의 조카를 즐거운 상태로 / 오후 내내 → 동요를 재생하는 것은 나의 조카를 오후 내내 즐거운 상태로 뒀다.

05 I find / his ability (to persevere in spite of obstacles) **admirable**.
　　 S　V　　　　　　　　O　　　　　　　　　　　　　　　　OC

나는 생각한다 / (장애물들에도 불구하고 인내하는) 그의 능력이 존경스럽다고 → 나는 장애물들에도 불구하고 인내하는 그의 능력이 존경스럽다고 생각한다.

❍ to부정사구 to persevere ~ obstacles는 ability를 꾸며주는 형용사적 용법으로 쓰였다.

어휘 persevere 图 인내하다　in spite of ~에도 불구하고　obstacle 圆 장애물　admirable 圈 존경스러운

06 The horrible news turned / her face **blue with fear**.
　　　　　　　　S　　　　　V　　　　O　　　OC

그 끔찍한 뉴스는 만들었다 / 그녀의 얼굴을 두려움으로 창백하게 → 그 끔찍한 뉴스는 그녀의 얼굴을 두려움으로 창백하게 만들었다.

어휘 horrible 圈 끔찍한　blue 圈 창백한

07 I consider / the compliment [I heard today] **a great honor**.
　　S　V　　　　　　O　　　　　　　　　　OC

나는 생각한다 / [내가 오늘 들은] 칭찬이 큰 영광이라고 → 나는 내가 오늘 들은 칭찬이 큰 영광이라고 생각한다.

❍ compliment와 I 사이에는 목적격 관계대명사가 생략되어 있다.

어휘 compliment 圆 칭찬　honor 圆 영광

08 The loud noises (from upstairs) are driving me **mad**.
　　　　　　S　　　　　　　　　　　　V　　O　OC

(위층에서의) 큰 소음들이 나를 화나게 만들고 있다.

09 The boss thinks / the new senior analyst **capable of leading the project**.
　　　S　　V　　　　　　O　　　　　　　　　　OC

상사는 생각한다 / 그 새로운 수석 분석가가 프로젝트를 이끄는 것이 가능하다고 → 상사는 그 새로운 수석 분석가가 프로젝트를 이끄는 것이 가능하다고 생각한다.

어휘 senior 圈 수석의, 상위의　analyst 圆 분석가

10 People (around the world) believed / the woman **courageous** / for standing against
　　　　　S　　　　　　　V　　　　O　　　OC　　　　　　　　　M

tyranny.

(전 세계의) 사람들은 생각했다 / 그 여성이 용감하다고 / 독재에 맞서는 것에 대해 → 전 세계의 사람들은 그 여성이 독재에 맞서는 것에 대해 용감하다고 생각했다.

어휘 courageous 圈 용감한　stand against ~에 맞서다　tyranny 圆 독재

11 The Academy Awards Committee elected / *Parasite* **the best movie of the year** / in 2020.
　　　　　　　S　　　　　　　V　　　　O　　　　　OC　　　　　　　M

아카데미상 위원회는 뽑았다 / '기생충'을 그 해 최고의 영화로 / 2020년에 → 아카데미상 위원회는 2020년에 '기생충'을 그 해 최고의 영화로 뽑았다.

어휘 committee 圆 위원회

12 The city named / the structure **the Eiffel Tower** / after the creator Gustave Eiffel.
　　　S　　V　　　　O　　　　OC　　　　　　　M

그 도시는 이름 지었다 / 그 건축물을 에펠탑이라고 / 창작자 구스타브 에펠을 따서 → 도시는 그 건축물을 창작자 구스타브 에펠을 따서 에펠탑이라고 이름 지었다.

어휘 name after ~을 따서 이름 짓다

13 The board of directors appointed / Ms. Stevens **the new chairperson**.
　　　　　S　　　　　V　　　　　O　　　OC

이사회는 임명했다 / Stevens씨를 새로운 회장으로 → 이사회는 Stevens씨를 새로운 회장으로 임명했다.

어휘 board of directors 圆 이사회　chairperson 圆 회장

14 The strike left / the hospital **short of necessary healthcare professionals**.
　　　S　　V　　O　　　　OC

그 파업은 뒀다 / 그 병원을 필요한 의료 전문가들이 부족한 상태로 → 파업은 그 병원을 필요한 의료 전문가들이 부족한 상태로 뒀다.

어휘 strike 圆 파업 图 치다　short 圈 부족한, 짧은　necessary 圈 필요한　professional 圆 전문가

15 The announcement (about the school festival) got / the students **enthusiastic** / that day.
S · V · O · OC · M

(학교 축제에 대한) 공지는 만들었다 / 학생들을 열광적으로 / 그날 → 학교 축제에 대한 공지는 그날 학생들을 열광적으로 만들었다.

어휘 enthusiastic 혱 열광적인

16 Eating a big meal at lunch made / me **sleepy in the afternoon**.
S · V · O · OC

점심에 많은 양의 식사를 한 것은 만들었다 / 나를 오후에 졸리게 → 점심에 많은 양의 식사를 한 것은 나를 오후에 졸리게 만들었다.

17 Continuous adversities can turn / even the kindest person **mean**.
S · V · O · OC

계속되는 역경들은 만들 수 있다 / 가장 친절한 사람조차도 심술궂게 → 계속되는 역경들은 가장 친절한 사람조차도 심술궂게 만들 수 있다.

어휘 continuous 혱 계속되는 mean 혱 심술궂은 됭 의미하다

18 Whatever people say, / you should consider / yourself **worthy of being loved**.
O' · S' · V' · M · S · V · O · OC

사람들이 무엇을 말하더라도 / 너는 생각해야 한다 / 너 자신이 사랑 받을 가치가 있다고
→ 사람들이 무엇을 말하더라도, 너는 너 자신이 사랑 받을 가치가 있다고 생각해야 한다.

❍ 주어와 목적어가 같은 대상이므로 재귀대명사 yourself를 쓰며, '자기 자신'이라고 해석한다.
❍ 동명사가 의미상 주어(yourself)와 수동 관계이므로 수동형이 쓰였다.

19 A team of researchers found / coins **useless** / **in most modern cash transactions**.
S · V · O · OC

연구진은 생각했다 / 동전들이 쓸모 없다고 / 대부분의 현대 현금 거래들에서 → 연구진은 대부분의 현대 현금 거래들에서 동전들이 쓸모 없다고 생각했다.

어휘 transaction 혱 거래

20 In case of an emergency, / keep yourself **calm** // and exit the building / in a timely manner.
M · V¹ · O¹ · OC¹ · V² · O² · M²

응급 상황에서 / 너 자신을 차분한 상태로 둬라 // 그리고 건물을 나가라 / 시기 적절하게
→ 응급 상황에서, 너 자신을 차분한 상태로 두고 시기 적절하게 건물을 나가라.

❍ 주어 없이 동사로 시작하는 명령문이다.
❍ 주어와 목적어가 같은 대상이므로 재귀대명사 yourself를 쓰며, '자기 자신'이라고 해석한다.
❍ 동사 keep과 exit이 등위접속사 and로 연결되어 병렬 구문을 이룬다.

어휘 emergency 혱 응급 timely 혱 시기 적절한

21 For being afraid of its own shadow, / people called the cat **a coward**.
M · S · V · O · OC

그것 자신의 그림자를 두려워하는 것 때문에 / 사람들은 그 고양이를 겁쟁이라고 불렀다

어휘 shadow 혱 그림자 coward 혱 겁쟁이

고난도
22 The international organizations appointed / him **mediator** (**for the peace talks** (**between the two nations**)).
S · V · O · OC

국제 기관들은 임명했다 / 그를 ((두 나라들 간의) 평화 회담의) 중재인으로 → 국제 기관들은 그를 두 나라들 간 평화 회담의 중재인으로 임명했다.

❍ for ~ nations는 mediator를 꾸며주고, between ~ nations는 talks를 꾸며준다.

어법
23 Citizens considered / the president's speech **powerful**.
S · V · O · OC

시민들은 생각했다 / 대통령의 연설이 강렬하다고 → 시민들은 대통령의 연설이 강렬하다고 생각했다.

정답 powerful
해설 consider는 목적격 보어를 가지는 5형식 동사로 쓰였고, 목적격 보어 자리에는 부사가 올 수 없으므로 형용사인 powerful이 정답이다.

to부정사 목적격 보어 해석하기

01 A last-minute problem forced / him **to cancel his sailing trip.** <모의응용>
　　S　　　　　　　V　　　O　　　OC

막바지의 문제가 강제했다 / 그가 그의 항해 여행을 취소하도록 → 막바지의 문제가 그가 항해 여행을 취소하도록 강제했다.

어휘 last-minute 뒝 막바지의

02 I want / my son **to understand how important he is.** <모의>
　　S　V　　O　　　　　OC

나는 원한다 / 나의 아들이 그가 얼마나 중요한지를 이해하기를 → 나는 나의 아들이 그가 얼마나 중요한지를 이해하기를 원한다.

❍ how ~ is는 to부정사 to understand의 목적어 역할을 하는 명사절이다.

03 My mother expected / me **to clean my room** / **after dinner.**
　　　S　　　　V　　　O　　　OC

나의 어머니는 기대하셨다 / 내가 나의 방을 청소하기를 / 저녁 식사 후에 → 어머니는 내가 저녁 식사 후에 나의 방을 청소하기를 기대하셨다.

04 Before the match, / the boxer asked / his fans **to cheer for him.**
　　　M　　　　　S　　　V　　　O　　　OC

경기 전에 / 그 권투 선수는 요청했다 / 그의 팬들이 그를 응원하기를 → 경기 전에, 그 권투 선수는 팬들이 그를 응원하기를 요청했다.

어휘 match 뗑 경기

05 The professor allowed / students **to speak freely with him** / **anytime.**
　　　S　　　　V　　　O　　　OC

교수님은 허락하셨다 / 학생들이 그와 자유롭게 이야기하기를 / 언제든지 → 교수님은 학생들이 언제든지 그와 자유롭게 이야기하기를 허락하셨다.

06 Parents should encourage / children **to follow their own passions.**
　　S　　　　V　　　O　　　OC

부모는 독려해야 한다 / 아이들이 그들 자신의 열정을 좇도록 → 부모는 아이들이 그들 자신의 열정을 좇도록 독려해야 한다.

어휘 passion 뗑 열정

07 High profits enabled / the company **to expand its business overseas.**
　　S　　　V　　　O　　　OC

높은 수익은 가능하게 했다 / 그 기업이 그것의 사업을 해외로 확장시키기를 → 높은 수익은 그 기업이 사업을 해외로 확장시키기를 가능하게 했다.

어휘 profit 뗑 수익 expand 뙹 확장시키다

08 The reporter persuaded / the war veteran **to talk about his experiences.**
　　S　　　V　　　O　　　OC

그 기자는 설득했다 / 그 참전 용사가 그의 경험에 대해 이야기하도록 → 그 기자는 참전 용사가 경험에 대해 이야기하도록 설득했다.

09 In a crisis, / a government might order / the citizens **to remain calm and await**
　　M　　　S　　　V　　　O　　　OC

instructions.

위기에서 / 정부는 명령할 수도 있다 / 시민들이 침착한 상태로 있고 지시를 기다리도록
→ 위기에서, 정부는 시민들이 침착한 상태로 있고 지시를 기다리도록 명령할 수도 있다.

❍ remain과 await가 등위접속사 and로 연결되어 있으며, might order의 목적격 보어 역할을 하는 to부정사의 동사원형에 해당한다.

어휘 crisis 뗑 위기 await 뙹 기다리다 instruction 뗑 지시

[고난도]
10 The astronomical rise (in real estate prices) compelled / many people **to give up the dream (of owning a home).**

S V O OC

(부동산 가격의) 천문학적인 상승이 강제했다 / 많은 사람들이 (집을 소유하는) 꿈을 포기하도록
→ 부동산 가격의 천문학적인 상승은 많은 사람들이 집을 소유하는 꿈을 포기하도록 강제했다.

어휘 astronomical [형] 천문학적인, 어마어마한 real estate [명] 부동산 own [동] 소유하다

UNIT 25 원형부정사 목적격 보어 해석하기

본책 p.51

01 We could see / a small river **twist like a ribbon.** <모의>

S V O OC

우리는 볼 수 있었다 / 작은 강이 리본처럼 구불구불 흐르는 것을 → 우리는 작은 강이 리본처럼 구불구불 흐르는 것을 볼 수 있었다.

어휘 twist [동] 구불구불 흐르다, 꼬다

02 The smoke made / me **shed tears.** <모의>

S V O OC

그 연기는 만들었다 / 내가 눈물을 흘리도록 → 그 연기는 내가 눈물을 흘리도록 만들었다.

어휘 shed [동] (피·눈물 등을) 흘리다

03 Our unconscious helps / us **make quick decisions.** <모의>

S V O OC

우리의 무의식은 돕는다 / 우리가 신속한 결정들을 내리는 것을 → 우리의 무의식은 우리가 신속한 결정들을 내리는 것을 돕는다.

➲ = Our unconscious helps us **to make** quick decisions.

어휘 unconscious [명] 무의식

04 She heard / herself **sing** / through the recorded music.

S V O OC M

그녀는 들었다 / 그녀 자신이 노래하는 것을 / 녹음된 음악을 통해서 → 녹음된 음악을 통해서 그녀는 그녀 자신이 노래하는 것을 들었다.

➲ 주어와 목적어가 같은 대상이므로 재귀대명사 herself를 쓰며, '자기 자신'이라고 해석한다.

05 We saw / the ocean wave **crash against the shore.**

S V O OC

우리는 봤다 / 파도가 해안에 부딪히는 것을 → 우리는 파도가 해안에 부딪히는 것을 봤다.

어휘 crash [동] 부딪히다 shore [명] 해안

06 All of his friends watched / him **compete in the Olympics** / on TV.

S V O OC M

그의 친구들 모두가 봤다 / 그가 올림픽 대회에서 경쟁하는 것을 / TV로 → 그의 친구들 모두가 TV로 그가 올림픽 대회에서 경쟁하는 것을 봤다.

어휘 compete [동] 경쟁하다

07 On New Year's Day, / my grandfather had / our family **visit him.**

M S V O OC

새해 첫 날에 / 나의 할아버지는 시키셨다 / 우리 가족이 그를 방문하도록 → 새해 첫 날에, 나의 할아버지는 우리 가족이 그를 방문하도록 시키셨다.

08 Personal trainers can help / you **maintain a healthy body.**

S V O OC

개인 트레이너들은 도울 수 있다 / 네가 건강한 몸을 유지하는 것을 → 개인 트레이너들은 네가 건강한 몸을 유지하는 것을 도울 수 있다.

➲ = Personal trainers can help you **to maintain** a healthy body.

어휘 personal [형] 개인의 maintain [동] 유지하다

09 After the final exam, / the teacher let / the class **watch movies** / **in the classroom.**
M S V O OC
기말고사 이후에 / 선생님은 허락했다 / 그 반이 영화를 보도록 / 교실 안에서 → 기말고사 이후에, 선생님은 그 반이 교실 안에서 영화를 보도록 허락했다.
⊙ let은 과거형으로 쓰였다. (let-let-let)

10 He suddenly felt / an uneasy darkness **consume him** / **from within.** <모의>
S M V O OC
그는 갑자기 느꼈다 / 불쾌한 어둠이 그를 삼키는 것을 / 안으로부터 → 그는 갑자기 불쾌한 어둠이 안으로부터 그를 삼키는 것을 느꼈다.

어휘 uneasy [형] 불쾌한 consume [동] 삼키다, 소모하다

[고난도]
11 Most companies let / expecting mothers **take six months to a year off** / **after they have had the baby.**
S V O OC
대부분의 회사들은 허락한다 / 임신한 엄마들이 6개월에서 1년까지 쉬도록 / 그들이 아기를 낳은 후에
→ 대부분의 회사들은 임신한 엄마들이 아기를 낳은 후에 6개월에서 1년까지 쉬도록 허락한다.
⊙ 「take+기간+off」는 '기간(동안)을 쉬다'라고 해석한다.

[어법]
12 The new medication made / him **recover more quickly** / **from surgery.**
S V O OC
그 새로운 약은 만들었다 / 그가 더 빨리 회복하도록 / 수술에서 → 그 새로운 약은 그가 수술에서 더 빨리 회복하도록 만들었다.

정답 recover
해설 사역동사 make는 목적격 보어로 원형부정사를 가지므로 원형부정사 recover가 정답이다.
어휘 medication [명] 약 recover [동] 회복하다 surgery [명] 수술

UNIT 26 현재분사 목적격 보어 해석하기

본책 p.52

01 By using clear words, / the writer doesn't leave / the readers **guessing.** <모의응용>
M S V O OC
명료한 단어들을 사용함으로써 / 그 작가는 두지 않는다 / 독자들이 추측하고 있는 채로
→ 명료한 단어들을 사용함으로써, 그 작가는 독자들이 추측하고 있는 채로 두지 않는다.

어휘 guess [동] 추측하다

02 Watching this video clip / always gets me **laughing.**
S M V O OC
이 동영상을 보는 것은 / 항상 내가 계속 웃게 한다

03 We saw / construction workers **building a new bridge.**
S V O OC
우리는 봤다 / 건설 노동자들이 새로운 다리를 건설하고 있는 것을 → 우리는 건설 노동자들이 새로운 다리를 건설하고 있는 것을 봤다.

04 During math class, / Mr. Lowell caught / some students **sleeping.**
M S V O OC
수학 수업 중에 / Lowell 선생님은 발견했다 / 몇몇 학생들이 자고 있는 것을 → 수학 수업 중에, Lowell 선생님은 몇몇 학생들이 자고 있는 것을 발견했다.

05 In the cold air, / the mountain climber could feel / his hands and face **freezing.**
M S V O OC
차가운 공기 속에서 / 그 등산가는 느낄 수 있었다 / 그의 손과 얼굴이 얼고 있는 것을
→ 차가운 공기 속에서, 그 등산가는 그의 손과 얼굴이 얼고 있는 것을 느낄 수 있었다.

06 He heard / the managers **discussing some issues (regarding the new product)**.

　　S　　　V　　　　　　O　　　　　　　　　　　　　　　　OC

그는 들었다 / 관리자들이 (새 제품에 대한) 몇몇 문제들을 논의하고 있는 것을 → 그는 관리자들이 새 제품에 대한 몇몇 문제들을 논의하고 있는 것을 들었다.

07 Visiting his childhood home / had him **longing for the days (of his innocent youth)**.

　　　　　　S　　　　　　　　　　V　　O　　　　　　　　　　　　OC

그의 유년시절의 집을 방문하는 것은 / 그가 (그의 순수한 유년의) 날들을 갈망하게 했다

어휘 long 图 갈망하다　innocent 闉 순수한, 무죄의

08 I could hear / my dad **playing the radio** / even in the other room / because it was loud.

S　　V　　　　O　　　　　OC　　　　　　　　M　　　　　　　　　　　　M

나는 들을 수 있었다 / 나의 아빠가 라디오를 틀고 있는 것을 / 다른 방에서도 / 시끄러웠기 때문에

→ 시끄러웠기 때문에 나는 다른 방에서도 나의 아빠가 라디오를 틀고 있는 것을 들을 수 있었다.

❷ 상황을 나타내는 비인칭 주어 it이 쓰였으며, 이때 it은 의미를 가지지 않으므로 해석하지 않는다.

09 Astronomers watched / the meteor **moving faster** / **than before**.

　　S　　　　V　　　　　O　　　　　OC

천문학자들은 봤다 / 그 유성이 더 빠르게 움직이고 있는 것을 / 이전보다 → 천문학자들은 그 유성이 이전보다 더 빠르게 움직이고 있는 것을 봤다.

❷ 「형용사/부사의 비교급+than」은 '…보다 더 ~한/하게'라고 해석한다.

어휘 meteor 闉 유성

10 He tried not to worry, // but he found / the problem **weighing on his mind**.

S¹　V¹　　O¹　　　　　S²　V²　　　O²　　　　　　OC²

그는 걱정하지 않으려고 노력했다 // 그러나 그는 발견했다 / 그 문제가 그의 마음을 짓누르고 있는 것을

→ 그는 걱정하지 않으려고 노력했지만, 그 문제가 마음을 짓누르고 있는 것을 발견했다.

❷ 「try+to-v」는 '~하려고 노력하다'라고 해석한다. cf. 「try+v-ing」: (시험 삼아) ~해보다

어휘 weigh on ~을 짓누르다

[고난도]
11 Switching off the streetlights has left / residents **worrying about their children (coming**

　　　　　　　S　　　　　　　　　V　　　　O　　　　　　　　OC

home at night). <모의>

가로등을 끄는 것은 뒀다 / 주민들이 (밤에 집에 오는) 그들의 아이들에 대해 걱정하고 있는 채로

→ 가로등을 끄는 것은 주민들이 밤에 집에 오는 아이들에 대해 걱정하고 있는 채로 뒀다.

❷ 현재분사구 coming ~ night는 children을 꾸며준다.

어휘 streetlight 闉 가로등　resident 闉 주민

[어법]
12 The security cameras caught / the woman **stealing a pair of shoes**.

　　　　S　　　　　　V　　　　　O　　　　　　OC

보안 카메라는 발견했다 / 그 여자가 신발 한 켤레를 훔치고 있는 것을 → 보안 카메라는 그 여자가 신발 한 켤레를 훔치고 있는 것을 발견했다.

정답 stealing
해설 목적어인 the woman이 행위의 주체이므로 현재분사 stealing이 정답이다.

어휘 security 闉 보안

UNIT 27　과거분사 목적격 보어 해석하기

본책 p.53

01 Hugh found / the cat's leg **broken**. <모의응용>

　　S　　V　　　　O　　　　　OC

Hugh는 발견했다 / 그 고양이의 다리가 부러진 것을 → Hugh는 그 고양이의 다리가 부러진 것을 발견했다.

02 She had her diamond ring **inspected** / to check for flaws.
S V O OC M

그녀는 그녀의 다이아몬드 반지가 점검되게 했다 / 흠을 확인하기 위해 → 그녀는 흠을 확인하기 위해 그녀의 다이아몬드 반지가 점검되게 했다.

● to부정사구 to check for flaws는 목적을 나타내는 부사적 용법으로 쓰였다.

어휘 inspect [동] 점검하다 flaw [명] 흠, 결함

03 The team left / the project **unfinished** / only for today, / as they were exhausted.
S V O OC M M (S′ V′ SC′)

그 팀은 뒀다 / 그 프로젝트가 완료되지 않은 채로 / 오늘만 / 그들이 지쳤기 때문에 → 그 팀은 지쳤기 때문에, 오늘만 그 프로젝트가 완료되지 않은 채로 뒀다.

어휘 exhausted [형] 지친

04 I visited him in the hospital / and found him **fully recovered** / **from his injuries**.
S V^1 O^1 M^1 V^2 O^2 OC^2

나는 병원에서 그를 방문했다 / 그리고 그가 완전히 회복된 것을 발견했다 / 그의 부상에서
→ 나는 병원에서 그를 방문했고, 그가 부상에서 완전히 회복된 것을 발견했다.

어휘 injury [명] 부상

05 We stopped by the bakery, // but we found / it **closed for the day**.
S^1 V^1 O^1 S^2 V^2 O^2 OC^2

우리는 빵집에 들렀다 // 그러나 우리는 발견했다 / 그곳이 그날은 닫힌 것을 → 우리는 빵집에 들렀지만, 그곳이 그날은 닫힌 것을 발견했다.

어휘 stop by ~에 들르다

06 Since I had a warranty, / I could get my watch **repaired** / **by the manufacturer**.
M (S′ V′ O′) S V O OC

내가 품질 보증서를 가졌기 때문에 / 나는 나의 시계가 수리되게 할 수 있었다 / 제조사에 의해
→ 나는 품질 보증서를 가졌기 때문에, 나의 시계가 제조사에 의해 수리되게 할 수 있었다.

어휘 warranty [명] 품질 보증서 repair [동] 수리하다 manufacturer [명] 제조사

07 She kept her true feelings (about the incident) **hidden** / for a long time.
S V O OC M

그녀는 (그 사건에 대한) 그녀의 진실한 감정들이 숨겨지게 했다 / 오랫동안 → 그녀는 그 사건에 대한 그녀의 진실한 감정들이 오랫동안 숨겨지게 했다.

어휘 incident [명] 사건

08 City planners found / the once-abandoned area **converted** / **into a community garden**.
S V O OC

도시 계획자들은 발견했다 / 한때 버려진 지역이 전환된 것을 / 공동체 텃밭으로 → 도시 계획자들은 한때 버려진 지역이 공동체 텃밭으로 전환된 것을 발견했다.

어휘 abandoned [형] 버려진 convert [동] 전환시키다 community garden [명] 공동체 텃밭

[고난도]
09 I won't let myself **be ignored**. // I will make my voice **heard**.
S V O OC S V O OC

나는 나 자신이 무시되도록 허락하지 않을 것이다. // 나는 나의 목소리가 들리게 할 것이다.

● 주어와 목적어가 같은 대상이므로 재귀대명사 myself를 쓰며, '자기 자신'이라고 해석한다.

어휘 ignore [동] 무시하다

[고난도]
10 Deforestation left / the soil **exposed to harsh weather**, / which caused the decline (of the soil's fertility). <수능응용>
S V O OC V′ O′

삼림 벌채는 뒀다 / 토양이 혹독한 날씨에 노출된 채로 / 그리고 그것은 (토양의 비옥함의) 감소를 초래했다
→ 삼림 벌채는 토양이 혹독한 날씨에 노출된 채로 뒀고, 그것은 토양의 비옥함의 감소를 초래했다.

● 관계대명사 which 앞에 콤마(,)가 쓰이면 콤마 앞의 선행사에 대한 부가적인 정보를 덧붙이며, 이 문장의 which는 앞에 나온 절을 선행사로 가졌다.

어휘 deforestation [명] 삼림 벌채 expose [동] 노출시키다 harsh [형] 혹독한 decline [명] 감소

[어법]
11 He saw / the same magic act **performed** / **by another magician** / last year.
S V O OC M

그는 봤다 / 똑같은 마술이 공연된 것을 / 다른 마술사에 의해 / 작년에 → 그는 작년에 똑같은 마술이 다른 마술사에 의해 공연된 것을 봤다.

정답 performed
해설 목적어인 the same magic act가 행위의 대상이므로 과거분사 performed가 정답이다.
어휘 perform [동] 공연하다

Chapter Test

본책 p.54

01 My father asked / me **to take out the trash** / **before I went to bed.**
S V O OC

나의 아버지는 요청하셨다 / 내가 쓰레기를 내놓기를 / 내가 잠자리에 들기 전에 → 나의 아버지는 내가 잠자리에 들기 전에 쓰레기를 내놓기를 요청하셨다.

02 His dream is / **traveling around the world** / and **experiencing different cultures.**
S V SC¹ SC²

그의 꿈은 ~이다 / 세계를 여행하는 것 / 그리고 다른 문화들을 경험하는 것 → 그의 꿈은 세계를 여행하는 것과 다른 문화들을 경험하는 것이다.

● 동명사 traveling과 experiencing이 등위접속사 and로 연결되어 병렬 구문을 이룬다.

03 In the park, / we found / a little boy **walking by himself.**
M S V O OC

공원에서 / 우리는 발견했다 / 어린 남자아이가 혼자서 걷고 있는 것을 → 공원에서, 우리는 어린 남자아이가 혼자서 걷고 있는 것을 발견했다.

● by oneself는 '혼자서, 혼자 힘으로'라고 해석한다.

04 The bottom line was / **that the new product did not sell well enough.**
S V SC (S′ V′ M′ M′)

핵심은 ~이었다 / 새로운 상품이 충분히 잘 팔리지 않았다는 것 → 핵심은 새로운 상품이 충분히 잘 팔리지 않았다는 것이었다.

05 Looking at images (of space) makes / me **feel small and insignificant.**
S V O OC

(우주의) 사진들을 들여다보는 것은 만든다 / 내가 작고 미미하게 느껴지도록 → 우주의 사진들을 들여다보는 것은 내가 작고 미미하게 느껴지도록 만든다.

● 동명사구 Looking ~ space는 문장에서 주어 역할을 하고 있다.
● 형용사 small과 insignificant는 등위접속사 and로 연결되어 병렬 구문을 이룬다.

어휘 insignificant [형] 미미한, 하찮은

06 Her biggest responsibility (at work) / is **to manage the staff schedule.**
S V SC

그녀의 (직장에서의) 가장 큰 책임은 / 직원 일정을 관리하는 것이다

어휘 responsibility [명] 책임 manage [동] 관리하다 staff [명] 직원

07 The goal (of the new policy) / is **to lower university tuition fees.**
S V SC

(그 새로운 정책의) 목표는 / 대학 등록금을 낮추는 것이다

어휘 policy [명] 정책 lower [동] 낮추다 tuition fee 등록금

08 Although he didn't intend to upset me, / Stephen's remarks made me **angry.**
M (S′ V′ O′) S V O OC

비록 그가 나를 속상하게 만들 것을 의도하지 않았지만 / Stephen의 발언은 나를 화나게 만들었다

● to부정사 to upset me는 동사 didn't intend의 목적어로 쓰였다.

어휘 intend [동] 의도하다 upset [동] 속상하게 만들다 remark [명] 발언

09 The food critic called / the chef's new dish **a masterpiece.**
S V O OC

그 음식 비평가는 불렀다 / 그 요리사의 새로운 요리를 걸작이라고 → 음식 비평가는 그 요리사의 새로운 요리를 걸작이라고 불렀다.

어휘 critic 圆 비평가   masterpiece 圆 걸작

10 Over the years, / the professor has advised / students **to think more critically**.

M · S · V · O · OC

수년간 / 그 교수는 조언해왔다 / 학생들이 더 비판적으로 생각하기를 → 수년간, 그 교수는 학생들이 더 비판적으로 생각하기를 조언해왔다.

어휘 advise 圄 조언하다

11 Modern society forces / working couples **to leave their children** / **in the care of**

S · V · O · OC

someone else.

현대 사회는 강제한다 / 맞벌이 부부가 그들의 자녀를 맡기도록 / 다른 누군가의 보호 하에
→ 현대 사회는 맞벌이 부부가 그들의 자녀를 다른 누군가의 보호 하에 맡기도록 강제한다.

어휘 working couple 맞벌이 부부

12 Doctors Without Borders helped / the local medical staff **treat the wounded**.

S · V · O · OC

국경 없는 의사회는 도왔다 / 현지 의료진들이 부상당한 사람들을 치료하는 것을 → 국경 없는 의사회는 현지 의료진들이 부상당한 사람들을 치료하는 것을 도왔다.

◆ = Doctors Without Borders helped the local medical staff **to treat** the wounded.

◆ 「the+형용사」는 '~한 사람들'이라고 해석한다.

어휘 Doctors Without Borders 국경 없는 의사회   treat 圄 치료하다   wounded 圆 부상당한

고난도
13 What we are investigating is / **whether the fire was started by some other means**.

O' S' V' · S · V · S' V' M'

S · V · SC

우리가 조사하고 있는 것은 ~이다 / 그 화재가 어떤 다른 수단에 의해 시작되었는지
→ 우리가 조사하고 있는 것은 그 화재가 어떤 다른 수단에 의해 시작되었는지이다.

◆ What ~ investigating은 문장에서 주어 역할을 하는 명사절이다.

어휘 investigate 圄 조사하다   means 圆 수단

고난도
14 The Ministry of Environment left / the land **uncultivated** / to provide habitat for a wider

S · V · O · OC · M

range of species. <모의응용>

환경부는 뒀다 / 그 땅이 경작되지 않은 채로 / 더 넓은 범위의 종에게 서식지를 제공하기 위해
→ 환경부는 더 넓은 범위의 종에게 서식지를 제공하기 위해 그 땅이 경작되지 않은 채로 뒀다.

◆ to부정사구 to provide ~ species는 목적을 나타내는 부사적 용법으로 쓰였다.

어휘 ministry 圆 (정부의) 부   uncultivated 圆 경작되지 않은   habitat 圆 서식지

고난도
15 Prosecutors caught / the juror **speaking** / **with strong prejudices** / and had him

S · V¹ · O¹ · OC¹ · V² O²

removed.

OC²

검사들은 발견했다 / 그 배심원이 말하고 있는 것을 / 강한 편견을 가지고 / 그리고 그가 내보내지게 했다
→ 검사들은 그 배심원이 강한 편견을 가지고 말하고 있는 것을 발견하고 그가 내보내지게 했다.

어휘 prosecutor 圆 검사, 검찰관   juror 圆 배심원   prejudice 圆 편견   remove 圄 내보내다

CHAPTER 05 서술어: 시제

UNIT 28 현재/과거/미래시제 해석하기

본책 p.56

01 A headline usually **appears** / at the top of an article, / in a large font. <모의응용>

제목은 보통 나타난다 / 기사의 맨 위에 / 큰 글씨로 → 제목은 보통 큰 글씨로 기사의 맨 위에 나타난다.

어휘 headline [명] 제목, 표제 appear [동] 나타나다

02 Presently, / I **live** in Spain, // and I really **like** living here.

현재 / 나는 스페인에 산다 // 그리고 나는 이곳에서 사는 것을 정말 좋아한다 → 현재 스페인에 살고, 나는 이곳에서 사는 것을 정말 좋아한다.

● 동명사구 living here는 동사 like의 목적어로 쓰였으며, like는 동명사와 to부정사를 모두 목적어로 가진다.

어휘 presently [부] 현재

03 Icy roads **result in** / more traffic accidents.

빙판길은 초래한다 / 더 많은 교통 사고들을 → 빙판길은 더 많은 교통 사고들을 초래한다.

어휘 result in 초래하다 traffic accident [명] 교통 사고

04 Light **travels** faster / in warmer, less dense air / than it **does** in colder air. <모의>

빛은 더 빠르게 이동한다 / 더 따뜻하고 덜 빽빽한 대기에서 / 그것이 더 추운 대기에서 그러는 것보다
→ 빛은 더 추운 대기보다 더 따뜻하고 덜 빽빽한 대기에서 더 빠르게 이동한다.

● travels 대신 대동사 does가 쓰였다.

어휘 dense [형] 빽빽한

05 The department store **closes** / in an hour, // so we **need** to hurry.

그 백화점은 닫을 것이다 / 한 시간 후에 // 그래서 우리는 서둘러야 한다 → 그 백화점은 한 시간 후에 닫을 것이라서, 우리는 서둘러야 한다.

● to부정사 to hurry는 동사 need의 목적어로 쓰였다.

어휘 department store [명] 백화점

[고난도]
06 The company **posts** / material (from newly published books) / on its website / every week.

그 회사는 게시한다 / (새롭게 출판된 책들의) 내용을 / 그것의 웹사이트에 / 매주 → 그 회사는 새롭게 출판된 책들의 내용을 매주 그것의 웹사이트에 게시한다.

어휘 material [명] 내용, 자료 publish [동] 출판하다

07 In 1883, / a volcanic eruption **emitted** large amounts of ash / into the air. <모의응용>

1883년에 / 한 화산 폭발이 많은 양의 화산재를 내뿜었다 / 공기 중으로 → 1883년에 한 화산 폭발이 공기 중으로 많은 양의 화산재를 내뿜었다.

어휘 volcanic [형] 화산의 eruption [명] 폭발, 분화

08 Writer F. Scott Fitzgerald **submitted** his first novel / at the age of 21.

작가 F. 스콧 피츠제럴드는 그의 첫 번째 소설을 냈다 / 21세의 나이에 → 작가 F. 스콧 피츠제럴드는 21세의 나이에 그의 첫 번째 소설을 냈다.

어휘 submit [동] 내다, 제출하다

09 Destructive wildfires (across the region) / **ruined** large tracts of agricultural land.

(지역 전체에 걸친) 파괴적인 들불은 / 넓은 면적의 농지를 파괴했다 → 지역 전체에 걸친 파괴적인 들불은 넓은 면적의 농지를 파괴했다.

어휘 destructive 휑 파괴적인 ruin 통 파괴하다, 망치다 agricultural 휑 농업의

10 The students **selected** Kevin / as their new student president / yesterday.

그 학생들은 Kevin을 선출했다 / 그들의 새로운 학생 회장으로 / 어제 → 그 학생들은 어제 그들의 새로운 학생 회장으로 Kevin을 선출했다.

어휘 president 휑 회장, 대통령

고난도
11 In the last trial, / the judge **punished** the man / for his crime / with a very harsh sentence.

지난 재판에서 / 판사는 그 남자를 처벌했다 / 그의 범죄에 대해 / 매우 엄한 형벌로
→ 지난 재판에서 판사는 그 남자의 범죄에 대해 매우 엄한 형벌로 그를 처벌했다.

어휘 trial 휑 재판 punish 통 처벌하다 harsh 휑 엄한, 가혹한

12 The festival **will be held** / for a month / from December 1st / at Skyline Park. ‹모의›

그 축제는 열릴 것이다 / 한 달 동안 / 12월 1일부터 / Skyline 공원에서 → 그 축제는 Skyline 공원에서 12월 1일부터 한 달 동안 열릴 것이다.

13 The newspaper **will print** a correction / in tomorrow's paper.

그 신문은 정정 사항을 게재할 것이다 / 내일의 신문에 → 그 신문은 내일의 신문에 정정 사항을 게재할 것이다.

어휘 print 통 게재하다, 인쇄하다 correction 휑 정정 사항

14 The employees **are about to go on** strike / since their demands were not met.

그 직원들은 막 파업에 들어가려고 한다 / 그들의 요구가 충족되지 않았기 때문에
→ 그 직원들은 그들의 요구가 충족되지 않았기 때문에 막 파업에 들어가려고 한다.

어휘 strike 휑 파업 demand 휑 요구, 수요

15 The school bus **is leaving** / in five minutes, // and there **will be** no delays. ‹모의응용›

학교 버스는 떠날 것이다 / 5분 후에 // 그리고 지연은 없을 것이다 → 학교 버스는 5분 후에 떠날 것이고, 지연은 없을 것이다.

어휘 delay 휑 지연

16 The panelists (in the debate program) / **are going to discuss** / how to improve the economy.

(그 토론 프로그램의) 토론자들은 / 논의할 것이다 / 어떻게 경제를 개선할지를 → 그 토론 프로그램의 토론자들은 어떻게 경제를 개선할지를 논의할 것이다.

○ 「how+to부정사」는 '어떻게 ~할지'라고 해석한다.

어휘 panelist 휑 토론자 debate 휑 토론 discuss 통 논의하다 improve 통 개선하다 economy 휑 경제

17 Washing a wool sweater / in hot water / **will cause** it to shrink.

울 스웨터를 세탁하는 것은 / 뜨거운 물에 / 그것이 줄어들도록 할 것이다 → 울 스웨터를 뜨거운 물에 세탁하는 것은 그것이 줄어들도록 할 것이다.

○ 동명사구 Washing ~ water는 문장에서 주어 역할을 하고 있다.
○ 「cause+목적어(it)+목적격 보어(to shrink)」의 구조이다.

어휘 cause 통 ~하도록 하다, 야기하다 shrink 통 줄어들다

18 Leftover food **will last** longer / if it is kept in an airtight container.

남은 음식은 더 길게 지속될 것이다 / 만약 그것이 밀폐 용기 안에 보관된다면 → 만약 남은 음식이 밀폐 용기 안에 보관된다면, 그것은 더 길게 지속될 것이다.

어휘 leftover 휑 남은, 나머지의 airtight 휑 밀폐된 container 휑 용기, 그릇

19 The awards ceremony **is to take place** / at a famous theater (in downtown Los Angeles).

그 시상식은 개최될 예정이다 / (로스앤젤레스 시내에 있는) 유명한 공연장에서 → 그 시상식은 로스앤젤레스 시내에 있는 유명한 공연장에서 개최될 예정이다.

어휘 awards ceremony 휑 시상식 take place 개최되다

20 Carrying out routine maintenance / on factory machinery / **will extend** its life.

정기 보수를 시행하는 것은 / 공장 기계에 / 그것의 수명을 연장할 것이다 → 공장 기계에 정기 보수를 시행하는 것은 그것의 수명을 연장할 것이다.

○ 동명사구 Carrying out ~ machinery는 문장에서 주어 역할을 하고 있다.

어휘 carry out 시행하다 routine 圈 정기적인 maintenance 圆 보수, 유지 extend 圄 연장하다

고난도
21 If contact (between regions) is limited / for long periods, / changes **will accumulate**, / which **will lead to** the formation (of separate languages). <모의응용>

만약 (지역 간의) 접촉이 제한된다면 / 오랜 기간 동안 / 변화가 축적될 것이다 / 그리고 그것은 (별개의 언어들의) 생성으로 이어질 것이다
→ 만약 지역 간의 접촉이 오랜 기간 동안 제한된다면, 변화가 축적될 것이고, 그것은 별개의 언어들의 생성으로 이어질 것이다.

○ 관계대명사 which 앞에 콤마(,)가 쓰이면 콤마 앞의 선행사에 대한 부가적인 정보를 덧붙이며, 이 문장의 which는 앞에 나온 절을 선행사로 가졌다.

어휘 region 圆 지역 limit 圄 제한하다 accumulate 圄 축적되다 formation 圆 형성 separate 圈 별개의, 분리된

UNIT 29 현재/과거/미래진행시제 해석하기

본책 p.58

01 I **am planning** a special workshop / for science teachers. <수능>

나는 특별한 워크숍을 준비하고 있다 / 과학 선생님들을 위해 → 나는 과학 선생님들을 위해 특별한 워크숍을 준비하고 있다.

02 I **am** currently **looking for** a place / for this year's art contest. <모의응용>

나는 현재 장소를 찾고 있다 / 올해의 미술 대회를 위해 → 나는 현재 올해의 미술 대회를 위해 장소를 찾고 있다.

어휘 currently 閉 현재

03 Consumers **are demanding** / that healthier ingredients be used / in processed foods.

소비자들은 요구하고 있다 / 더 건강한 재료들이 사용되어야 한다고 / 가공된 식품에
→ 소비자들은 가공된 식품에 더 건강한 재료들이 사용되어야 한다고 요구하고 있다.

○ 요구/제안의 의미를 가진 동사 뒤 that절 안의 should가 생략되었으며, should 뒤 동사원형의 형태는 바뀌지 않으므로 be가 쓰였다.

어휘 consumer 圆 소비자 demand 圄 요구하다 ingredient 圆 재료 processed 圈 가공된

고난도
04 From next month, / the foundation **is providing** grants / to private companies [that develop strategies (to combat climate change)].

다음 달부터 / 그 재단은 보조금을 제공할 것이다 / [(기후 변화를 방지할) 전략을 개발하는] 민간 기업들에게
→ 다음 달부터, 기후 변화를 방지할 전략을 개발하는 민간 기업들에게 그 재단은 보조금을 제공할 것이다.

○ that ~ change는 private companies를 꾸며주는 주격 관계대명사절이다.
○ to부정사구 to combat climate change는 strategies를 꾸며주는 형용사적 용법으로 쓰였다.

어휘 foundation 圆 재단 grant 圆 보조금 private 圈 민간의 strategy 圆 전략 combat 圄 방지하다 climate change 圆 기후 변화

05 Dozens of people **were waiting** / in long lines / to purchase presents. <모의응용>

수십 명의 사람들이 기다리고 있었다 / 길게 줄을 서서 / 선물을 구매하기 위해 → 수십 명의 사람들이 선물을 구매하기 위해 길게 줄을 서서 기다리고 있었다.

○ to부정사구 to purchase presents는 목적을 나타내는 부사적 용법으로 쓰였다.

어휘 dozen 圆 십여 명[개] purchase 圄 구매하다

06 The suspect was injured / while the police **were attempting** / to disarm him.

그 용의자는 부상당했다 / 경찰이 시도하고 있었던 동안 / 그를 무장 해제하려고 → 그 용의자는 경찰이 그를 무장 해제하려고 시도하고 있었던 동안 부상당했다.

○ to부정사구 to disarm him은 동사 were attempting의 목적어로 쓰였다.

어휘 suspect 圓 용의자 injure 圄 부상을 입히다 attempt 圄 시도하다 disarm 圄 무장 해제하다

07 The two friends **were preparing** for / the first-ever hot air balloon trip (across the English Channel).

그 두 친구는 준비하고 있었다 / (영국 해협을 가로지르는) 사상 최초의 열기구 여행을
→ 그 두 친구는 영국 해협을 가로지르는 사상 최초의 열기구 여행을 준비하고 있었다.

어휘 prepare 圄 준비하다

08 The band **will be performing** / in venues (around Europe) / until February.

그 밴드는 공연하고 있을 것이다 / (유럽 곳곳에 있는) 장소들에서 / 2월까지 → 그 밴드는 유럽 곳곳에 있는 장소들에서 2월까지 공연하고 있을 것이다.

어휘 perform 圄 공연하다 venue 圓 장소

09 Farmers **will be controlling** many processes / with computers / thanks to new types of agricultural technology. <모의응용>

농부들은 많은 공정들을 통제하고 있을 것이다 / 컴퓨터로 / 새로운 종류의 농업 기술 덕분에
→ 농부들은 새로운 종류의 농업 기술 덕분에 많은 공정들을 컴퓨터로 통제하고 있을 것이다.

어휘 process 圓 공정, 과정

UNIT 30 현재완료시제 해석하기

본책 p.59

01 Don't worry. // I **have** already **fixed** the projector. <모의>

걱정하지 마라. // 내가 이미 그 프로젝터를 고쳤다.

02 Humans **have used** knives / for hunting and eating / since prehistoric times.

사람들은 칼을 사용해왔다 / 사냥과 식사에 / 선사 시대 이래로 → 사람들은 선사 시대 이래로 사냥과 식사에 칼을 사용해왔다.

❶ 동명사 hunting과 eating이 등위접속사 and로 연결되어 병렬 구문을 이룬다.

어휘 prehistoric 圈 선사의

03 Strong demand (for palm oil) **has** recently **encouraged** / massive deforestation.

(야자유에 대한) 강력한 수요가 최근에 촉진했다 / 대량의 삼림 벌채를 → 야자유에 대한 강력한 수요가 최근에 대량의 삼림 벌채를 촉진했다.

어휘 demand 圓 수요, 요구 encourage 圄 촉진하다 massive 圈 대량의, 거대한 deforestation 圓 삼림 벌채

04 Archaeologists **have** just **found** / the remains (of an ancient Greek town).

고고학자들은 막 발견했다 / (고대 그리스 마을의) 유적들을 → 고고학자들은 막 고대 그리스 마을의 유적들을 발견했다.

어휘 archaeologist 圓 고고학자 remain 圓 유적 圄 남다 ancient 圈 고대의

05 The play **has been adapted** several times / for film and television. <모의응용>

그 연극은 여러 번 각색된 적이 있다 / 영화와 TV용으로 → 그 연극은 영화와 TV용으로 여러 번 각색된 적이 있다.

어휘 adapt 圄 각색하다

06 Linguists **have debated** / the exact meaning (of this proverb) / for years.

언어학자들은 논쟁해왔다 / (이 속담의) 정확한 의미에 대해 / 수년 동안 → 언어학자들은 이 속담의 정확한 의미에 대해 수년 동안 논쟁해왔다.

어휘 linguist 圓 언어학자 debate 圄 ~에 대해 논쟁하다 exact 圈 정확한 proverb 圓 속담

07 Most stores **have** already **put up** banners / in preparation for the year-end sale.

대부분의 상점들은 이미 현수막을 걸었다 / 연말 할인 판매에 대한 준비로 → 대부분의 상점들은 연말 할인 판매에 대한 준비로 이미 현수막을 걸었다.

어휘 preparation 뗑 준비

08 Mr. Winsor **has served** / as the chairperson of the committee / for six years.

Winsor씨는 근무해왔다 / 그 위원회의 의장으로 / 6년 동안
→ Winsor씨는 6년 동안 그 위원회의 의장으로 근무해왔다.

어휘 serve 图 근무하다　chairperson 뗑 의장　committee 뗑 위원회

09 Most of the snow here **has gone** / due to global warming (accelerating fast). <모의응용>

이곳의 눈 대부분이 사라졌다 / (빠르게 가속화되는) 지구온난화 때문에 → 빠르게 가속화되는 지구온난화 때문에 이곳의 눈 대부분이 사라졌다.

⊙ 현재분사구 accelerating fast는 global warming을 꾸며준다.

어휘 global warming 뗑 지구온난화　accelerate 图 가속화되다

10 Restaurants **have struggled** with supply issues / for the past few months.

식당들은 공급 문제로 고전해왔다 / 지난 몇 달 동안 → 식당들은 지난 몇 달 동안 공급 문제로 고전해왔다.

어휘 struggle 图 고전하다　supply 뗑 공급

11 Animals (in extreme social isolation) **haven't learned** / to read other animals' emotional cues / before. <모의응용>

(극도의 사회적 고립에 있는) 동물들은 배워본 적이 없다 / 다른 동물들의 감정적인 신호를 읽는 것을 / 이전에
→ 극도의 사회적 고립에 있는 동물들은 이전에 다른 동물들의 감정적인 신호를 읽는 것을 배워본 적이 없다.

⊙ to부정사구 to read ~ cues는 동사 haven't learned의 목적어로 쓰였다.

어휘 extreme 톙 극도의　isolation 뗑 고립　emotional 톙 감정적인, 감정의　cue 뗑 신호

12 Lately, / a number of exciting innovations **have emerged** / in the field of architecture.

최근에 / 많은 흥미로운 혁신들이 나타났다 / 건축 분야에서 → 최근에 건축 분야에서 많은 흥미로운 혁신들이 나타났다.

어휘 lately 囝 최근에　innovation 뗑 혁신　emerge 图 나타나다　architecture 뗑 건축

13 Sam **has** never **been** unhappy with his occupation, // so he cannot understand / people (with no desire (to get a job)). <수능응용>

Sam은 그의 직업에 불만족해 본 적이 없다 // 그래서 그는 이해할 수 없다 / ((직업을 가질) 열망이 없는) 사람들을
→ Sam은 그의 직업에 불만족해 본 적이 없어서, 그는 직업을 가질 열망이 없는 사람들을 이해할 수 없다.

⊙ to부정사구 to get a job은 desire를 꾸며주는 형용사적 용법으로 쓰였다.

어휘 occupation 뗑 직업　desire 뗑 열망

14 **Have** you ever **stayed** / in a luxury hotel suite?

너는 지금까지 묵어본 적이 있니 / 고급 호텔 스위트룸에 → 너는 지금까지 고급 호텔 스위트룸에 묵어본 적이 있니?

15 The graduate student **hasn't decided on** / the topic (for his thesis) / yet.

그 대학원생은 정하지 않았다 / (그의 학위 논문의) 주제를 / 아직 → 그 대학원생은 그의 학위 논문의 주제를 아직 정하지 않았다.

어휘 decide on 정하다

16 Even though Kelly **has** only **been** to the district once, / she knows all of its streets.

비록 Kelly는 그 지역에 딱 한 번 가본 적이 있지만 / 그녀는 그곳의 모든 거리를 안다

어휘 district 뗑 지역, 구역

17 If you **have caught** chicken pox before, / you are probably immune to the disease now.

만약 네가 이전에 수두에 걸려본 적이 있다면 / 너는 이제 아마 그 질병에 면역이 되었을 것이다

어휘 probably 囝 아마　immune 톙 면역이 된　disease 뗑 질병

18 Since its foundation, / the international organization **has tried** to ease tensions / in conflict areas.

그것의 설립 이래로 / 그 국제 기구는 긴장을 완화시키려고 노력해왔다 / 분쟁 지역들에서
→ 그것의 설립 이래로, 그 국제 기구는 분쟁 지역들에서 긴장을 완화시키려고 노력해왔다.

○ 「try+to-v」는 '~하려고 노력하다'라고 해석한다. cf. 「try+v-ing」: (시험 삼아) ~해보다

어휘 foundation 圏 설립 organization 圏 기구 ease 圄 완화시키다 tension 圏 긴장 conflict 圏 분쟁, 갈등

고난도
19 Many corporations **have** already **adopted** / measures (to reduce their carbon dioxide emissions).

많은 기업들이 이미 취했다 / (그들의 이산화탄소 배출을 줄일) 조치들을 → 많은 기업들이 이미 그들의 이산화탄소 배출을 줄일 조치들을 취했다.

○ to부정사구 to reduce ~ emissions는 measures를 꾸며주는 형용사적 용법으로 쓰였다.

어휘 corporation 圏 기업, 회사 adopt 圄 취하다, 채택하다 measure 圏 조치, 수단 emission 圏 배출

고난도
20 Researchers **have developed** / an artificial skin [that can detect both pressure and temperature at the same time]. <모의>

연구원들은 개발했다 / [압력과 온도 둘 다를 동시에 감지할 수 있는] 인공 피부를 → 연구원들은 압력과 온도 둘 다를 동시에 감지할 수 있는 인공 피부를 개발했다.

○ that ~ time은 skin을 꾸며주는 주격 관계대명사절이다.

어휘 artificial 혱 인공의 detect 圄 감지하다 pressure 圏 압력 temperature 圏 온도

UNIT 31 과거완료시제와 미래완료시제 해석하기
본책 p.61

01 More than half of the plane **had** already **sunk** / into the ocean / when the police arrived. <모의>

그 비행기의 절반 이상이 이미 가라앉았었다 / 바다 안으로 / 경찰이 도착했을 때
→ 경찰이 도착했을 때, 그 비행기의 절반 이상이 이미 바다 안으로 가라앉았었다.

02 I **will have lived** in this apartment / for ten years / as of this coming April. <모의>

나는 이 아파트에 살아왔을 것이다 / 10년 동안 / 이번에 오는 4월이면 → 이번에 오는 4월이면 나는 10년 동안 이 아파트에 살아왔을 것이다.

03 She **had** recently **completed** her degree / and was looking for a job.

그녀는 최근에 그녀의 학위 과정을 마쳤었다 / 그리고 직장을 구하고 있었다 → 그녀는 최근에 그녀의 학위 과정을 마쳤었고 직장을 구하고 있었다.

어휘 complete 圄 마치다 degree 圏 학위

04 Most of the passengers **had** already **gotten off** the train / when I woke up.

승객들 대부분이 이미 기차에서 내렸었다 / 내가 일어났을 때 → 내가 일어났을 때 승객들 대부분이 이미 기차에서 내렸었다.

어휘 passenger 圏 승객

05 The candidate **had** never **been elected** / to public office / before.

그 출마자는 선출돼본 적이 없었다 / 공직에 / 이전에 → 그 출마자는 이전에 공직에 선출돼본 적이 없었다.

어휘 candidate 圏 출마자, 후보자 public office 圏 공직, 관공서

06 The city **will have finished** building the new sanitary facilities / by the time you visit.

그 도시는 새로운 위생 시설들을 짓는 것을 완료했을 것이다 / 네가 방문할 무렵이면
→ 네가 방문할 무렵이면 그 도시는 새로운 위생 시설들을 짓는 것을 완료했을 것이다.

○ 동명사구 building ~ facilities는 동사 will have finished의 목적어로 쓰였다.

어휘 sanitary 혱 위생의 facility 圏 시설

07 The owner **had run** the restaurant / for 15 years / before he sold it.

그 주인은 그 식당을 운영해왔었다 / 15년 동안 / 그가 그것을 팔기 전에 → 그 주인은 식당을 팔기 전에 15년 동안 그것을 운영해왔었다.

● run은 과거분사(p.p.)로 쓰였다. (run-ran-run)

어휘 run [동] 운영하다

08 Tiffany **had discovered** her mistake, // and she wished to correct it.

Tiffany는 그녀의 실수를 발견했었다 // 그리고 그녀는 그것을 바로잡기를 바랐다 → Tiffany는 그녀의 실수를 발견했었고, 그녀는 그것을 바로잡기를 바랐다.

● to부정사구 to correct it은 동사 wished의 목적어로 쓰였다.

어휘 discover [동] 발견하다 correct [동] 바로잡다 [형] 정확한

09 Joseph **will have studied** Spanish / for eight months / by next month.

Joseph는 스페인어를 공부해왔을 것이다 / 8개월 동안 / 다음 달이면 → 다음 달이면 Joseph는 8개월 동안 스페인어를 공부해왔을 것이다.

10 In the woods, / I suddenly realized / that all the gas lamps **had gone out.** <모의응용>

숲 속에서 / 나는 갑자기 깨달았다 / 모든 가스등이 꺼졌었다는 것을 → 숲 속에서, 나는 갑자기 모든 가스등이 꺼졌었다는 것을 깨달았다.

● that ~ gone out은 문장에서 목적어 역할을 하는 명사절이다.

어휘 realize [동] 깨닫다

11 The sculpture [that was torn down last week] / **had stood** there / for decades.

[지난주에 철거된] 그 조각상은 / 그곳에 서 있었다 / 수십 년 동안 → 지난주에 철거된 그 조각상은 수십 년 동안 그곳에 서 있었다.

● that ~ week은 sculpture를 꾸며주는 주격 관계대명사절이다.

어휘 sculpture [명] 조각상 tear down [동] 철거하다 decade [명] 십 년

12 Hopefully, / by 2030, / the United Nations **will have achieved** / its Sustainable Development Goals.

바라건대 / 2030년이면 / 국제 연합은 성취했을 것이다 / 그것의 지속 가능한 발전 목표를
→ 바라건대, 2030년이면 국제 연합은 그것의 지속 가능한 발전 목표를 성취했을 것이다.

어휘 achieve [동] 성취하다, 이루다 sustainable [형] 지속 가능한

13 The book club members **will have read** / the complete works (of William Shakespeare) / once they finish *Hamlet*.

독서 동아리 회원들은 읽었을 것이다 / (윌리엄 셰익스피어의) 전체 작품을 / 일단 그들이 '햄릿'을 끝내면
→ 일단 독서 동아리 회원들이 '햄릿'을 끝내면 그들은 윌리엄 셰익스피어의 전체 작품을 읽었을 것이다.

어휘 complete [형] 전체의, 완전한

14 You **will have succeeded** / in writing a great script / if you make your audience think for themselves. <모의응용>

너는 성공했을 것이다 / 훌륭한 각본을 쓰는 것에 / 만약 네가 너의 관객들이 그들 스스로 생각하도록 만든다면
→ 만약 네가 너의 관객들이 그들 스스로 생각하도록 만든다면 너는 훌륭한 각본을 쓰는 것에 성공했을 것이다.

● 「make+목적어(your audience)+목적격 보어(think for themselves)」의 구조이다.

어휘 succeed [동] 성공하다 script [명] 각본, 대본 audience [명] 관객, 청중

[고난도]
15 Social scientist Adam Smith **had** already **considered** / that competition is the driving force (behind economic efficiency). <모의>

사회과학자 애덤 스미스는 이미 생각했었다 / 경쟁이 (경제 효율성 뒤의) 원동력이라는 것을
→ 사회과학자 애덤 스미스는 경쟁이 경제 효율성 뒤의 원동력이라는 것을 이미 생각했었다.

어휘 consider [동] 생각하다, 고려하다 competition [명] 경쟁 driving force [명] 원동력, 추진력 efficiency [명] 효율(성)

UNIT 32 to부정사와 동명사의 완료형 해석하기

본책 p.63

01 On average, / OECD countries are estimated / **to have spent** 8.8 percent of their GDP / on health care. <모의>

평균적으로 / OECD 국가들은 추산된다 / 그들의 GDP의 8.8퍼센트를 썼다고 / 의료 서비스에
→ 평균적으로, OECD 국가들은 그들의 GDP의 8.8퍼센트를 의료 서비스에 썼다고 추산된다.

어휘 average 圆 평균 estimate 图 추산하다, 측정하다 health care 圆 의료 서비스, 보건

02 He admitted / **having battled** self-confidence issues / before. <모의응용>

그는 인정했다 / 자신감 문제와 싸웠었다는 것을 / 이전에 → 그는 이전에 자신감 문제와 싸웠었다는 것을 인정했다.

○ 동명사구 having battled ~ before는 동사 admitted의 목적어로 쓰였다.

어휘 admit 图 인정하다 battle 图 싸우다 self-confidence 圆 자신감

03 Derek pretended **to have** never **heard** / the rumor (about him).

Derek은 듣지 못했던 척했다 / (그에 대한) 소문을 → Derek은 그에 대한 소문을 듣지 못했던 척했다.

○ to부정사구 to have never heard ~ him은 동사 pretended의 목적어로 쓰였다.

어휘 pretend 图 ~인 척하다

04 Land animals are thought / **to have evolved** / from marine life.

육지 동물은 생각된다 / 진화했다고 / 해양 생물로부터 → 육지 동물은 해양 생물로부터 진화했다고 생각된다.

어휘 evolve 图 진화하다 marine 圆 해양의

05 The company celebrated / **having achieved** such a huge success.

그 회사는 축하했다 / 그렇게 큰 성공을 이뤘던 것을 → 그 회사는 그렇게 큰 성공을 이뤘던 것을 축하했다.

○ 동명사구 having achieved ~ success는 동사 celebrated의 목적어로 쓰였다.

어휘 celebrate 图 축하하다, 기념하다 achieve 图 이루다, 성취하다

06 The country appears **to have escaped** / the effects (of the recession).

그 나라는 벗어난 것처럼 보인다 / (불경기의) 영향을 → 그 나라는 불경기의 영향을 벗어난 것처럼 보인다.

어휘 escape 图 벗어나다 effect 圆 영향, 효과 recession 圆 불경기

07 Mr. Brown received a parking ticket / for **having parked** / in front of a fire hydrant.

Brown씨는 주차 딱지를 받았다 / 주차했었던 것에 대해 / 소화전 앞에 → Brown씨는 소화전 앞에 주차했었던 것에 대해 주차 딱지를 받았다.

어휘 parking ticket 圆 주차 딱지 fire hydrant 圆 소화전

08 The telecommunications firm claims / **to have strengthened** its security.

그 통신 회사는 주장한다 / 그것의 보안을 강화했다고 → 그 통신 회사는 그것의 보안을 강화했다고 주장한다.

○ to부정사구 to have strengthened ~ security는 동사 claims의 목적어로 쓰였다.

어휘 firm 圆 회사 strengthen 图 강화하다 security 圆 보안

09 The woman reported / **having failed** to locate her luggage / at the airline baggage desk.

그 여자는 신고했다 / 그녀의 수하물을 찾기를 실패했다고 / 항공 수하물 데스크에 → 그 여자는 그녀의 수하물을 찾기를 실패했다고 항공 수하물 데스크에 신고했다.

○ 동명사구 having failed ~ luggage는 동사 reported의 목적어로 쓰였으며, to부정사구 to locate ~ luggage는 동명사 having failed의 목적어로 쓰였다.

어휘 locate 图 찾다 luggage 圆 수하물, 짐 baggage 圆 수하물, 짐

Chapter 05 서술어: 시제 • 해커스 완전습 구문독해

[고난도]
10 The politician was criticized by the press / for **having upheld** / his earlier controversial statements.

그 정치인은 언론에 의해 비난받았다 / 유지했었던 것에 대해 / 그의 이전의 논란이 된 발언들을
→ 그 정치인은 그의 이전의 논란이 된 발언들을 유지했었던 것에 대해 언론에 의해 비난받았다.

어휘 politician [명] 정치인 criticize [동] 비난하다 press [명] 언론 controversial [형] 논란이 된, 논쟁의 여지가 있는 statement [명] 발언

Chapter Test

본책 p.64

01 The train almost always **runs** / according to its timetable. <모의>

기차는 거의 항상 운행한다 / 그것의 시간표에 따라 → 기차는 거의 항상 그것의 시간표에 따라 운행한다.

어휘 run [동] 운행하다 according to [전] ~에 따라

02 The factory **was operating** normally / despite a staff shortage.

그 공장은 정상적으로 운영되고 있었다 / 직원 부족에도 불구하고 → 그 공장은 직원 부족에도 불구하고 정상적으로 운영되고 있었다.

어휘 operate [동] 운영되다 despite [전] ~에도 불구하고 shortage [명] 부족

03 A number of clothing trends (from the 1990s) / **have** recently **made** a comeback.

(1990년대의) 많은 의류 유행이 / 최근에 다시 인기를 얻었다

어휘 make a comeback 다시 인기를 얻다

04 Theater workers **distributed** program guides / to the audience / as they **took** their seats.

극장 직원들은 프로그램 안내서를 배부했다 / 관객들에게 / 그들이 그들의 자리에 앉았을 때
→ 극장 직원들은 관객들이 그들의 자리에 앉았을 때 그들에게 프로그램 안내서를 배부했다.

● audience 대신 대명사 they가 쓰였다.

어휘 distribute [동] 배부하다

05 The city council **is going to build** roads / to increase accessibility / for rural communities.

시 의회는 도로들을 지을 것이다 / 접근성을 높이기 위해 / 지방 지역 사회를 위해 → 시 의회는 지방 지역 사회를 위해 접근성을 높이기 위해 도로들을 지을 것이다.

● to부정사구 to increase ~ communities는 목적을 나타내는 부사적 용법으로 쓰였다.

어휘 council [명] 의회 increase [동] 높이다, 증가시키다 rural [형] 지방의 community [명] 지역 사회

06 For years, / the group **had fought** a battle with the authorities / over the property.

수년 동안 / 그 단체는 당국과 분쟁을 해왔었다 / 그 부지를 두고 → 수년 동안, 그 단체는 그 부지를 두고 당국과 분쟁을 해왔었다.

어휘 authority [명] 당국 property [명] 부지, 부동산

07 Skin **loses** its elasticity / due to a combination (of biological and environmental factors).

피부는 그것의 탄력을 잃는다 / (생물학적 및 환경적 요인들의) 조합 때문에 → 피부는 생물학적 및 환경적 요인들의 조합 때문에 그것의 탄력을 잃는다.

어휘 combination [명] 조합 biological [형] 생물학적인 environmental [형] 환경적인 factor [명] 요인

08 The school **has used** government funding / to develop new educational programs / since January.

그 학교는 정부 지원금을 사용해왔다 / 새로운 교육 프로그램을 개발하기 위해 / 1월 이래로
→ 그 학교는 1월 이래로 새로운 교육 프로그램을 개발하기 위해 정부 지원금을 사용해왔다.

● to부정사구 to develop ~ programs는 목적을 나타내는 부사적 용법으로 쓰였다.

어휘 government [명] 정부

09 The results (of the experiment) **confirmed** / the scientists' hypothesis.

(그 실험의) 결과는 입증했다 / 과학자들의 가설을 → 그 실험의 결과는 과학자들의 가설을 입증했다.

어휘 experiment 몡 실험 confirm 통 입증하다, 확인하다 hypothesis 몡 가설

10 Volunteers **are** still **cleaning up** the beach / because of last month's oil spill.

자원 봉사자들은 여전히 해변을 청소하고 있다 / 지난달의 기름 유출 때문에 → 지난달의 기름 유출 때문에 자원 봉사자들은 여전히 해변을 청소하고 있다.

어휘 spill 몡 유출

11 The actor bragged / about **having won** countless major awards.

그 배우는 자랑했다 / 셀 수 없이 많은 주요한 상들을 받았었던 것에 대해 → 그 배우는 셀 수 없이 많은 주요한 상들을 받았었던 것에 대해 자랑했다.

어휘 brag 통 자랑하다 countless 혱 셀 수 없는

12 Some companies (producing cosmetics) / **have** never **tested** their products / on animals.   <모의응용>

(화장품을 생산하는) 몇몇 회사는 / 그들의 제품을 시험해 본 적이 없다 / 동물에게 → 화장품을 생산하는 몇몇 회사는 그들의 제품을 동물에게 시험해 본 적이 없다.

❍ 현재분사구 producing cosmetics는 companies를 꾸며준다.

어휘 cosmetic 몡 화장품

13 By the end of this year, / I **will have made** important decisions (about my future).

올해 말이면 / 나는 (나의 미래에 대한) 중요한 결정들을 내렸을 것이다

어휘 important 혱 중요한 decision 몡 결정

14 The author **will be writing** / the final book (of his seven-novel series) / next year.

그 작가는 쓰고 있을 것이다 / (그의 일곱 편의 소설 시리즈의) 마지막 책을 / 내년에
→ 내년에 그 작가는 그의 일곱 편의 소설 시리즈의 마지막 책을 쓰고 있을 것이다.

고난도
15 Cell phones seem **to have acquired** / the status of having the shortest life cycle / of all electronic goods. <모의>

휴대폰은 얻었던 것처럼 보인다 / 가장 짧은 수명을 가지는 것의 지위를 / 모든 전자 제품들 중에서
→ 휴대폰은 모든 전자 제품들 중에서 가장 짧은 수명을 가지는 것의 지위를 얻었던 것처럼 보인다.

❍ 「the+최상급」은 '가장 ~한/하게'라고 해석한다.

어휘 acquire 통 얻다 status 몡 지위 life cycle 몡 수명 electronic 혱 전자의 goods 몡 제품, 상품

CHAPTER 06 서술어: 조동사

UNIT 33 능력·가능, 허가, 요청을 나타내는 조동사 해석하기

본책 p.66

01 Thoughtful citizens **can** change the world. <모의>

사려 깊은 시민들은 세상을 바꿀 수 있다.

어휘 thoughtful [형] 사려 깊은 citizen [명] 시민

02 Students **may** take part in / team sports and club activities. <수능>

학생들은 참여해도 된다 / 팀 스포츠와 동아리 활동에 → 학생들은 팀 스포츠와 동아리 활동에 참여해도 된다.

어휘 take part in ~에 참여하다 activity [명] 활동

03 **Can** you help me put away the dishes?

내가 접시들을 치우는 것을 도와주겠니?

⊙「help+목적어(me)+목적격 보어(put away the dishes)」의 구조이다.

어휘 put away 치우다

04 The new heat-detecting camera / **can** catch liars. <모의>

그 새로운 열 감지 카메라는 / 거짓말하는 사람들을 잡을 수 있다

어휘 detect [동] 감지하다

05 Regular checkups **can** identify / early signs (of health issues).

정기적인 검진은 발견할 수 있다 / (건강 문제의) 초기 징후를 → 정기적인 검진은 건강 문제의 초기 징후를 발견할 수 있다.

어휘 regular checkup [명] 정기 검진 identify [동] 발견하다, 식별하다

06 Passengers **may** carry liquids and gels / in travel-sized containers.

탑승객들은 액체와 젤을 휴대해도 된다 / 여행용 크기의 용기 안에 → 탑승객들은 여행용 크기의 용기 안에 액체와 젤을 휴대해도 된다.

어휘 passenger [명] 탑승객 liquid [명] 액체 container [명] 용기, 그릇

07 People (with museum membership cards) **can** see exhibitions / for free.

(박물관 회원 카드를 가진) 사람들은 전시를 볼 수 있다 / 무료로 → 박물관 회원 카드를 가진 사람들은 무료로 전시를 볼 수 있다.

어휘 exhibition [명] 전시(회)

08 Local students **are able to** take advantage of / a number of special discounts.

지역 학생들은 이용할 수 있다 / 많은 특별 할인을 → 지역 학생들은 많은 특별 할인을 이용할 수 있다.

어휘 local [형] 지역의 take advantage of ~을 이용하다

09 You **can't** have your cake and eat it, too. <속담>

너는 너의 케이크를 가지고 있으면서 그것을 먹기도 할 수는 없다. → 두 마리 토끼를 다 잡을 순 없다.

10 **Could** you give me more time (to think about the plan)?

저에게 (그 계획에 대해 생각할) 시간을 더 주시겠어요?

○ 「give+간접 목적어(me)+직접 목적어(more time ~ plan)」의 구조이다.

○ to부정사구 to think ~ plan은 time을 꾸며주는 형용사적 용법으로 쓰였다.

11 **May** I borrow this book / to use for a project [that I'm working on]?

내가 이 책을 빌려도 되니 / [내가 작업하고 있는] 프로젝트에 사용하기 위해 → 내가 작업하고 있는 프로젝트에 사용하기 위해 이 책을 빌려도 되니?

○ to부정사구 to use ~ on은 목적을 나타내는 부사적 용법으로 쓰였다.

○ that ~ on은 project를 꾸며주는 목적격 관계대명사절이다.

고난도
12 Prospective interns **are able to** select / the department (of their choice) / when they complete the application form.

장래의 인턴들은 고를 수 있다 / (그들이 좋아하는) 부서를 / 그들이 지원서를 작성할 때
→ 장래의 인턴들은 그들이 지원서를 작성할 때 그들이 좋아하는 부서를 고를 수 있다.

○ of one's choice는 '~가 좋아하는'이라고 해석한다.

어휘 prospective 圈 장래의 department 圈 부서 complete 图 작성하다 application form 圈 지원서

UNIT 34 의무, 필요, 충고를 나타내는 조동사 해석하기

본책 p.67

01 You **must** wear your seat belt / during takeoff and landing.

너는 안전벨트를 매야 한다 / 이륙과 착륙 중에 → 너는 이륙과 착륙 중에 안전벨트를 매야 한다.

어휘 takeoff 圈 이륙 landing 圈 착륙

02 Adults **should** sleep / for seven to nine hours / per night.

성인들은 자는 것이 좋다 / 7시간에서 9시간 동안 / 하룻밤에 → 성인들은 하룻밤에 7시간에서 9시간 동안 자는 것이 좋다.

03 He **has to** fix the broken air conditioner / before the summer / since it's going to be hot.

그는 고장 난 에어컨을 수리해야 한다 / 여름 전에 / 더울 것이기 때문에 → 더울 것이기 때문에 그는 여름 전에 고장 난 에어컨을 수리해야 한다.

○ 날씨를 나타내는 비인칭 주어 it이 쓰였으며, 이때 it은 의미를 가지지 않으므로 해석하지 않는다.

어휘 fix 图 수리하다 broken 圈 고장 난

04 Diners **should** specify / whether they have dietary restrictions / when ordering.

식사하는 손님들은 명시하는 것이 좋다 / 그들이 식이 제한이 있는지를 / 주문할 때
→ 식사하는 손님들은 주문할 때 그들이 식이 제한이 있는지를 명시하는 것이 좋다.

○ whether ~ restrictions는 문장에서 목적어 역할을 하는 명사절이다.

어휘 diner 圈 식사하는 사람[손님] specify 图 명시하다 dietary restriction 圈 식이 제한

05 Visitors **must not** pick / any plants or flowers (in the park).

방문객들은 꺾어서는 안 된다 / (공원에 있는) 어떤 식물이나 꽃도 → 방문객들은 공원에 있는 어떤 식물이나 꽃도 꺾어서는 안 된다.

어휘 pick 图 꺾다

06 You **ought to** be aware / that the information (found online) is not always credible.

너는 알고 있어야 한다 / (온라인에서 찾아진) 정보가 항상 신뢰할 수 있는 것은 아니라는 것을
→ 너는 온라인에서 찾아진 정보가 항상 신뢰할 수 있는 것은 아니라는 것을 알고 있어야 한다.

○ 과거분사구 found online은 information을 꾸며준다.

어휘 aware 圈 알고 있는 credible 圈 신뢰할 수 있는

07 Artists **had better** have their works copyrighted / to protect them from unlawful use.

예술가들은 그들의 작품들이 저작권으로 보호받도록 하는 것이 낫다 / 그것들을 불법적 사용으로부터 지키기 위해
→ 예술가들은 그들의 작품들을 불법적 사용으로부터 지키기 위해 그것들을 저작권으로 보호받도록 하는 것이 낫다.

❍ 「have+목적어(their works)+목적격 보어(copyrighted)」의 구조이다.
❍ to부정사구 to protect ~ use는 목적을 나타내는 부사적 용법으로 쓰였다.

어휘 copyright 圖 저작권으로 보호하다 protect 圖 보호하다 unlawful 圓 불법적인

08 People **should not** let / their emotions interfere with critical thinking.

사람들은 허락해서는 안 된다 / 그들의 감정이 비판적인 사고에 개입하도록 → 사람들은 그들의 감정이 비판적인 사고에 개입하도록 허락해서는 안 된다.

❍ 「let+목적어(their emotions)+목적격 보어(interfere ~ thinking)」의 구조이다.

어휘 interfere 圖 개입하다 critical 圓 비판적인

09 To fulfill their role, / defense attorneys **must** prove / their clients' innocence.

그들의 임무를 다하기 위해 / 피고측 변호사들은 증명해야 한다 / 그들의 의뢰인들의 무죄를
→ 피고측 변호사들은 그들의 임무를 다하기 위해 그들의 의뢰인들의 무죄를 증명해야 한다.

❍ to부정사구 To fulfill their role은 목적을 나타내는 부사적 용법으로 쓰였다.

어휘 fulfill 圖 다하다, 이행하다 defense attorney 圓 피고측 변호사 prove 圖 증명하다 client 圓 의뢰인 innocence 圓 무죄

고난도
10 With touch screens, / you **need not** have other skills / except pointing a finger / to get your requests processed. <모의응용>

터치스크린이 있으면 / 너는 다른 기술을 가질 필요가 없다 / 손가락으로 가리키는 것을 제외하고 / 너의 요청이 처리되게 하기 위해
→ 터치스크린이 있으면, 너는 너의 요청이 처리되게 하기 위해 손가락으로 가리키는 것을 제외하고 다른 기술을 가질 필요가 없다.

❍ to부정사구 to get ~ processed는 목적을 나타내는 부사적 용법으로 쓰였다.
❍ 「get+목적어(your requests)+목적격 보어(processed)」의 구조이다.

어휘 point 圖 ~으로 가리키다 request 圓 요청 process 圖 처리하다

고난도
11 If your goal is to acquire a job, / you **must** distinguish / between your major, passions, strengths, and career path. <모의>

만약 너의 목표가 직장을 얻는 것이라면 / 너는 구분 지어야 한다 / 너의 전공, 열정, 강점 그리고 진로 사이를
→ 만약 너의 목표가 직장을 얻는 것이라면, 너는 너의 전공, 열정, 강점 그리고 진로 사이를 구분 지어야 한다.

❍ to부정사구 to acquire a job은 주격 보어 역할을 하고 있다.

어휘 acquire 圖 얻다 distinguish 圖 구분 짓다 major 圓 전공 passion 圓 열정 strength 圓 강점 career path 圓 진로

어법
12 To keep our city clean, / we **must not** leave trash / on the street. <모의응용>

우리의 도시를 깨끗한 상태로 두기 위해 / 우리는 쓰레기를 버려서는 안 된다 / 길거리에
→ 우리의 도시를 깨끗한 상태로 두기 위해, 우리는 길거리에 쓰레기를 버려서는 안 된다.

❍ to부정사구 To keep ~ clean은 목적을 나타내는 부사적 용법으로 쓰였다.
❍ 「keep+목적어(our city)+목적격 보어(clean)」의 구조이다.

정답 must not
해설 '버려서는 안 된다'라는 해석이 자연스러우므로 금지를 나타내는 must not이 정답이다.

UNIT 35 추측을 나타내는 조동사 해석하기

본책 p.68

01 Electronic waste **must** be a serious threat / to the environment. <모의>

전자 폐기물은 심각한 위협임이 틀림없다 / 환경에 → 전자 폐기물은 환경에 심각한 위협임이 틀림없다.

어휘 electronic waste 圓 전자 폐기물 serious 圓 심각한 threat 圓 위협 environment 圓 환경

02 Smiling **might** be a way (of being polite) / without words. <수능응용>

미소 짓는 것은 (예의 바르게 행동하는) 하나의 방법일 수도 있다 / 말없이 → 미소 짓는 것은 말없이 예의 바르게 행동하는 하나의 방법일 수도 있다.

어휘 polite 혱 예의 바른

03 The package **could** be delivered / sometime next week.

그 소포는 배달될 수도 있다 / 다음 주 언젠가 → 그 소포는 다음 주 언젠가 배달될 수도 있다.

어휘 deliver 동 배달하다

04 The story sounds completely unbelievable, // so he **must** be joking.

그 이야기는 완전히 믿을 수 없게 들린다 // 그러므로 그는 농담하고 있음이 틀림없다
→ 그 이야기는 완전히 믿을 수 없게 들리므로, 그는 농담하고 있음이 틀림없다.

어휘 completely 부 완전히 unbelievable 혱 믿을 수 없는

05 Focus on the announcements / in the airport, / since your flight schedule **may** change.

안내 방송에 집중해라 / 공항 안에서 / 너의 항공편 일정이 바뀔 수도 있기 때문에 → 너의 항공편 일정이 바뀔 수도 있으므로, 공항 안에서 안내 방송에 집중해라.

○ 주어 없이 동사로 시작하는 명령문이다.

어휘 focus 동 집중하다 announcement 명 안내 방송

06 Paying taxes online **should** be fairly simple / for young people.

온라인으로 세금을 내는 것은 꽤 간단할 것이다 / 젊은 사람들에게 → 온라인으로 세금을 내는 것은 젊은 사람들에게 꽤 간단할 것이다.

○ 동명사구 Paying taxes online은 문장에서 주어 역할을 하고 있다.

어휘 tax 명 세금 fairly 부 꽤

07 Karen **must** know her speech by heart / because she has been practicing for hours.

Karen은 그녀의 연설문을 외웠음이 틀림없다 / 그녀는 몇 시간 동안 연습해오고 있었기 때문에
→ Karen은 몇 시간 동안 연습해오고 있었기 때문에 그녀의 연설문을 외웠음이 틀림없다.

○ know A by heart는 'A를 외우다'라고 해석한다.

어휘 practice 동 연습하다

08 Pop quizzes **shouldn't** be a problem / for those [who review their notes on a daily basis].

예고 없는 시험은 문제가 아닐 것이다 / [매일 그들의 필기를 복습하는] 사람들에게는
→ 예고 없는 시험은 매일 그들의 필기를 복습하는 사람들에게는 문제가 아닐 것이다.

○ those는 '(~하는) 사람들'이라고 해석한다.
○ who ~ basis는 those를 꾸며주는 주격 관계대명사절이다.

어휘 pop quiz 명 예고 없는 시험 review 동 복습하다 on a daily basis 매일

09 Dennis **can't** be the cause (of the car accident). // He has never even gotten a traffic ticket / before.

Dennis는 (그 차 사고의) 원인일 리가 없다. // 그는 교통위반 딱지를 받아본 적도 없다 / 이전에
→ Dennis는 그 차 사고의 원인일 리가 없다. 그는 이전에 교통위반 딱지를 받아본 적도 없다.

어휘 cause 명 원인 accident 명 사고 traffic ticket 명 교통위반 딱지

10 Jen has lived in Korea / for a long time. // She **ought to** speak Korean / like a native.

Jen은 한국에서 살아왔다 / 오랫동안 // 그녀는 한국어를 할 것이다 / 현지인처럼 → Jen은 오랫동안 한국에서 살아왔다. 그녀는 현지인처럼 한국어를 할 것이다.

어휘 native 명 현지인

[고난도]
11 Having foreign friends stay at your place / **would** be a great opportunity / for you to learn about a new culture. <모의응용>

외국인 친구들을 너의 집에 머무르도록 하는 것은 / 좋은 기회가 될 것이다 / 네가 새로운 문화에 대해 배울
→ 외국인 친구들을 너의 집에 머무르도록 하는 것은 네가 새로운 문화에 대해 배울 좋은 기회가 될 것이다.

❍ 동명사구 Having ~ place는 문장에서 주어 역할을 하고 있다.
❍ 「have+목적어(foreign friends)+목적격 보어(stay at your place)」의 구조이다.
❍ to부정사구 to learn ~ culture의 의미상 주어로 you가 쓰였다.
❍ to부정사구 to learn ~ culture는 opportunity를 꾸며주는 형용사적 용법으로 쓰였다.

어휘 foreign 휑 외국(인)의 opportunity 圀 기회

should의 다양한 쓰임 해석하기

본책 p.69

01 He insisted / that his son **should** go to a special school (for the gifted). <수능>

그는 주장했다 / 그의 아들이 (재능 있는 사람들을 위한) 특수 학교에 가야 한다고
→ 그는 그의 아들이 재능 있는 사람들을 위한 특수 학교에 가야 한다고 주장했다.

❍ = He insisted that his son **go** to a special school for the gifted.
❍ that ~ gifted는 문장에서 목적어 역할을 하는 명사절이다.
❍ 「the+형용사」는 '~한 사람들'이라고 해석한다.

어휘 insist 圀 주장하다 gifted 휑 재능 있는, 영재의

02 It is necessary / that we **should** pay attention to instructions. <모의응용>

필요하다 / 우리가 지시에 유의해야 한다는 것은 → 우리가 지시에 유의해야 한다는 것은 필요하다.

❍ = It is necessary that we **pay** attention to instructions.
❍ 진주어 that ~ instructions 대신 가주어 it이 주어 자리에 쓰였다.

어휘 necessary 휑 필요한 pay attention to ~에 유의하다 instruction 圀 지시, 설명

03 Dieticians suggest / that patients **should** avoid fast food.

영양사들은 제안한다 / 환자들이 패스트푸드를 피해야 한다고 → 영양사들은 환자들이 패스트푸드를 피해야 한다고 제안한다.

❍ = Dieticians suggest that patients **avoid** fast food.
❍ that ~ food는 문장에서 목적어 역할을 하는 명사절이다.

어휘 dietician 圀 영양사 suggest 圀 제안하다 patient 圀 환자 avoid 圀 피하다

04 It is desirable / that the police **communicate** with the public / to establish trust.

바람직하다 / 경찰이 대중과 소통해야 한다는 것은 / 신뢰를 쌓기 위해 → 경찰이 신뢰를 쌓기 위해 대중과 소통해야 한다는 것은 바람직하다.

❍ = It is desirable that the police **should** communicate with the public to establish trust.
❍ 진주어 that ~ trust 대신 가주어 it이 주어 자리에 쓰였다.
❍ to부정사구 to establish trust는 목적을 나타내는 부사적 용법으로 쓰였다.

어휘 desirable 휑 바람직한 communicate 圀 소통하다 the public 圀 대중, 일반 국민 establish 圀 쌓다, 확립하다

05 The boss's proposal was / that the staff **should** have a meeting / once a week.

그 상사의 제안은 ~이었다 / 직원들이 회의를 해야 한다는 것 / 일주일에 한 번 → 그 상사의 제안은 일주일에 한 번 직원들이 회의를 해야 한다는 것이었다.

❍ = The boss's proposal was that the staff **have** a meeting once a week.
❍ that ~ week은 문장에서 주격 보어 역할을 하는 명사절이다.

어휘 proposal 圀 제안

06 It is important / that all mobile phones **be** silenced / during the film screening.

중요하다 / 모든 휴대 전화가 무음으로 되어야 한다는 것은 / 영화 상영 중에 → 영화 상영 중에 모든 휴대 전화가 무음으로 되어야 한다는 것은 중요하다.

❍ = It is important that all mobile phones **should** be silenced during the film screening.
❍ 진주어 that ~ screening 대신 가주어 it이 주어 자리에 쓰였다.

어휘 silence 圀 무음으로 하다, 침묵시키다 film screening 圀 영화 상영

07 The tour bus driver requested / that passengers **should** take all of their belongings / before they disembark.

그 관광 버스 운전사는 요청했다 / 승객들이 그들의 소지품 모두를 챙겨야 한다고 / 그들이 내리기 전에
→ 그 관광 버스 운전사는 승객들이 내리기 전에 그들의 소지품 모두를 챙겨야 한다고 요청했다.

- = The tour bus driver requested that passengers **take** all of their belongings before they disembark.
- that ~ disembark는 문장에서 목적어 역할을 하는 명사절이다.

어휘 request [동] 요청하다 belonging [명] 소지품 disembark [동] 내리다

08 It is essential / that the residents **follow** / the safety procedures (described in the fire escape plan).

필수적이다 / 거주자들이 따라야 한다는 것은 / (화재 대피도에 설명된) 안전 수칙들을
→ 거주자들이 화재 대피도에 설명된 안전 수칙들을 따라야 한다는 것은 필수적이다.

- = It is essential that the residents **should** follow the safety procedures described in the fire escape plan.
- 진주어 that ~ plan 대신 가주어 it이 주어 자리에 쓰였다.
- 과거분사구 described ~ plan은 procedures를 꾸며준다.

어휘 essential [형] 필수적인 resident [명] 거주자, 주민 procedure [명] 수칙 describe [동] 설명하다 fire escape plan [명] 화재 대피도

[어법]
09 The financial planner advised / that the company **stop** wasting its money / on unnecessary things.

재무설계사는 충고했다 / 그 회사가 그것의 돈을 낭비하는 것을 멈춰야 한다고 / 불필요한 것들에
→ 재무설계사는 그 회사가 불필요한 것들에 그것의 돈을 낭비하는 것을 멈춰야 한다고 충고했다.

- = The financial planner advised that the company **should** stop wasting its money on unnecessary things.
- that ~ things는 문장에서 목적어 역할을 하는 명사절이다.
- 동명사구 wasting ~ things는 동사 stop의 목적어로 쓰였다.

정답 stop
해설 요구/제안의 의미를 가진 동사 뒤 that절 안의 should가 생략되어도 should 뒤 동사원형의 형태는 바뀌지 않으므로 동사원형 stop이 정답이다.

어휘 financial planner [명] 재무설계사 advise [동] 충고하다 unnecessary [형] 불필요한

10 It's a pity / that such a great teacher **should** leave your school. <모의>

유감이다 / 그렇게 훌륭한 선생님이 너의 학교를 떠나시다니 → 그렇게 훌륭한 선생님이 너의 학교를 떠나시다니 유감이다.

- 진주어 that ~ school 대신 가주어 it이 주어 자리에 쓰였다.

어휘 pity [명] 유감

11 It was strange / that so few people **should** attend the party.

이상했다 / 그렇게 적은 사람들이 그 파티에 참석한 것은 → 그렇게 적은 사람들이 그 파티에 참석한 것은 이상했다.

- 진주어 that ~ party 대신 가주어 it이 주어 자리에 쓰였다.

어휘 attend [동] 참석하다

12 I regret / that he **should** quit his job / soon after being promoted.

나는 유감으로 생각한다 / 그가 그의 일을 그만두다니 / 승진된 후에 바로 → 그가 승진된 후에 바로 그의 일을 그만두다니, 나는 유감으로 생각한다.

- that ~ promoted는 문장에서 목적어로 쓰인 명사절이다.

어휘 regret [동] 유감으로 생각하다 quit [동] 그만두다 promote [동] 승진시키다

13 It is a pity / that all of the coach's efforts **should** go unnoticed.

유감이다 / 그 코치의 모든 노력이 드러나지 않다니 → 그 코치의 모든 노력이 드러나지 않다니 유감이다.

- 진주어 that ~ unnoticed 대신 가주어 it이 주어 자리에 쓰였다.

어휘 effort [명] 노력 unnoticed [형] 드러나지 않는, 눈에 띄지 않는

14 It is such a shame / that Samantha **should** miss the last question / in the quiz contest.

정말 유감이다 / Samantha가 마지막 문제를 놓치다니 / 퀴즈 대회에서 → Samantha가 퀴즈 대회에서 마지막 문제를 놓치다니 정말 유감이다.

○ 진주어 that ~ contest 대신 가주어 it이 주어 자리에 쓰였다.

어휘 shame 몡 유감 contest 몡 대회

15 It is natural / that parents **should** worry about their children / even when they grow more independent.

자연스럽다 / 부모들이 그들의 자식들에 대해 걱정하는 것은 / 심지어 그들이 더 독립적이게 될 때도
→ 심지어 자식들이 더 독립적이게 될 때도 부모들이 그들에 대해 걱정하는 것은 자연스럽다.

○ 진주어 that ~ independent 대신 가주어 it이 주어 자리에 쓰였다.
○ their children 대신 대명사 they가 쓰였다.

어휘 independent 휑 독립적인

^{고난도}
16 To many residents, / it was a tragedy / that such a violent crime **should** occur / in their peaceful community.

많은 거주자들에게 / 비극이었다 / 그렇게 폭력적인 범죄가 일어난 것은 / 그들의 평화로운 지역 사회에
→ 많은 거주자들에게, 그들의 평화로운 지역 사회에 그렇게 폭력적인 범죄가 일어난 것은 비극이었다.

○ 진주어 that ~ community 대신 가주어 it이 주어 자리에 쓰였다.

어휘 tragedy 몡 비극 violent 휑 폭력적인 occur 통 일어나다

UNIT 37 다양한 조동사 표현 해석하기

본책 p.71

01 I **used to[would]** drive, // but I prefer to take the subway / these days. <모의>

나는 운전을 하곤 했다 // 하지만 나는 지하철을 타는 것을 선호한다 / 요즘에는 → 나는 운전을 하곤 했지만, 요즘에는 지하철을 타는 것을 선호한다.

○ to부정사구 to take the subway는 동사 prefer의 목적어로 쓰였다.

어휘 prefer 통 선호하다

02 He **used to** be a surgeon / before he started acting. <모의>

그는 외과의사였다 / 그가 연기를 시작하기 전에 → 그는 연기를 시작하기 전에 외과의사였다.

○ 동명사 acting은 동사 started의 목적어로 쓰였으며, start는 동명사와 to부정사를 모두 목적어로 가진다.

어휘 surgeon 몡 외과의사

03 My family **used to** have / a weeklong vacation / every summer.

나의 가족은 가지곤 했다 / 일주일에 걸친 휴가를 / 매 여름마다 → 나의 가족은 매 여름마다 일주일에 걸친 휴가를 가지곤 했다.

어휘 weeklong 휑 일주일에 걸친

04 Whenever we went to the city, / our uncle **would** take us to a restaurant / for lunch.

우리가 시내로 갔을 때마다 / 우리의 삼촌은 우리를 식당에 데리고 가시곤 했다 / 점심을 먹으러
→ 우리가 시내로 갔을 때마다, 우리의 삼촌은 점심을 먹으러 우리를 식당에 데리고 가시곤 했다.

05 Ms. Wilson **used to** live / in a small house (with a yard (full of flowers)).

이전에 Wilson씨는 살았다 / ((꽃으로 가득한) 마당이 있는) 작은 집에서 → 이전에 Wilson씨는 꽃으로 가득한 마당이 있는 작은 집에서 살았다.

어휘 yard 몡 마당

06 During the war, / spies **would** use various methods / to protect their messages / in case they were captured by the enemy.

그 전쟁 동안 / 스파이들은 다양한 방법을 사용하곤 했다 / 그들의 메시지를 보호하기 위해 / 그들이 적에 의해 잡힐 경우에 대비하여

→ 그 전쟁 동안, 스파이들은 그들이 적에 의해 잡힐 경우에 대비하여 그들의 메시지를 보호하기 위해 다양한 방법을 사용하곤 했다.

○ to부정사구 to protect their messages는 목적을 나타내는 부사적 용법으로 쓰였다.

어휘 various 阌 다양한 method 阌 방법 capture 阍 (포로로) 잡다 enemy 阌 적

07 I **would like to** simplify my life / as much as I can. <모의>

나는 나의 삶을 단순화하고 싶다 / 내가 할 수 있는 한 많이 → 나는 내가 할 수 있는 한 많이 나의 삶을 단순화하고 싶다.

어휘 simplify 阍 단순화하다

08 I **would rather** clean dishes / **than** prepare food. <모의응용>

나는 차라리 접시를 닦겠다 / 음식을 준비하느니 → 나는 음식을 준비하느니 차라리 접시를 닦겠다.

어휘 prepare 阍 준비하다

09 I **would like to** make an appointment / to see the dentist / next Friday.

나는 예약을 하고 싶다 / 치과 의사를 보기 위해 / 다음 주 금요일에 → 나는 다음 주 금요일에 치과 의사를 보기 위해 예약을 하고 싶다.

○ to부정사구 to see ~ Friday는 목적을 나타내는 부사적 용법으로 쓰였다.

어휘 appointment 阌 예약, 약속 dentist 阌 치과 의사

10 I **would rather** have meetings online / because it is more convenient.

나는 온라인으로 회의를 하겠다 / 그것이 더 편리하기 때문에 → 나는 온라인으로 회의를 하는 것이 더 편하기 때문에 그렇게 하겠다.

○ having meetings online 대신 대명사 it이 쓰였다.

어휘 convenient 阌 편리한

11 When my things break, / I **would rather** fix them / **than** replace them.

나의 물건들이 고장 날 때 / 나는 차라리 그것들을 고치겠다 / 그것들을 교체하느니

→ 나의 물건들이 고장 날 때 나는 그것들을 교체하느니 차라리 그것들을 고치겠다.

어휘 replace 阍 교체하다

12 We **would like to** give our next generation / a better world [where they can live happily].

우리는 우리의 다음 세대에게 주고 싶다 / [그들이 행복하게 살 수 있는] 더 나은 세상을

→ 우리는 우리의 다음 세대에게 그들이 행복하게 살 수 있는 더 나은 세상을 주고 싶다.

○ 「give+간접 목적어(our next generation)+직접 목적어(a better world ~ happily)」의 구조이다.

○ where ~ happily는 world를 꾸며주는 관계부사절이다.

어휘 generation 阌 세대

13 I **may as well** take this spoiled juice back / to the grocery. <모의>

나는 이 상한 주스를 반품하는 편이 낫다 / 식료품점에 → 나는 식료품점에 이 상한 주스를 반품하는 편이 낫다.

어휘 spoiled 阌 상한 grocery 阌 식료품점

14 People **may well** believe / that their views are right. <모의>

사람들은 아마 믿을 것이다 / 그들의 관점이 옳다고 → 사람들은 아마 그들의 관점이 옳다고 믿을 것이다.

○ that ~ right은 문장에서 목적어 역할을 하는 명사절이다.

어휘 view 阌 관점

15 We **may as well** pay our bills / through the automatic payment system.

우리는 우리의 요금을 납부하는 편이 낫다 / 자동 납부 시스템을 통해 → 우리는 자동 납부 시스템을 통해 우리의 요금을 납부하는 편이 낫다.

어휘 automatic 휑 자동의 . payment 휑 납부, 지불

16 The picture **may well** lose some of its energy / if the timing is wrong. <모의응용>

사진은 아마 그것의 힘의 일부를 잃을 것이다 / 만약 타이밍이 맞지 않는다면 → 만약 타이밍이 맞지 않는다면, 사진은 아마 그것의 힘의 일부를 잃을 것이다.

17 You **may as well** face the fact / that you can't change the past.

너는 사실을 직면하는 편이 낫다 / 네가 과거를 바꿀 수 없다는 → 너는 네가 과거를 바꿀 수 없다는 사실을 직면하는 편이 낫다.

● that ~ past는 fact를 부연 설명하는 동격의 that절이다.

어휘 face 휑 직면하다

고난도
18 On their own, / very few people **may well** be able to survive / on a desert island.

혼자서 / 아마 살아남을 수 있는 사람은 정말 거의 없을 것이다 / 무인도에서 → 아마 혼자서 무인도에서 살아남을 수 있는 사람은 정말 거의 없을 것이다.

● few는 '거의 없는'이라는 의미의 부정어이며, 셀 수 있는 명사 앞에 온다.
● on one's own은 '혼자서'라고 해석한다.

어휘 survive 휑 살아남다 desert island 휑 무인도

19 We **cannot** emphasize the importance of education **too** much. <모의>

우리는 교육의 중요성을 아무리 많이 강조해도 지나치지 않다.

어휘 emphasize 휑 강조하다 importance 휑 중요성

20 I **can't help having** troubles on the job, // but they don't belong in my house. <모의응용>

나는 일에 있어서 문제들을 가지지 않을 수 없다 // 하지만 그것들은 나의 집에는 존재하지 않는다
→ 나는 일에 있어서 문제들을 가지지 않을 수 없지만, 그것들은 나의 집에는 존재하지 않는다.

어휘 belong 휑 존재하다, 속하다

21 You **cannot** be **too** careful / when it comes to safety. <모의>

너는 아무리 조심해도 지나치지 않다 / 안전에 관해서는 → 안전에 관해서는 아무리 조심해도 지나치지 않다.

어휘 when it comes to ~에 관해서는, ~에 관한 한

22 The sailors **couldn't help doubting** their eyes / at the sight of glorious land.

선원들은 그들의 눈을 의심하지 않을 수 없었다 / 장엄한 육지의 광경에 → 장엄한 육지의 광경에 선원들은 그들의 눈을 의심하지 않을 수 없었다.

어휘 sailor 휑 선원 doubt 휑 의심하다 glorious 휑 장엄한

23 Art is not necessarily beautiful, // and this **cannot** be said **too** often. <모의>

예술이 반드시 아름다운 것은 아니다 // 그리고 이것은 아무리 자주 언급되어도 지나치지 않다
→ 예술이 반드시 아름다운 것은 아니고, 이것은 아무리 자주 언급되어도 지나치지 않다.

어휘 necessarily 휑 반드시

고난도
24 We **can't help but notice** others' flaws, // but we should remember / that no one can be perfect.

우리는 다른 사람들의 결점을 알아차리지 않을 수 없다 // 하지만 우리는 기억해야 한다 / 누구도 완벽할 수 없다는 것을
→ 우리는 다른 사람들의 결점을 알아차리지 않을 수 없지만, 우리는 누구도 완벽할 수 없다는 것을 기억해야 한다.

● that ~ perfect는 동사 should remember의 목적어 역할을 하는 명사절이다.

어휘 notice 휑 알아차리다 remember 휑 기억하다 perfect 휑 완벽한

조동사+have+p.p. 해석하기

본책 p.73

01 His ambition **must have driven** / him to succeed in business.

그의 야망이 만들었음이 틀림없다 / 그가 사업에서 성공하도록 → 그의 야망이 그가 사업에서 성공하도록 만들었음이 틀림없다.

○ 「drive+목적어(him)+목적격 보어(to succeed in business)」의 구조이다.

어휘 ambition 뗑 야망 drive 통 ~하도록 만들다 succeed 통 성공하다

02 We **could have offended** someone unintentionally / with our thoughtless remarks.

우리는 누군가를 본의 아니게 기분 상하게 했을 수도 있다 / 우리의 무심한 말들로
→ 우리는 우리의 무심한 말들로 누군가를 본의 아니게 기분 상하게 했을 수도 있다.

어휘 offend 통 기분 상하게 하다 unintentionally 뛴 본의 아니게 thoughtless 뗑 무심한 remark 뗑 말, 발언

03 The painter **must have painted** / hundreds of houses / in his lifetime. <모의용용>

그 페인트공은 페인트칠했음이 틀림없다 / 수백 채의 집들을 / 그의 일생 동안 → 그 페인트공은 그의 일생 동안 수백 채의 집들을 페인트칠했음이 틀림없다.

어휘 lifetime 뗑 일생

04 The fire **cannot have occurred** / by itself. // There **must have been** a cause.

그 화재는 일어났을 리가 없다 / 저절로 // 원인이 있었음이 틀림없다. → 그 화재는 저절로 일어났을 리가 없다. 원인이 있었음이 틀림없다.

어휘 by itself 저절로

고난도
05 You **might have heard** / stories of intuitive experts, / such as physicians [who make a diagnosis after a single glance]. <모의용용>

너는 들었을 수도 있다 / 직관적인 전문가들의 이야기들을 / [한 번 흘깃 본 후에 진단을 내리는] 의사들과 같은
→ 너는 한 번 흘깃 본 후에 진단을 내리는 의사들과 같은 직관적인 전문가들의 이야기들을 들었을 수도 있다.

○ who ~ glance는 physicians를 꾸며주는 주격 관계대명사절이다.

어휘 intuitive 뗑 직관적인 expert 뗑 전문가 physician 뗑 의사 diagnosis 뗑 진단 glance 뗑 흘깃 봄

06 I **should have gone** to bed later / to watch the total lunar eclipse. <모의용용>

나는 더 늦게 자러 갔어야 했다 / 개기월식을 보기 위해 → 개기월식을 보기 위해 나는 더 늦게 자러 갔어야 했다.

○ to부정사구 to watch ~ eclipse는 목적을 나타내는 부사적 용법으로 쓰였다.

어휘 total lunar eclipse 뗑 개기월식

07 You **could have come** / to speak with me / instead of handling the problem alone.

너는 왔을 수도 있었다 / 나와 이야기하기 위해 / 그 문제를 혼자 처리하는 것 대신에
→ 너는 그 문제를 혼자 처리하는 것 대신에 나와 이야기하기 위해 왔을 수도 있었다.

○ to부정사구 to speak with me는 목적을 나타내는 부사적 용법으로 쓰였다.

어휘 handle 통 처리하다

08 We **needn't have rushed**, / as we are the first guests here.

우리는 서두를 필요가 없었다 / 우리가 이곳의 첫 번째 손님이기 때문에 → 우리는 이곳의 첫 번째 손님이기 때문에 서두를 필요가 없었다.

어휘 rush 통 서두르다

[고난도]

09 Mark **should have questioned** his calculations / and **double-checked** them himself / before submitting his report.

Mark는 그의 계산 결과들을 의심했어야 했다 / 그리고 그것들을 직접 재확인했어야 했다 / 그의 보고서를 내기 전에

→ Mark는 그의 보고서를 내기 전에 그의 계산 결과들을 의심하고 그것들을 직접 재확인했어야 했다.

⭘ questioned와 double-checked가 등위접속사 and로 연결되어 있으며, should have와 함께 쓰인 과거분사에 해당한다.

⭘ 재귀대명사 himself는 Mark를 강조하기 위해 쓰였으므로 생략할 수 있으며, '직접'이라고 해석한다.

어휘 question [동] 의심하다 double-check [동] 재확인하다 submit [동] 내다, 제출하다

Chapter Test

본책 p.74

01 Geckos **can** climb straight up walls / and even walk across ceilings. <모의>

도마뱀붙이는 벽을 똑바로 올라갈 수 있다 / 그리고 심지어 천장을 가로질러 걸을 수도 있다

→ 도마뱀붙이는 벽을 똑바로 올라갈 수 있고, 심지어 천장을 가로질러 걸을 수도 있다.

⭘ climb과 walk가 등위접속사 and로 연결되어 있으며, 조동사 can과 함께 쓰인 동사원형에 해당한다.

어휘 climb [동] 올라가다 straight up [부] 똑바로 ceiling [명] 천장

02 The government **must not** sacrifice environmental conservation / for the economy.

정부는 환경 보전을 희생해서는 안 된다 / 경제를 위해 → 정부는 경제를 위해 환경 보전을 희생해서는 안 된다.

어휘 government [명] 정부 sacrifice [동] 희생하다 environmental conservation [명] 환경 보전 economy [명] 경제

03 All employees **may** help themselves to / snacks (from the break room).

모든 직원들은 마음껏 먹어도 된다 / (휴게실에 있는) 간식을 → 모든 직원들은 휴게실에 있는 간식을 마음껏 먹어도 된다.

⭘ help oneself to는 '~을 마음껏 먹다'라고 해석한다.

어휘 employee [명] 직원

04 I **would rather** receive text messages / **than** answer phone calls.

나는 차라리 문자 메시지들을 받겠다 / 전화들에 답하느니 → 나는 전화들에 답하느니 차라리 문자 메시지들을 받겠다.

어휘 receive [동] 받다 text message [명] 문자 메시지

05 Hannah won so many awards / in various fields. // She **must** be very proud of herself.

Hannah는 매우 많은 상을 받았다 / 다양한 분야에서 // 그녀는 그녀 자신이 매우 자랑스러움이 틀림없다.

→ Hannah는 다양한 분야에서 매우 많은 상을 받았다. 그녀는 그녀 자신이 매우 자랑스러움이 틀림없다.

어휘 field [명] 분야

06 It is essential / that every nation **should** adopt / policies (protecting endangered species).

필수적이다 / 모든 국가가 채택해야 한다는 것은 / (멸종위기에 처한 종을 보호하는) 정책을

→ 모든 국가가 멸종위기에 처한 종을 보호하는 정책을 채택해야 한다는 것은 필수적이다.

⭘ = It is essential that every nation **adopt** policies protecting endangered species.

⭘ 진주어 that ~ species 대신 가주어 it이 주어 자리에 쓰였다.

⭘ 현재분사구 protecting endangered species는 policies를 꾸며준다.

어휘 nation [명] 국가 adopt [동] 채택하다, 취하다 policy [명] 정책 endangered [형] 멸종위기에 처한 species [명] 종

07 Not many recent graduates / **are able to** speak a second language, // so those [who can] are in high demand.

많지 않은 최근 졸업자들이 / 제2언어를 할 수 있다 // 그래서 [할 수 있는] 사람들은 수요가 높다

→ 많지 않은 최근 졸업자들이 제2언어를 할 수 있어서, 할 수 있는 사람들은 수요가 높다.

⭘ who can은 those를 꾸며주는 주격 관계대명사절이며, can 뒤에 speak a second language가 생략되어 있다.

어휘 recent [형] 최근의 graduate [명] 졸업자 second language [명] 제2언어 be in high demand 수요가 높다

08 People (in the fashion industry) / **can't help paying** attention to trends.

(패션 업계에 있는) 사람들은 / 유행에 관심을 가지지 않을 수 없다

어휘 industry 圆 업계, 산업 pay attention to ~에 관심을 가지다

09 The tribe **used to** choose / an individual (to represent the god [it was honoring]).

그 부족은 선택하곤 했다 / ([그것이 숭배하고 있던] 신을 대표할) 한 개인을 → 그 부족은 그것이 숭배하고 있던 신을 대표할 한 개인을 선택하곤 했다.

❍ to부정사구 to represent ~ honoring은 individual을 꾸며주는 형용사적 용법으로 쓰였다.

❍ god과 it 사이에는 목적격 관계대명사가 생략되어 있다.

어휘 tribe 圆 부족 individual 圆 개인 represent 屠 대표하다 honor 屠 숭배하다

10 It is odd / that an incredibly talented man like him / **should** have so little confidence.

이상하다 / 그처럼 믿을 수 없을 만큼 재능 있는 사람이 / 그렇게 적은 자신감을 가지고 있다는 것은
→ 그처럼 믿을 수 없을 만큼 재능 있는 사람이 그렇게 적은 자신감을 가지고 있다는 것은 이상하다.

❍ 진주어 that ~ confidence 대신 가주어 it이 주어 자리에 쓰였다.

어휘 odd 圈 이상한 incredibly 凰 믿을 수 없을 만큼 talented 圈 재능 있는 confidence 圆 자신감

11 As a vegetarian, / I **would like to** see more meat-free options / on restaurant menus.

채식주의자로서 / 나는 더 많은 고기가 없는 선택지들을 보고 싶다 / 음식점 메뉴에서
→ 채식주의자로서, 나는 음식점 메뉴에서 더 많은 고기가 없는 선택지들을 보고 싶다.

어휘 vegetarian 圆 채식주의자 meat-free 圈 고기가 없는

12 The company insists / that the prices **remain** high / to maintain their brand image.

그 회사는 주장한다 / 가격이 높게 유지되어야 한다고 / 그들의 브랜드 이미지를 지키기 위해
→ 그 회사는 그들의 브랜드 이미지를 지키기 위해 가격이 높게 유지되어야 한다고 주장한다.

❍ = The company insists that the prices **should** remain high to maintain their brand image.

❍ to부정사구 to maintain ~ image는 목적을 나타내는 부사적 용법으로 쓰였다.

어휘 remain 屠 유지되다 maintain 屠 지키다, 유지하다

고난도
13 I **should have said** / what I was really feeling / rather than beat around the bush.

나는 말했어야 했다 / 내가 진짜 느끼고 있었던 것을 / 돌려서 말하는 것보다는 → 나는 돌려서 말하는 것보다는 내가 진짜 느끼고 있었던 것을 말했어야 했다.

❍ what ~ feeling은 문장에서 목적어 역할을 하는 명사절이다.

어휘 beat around the bush 돌려서 말하다, 요점을 피하다

고난도
14 Large numbers of fish (in schools) / **may** achieve survival advantages / by confusing predators. <모의응용>

(떼를 지은) 많은 수의 물고기들은 / 생존상의 이점을 얻을 수도 있다 / 포식자들을 혼란스럽게 함으로써
→ 떼를 지은 많은 수의 물고기들은 포식자들을 혼란스럽게 함으로써 생존상의 이점을 얻을 수도 있다.

어휘 achieve 屠 얻다 survival 圈 생존상의 圆 생존 advantage 圆 이점 confuse 屠 혼란스럽게 하다 predator 圆 포식자

고난도
15 Your recommendation **must have persuaded** / the scholarship committee to give me a chance.

당신의 추천서가 설득했음이 틀림없습니다 / 장학위원회가 저에게 기회를 주도록 → 당신의 추천서가 장학위원회가 저에게 기회를 주도록 설득했음이 틀림없습니다.

❍ 「persuade+목적어(the scholarship committee)+목적격 보어(to give ~ chance)」의 구조이다.

어휘 recommendation 圆 추천(서) persuade 屠 설득하다 scholarship committee 圆 장학위원회

CHAPTER 07 서술어: 태

UNIT 39 3형식 문장의 수동태 해석하기

본책 p.76

01 Standard languages **were developed** / to meet specific administrative needs / by many countries. <모의응용>

표준어는 개발되었다 / 특정한 행정상의 필요를 충족시키기 위해 / 많은 국가들에 의해
→ 표준어는 특정한 행정상의 필요를 충족시키기 위해 많은 국가들에 의해 개발되었다.

◐ to부정사구 to meet ~ need는 목적을 나타내는 부사적 용법으로 쓰였다.

어휘 develop 图 개발하다 meet 图 충족시키다 specific 图 특정한 administrative 图 행정상의

02 Natural menthol **is produced** / from plants such as peppermint.

천연 멘톨은 생산된다 / 박하와 같은 식물들로부터 → 천연 멘톨은 박하와 같은 식물들로부터 생산된다.

어휘 produce 图 생산하다

03 The missing scenes **were included** / in the special edition (of the film).

누락된 장면들이 포함되었다 / (그 영화의) 특별판에 → 누락된 장면들이 그 영화의 특별판에 포함되었다.

어휘 missing 图 누락된 include 图 포함하다

04 *Romeo and Juliet* **was written** / by William Shakespeare / in the 16th century.

'로미오와 줄리엣'은 쓰였다 / 윌리엄 셰익스피어에 의해 / 16세기에 → '로미오와 줄리엣'은 16세기에 윌리엄 셰익스피어에 의해 쓰였다.

05 Most packaging **is designed** carefully / to appeal to consumers.

대부분의 포장은 신중하게 고안된다 / 소비자들에게 관심을 끌기 위해 → 대부분의 포장은 소비자들에게 관심을 끌기 위해 신중하게 고안된다.

◐ to부정사구 to appeal to consumers는 목적을 나타내는 부사적 용법으로 쓰였다.

어휘 packaging 图 포장 appeal 图 관심을 끌다 consumer 图 소비자

06 A person's behavior **is** highly **influenced** / by the environment [where they grow up].

사람의 행동은 크게 영향받는다 / [그들이 자라는] 환경에 의해 → 사람의 행동은 그들이 자라는 환경에 의해 크게 영향받는다.

◐ where ~ up은 environment를 꾸며주는 관계부사절이다.
◐ A person 대신 대명사 they가 쓰였다.

어휘 behavior 图 행동 highly 图 크게, 매우 influence 图 영향을 주다 environment 图 환경

07 The name (of the company's new CEO) **was announced** / at a press conference yesterday.

(그 회사의 새로운 최고 경영자의) 이름이 발표되었다 / 어제 기자 회견에서 → 그 회사의 새로운 최고 경영자의 이름이 어제 기자 회견에서 발표되었다.

어휘 announce 图 발표하다 press conference 图 기자 회견

08 The construction (for the extension (of the subway line)) **was completed** / in 2017.

((그 지하철 노선의) 연장을 위한) 공사는 완료되었다 / 2017년에 → 그 지하철 노선의 연장을 위한 공사는 2017년에 완료되었다.

어휘 construction 图 공사 extension 图 연장 complete 图 완료하다

09 The store's location **was chosen** / for its proximity (to several apartment buildings).

그 가게의 위치는 선정되었다 / 그것의 (여러 아파트 건물에의) 근접성 때문에 → 그 가게의 위치는 여러 아파트 건물에의 근접성 때문에 선정되었다.

어휘 location 뗑 위치 proximity 뗑 근접성

10 On December 7, 1941, / Pearl Harbor **got attacked** / by 353 Japanese aircraft.

1941년 12월 7일에 / 진주만은 공격받았다 / 353대의 일본 항공기에 의해 → 1941년 12월 7일에 진주만은 353대의 일본 항공기에 의해 공격받았다.

어휘 attack 통 공격하다 aircraft 뗑 항공기

11 The data and specimens **were collected** / during the trip (to the Galapagos Islands).

그 자료와 표본은 수집되었다 / (갈라파고스 제도로의) 여행 중에 → 그 자료와 표본은 갈라파고스 제도로의 여행 중에 수집되었다.

어휘 specimen 뗑 표본

고난도
12 Braille **was created** / to give visually impaired individuals / the opportunity (to read and write).

브라유 점자는 만들어졌다 / 시각적으로 장애가 있는 개인들에게 주기 위해 / (읽고 쓸) 기회를
→ 브라유 점자는 시각적으로 장애가 있는 개인들에게 읽고 쓸 기회를 주기 위해 만들어졌다.

○ 「give+간접 목적어(visually impaired individuals)+직접 목적어(the opportunity ~ write)」의 구조이다.
○ to부정사구 to give ~ write는 목적을 나타내는 부사적 용법으로 쓰였다.
○ to부정사구 to read and write는 opportunity를 꾸며주는 형용사적 용법으로 쓰였다.

어휘 visually 흰 시각적으로 impaired 뗑 장애가 있는 individual 뗑 개인 opportunity 뗑 기회

UNIT 40 4형식 문장의 수동태 해석하기

본책 p.77

01 Every medal winner **was given** an olive wreath / by the Olympic committee. <모의>
            S   V   O

모든 메달 수상자는 올리브 관을 받았다(← 올리브 관이 주어졌다) / 올림픽 위원회에 의해 → 모든 메달 수상자는 올림픽 위원회에 의해 올리브 관을 받았다.

○ ← The Olympic committee gave every medal winner an olive wreath.
             S   V   IO   DO

어휘 wreath 뗑 (화)관 committee 뗑 위원회

02 Students (in Europe) **were taught** Latin / throughout the 1950s.
         S   V   O

(유럽에 있는) 학생들은 라틴어를 배웠다 / 1950년대 동안 → 1950년대 동안 유럽에 있는 학생들은 라틴어를 배웠다.

어휘 throughout 젠 ~ 동안, ~ 내내

03 Last night, / the little boy **was told** / the story (of how his grandparents met).
                  S   V   O

어젯밤 / 그 어린 남자아이는 들었다 / (그의 조부모님이 어떻게 만났는지에 대한) 이야기를
→ 어젯밤 그 어린 남자아이는 그의 조부모님이 어떻게 만났는지에 대한 이야기를 들었다.

○ how ~ met은 전치사 of의 목적어 역할을 하는 명사절이다.

04 We **were offered** a great meal / in an Italian restaurant [which opened recently].
    S   V   O

우리는 훌륭한 식사를 제공받았다 / [최근에 개업한] 이탈리아 식당에서 → 우리는 최근에 개업한 이탈리아 식당에서 훌륭한 식사를 제공받았다.

○ which opened recently는 restaurant를 꾸며주는 주격 관계대명사절이다.

어휘 offer 통 제공하다 recently 흰 최근에

05 Joseph Rotblat **was awarded** a Nobel Peace Prize / for his efforts (to eliminate nuclear
     S   V   O

weapons).

조지프 로트블랫은 노벨 평화상을 수여받았다 / (핵무기를 제거하려는) 그의 노력으로
→ 조지프 로트블랫은 핵무기를 제거하려는 그의 노력으로 노벨 평화상을 수여받았다.

○ to부정사구 to eliminate nuclear weapons는 efforts를 꾸며주는 형용사적 용법으로 쓰였다.

어휘 award 홍 수여하다 effort 명 노력 eliminate 동 제거하다 nuclear weapon 명 핵무기

06 The mayor **was sent** / a petition (signed by nearly 10,000 citizens (opposing her plan)).
     S   V   O

그 시장은 받았다 / ((그녀의 계획에 반대하는) 거의 10,000명의 시민들에 의해 서명된) 탄원서를
→ 그 시장은 그녀의 계획에 반대하는 거의 10,000명의 시민들에 의해 서명된 탄원서를 받았다.

○ 과거분사구 signed ~ plan은 petition을 꾸며주고, 현재분사구 opposing her plan은 citizens를 꾸며준다.

어휘 petition 명 탄원서 nearly 뷔 거의 oppose 동 반대하다

07 The patient **was recommended** / a new medication (to manage his condition).
     S   V   O

그 환자는 추천받았다 / (그의 상태를 관리해줄) 새로운 약을 → 그 환자는 그의 상태를 관리해줄 새로운 약을 추천받았다.

○ to부정사구 to manage his condition은 medication을 꾸며주는 형용사적 용법으로 쓰였다.

어휘 patient 명 환자 recommend 동 추천하다 medication 명 약

[고난도]
08 The survey participants **were shown** advertisements (for the perfume) / before selecting
            S   V   O

the one [they liked the best].

설문 참가자들은 (그 향수에 대한) 광고들을 봤다 / [그들이 가장 좋아하는] 것을 선택하기 전에
→ 설문 참가자들은 그들이 가장 좋아하는 광고를 선택하기 전에 그 향수에 대한 광고들을 봤다.

○ one과 they 사이에는 목적격 관계대명사가 생략되어 있다.
○ advertisement 대신 대명사 one이 쓰였다.

어휘 survey 명 설문 participant 명 참가자 advertisement 명 광고 perfume 명 향수

09 An incentive **was offered** / *to* farmers / by the government. <모의응용>
     S   V   M

장려금이 제공되었다 / 농부들에게 / 정부에 의해 → 장려금이 정부에 의해 농부들에게 제공되었다.

○ ← The government offered farmers an incentive.
       S   V   IO   DO

어휘 incentive 명 장려금 government 명 정부

10 Library books **are lent** / *to* local residents (with a valid ID).
     S   V   M

도서관 책은 대여된다 / (유효한 신분증을 가진) 지역 주민들에게 → 도서관 책은 유효한 신분증을 가진 지역 주민들에게 대여된다.

어휘 local resident 명 지역 주민 valid 형 유효한

11 A writing sample **is required** / *of* all candidates (for the editor position).
     S   V   M

작문 견본이 요구된다 / (편집자 자리의) 모든 지원자들에게 → 편집자 자리의 모든 지원자들에게 작문 견본이 요구된다.

어휘 require 동 요구하다 candidate 명 지원자, 후보자 position 명 자리, 직위

12 During the adoption event, / homes **were found** / *for* most of the shelter's cats.
                              S   V   M

입양 행사 동안 / 집들이 찾아졌다 / 보호소의 고양이들 대부분에게 → 입양 행사 동안 보호소의 고양이들 대부분에게 집들이 찾아졌다.

어휘 adoption 명 입양 shelter 명 보호소

13 Free commemorative pins **were given** / *to* attendees / at the craft fair.

　　　　　　　　　S　　　　　　　　　V　　　　　　M

무료 기념 핀이 주어졌다 / 참석자들에게 / 그 공예품 박람회에서 → 그 공예품 박람회에서 참석자들에게 무료 기념 핀이 주어졌다.

어휘 commemorative 뒝 기념의　attendee 뎽 참석자　craft 뎽 공예품　fair 뎽 박람회

14 The children's letters **were written** / *to* Santa Claus / and addressed to the North Pole.

　　　　　　S　　　　　　　　V　　　　　　　M

아이들의 편지들은 쓰였다 / 산타클로스에게 / 그리고 북극으로 보내졌다 → 아이들의 편지들은 산타클로스에게 쓰였고, 북극으로 보내졌다.

○ written과 addressed가 등위접속사 and로 연결되어 있으며, be동사 were와 함께 쓰인 과거분사에 해당한다.

어휘 address 뭉 보내다　North Pole 뎽 북극

고난도
15 Many questions (about his coming back to the baseball field) **were asked** / *of* the player.

　　　　　　　　　　　　　　　　S　　　　　　　　　　　　　　　　V　　　　M

(그가 야구장으로 돌아오는 것에 대한) 많은 질문들이 물어졌다 / 그 선수에게 → 그 선수에게 그가 야구장으로 돌아오는 것에 대한 많은 질문들이 물어졌다.

○ 동명사구 coming ~ field의 의미상 주어로 his가 쓰였다.

고난도
16 The Taj Mahal **was built** / *for* Shah Jahan / to honor the memory (of his deceased wife).

　　　S　　　　　　V　　　　　　M

타지마할은 지어졌다 / 샤 자한에게 / (그의 죽은 아내의) 기억을 기리기 위해 → 타지마할은 샤 자한의 사망한 아내의 기억을 기리기 위해 그에게 지어졌다.

○ to부정사구 to honor ~ wife는 목적을 나타내는 부사적 용법으로 쓰였다.

어휘 honor 뭉 기리다　deceased 뒝 사망한

UNIT 41　5형식 문장의 수동태 해석하기

본책 p.79

01 "Losing one's cool" in public **is considered** embarrassing / by many people. <모의응용>

　　　　　　　　　　S　　　　　　　　　V　　　　　　C

공공장소에서 "냉정을 잃는 것"은 창피하다고 생각된다 / 많은 사람들에 의해 → 공공장소에서 "냉정을 잃는 것"은 많은 사람들에 의해 창피하다고 생각된다.

○ ← Many people consider "losing one's cool" in public embarrassing.

　　　S　　　V　　　　　　O　　　　　　　　OC

○ 동명사구 Losing ~ public은 문장에서 주어 역할을 하고 있다.

○ lose one's cool은 '냉정을 잃다'라고 해석한다.

어휘 consider 뭉 생각하다, 고려하다　embarrassing 뒝 창피한

02 The students **were made** / to fill out the questionnaire / by the researchers. <모의응용>

　　　S　　　　　V　　　　　　　　C

학생들은 강요받았다 / 설문지를 작성하도록 / 연구자들에 의해 → 학생들은 연구자들에 의해 설문지를 작성하도록 강요받았다.

○ ← The researchers made the students fill out the questionnaire.

　　　S　　　　V　　　O　　　　OC

어휘 researcher 뎽 연구자　fill out 작성하다　questionnaire 뎽 설문지

03 The baker **was seen** / to provide bread / to the poor.

　　　S　　　V　　　　　C

그 제빵사는 보였다 / 빵을 제공하는 것이 / 가난한 사람들에게 → 그 제빵사가 가난한 사람들에게 빵을 제공하는 것이 보였다.

○ 「the+형용사」는 '~한 사람들'이라고 해석한다.

04 The contestants **are required** / to make a three-layer cake / in two hours.

　　　S　　　　　V　　　　　　C

참가자들은 요구된다 / 3단 케이크를 만들도록 / 두 시간 안에 → 참가자들은 두 시간 안에 3단 케이크를 만들도록 요구된다.

어휘 contestant 뎽 (대회 등의) 참가자　layer 뎽 단, 층

05 The girl **is called** a future mathematician / due to her excellent math skills.
     S   V   C

그 여자아이는 미래의 수학자라고 불린다 / 그녀의 뛰어난 수학 실력 때문에 → 그 여자아이는 그녀의 뛰어난 수학 실력 때문에 미래의 수학자라고 불린다.

어휘 mathematician 圐 수학자 due to ~ 때문에

06 The contract **was thought** invalid / since the terms (of the agreement) were too vague.
       S   V   C

그 계약은 무효라고 생각되었다 / (그 계약의) 조건들이 너무 모호했기 때문에 → 그 계약의 조건들이 너무 모호했기 때문에 그 계약은 무효라고 생각되었다.

어휘 contract 圐 계약(서) invalid 圀 무효인 terms 圐 조건 agreement 圐 계약, 협정 vague 圀 모호한

07 The suspect **was heard** / breaking into the building / shortly before the crime.
       S   V   C

그 용의자는 들렸다 / 건물에 침입하고 있는 것이 / 범행 직전에 → 그 용의자가 범행 직전에 건물에 침입하고 있는 것이 들렸다.

어휘 suspect 圐 용의자 break into ~에 침입하다 shortly before 직전에

08 Black cats **were believed** unlucky / by some superstitious people.
       S   V   C

검은 고양이들은 불길하다고 믿어졌다 / 몇몇 미신을 믿는 사람에 의해 → 검은 고양이들은 몇몇 미신을 믿는 사람들에 의해 불길하다고 믿어졌다.

○ ← Some superstitious people believed black cats unlucky.
                  S   V   O   OC

09 They **were found** / driving into a restricted area / and received a warning.
   S   V   C

그들은 발견되었다 / 제한된 구역 안으로 운전하고 있는 것이 / 그리고 경고를 받았다 → 그들은 제한된 구역 안으로 운전하고 있는 것이 발견되었고, 경고를 받았다.

○ 동사 were found와 received가 등위접속사 and로 연결되어 병렬 구문을 이룬다.

어휘 restricted 圀 제한된 receive 圐 받다

10 Corn flakes were invented / when a pot (of boiled grains) **was left** unattended / for several hours. <모의>
                                  S'   V'   C'

콘플레이크는 발명되었다 / (삶은 곡물들의) 냄비가 방치된 상태로 두어졌을 때 / 몇 시간 동안
→ 콘플레이크는 삶은 곡물들의 냄비가 몇 시간 동안 방치된 상태로 두어졌을 때 발명되었다.

어휘 invent 圐 발명하다 grain 圐 곡물 unattended 圀 방치된

_{고난도}
11 If unforeseen issues suddenly occur, / leaders **are expected** / to restore normality immediately. <모의응용>
                                      S   V   C

만약 예상치 못한 문제들이 갑자기 발생한다면 / 지도자들은 기대된다 / 즉시 정상 상태를 회복하도록
→ 만약 예상치 못한 문제들이 갑자기 발생한다면, 지도자들은 즉시 정상 상태를 회복하도록 기대된다.

어휘 unforeseen 圀 예상치 못한 occur 圐 발생하다 restore 圐 회복하다 normality 圐 정상 상태

_{어법}
12 As the details (of his corruption) emerged, / the politician **was made** to resign.
                                           S   V   C

(그의 부패에 대한) 세부사항들이 드러났기 때문에 / 그 정치인은 사임하도록 강요받았다
→ 그 정치인의 부패에 대한 세부사항들이 드러났기 때문에, 그는 사임하도록 강요받았다.

정답 to resign
해설 목적격 보어가 원형부정사인 5형식 문장을 수동태로 바꿀 때는 원형부정사가 to부정사로 바뀌므로 to resign이 정답이다.

어휘 corruption 圐 부패 emerge 圐 드러나다, 나타나다 politician 圐 정치인 resign 圐 사임하다

수동태의 다양한 형태 해석하기

본책 p.80

01 The riddle (of why the ocean isn't getting saltier) **was not solved** / until the 1970s.
<모의응용>

(바다가 왜 더 염분이 많아지고 있지 않는지의) 수수께끼는 풀리지 않았다 / 1970년대까지
→ 바다가 왜 더 염분이 많아지고 있지 않는지의 수수께끼는 1970년대까지 풀리지 않았다.

◐ why ~ saltier는 전치사 of의 목적어 역할을 하는 명사절이다.

어휘 riddle 뗑 수수께끼 solve 통 풀다, 해결하다

02 **Was** this picture **taken** / when you were in the U.S.? <모의>

이 사진은 촬영되었니 / 네가 미국에 있었을 때 → 이 사진은 네가 미국에 있었을 때 촬영되었니?

03 The theory of continental drift / **was not** initially **accepted**.

대륙 이동 이론은 / 처음에는 받아들여지지 않았다

어휘 theory 뗑 이론 continental 혱 대륙의 drift 뗑 이동 initially 윔 처음에는 accept 통 받아들이다

04 When **was** Pluto **removed** / from the list of planets?

명왕성은 언제 제거되었는가 / 행성들의 목록으로부터 → 명왕성은 언제 행성들의 목록으로부터 제거되었는가?

어휘 Pluto 뗑 명왕성 remove 통 제거하다 planet 뗑 행성

05 Fortunately, / the driver and the passengers **were not injured** / in the accident.

다행히도 / 운전자와 승객들은 부상당하지 않았다 / 그 사고에서 → 다행히도, 그 사고에서 운전자와 승객들은 부상당하지 않았다.

어휘 fortunately 윔 다행히도 passenger 뗑 승객 injure 통 부상을 입히다 accident 뗑 사고

06 **Was** your request (for time off) **approved** / by your supervisor?

너의 (휴가에 대한) 요청이 승인되었니 / 너의 관리자에 의해 → 너의 휴가에 대한 요청이 너의 관리자에 의해 승인되었니?

어휘 request 뗑 요청 time off 뗑 휴가 approve 통 승인하다 supervisor 뗑 관리자

07 Habitats **are being destroyed**, // and food sources are disappearing. <모의>

서식지가 파괴되고 있다 // 그리고 식량 자원이 사라지고 있다 → 서식지가 파괴되고 있고, 식량 자원이 사라지고 있다.

어휘 habitat 뗑 서식지 destroy 통 파괴하다 source 뗑 자원, 근원 disappear 통 사라지다

08 Some pop music **has been criticized** / for having a bad influence / on listeners. <모의응용>

일부 대중 음악은 비난받아왔다 / 나쁜 영향을 끼치는 것에 대해 / 듣는 사람들에게
→ 일부 대중 음악은 듣는 사람들에게 나쁜 영향을 끼치는 것에 대해 비난받아왔다.

어휘 criticize 통 비난하다 influence 뗑 영향

09 Significant advancements (in the field of robotics) **are being made** / every moment.

(로봇 공학 분야에서의) 중요한 발전들이 이루어지고 있다 / 매 순간 → 매 순간 로봇 공학 분야에서의 중요한 발전들이 이루어지고 있다.

어휘 significant 혱 중요한 advancement 뗑 발전 field 뗑 분야 robotics 뗑 로봇 공학

10 All of the equipment (in the office) **has been upgraded** / for better efficiency.

(사무실에 있는) 장비 모두가 개선되었다 / 더 나은 효율을 위해 → 더 나은 효율을 위해 사무실에 있는 장비 모두가 개선되었다.

어휘 equipment 뗑 장비 efficiency 뗑 효율(성)

11 Problems (with the vehicle) **were being reported**, // so the company decided / to issue a recall.

(그 차량에 대한) 문제들이 보고되고 있었다 // 그래서 회사는 결정했다 / 회수를 발표하기로
→ 그 차량에 대한 문제들이 보고되고 있어서, 회사는 회수를 발표하기로 결정했다.

○ to부정사구 to issue a recall은 동사 decided의 목적어로 쓰였다.

어휘 vehicle 圆 차량 issue 圄 발표하다 recall 圆 회수

12 Prior to his retirement, / he **had been employed** / as an engineer / for almost 30 years.

그의 은퇴 이전에 / 그는 고용되어왔었다 / 기술자로서 / 거의 30년 동안 → 그의 은퇴 이전에, 그는 거의 30년 동안 기술자로서 고용되어왔었다.

어휘 prior to ~ 이전에 employ 圄 고용하다

13 Children **must be taught** / to perform good deeds / for their own sake. <수능>

아이들은 배워야 한다 / 선한 행동을 행하도록 / 그들 자신을 위해 → 아이들은 그들 자신을 위해 선한 행동을 행하도록 배워야 한다.

○ for one's own sake는 '~ 자신을 위해'라고 해석한다.

어휘 perform 圄 행하다 deed 圆 행동

14 **Should** higher education **be given** / for practical purposes? <모의응용>

고등 교육은 제공되어야 하는가 / 실용적인 목적을 위해 → 고등 교육은 실용적인 목적을 위해 제공되어야 하는가?

어휘 higher education 圆 고등 교육 practical 圆 실용적인 purpose 圆 목적

15 The books [we ordered last night] / **might be delivered** today.

[우리가 어젯밤 주문했던] 책들은 / 오늘 배송될 수도 있다 → 우리가 어젯밤 주문했던 책들은 오늘 배송될 수도 있다.

○ books와 we 사이에는 목적격 관계대명사가 생략되어 있다.

16 **Can** honey **be substituted** for sugar / in this recipe?

꿀이 설탕 대신 사용될 수 있니 / 이 조리법에서 → 이 조리법에서 꿀이 설탕 대신 사용될 수 있니?

어휘 substitute 圄 대신 사용하다 recipe 圆 조리법

17 All questions **should be avoided** / till the presentation ends.

모든 질문들은 피해져야 한다 / 발표가 끝날 때까지 → 모든 질문들은 발표가 끝날 때까지 피해져야 한다.

18 Young people **must be motivated** / to pursue careers [that fulfill their dreams].

젊은 사람들은 동기 부여가 되어야 한다 / [그들의 꿈을 이루는] 직업들을 추구하도록
→ 젊은 사람들은 그들의 꿈을 이루는 직업들을 추구하도록 동기 부여가 되어야 한다.

○ that ~ dreams는 careers를 꾸며주는 주격 관계대명사절이다.

어휘 motivate 圄 동기를 부여하다 pursue 圄 추구하다 career 圆 직업 fulfill 圄 이루다

19 **Must** this important decision **be made** / in such a hurry?

이 중요한 결정이 내려져야 하니 / 그렇게 급하게 → 이 중요한 결정이 그렇게 급하게 내려져야 하니?

어휘 decision 圆 결정 in a hurry 급하게

20 This article is confusing, // and some parts **could be misunderstood**.

이 기사는 혼란스럽다 // 그리고 몇몇 부분은 잘못 이해될 수도 있다 → 이 기사는 혼란스럽고, 몇몇 부분은 잘못 이해될 수도 있다.

어휘 article 圆 기사 misunderstand 圄 잘못 이해하다

21 Souvenirs **can be purchased** / in the museum's gift shop (on the second floor).

기념품들은 구매될 수 있다 / (2층에 있는) 박물관의 선물 가게에서 → 기념품들은 2층에 있는 박물관의 선물 가게에서 구매될 수 있다.

어휘 souvenir 圆 기념품 purchase 圄 구매하다

22 **Should** globalism **be embraced**, // or should governments encourage / citizens to have a strong national identity?

세계화가 받아들여져야 하는가 // 아니면 정부가 독려해야 하는가 / 시민들이 강한 민족 주체성을 가지도록

→ 세계화가 받아들여져야 하는가, 아니면 정부가 시민들이 강한 민족 주체성을 가지도록 독려해야 하는가?

○ 「encourage+목적어(citizens)+목적격 보어(to have ~ identity)」의 구조이다.

어휘 globalism ⓝ 세계화 embrace ⓥ 받아들이다 encourage ⓥ 독려하다 national identity ⓝ 민족 주체성

구동사의 수동태 해석하기

본책 p.82

01 Helen **was looked up to** by us / because she had tremendous self-respect. <모의응용>

Helen은 우리에 의해 존경받았다 / 그녀는 대단한 자존감이 있었기 때문에 → Helen은 대단한 자존감이 있었기 때문에 우리에 의해 존경받았다.

○ ← We **looked up to** Helen because she had tremendous self-respect.

어휘 tremendous ⓐ 대단한 self-respect ⓝ 자존감

02 A man **is referred to as** a groom / on the day of his wedding. <모의>

남자는 신랑이라고 불린다 / 그의 결혼식 날에 → 남자는 그의 결혼식 날에 신랑이라고 불린다.

어휘 groom ⓝ 신랑

03 The kids **are** usually **picked up** / by their parents / after school.

그 아이들은 주로 차에 태워진다 / 그들의 부모들에 의해 / 방과 후에 → 그 아이들은 주로 방과 후에 그들의 부모들에 의해 차에 태워진다.

○ ← The kids' parents usually **pick** them **up** after school.

04 The player **was laughed at** / by her teammates / for having made a silly mistake.

그 선수는 비웃어졌다 / 그녀의 팀 동료들에 의해 / 바보 같은 실수를 했던 것으로

→ 그 선수는 바보 같은 실수를 했던 것으로 그녀의 팀 동료들에 의해 비웃어졌다.

○ ← The player's teammates **laughed at** her for having made a silly mistake.

○ 동명사가 「having+p.p.」와 같은 완료형으로 쓰이면 주절의 시제보다 앞선 시점에 일어난 일을 나타낸다.

어휘 silly ⓐ 바보 같은

05 A test of NASA's Space Launch System / **has been put off** / until further notice.

NASA의 우주 발사 시스템 시험은 / 미뤄졌다 / 추후 통보까지 → NASA의 우주 발사 시스템 시험은 추후 통보까지 미뤄졌다.

어휘 launch ⓝ 발사, 개시 further ⓐ 추후의 notice ⓝ 통보

06 Gary spent several months / in the hospital / after he **was run over** by a car.

Gary는 몇 달을 보냈다 / 병원에서 / 그가 차에 치인 후에 → Gary는 차에 치인 후에 병원에서 몇 달을 보냈다.

○ ← Gary spent several months in the hospital after a car **ran** him **over**.

07 A program **is being set up** / to foster teambuilding / at the company.

프로그램이 준비되고 있다 / 협동심을 증진하기 위해 / 그 회사에서 → 협동심을 증진하기 위해 그 회사에서 프로그램이 준비되고 있다.

○ to부정사구 to foster teambuilding은 목적을 나타내는 부사적 용법으로 쓰였다.

어휘 foster ⓥ 증진하다

08 She **was brought up** to believe / that it was important to be kind.

그녀는 믿도록 길러졌다 / 친절한 것이 중요하다고 → 그녀는 친절한 것이 중요하다고 믿도록 길러졌다.

○ 진주어 to be kind 대신 가주어 it이 주어 자리에 쓰였다.

09 Despite his wealth, / the man **was looked down on**, / as he didn't have a university degree.

그의 재산에도 불구하고 / 그 남자는 무시받았다 / 그가 대학교 학위를 가지고 있지 않았기 때문에
→ 그의 재산에도 불구하고, 그 남자는 대학교 학위를 가지고 있지 않았기 때문에 무시받았다.

어휘 despite 웹 ~에도 불구하고 degree 웹 학위

10 Time (on a train) **is** often **made use of** / as a chance (to catch up on sleep).

(기차에서의) 시간은 종종 이용된다 / (밀린 잠을 보충할) 기회로서 → 기차에서의 시간은 종종 밀린 잠을 보충할 기회로서 이용된다.

○ to부정사구 to catch ~ sleep은 chance를 꾸며주는 형용사적 용법으로 쓰였다.

정답 made use of
해설 구동사를 수동태로 바꿀 때, 동사만 「be동사+p.p.」의 형태로 쓰고 나머지 부분은 동사 뒤에 그대로 쓰므로 전치사까지 포함된 made use of가 정답이다.

어휘 catch up on 밀린 ~을 보충하다, ~을 따라잡다

UNIT 44 목적어가 that절인 문장의 수동태 해석하기

본책 p.83

---

01 *It* **is said** / *that* learning leaves a physical 'trace' / in the brain. <모의>

말해진다 / 배움이 물리적인 '자국'을 남긴다고 / 뇌에 → 배움이 뇌에 물리적인 '자국'을 남긴다고 말해진다.

○ ← People[They] say that learning leaves a physical 'trace' in the brain.

어휘 physical 웹 물리적인 trace 웹 자국, 흔적

02 In Cuba, / *pork* **is believed** / *to bring* good luck / on New Year's Day. <모의>

쿠바에서 / 돼지고기는 믿어진다 / 행운을 가져온다고 / 새해 첫날에 → 쿠바에서, 새해 첫날에 돼지고기는 행운을 가져온다고 믿어진다.

○ ← In Cuba, people[they] believe that pork brings good luck on New Year's Day.

03 *It* **is thought** / *that* the volcanoes (on Mars) are inactive.

생각된다 / (화성에 있는) 화산들이 활동하지 않는다고 → 화성에 있는 화산들이 활동하지 않는다고 생각된다.

○ ← People[They] think that the volcanoes on Mars are inactive.

어휘 volcano 웹 화산 Mars 웹 화성 inactive 웹 활동하지 않는

04 *It* **is said** / *that* the darkest hour comes / just before the dawn.

말해진다 / 가장 어두운 때가 온다고 / 새벽 직전에 → 새벽 직전에 가장 어두운 때가 온다고 말해진다.

○ ← People[They] say that the darkest hour comes just before the dawn.
○ 「the+최상급」은 '가장 ~한/하게'라고 해석한다.

어휘 dawn 웹 새벽

05 *Approximately five percent of American adults* **were found** / *to be* vegetarians.

약 5퍼센트의 미국 성인들은 밝혀졌다 / 채식주의자라고 → 약 5퍼센트의 미국 성인들이 채식주의자라고 밝혀졌다.

○ ← People[They] found that approximately five percent of American adults were vegetarians.

어휘 approximately 뿐 약, 대략 vegetarian 웹 채식주의자

06 *It* **is believed** / *that* some animals use starlight / to navigate.

믿어진다 / 몇몇 동물들이 별빛을 사용한다고 / 길을 찾기 위해 → 몇몇 동물들이 길을 찾기 위해 별빛을 사용한다고 믿어진다.

○ ← People[They] believe that some animals use starlight to navigate.
○ to부정사 to navigate는 목적을 나타내는 부사적 용법으로 쓰였다.

어휘 navigate 웹 길을 찾다

07 *The region* **is known** / *to have* numerous tourist attractions.

그 지역은 알려져 있다 / 수많은 관광 명소들을 가지고 있다고 → 그 지역은 수많은 관광 명소들을 가지고 있다고 알려져 있다.

◐ ← People[They] know that the region has numerous tourist attractions.

어휘 region 圏 지역 numerous 혱 수많은 tourist attraction 圏 관광 명소

08 *It* **was believed** / *that* poor construction was the cause (of the tragic collapse).

믿어졌다 / 부실한 공사가 (그 비극적인 붕괴의) 원인이었다고 → 부실한 공사가 그 비극적인 붕괴의 원인이었다고 믿어졌다.

◐ ← People[They] believed that poor construction had been the cause of the tragic collapse.

어휘 cause 圏 원인 tragic 혱 비극적인 collapse 圏 붕괴

09 *It* **is said** / *that* elephants feed / for up to 16 hours / a day.

말해진다 / 코끼리는 먹는다고 / 16시간 동안까지 / 하루에 → 코끼리는 하루에 16시간 동안까지 먹는다고 말해진다.

◐ ← People[They] say that elephants feed for up to 16 hours a day.

어휘 feed 동 먹다 up to ~까지

10 *It* **is known** / *that* fish and other types of seafood contain / small amounts of mercury.

알려져 있다 / 물고기와 다른 종류의 해산물은 함유한다고 / 적은 양의 수은을 → 물고기와 다른 종류의 해산물은 적은 양의 수은을 함유한다고 알려져 있다.

◐ ← People[They] know that fish and other types of seafood contain small amounts of mercury.

어휘 contain 동 함유하다

11 *It* **is thought** / *that* Stonehenge was built / as a place of worship.

생각된다 / 스톤헨지가 지어졌다고 / 숭배의 장소로서 → 스톤헨지가 숭배의 장소로서 지어졌다고 생각된다.

◐ ← People[They] think that Stonehenge was built as a place of worship.

어휘 worship 圏 숭배

고난도
12 *The topics* [*that people find amusing*] **are said** / *to vary* enormously / between societies.

<모의응용>

[사람들이 재미있다고 생각하는] 주제들은 말해진다 / 엄청나게 다르다고 / 사회마다

→ 사람들이 재미있다고 생각하는 주제들은 사회마다 엄청나게 다르다고 말해진다.

◐ ← People[They] say that the topics that people find amusing vary enormously between societies.
◐ that ~ amusing은 topics를 꾸며주는 목적격 관계대명사절이며, 「find+목적어(the topics)+목적격 보어(amusing)」의 구조에서 바뀐 것이다.

어휘 amusing 혱 재미있는 vary 동 다르다 enormously 튀 엄청나게 society 圏 사회

수동태 관용 표현 해석하기

본책 p.84

01 Hubert Cecil Booth **is credited with** / inventing the vacuum cleaner. <모의>

허버트 세실 부스는 인정받는다 / 진공청소기를 발명한 것으로 → 허버트 세실 부스는 진공청소기를 발명한 것으로 인정받는다.

어휘 vacuum cleaner 圏 진공청소기

02 The new city buses **are equipped with** / wheelchair lifts (for disabled passengers).

새로운 시내 버스들은 갖추고 있다 / (장애인 승객들을 위한) 휠체어 승강기를 → 새로운 시내 버스들은 장애인 승객들을 위한 휠체어 승강기를 갖추고 있다.

어휘 lift 圏 승강기 disabled 혱 장애가 있는

03 Except for Earth, / all the planets (in our solar system) / **were named after** Greek and Roman gods.

지구를 제외하고 / (우리의 태양계에 있는) 모든 행성들은 / 그리스와 로마의 신들을 따서 이름 지어졌다

→ 지구를 제외하고, 우리의 태양계에 있는 모든 행성들은 그리스와 로마의 신들을 따서 이름 지어졌다.

어휘 except for ~을 제외하고 solar system [명] 태양계

04 I have a list of books [I'd like to read]. // When **I'm finished with** one book, / I know what to read next. <모의>

나는 [내가 읽고 싶은] 책들의 목록을 가지고 있다. // 내가 책 한 권을 끝낼 때 / 나는 다음에 무엇을 읽을지 안다

→ 나는 내가 읽고 싶은 책들의 목록을 가지고 있다. 내가 책 한 권을 끝낼 때, 나는 다음에 무엇을 읽을지 안다.

● books와 I'd 사이에는 목적격 관계대명사가 생략되어 있다.

● 「what+to부정사」는 '무엇을 ~할지'라고 해석한다.

05 Todd **was determined to break** / the national record (for weightlifting). <모의응용>

Todd는 깨기로 결심했다 / (역도 부문의) 국내 기록을 → Todd는 역도 부문의 국내 기록을 깨기로 결심했다.

어휘 weightlifting [명] 역도

06 The tenants **are supposed to pay** the rent / on the first day (of each month).

그 세입자들은 임대료를 지불하기로 되어있다 / (매월의) 첫째 날에 → 그 세입자들은 매월의 첫째 날에 임대료를 지불하기로 되어있다.

어휘 tenant [명] 세입자 rent [명] 임대료

07 Those [who witness crimes] **are required to tell** the truth / when they testify in court.

[범죄를 목격한] 사람들은 진실을 말하도록 요구받는다 / 그들이 법정에서 증언할 때

→ 범죄를 목격한 사람들은 그들이 법정에서 증언할 때 진실을 말하도록 요구받는다.

● who witness crimes는 Those를 꾸며주는 주격 관계대명사절이다.

어휘 witness [동] 목격하다 crime [명] 범죄 court [명] 법정

08 The winner (of the match) / **is scheduled to participate** / in the state tournament. <모의>

(그 경기의) 우승자는 / 참가할 예정이다 / 주 대회에 → 그 경기의 우승자는 주 대회에 참가할 예정이다.

어휘 participate [동] 참가하다 state [명] 주 tournament [명] (토너먼트) 대회

[고난도]

09 People **are inclined to consider** a contrary opinion / more positively / if it is presented / in a logical manner.

사람들은 반대 의견을 고려하는 경향이 있다 / 더 긍정적으로 / 만약 그것이 제시된다면 / 논리적인 방식으로

→ 만약 반대 의견이 논리적인 방식으로 제시된다면 사람들은 그것을 더 긍정적으로 고려하는 경향이 있다.

어휘 contrary [형] 반대의 opinion [명] 의견 positively [부] 긍정적으로 present [동] 제시하다 logical [형] 논리적인

UNIT 46 to부정사와 동명사의 수동형 해석하기

본책 p.85

01 Our daily routine needs / **to be adapted** / to our internal clock. <모의>

우리의 일상은 필요하다 / 적응되는 것이 / 우리의 체내 시계에 → 우리의 일상은 우리의 체내 시계에 적응되는 것이 필요하다.

● to부정사구 to be ~ clock은 동사 needs의 목적어로 쓰였다.

어휘 routine [명] 일상 adapt [동] 적응시키다 internal [형] 체내의

02 The physician was accused of / **having been bribed.** <모의응용>

그 의사는 기소되었다 / 뇌물을 받았던 것으로 → 그 의사는 뇌물을 받았던 것으로 기소되었다.

어휘 physician 뗑 의사   accuse 통 기소하다, 비난하다   bribe 통 뇌물을 주다

03 There are / important lessons (**to be learned** from history).

~이 있다 / (역사로부터 습득되는) 중요한 교훈들이 → 역사로부터 습득되는 중요한 교훈들이 있다.

❍ to부정사구 to be ~ history는 lessons를 꾸며주는 형용사적 용법으로 쓰였다.

어휘 lesson 뗑 교훈

04 **Having been cheated** / by a close friend / made her miserable.

속임 당했던 것은 / 친한 친구에 의해 / 그녀를 우울하게 만들었다 → 친한 친구에 의해 속임 당했던 것은 그녀를 우울하게 만들었다.

❍ 동명사구 Having ~ friend는 문장에서 주어 역할을 하고 있다.
❍ 「make+목적어(her)+목적격 보어(miserable)」의 구조이다.

어휘 cheat 통 속이다   miserable 뗑 우울한, 비참한

05 The sculpture seems **to have been created** / during the Renaissance.

그 조각상은 제작되었던 것처럼 보인다 / 르네상스 시대에 → 그 조각상은 르네상스 시대에 제작되었던 것처럼 보인다.

어휘 sculpture 뗑 조각상

06 Pathways (for pedestrians and cyclists) / are in the process / of **being built**.

(보행자들과 자전거 타는 사람들을 위한) 길이 / 과정 중에 있다 / 설치되는 → 보행자들과 자전거 타는 사람들을 위한 길이 설치되는 과정 중에 있다.

❍ being built는 process를 부연 설명하는 동격의 동명사구이다.

어휘 pathway 뗑 길   pedestrian 뗑 보행자   cyclist 뗑 자전거 타는 사람   process 뗑 과정

07 The window was badly cracked / and needed **to be replaced**.

그 창문은 심하게 깨졌다 / 그리고 교체되는 것이 필요했다 → 그 창문은 심하게 깨졌고, 교체되는 것이 필요했다.

❍ 동사 was ~ cracked와 needed가 등위접속사 and로 연결되어 병렬 구문을 이룬다.
❍ to부정사구 to be replaced는 동사 needed의 목적어로 쓰였다.

어휘 badly 뛰 심하게, 몹시   crack 통 깨다   replace 통 교체하다

08 I can't forget the experience / of **having been helped** by strangers / overseas.

나는 경험을 잊을 수 없다 / 낯선 사람들에 의해 도움받았던 / 해외에서 → 나는 해외에서 낯선 사람들에 의해 도움받았던 경험을 잊을 수 없다.

❍ having ~ overseas는 experience를 부연 설명하는 동격의 동명사구이다.

어휘 experience 뗑 경험   stranger 뗑 낯선 사람   overseas 뛰 해외에서

09 Save your work frequently / to prevent it from **being deleted** / if your computer malfunctions.

너의 작업물을 자주 저장해라 / 그것이 삭제되는 것을 막기 위해 / 만약 너의 컴퓨터가 오작동한다면
→ 만약 너의 컴퓨터가 오작동한다면 너의 작업물이 삭제되는 것을 막기 위해 그것을 자주 저장해라.

❍ 주어 없이 동사로 시작하는 명령문이다.
❍ to부정사구 to prevent ~ malfunctions는 목적을 나타내는 부사적 용법으로 쓰였다.
❍ prevent A from B는 'A가 B하는 것을 막다'라고 해석한다.

어휘 frequently 뛰 자주   malfunction 통 오작동하다

고난도
10 The homeowners hired a contractor / to expand their house / after **having been granted** the necessary permits.

그 주택 소유자들은 도급업자를 고용했다 / 그들의 집을 확장하기 위해 / 필요한 허가들을 승인 받았던 후에
→ 그 주택 소유자들은 필요한 허가들을 승인 받은 후에 그들의 집을 확장하기 위해 도급업자를 고용했다.

○ to부정사구 to expand their house는 목적을 나타내는 부사적 용법으로 쓰였다.

어휘 homeowner 圆 주택 소유자 hire 图 고용하다 contractor 圆 도급업자 expand 图 확장하다 grant 图 승인하다 permit 圆 허가

Chapter Test

본책 p.86

01 The toy train **was bought** / *for* the girl / on Children's Day.

　　　 <u>　　　　　　　</u>　<u>　　　　　　</u>　　　　　　　　<u>　　　　</u>

　　　　　　S　　　　　　　　V　　　　　　　　　　M

그 장난감 기차는 구매되었다 / 그 여자아이에게 / 어린이날에 → 그 장난감 기차는 어린이날에 그 여자아이에게 구매되었다.

02 The missing students **were found** / playing in a park (near the school).

　　　 <u>　　　　　　　　　　</u>　<u>　　　　　　</u>　<u>　　　　　　　　　　　　　　　　</u>

　　　　　　　S　　　　　　　　　V　　　　　　　　　　　　　C

그 실종된 학생들은 발견되었다 / (학교 근처의) 공원에서 놀고 있는 것이 → 그 실종된 학생들이 학교 근처의 공원에서 놀고 있는 것이 발견되었다.

어휘 missing 圆 실종된

03 The movie **is based on** / actual events [that took place during the war].

그 영화는 근거한다 / [전쟁 중에 일어났던] 실제 사건들에 → 그 영화는 전쟁 중에 일어났던 실제 사건들에 근거한다.

○ that ~ war는 events를 꾸며주는 주격 관계대명사절이다.

어휘 actual 圆 실제의 take place 일어나다, 발생하다

04 Florence Nightingale **was given** a good education, // and it made her a great nurse.

　　　 <u>　　　　　　　　　　　</u>　<u>　　　　　　</u>　<u>　　　　　　　　</u>

　　　　　　　　S　　　　　　　　　V　　　　　　　　O

플로렌스 나이팅게일은 좋은 교육을 받았다 // 그리고 그것이 그녀를 훌륭한 간호사로 만들었다

→ 플로렌스 나이팅게일은 좋은 교육을 받았고, 그것이 그녀를 훌륭한 간호사로 만들었다.

○ 「make+목적어(her)+목적격 보어(a great nurse)」의 구조이다.

05 Due to the chairperson's absence, / the meeting **was put off** / until her return.

의장의 부재 때문에 / 회의는 미뤄졌다 / 그녀의 복귀까지 → 의장의 부재 때문에, 회의는 그녀의 복귀까지 미뤄졌다.

어휘 chairperson 圆 의장 absence 圆 부재

06 Luke **was made** / to pay a fine / for driving over the speed limit.

　　　 <u>　　</u>　<u>　　　　　　</u>　<u>　　　　　　　　</u>

　　　　S　　　　　V　　　　　　　C

Luke는 강요받았다 / 벌금을 내도록 / 제한 속도를 넘어서 운전한 것으로 → Luke는 제한 속도를 넘어서 운전한 것으로 벌금을 내도록 강요받았다.

어휘 fine 圆 벌금 speed limit 圆 제한 속도

07 Mr. Porson **was appointed** the general manager / at the newly founded institution. <모의응용>

　　　 <u>　　　　　　　</u>　<u>　　　　　　　　　</u>　<u>　　　　　　　　　　</u>

　　　　　　S　　　　　　　　V　　　　　　　　　C

Porson씨는 총책임자로 임명되었다 / 새로 설립된 기관에서 → Porson씨는 새로 설립된 기관에서 총책임자로 임명되었다.

어휘 appoint 图 임명하다 general manager 圆 총책임자 found 图 설립하다 institution 圆 기관

08 Combat skills **were taught** / *to* Spartan women, / although they were not in the military.

　　　 <u>　　　　　　　</u>　<u>　　　　　　　　</u>　<u>　　　　　　　　　　</u>

　　　　　　S　　　　　　　　V　　　　　　　　　　M

전투 기술은 가르쳐졌다 / 스파르타인 여성들에게 / 비록 그들이 군대에 있지 않았지만

→ 비록 스파르타인 여성들이 군대에 있지 않았지만, 전투 기술은 그들에게 가르쳐졌다.

어휘 combat 圆 전투

09 Scientists **have been frustrated** / by the mystery (of how the pyramids **were built**).

과학자들은 좌절되어왔다 / (피라미드가 어떻게 지어졌는지에 대한) 수수께끼에 의해

→ 과학자들은 피라미드가 어떻게 지어졌는지에 대한 수수께끼에 의해 좌절되어왔다.

○ how ~ built는 전치사 of의 목적어 역할을 하는 명사절이다.

어휘 frustrate 图 좌절시키다 mystery 圆 수수께끼

10 At the start of the 20th century, / American women **were not allowed** / to vote.

S V C

20세기 초에 / 미국 여성들은 허락되지 않았다 / 투표하도록 → 20세기 초에, 미국 여성들은 투표하도록 허락되지 않았다.

어휘 allow 图 허락하다 vote 图 투표하다

11 The concert **has been canceled**, // and ticket holders will receive full refunds.

그 콘서트는 취소되었다 // 그리고 표 소지자들은 전액 환불을 받을 것이다 → 그 콘서트는 취소되었고, 표 소지자들은 전액 환불을 받을 것이다.

어휘 holder 图 소지자 full refund 图 전액 환불

12 The errors (in the report) **must be corrected** / by the end of the week.

(보고서에 있는) 오류들은 수정되어야 한다 / 이번 주 말까지 → 보고서에 있는 오류들은 이번 주 말까지 수정되어야 한다.

어휘 correct 图 수정하다

고난도
13 The manuscript **was turned down** / more than 20 times / before its eventual publication.

그 원고는 거절되었다 / 스무 번 넘게 / 그것의 최종 출판 전에 → 그 원고는 최종 출판 전에 스무 번 넘게 거절되었다.

어휘 manuscript 图 원고 eventual 图 최종의 publication 图 출판

고난도
14 Today, / medical discoveries **are being brought** to fruition / at a fast rate. <모의응용>

오늘날 / 의학적 발견들은 결실로 맺어지고 있다 / 빠른 속도로 → 오늘날, 의학적 발견들은 빠른 속도로 결실로 맺어지고 있다.

어휘 medical 图 의학적인 discovery 图 발견 fruition 图 결실 rate 图 속도

고난도
15 *It* **is said** / *that* the water (from this spring) is not only safe to drink / but also rich in minerals.

말해진다 / (이 샘에서 나오는) 물은 마시기에 안전할 뿐만 아니라 / 무기질이 풍부하기도 하다고
→ 이 샘에서 나오는 물은 마시기에 안전할 뿐만 아니라 무기질이 풍부하기도 하다고 말해진다.

○ ← People[They] say that the water from this spring is not only safe to drink but also rich in minerals.

어휘 spring 图 샘 rich 图 풍부한 mineral 图 무기질, 광물

CHAPTER 08 서술어: 동사구문

UNIT 47 전치사 from과 함께 쓰이는 구문 해석하기

본책 p.88

01 Supplements will **prevent** / us **from** catching a cold / in the winter. <모의응용>

영양제는 막을 것이다 / 우리가 감기에 걸리는 것을 / 겨울에 → 영양제는 겨울에 우리가 감기에 걸리는 것을 막을 것이다.

어휘 supplement [명] 영양제

02 Can you **tell** barley **from** wheat / just by looking at both plants?

너는 보리를 밀과 구별할 수 있니 / 단지 두 식물들을 보기만 함으로써 → 너는 단지 두 식물들을 보기만 함으로써 보리를 밀과 구별할 수 있니?

어휘 barley [명] 보리 wheat [명] 밀

03 The loud music (from upstairs) **kept** / me **from** falling asleep / all night.

(위층에서 오는) 그 시끄러운 음악은 막았다 / 내가 잠드는 것을 / 밤새도록 → 위층에서 오는 그 시끄러운 음악은 밤새도록 내가 잠드는 것을 막았다.

04 The policy **bans** / oil companies **from** drilling / in this part (of the ocean).

그 정책은 금지한다 / 정유 회사들이 구멍을 뚫는 것을 / (바다의) 이 부분에 → 그 정책은 정유 회사들이 바다의 이 부분에 구멍을 뚫는 것을 금지한다.

어휘 drill [동] 구멍을 뚫다

05 Jonathan used a wrench / to **detach** the pipe **from** the sink.

Jonathan은 렌치를 사용했다 / 파이프를 싱크대로부터 분리하기 위해 → Jonathan은 파이프를 싱크대로부터 분리하기 위해 렌치를 사용했다.

● to부정사구 to detach ~ sink는 목적을 나타내는 부사적 용법으로 쓰였다.

06 A United States law **prohibits** / American citizens **from** buying Cuban goods.

미국법은 금지한다 / 미국 국민들이 쿠바의 제품들을 사는 것을 → 미국법은 미국 국민들이 쿠바의 제품들을 사는 것을 금지한다.

어휘 citizen [명] 국민, 시민 goods [명] 제품

07 This security program will **prevent** / criminals **from** stealing information.

이 보안 프로그램은 막을 것이다 / 범죄자들이 정보를 훔치는 것을 → 이 보안 프로그램은 범죄자들이 정보를 훔치는 것을 막을 것이다.

어휘 security [명] 보안 steal [동] 훔치다

08 Seeing Kelly from behind, / I wasn't able to **distinguish** her **from** her older sister.

Kelly를 뒤에서 봤을 때 / 나는 그녀를 그녀의 언니와 구별할 수 없었다 → Kelly를 뒤에서 봤을 때, 나는 그녀를 그녀의 언니와 구별할 수 없었다.

● Seeing ~ behind는 시간을 나타내는 분사구문으로 해석될 수 있다.

09 Taking your medicine regularly is important / to **stop** your condition **from** getting worse.

너의 약을 규칙적으로 먹는 것은 중요하다 / 너의 상태가 더 나빠지는 것을 막기 위해
→ 너의 약을 규칙적으로 먹는 것은 너의 상태가 더 나빠지는 것을 막기 위해 중요하다.

● 동명사구 Taking ~ regularly는 문장에서 주어 역할을 하고 있다.
● to부정사구 to stop ~ worse는 목적을 나타내는 부사적 용법으로 쓰였다.

어휘 regularly [부] 규칙적으로

10 1950s critics **separated** themselves **from** the masses / by rejecting the notion / that art could be enjoyed for its own sake. <모의응용>

1950년대의 비평가들은 그들 자신을 대중으로부터 분리했다 / 관념을 거부함으로써 / 예술이 그 자체로 즐겨질 수 있다는
→ 1950년대의 비평가들은 예술이 그 자체로 즐겨질 수 있다는 관념을 거부함으로써 그들 자신을 대중으로부터 분리했다.

❍ 주어와 목적어가 같은 대상이므로 재귀대명사 themselves를 쓰며, '자기 자신'이라고 해석한다.
❍ that ~ sake는 notion을 부연 설명하는 동격의 that절이다.

어휘 mass 圄 대중 reject 图 거부하다 notion 圄 관념

UNIT 48 전치사 as와 함께 쓰이는 구문 해석하기

본책 p.89

01 Some people **think of** themselves / **as** being younger / than they actually are. <수능응용>

어떤 사람들은 그들 자신을 생각한다 / 더 어리다고 / 그들이 실제 그런 것보다 → 어떤 사람들은 그들 자신을 그들이 실제 그런 것보다 더 어리다고 생각한다.

❍ 주어와 목적어가 같은 대상이므로 재귀대명사 themselves를 쓰며, '자기 자신'이라고 해석한다.

02 Voters **see** the candidate / **as** a capable leader.

유권자들은 그 후보자를 본다 / 유능한 지도자로 → 유권자들은 그 후보자를 유능한 지도자로 본다.

어휘 voter 圄 유권자 candidate 圄 후보자, 출마자 capable 圐 유능한

03 You should not **perceive** empathy and mercy / **as** weakness.

너는 공감과 자비를 간주해서는 안 된다 / 약점으로 → 너는 공감과 자비를 약점으로 간주해서는 안 된다.

어휘 empathy 圄 공감 mercy 圄 자비

04 Lawrence **regards** his professor / **as** a mentor and a close friend.

Lawrence는 그의 교수를 여긴다 / 멘토이자 친한 친구로 → Lawrence는 그의 교수를 멘토이자 친한 친구로 여긴다.

05 We **think of** crisis / **as** being connected only with unhappy events. <수능>

우리는 위기를 생각한다 / 불행한 사건들과만 관계되어 있다고 → 우리는 위기를 불행한 사건들과만 관계되어 있다고 생각한다.

어휘 crisis 圄 위기

06 The recent rebound (in stock prices) / can **be seen** / **as** a sign (of hope).

최근 (주가에 있어서의) 반등은 / 보일 수 있다 / (희망의) 신호로 → 최근 주가에 있어서의 반등은 희망의 신호로 보일 수 있다.

❍ 조동사가 있는 수동태는 「조동사+be+p.p.」의 형태이다.
❍ see A as B가 수동태로 쓰였다.

어휘 rebound 圄 반등, 회복

07 Students **looked upon** Dr. Harris / **as** an authority (on American history).

학생들은 Harris 박사를 봤다 / (미국 역사의) 권위자로 → 학생들은 Harris 박사를 미국 역사의 권위자로 봤다.

어휘 authority 圄 권위자, 권한

08 I decided to **view** the setback / **as** an opportunity (to learn and grow).

나는 그 실패를 보기로 결정했다 / (배우고 성장할) 기회로 → 나는 그 실패를 배우고 성장할 기회로 보기로 결정했다.

❍ to부정사구 to view ~ grow는 동사 decided의 목적어로 쓰였다.
❍ to부정사구 to learn and grow는 opportunity를 꾸며주는 형용사적 용법으로 쓰였다.

어휘 setback 圄 실패, 차질 opportunity 圄 기회

Chapter 08 서술어: 동사구문 **85**

[고난도]
09 Humanitarian organizations / **regard** access (to clean water) / **as** a basic human right.
인도주의적인 기관들은 / (깨끗한 물에 대한) 접근권을 간주한다 / 기본적 인권으로 → 인도주의적인 기관들은 깨끗한 물에 대한 접근권을 기본적 인권으로 간주한다.

어휘 organization [명] 기관 access [명] 접근권, 입장 human right [명] 인권

[고난도]
10 Even though Ms. Hardy is relatively young, / she **is perceived** / **as** extremely competent and experienced.
비록 Hardy씨는 상대적으로 젊지만 / 그녀는 여겨진다 / 몹시 능력 있고 능숙하다고
→ 비록 Hardy씨는 상대적으로 젊지만, 그녀는 몹시 능력 있고 능숙하다고 여겨진다.
⊙ perceive A as B가 수동태로 쓰였다.

어휘 relatively [부] 상대적으로 extremely [부] 몹시 competent [형] 능력 있는 experienced [형] 능숙한

UNIT 49 전치사 of와 함께 쓰이는 구문 해석하기

본책 p.90

01 The writer **reminded** us / **of** the importance (of finding beauty in everyday life). <모의응용>
그 작가는 우리에게 상기시켰다 / (일상에서 아름다움을 찾는 것의) 중요성을 → 그 작가는 우리에게 일상에서 아름다움을 찾는 것의 중요성을 상기시켰다.

02 The safari guide **assured** the tourists / **of** their safety.
그 사파리 안내원은 관광객들에게 확신시켰다 / 그들의 안전을 → 그 사파리 안내원은 관광객들에게 그들의 안전을 확신시켰다.

어휘 tourist [명] 관광객

03 David took a nap / to **relieve** himself **of** a headache.
David는 낮잠을 잤다 / 그 자신에게서 두통을 완화하기 위해 → David는 그 자신에게서 두통을 완화하기 위해 낮잠을 잤다.
⊙ to부정사구 to relieve ~ headache는 목적을 나타내는 부사적 용법으로 쓰였다.
⊙ to부정사의 행위의 주체와 목적어가 같은 대상이므로 재귀대명사 himself를 쓰며, '자기 자신'이라고 해석한다.

어휘 take a nap 낮잠을 자다

04 Weather forecasters **warned** the city's residents / **of** an incoming hurricane.
일기 예보관들은 그 도시의 주민들에게 경고했다 / 다가오는 허리케인을 → 일기 예보관들은 그 도시의 주민들에게 다가오는 허리케인을 경고했다.

어휘 weather forecaster 일기 예보관 resident [명] 주민

05 We hired a gardener / in order to **clear** the area **of** weeds.
우리는 정원사를 고용했다 / 그 구역에서 잡초를 없애기 위해 → 우리는 그 구역에서 잡초를 없애기 위해 정원사를 고용했다.
⊙ to부정사구 to clear ~ weeds는 목적을 나타내는 부사적 용법으로 쓰였으며, to 대신 in order to가 왔다.

어휘 weed [명] 잡초

06 Christina **informed** the teacher / **of** her absence (from school).
Christina는 선생님에게 알렸다 / 그녀의 (학교에의) 결석을 → Christina는 선생님에게 그녀의 학교에의 결석을 알렸다.

어휘 absence [명] 결석, 부재

07 Frank J. Scott, a landscape architect, / worked to **rid** the landscape **of** fences. <모의응용>
조경 건축가인 Frank J. Scott은 / 풍경에서 울타리를 없애기 위해 작업했다
⊙ to부정사구 to rid ~ fences는 목적을 나타내는 부사적 용법으로 쓰였다.

어휘 landscape [명] 조경, 풍경 architect [명] 건축가

08 You must **notify** the Human Resources Department / **of** your new address.

당신은 인사부에 알려야 합니다 / 당신의 새로운 주소를 → 당신은 인사부에 당신의 새로운 주소를 알려야 합니다.

고난도
09 Silencing the media / ultimately **deprives** the public / **of** its right (to information).

대중 매체를 침묵시키는 것은 / 궁극적으로 대중에게서 앗아간다 / 그것의 (정보에 대한) 권리를
→ 대중 매체를 침묵시키는 것은 궁극적으로 대중에게서 정보에 대한 권리를 앗아간다.

➋ 동명사구 Silencing the media는 문장에서 주어 역할을 하고 있다.

어휘 silence 图 침묵시키다 ultimately 見 궁극적으로

고난도
10 The government has **been accused** / **of** wasting taxpayers' money / on the defense project.

정부는 비난받아왔다 / 납세자들의 돈을 낭비한 것에 대해 / 국방 사업에 → 정부는 납세자들의 돈을 국방 사업에 낭비한 것에 대해 비난받아왔다.

➋ accuse A of B가 수동태로 쓰였다.

어휘 waste 图 낭비하다 taxpayer 图 납세자

UNIT 50 전치사 for와 함께 쓰이는 구문 해석하기

본책 p.91

01 The two friends **blamed** each other / **for** the financial disaster. <모의응용>

그 두 친구는 서로를 비난했다 / 그 재정적 재난에 대해 → 그 두 친구는 재정적 재난에 대해 서로를 비난했다.

어휘 financial 图 재정의 disaster 图 재난, 재해

02 The woman **mistook** the boy / **for** her son Andy. <모의응용>

그 여자는 그 남자아이를 착각했다 / 그녀의 아들 Andy로 → 그 여자는 그 남자아이를 그녀의 아들 Andy로 착각했다.

03 The airline **compensated** passengers / **for** the delayed flight.

그 항공사는 승객들에게 보상했다 / 지연된 항공편에 대해 → 그 항공사는 승객들에게 지연된 항공편에 대해 보상했다.

어휘 delay 图 지연시키다

04 The librarian **scolded** some kids / **for** being too loud.

그 사서는 몇몇 아이들을 꾸짖었다 / 너무 시끄러운 것에 대해 → 그 사서는 몇몇 아이들을 너무 시끄러운 것에 대해 꾸짖었다.

05 The mayor **thanked** the firefighters / **for** their courage and hard work.

그 시장은 소방관들에게 감사했다 / 그들의 용기와 노고에 대해 → 그 시장은 소방관들에게 그들의 용기와 노고에 대해 감사했다.

어휘 mayor 图 시장 courage 图 용기

06 The manager **criticized** him / **for** making so many errors / on his report.

그 관리자는 그를 비난했다 / 너무 많은 실수를 한 것에 대해 / 그의 보고서에 → 그 관리자는 그를 그의 보고서에 너무 많은 실수를 한 것에 대해 비난했다.

07 The company **rewarded** the team / **for** successfully finishing the project.

회사는 그 팀에게 보상했다 / 성공적으로 그 프로젝트를 끝낸 것에 대해 → 회사는 그 팀에게 성공적으로 그 프로젝트를 끝낸 것에 대해 보상했다.

어휘 successfully 見 성공적으로

08 You may **substitute** chicken **for** turkey / when cooking this dish.

너는 칠면조를 닭으로 대체해도 된다 / 이 음식을 요리할 때 → 너는 이 음식을 요리할 때 칠면조를 닭으로 대체해도 된다.

어휘 turkey 图 칠면조

09 The survivors (of the bridge collapse) / have still not **been compensated** / **for** their injuries.

(그 다리 붕괴의) 생존자들은 / 아직도 보상받지 못했다 / 그들의 상해에 대해 → 그 다리 붕괴의 생존자들은 아직도 그들의 상해에 대해 보상받지 못했다.

○ compensate A for B가 수동태로 쓰였다.

어휘 survivor 圀 생존자 collapse 圀 붕괴 injury 圀 상해, 부상

10 It was strange / that even experts **took** the painting / **for** a genuine work (by Klimt).

이상했다 / 심지어 전문가들도 그 그림을 착각한 것은 / (클림트의) 진짜 작품으로 → 심지어 전문가들도 그 그림을 클림트의 진짜 작품으로 착각한 것은 이상했다.

○ 진주어 that even experts ~ Klimt 대신 가주어 it이 주어 자리에 쓰였다.

어휘 expert 圀 전문가 genuine 圀 진짜의

전치사 with와 함께 쓰이는 구문 해석하기

본책 p.92

01 The museum **provides** visitors / **with** various hands-on activities. <모의>

그 박물관은 방문객들에게 제공한다 / 다양한 직접 해 보는 활동들을 → 그 박물관은 방문객들에게 다양한 직접 해 보는 활동들을 제공한다.

어휘 various 圀 다양한 hands-on 圀 직접 해 보는

02 The manager **furnished** the lobby / **with** plants and a large sofa.

그 관리자는 로비에 갖췄다 / 식물들과 큰 소파를 → 그 관리자는 로비에 식물들과 큰 소파를 갖췄다.

03 He **confused** the common sparrow / **with** a rare species (of forest bird).

그는 일반 참새를 혼동했다 / (산림 조류의) 희귀종과 → 그는 일반 참새를 산림 조류의 희귀종과 혼동했다.

어휘 sparrow 圀 참새 rare 圀 희귀한

04 That company **supplies** us / **with** materials (to produce our products).

저 회사는 우리에게 공급한다 / (우리의 제품들을 생산할) 재료들을 → 저 회사는 우리에게 우리의 제품들을 생산할 재료들을 공급한다.

○ to부정사구 to produce our products는 materials를 꾸며주는 형용사적 용법으로 쓰였다.

어휘 material 圀 재료

05 Iceboaters should **equip** their boats / **with** a metal brake system. <모의응용>

빙상 요트 경기자들은 그들의 배에 갖춰야 한다 / 금속으로 된 제동 장치를 → 빙상 요트 경기자들은 그들의 배에 금속으로 된 제동 장치를 갖춰야 한다.

06 The goal is / to **replace** coal **with** cleaner energy sources / such as natural gas.

목표는 ~이다 / 석탄을 더 깨끗한 에너지 자원으로 대체하는 것 / 천연가스와 같은 → 목표는 석탄을 천연가스와 같은 더 깨끗한 에너지 자원으로 대체하는 것이다.

○ to부정사구 to replace ~ gas는 문장에서 주격 보어 역할을 하고 있다.

어휘 coal 圀 석탄 natural gas 圀 천연 가스

07 This graph **compares** the percentage (of the total population) / **with** the percentage (of people [who read newspapers]). <모의응용>

이 도표는 (전체 인구의) 비율을 비교한다 / ([신문을 읽는] 사람들의) 비율과 → 이 도표는 전체 인구의 비율을 신문을 읽는 사람들의 비율과 비교한다.

○ who read newspapers는 people을 꾸며주는 주격 관계대명사절이다.

08 All the participants will **be provided** / **with** meals / at no additional cost.

모든 참가자들은 제공받을 것이다 / 식사를 / 추가 비용 없이 → 모든 참가자들은 추가 비용 없이 식사를 제공받을 것이다.

○ provide A with B가 수동태로 쓰였다.

어휘 participant 몡 참가자   additional 혱 추가의

09 Prices here are much higher / when **compared with** other stores (in this area).

이곳의 가격이 훨씬 더 비싸다 / (이 지역의) 다른 가게들과 비교되었을 때 → 이 지역의 다른 가게들과 비교되었을 때 이곳의 가격이 훨씬 더 비싸다.

❍ when compared ~ area는 의미를 분명하게 하기 위해 접속사(when)를 생략하지 않은 분사구문이다.

❍ compare A with B가 수동태로 쓰였다.

어휘 caterer 몡 출장 요리사

전치사 to와 함께 쓰이는 구문 해석하기

본책 p.93

01 There are conflicts / in **applying** engineering principles / **to** structural design. <모의응용>

충돌이 있다 / 공학 원리를 적용하는 것에 있어서 / 구조 설계에 → 공학 원리를 구조 설계에 적용하는 것에 있어서 충돌이 있다.

어휘 conflict 몡 충돌   engineering 몡 공학   principle 몡 원리   structural 혱 구조의

02 The actor said / he **owed** all his talent / **to** his parents.

그 배우는 말했다 / 그가 그의 모든 재능을 덕분으로 돌린다고 / 그의 부모님 → 그 배우는 그의 모든 재능을 그의 부모님 덕분으로 돌린다고 말했다.

❍ said와 he 사이에는 명사절 접속사 that이 생략되어 있다.

어휘 talent 몡 재능

03 Many restaurants **add** / a 20 percent service charge / **to** the bills.

많은 식당들은 더한다 / 20퍼센트의 봉사료를 / 계산서에 → 많은 식당들은 계산서에 20퍼센트의 봉사료를 더한다.

어휘 service charge 몡 봉사료   bill 몡 계산서

04 The analyst **ascribed** the economic downturn / **to** a number of large corporations failing.

그 분석가는 경기 침체를 탓으로 돌렸다 / 많은 대기업들의 몰락 → 그 분석가는 경기 침체를 많은 대기업들의 몰락 탓으로 돌렸다.

❍ 동명사 failing의 의미상 주어로 a number of large corporations가 쓰였다.

어휘 analyst 몡 분석가   economic downturn 몡 경기 침체   corporation 몡 기업

05 You should **apply** lotion / **to** your skin / as soon as you get out of the shower.

너는 로션을 발라야 한다 / 너의 피부에 / 네가 샤워하고 나오자마자 → 너는 샤워하고 나오자마자 로션을 너의 피부에 발라야 한다.

06 It is against the law / not to **attach** health warning labels / **to** bottles of alcohol.

법에 어긋난다 / 건강 경고문 라벨을 붙이지 않는 것은 / 술병에 → 건강 경고문 라벨을 술병에 붙이지 않는 것은 법에 어긋난다.

❍ 진주어 not to attach ~ alcohol 대신 가주어 it이 주어 자리에 쓰였다.

07 A whole new chapter has **been added** / **to** the revised edition (of the book).

완전히 새로운 챕터가 더해졌다 / (그 책의) 개정판에 → 그 책의 개정판에 완전히 새로운 챕터가 더해졌다.

❍ add A to B가 수동태로 쓰였다.

어휘 revised 혱 개정된

08 Many of those [who have succeeded in life] **owe** it / **to** their powers of concentration.

<수능응용>

[인생에서 성공한] 사람들 중 다수가 그것을 덕분으로 돌린다 / 그들의 집중력 → 인생에서 성공한 사람들 중 다수가 그것을 그들의 집중력 덕분으로 돌린다.

❍ who ~ life는 those를 꾸며주는 주격 관계대명사절이다.

어휘 succeed 통 성공하다   concentration 몡 집중

09 The impact (of tourism on the environment) is evident, // but not all people **attribute** environmental damage / **to** tourism. <모의응용>

(환경에 대한 관광업의) 영향은 명백하다 // 그러나 모든 사람들이 환경 훼손을 탓으로 돌리는 것은 아니다 / 관광업
→ 환경에 대한 관광업의 영향은 명백하지만, 모든 사람들이 환경 훼손을 관광업 탓으로 돌리는 것은 아니다.

어휘 impact 圖 영향 evident 圖 명백한 tourism 圖 관광업

Chapter Test

본책 p.94

01 Thinking about the exam tomorrow / **kept** him **from** staying calm.

내일 시험에 대해 생각하는 것은 / 그가 침착함을 유지하는 것을 막았다

❍ 동명사구 Thinking ~ tomorrow는 문장에서 주어 역할을 하고 있다.

02 The singer **attributed** her success / **to** perseverance and a little luck.

그 가수는 그녀의 성공을 덕분으로 돌렸다 / 끈기와 약간의 행운 → 그 가수는 그녀의 성공을 끈기와 약간의 행운 덕분으로 돌렸다.

어휘 success 圖 성공 perseverance 圖 끈기

03 I **think of** my grandfather / **as** my greatest supporter (in life).

나는 나의 할아버지를 생각한다 / (인생에 있어서의) 나의 가장 큰 지지자로 → 나는 나의 할아버지를 인생에 있어서의 나의 가장 큰 지지자로 생각한다.

❍ 「the+최상급」은 '가장 ~한/하게'라고 해석한다.

어휘 supporter 圖 지지자

04 People **criticized** the company / **for** its mistreatment (of workers).

사람들은 그 회사를 비난했다 / 그것의 (노동자들에 대한) 홀대에 대해 → 사람들은 그 회사를 노동자들에 대한 홀대에 대해 비난했다.

어휘 mistreatment 圖 홀대

05 Engineers **supplied** the reservoir / **with** water (from a nearby river).

기술자들은 그 저수지에 공급했다 / (인근의 강으로부터 온) 물을 → 기술자들은 그 저수지에 인근의 강으로부터 온 물을 공급했다.

어휘 reservoir 圖 저수지

06 Since I didn't have my glasses on, / I **mistook** that boy / **for** my friend.

내가 안경을 쓰지 않았기 때문에 / 나는 그 남자아이를 착각했다 / 나의 친구로 → 나는 안경을 쓰지 않았기 때문에, 그 남자아이를 나의 친구로 착각했다.

07 The coaches **perceived** Raymond / **as** a gifted athlete (with a lot of potential).

코치들은 Raymond를 여겼다 / (많은 잠재력을 가진) 재능 있는 선수로 → 코치들은 Raymond를 많은 잠재력을 가진 재능 있는 선수로 여겼다.

어휘 gifted 圖 재능 있는, 영재의 athlete 圖 선수 potential 圖 잠재력

08 This ointment **stops** / the infection **from** spreading further.

이 연고는 막는다 / 감염이 더 퍼지는 것을 → 이 연고는 감염이 더 퍼지는 것을 막는다.

어휘 ointment 圖 연고 infection 圖 감염

09 The judge **informed** the people / **of** their civic responsibility (as jurors).

판사는 그 사람들에게 알렸다 / (배심원으로서의) 그들의 시민적 의무를 → 판사는 그 사람들에게 배심원으로서의 그들의 시민적 의무를 알렸다.

어휘 civic 圖 시민적인 responsibility 圖 의무

10 Sometimes, / it can be difficult / for historians to **distinguish** facts **from** myths.

때때로 / 어려울 수 있다 / 사학자들이 사실을 신화와 구별하는 것이 → 때때로, 사학자들이 사실을 신화와 구별하는 것이 어려울 수 있다.

❍ 진주어 to distinguish ~ myths 대신 가주어 it이 주어 자리에 쓰였다.

○ to부정사구 to distinguish ~ myths의 의미상 주어로 historians가 쓰였다.

어휘 myth 圏 신화

11 Using a cup of vinegar / in the washing machine / will **rid** clothes **of** their musty smell.

식초 한 컵을 사용하는 것은 / 세탁기에 / 옷에서 퀴퀴한 냄새를 없앨 것이다 → 세탁기에 식초 한 컵을 사용하는 것은 옷에서 퀴퀴한 냄새를 없앨 것이다.

○ 동명사구 Using ~ machine은 문장에서 주어 역할을 하고 있다.

어휘 vinegar 圏 식초　musty 圏 퀴퀴한, 곰팡이가 슨

12 Professor Brown said / students could **replace** their exam / **with** a 10-page essay.

Brown 교수는 말했다 / 학생들이 그들의 시험을 대체할 수 있다고 / 10장짜리 에세이로
→ Brown 교수는 학생들이 그들의 시험을 10장짜리 에세이로 대체할 수 있다고 말했다.

○ said와 students 사이에는 명사절 접속사 that이 생략되어 있다.

13 It is advisable / to **apply** sunscreen / **to** your face / before putting on foundation.

바람직하다 / 선크림을 바르는 것이 / 너의 얼굴에 / 파운데이션을 바르기 전에 → 파운데이션을 바르기 전에 선크림을 너의 얼굴에 바르는 것이 바람직하다.

○ 진주어 to apply ~ foundation 대신 가주어 it이 주어 자리에 쓰였다.

어휘 advisable 圏 바람직한

고난도
14 A stroke **deprives** the brain **of** oxygen, / which may cause paralysis or slurred speech.

뇌졸중은 뇌에서 산소를 앗아간다 / 그리고 그것은 마비나 어눌해진 말투를 유발할 수도 있다
→ 뇌졸중은 뇌에서 산소를 앗아가고, 그것은 마비나 어눌해진 말투를 유발할 수도 있다.

○ 관계대명사 which 앞에 콤마(,)가 쓰이면 콤마 앞의 선행사에 대한 부가적인 정보를 덧붙이며, 이 문장의 which는 앞에 나온 절을 선행사로 가졌다.

어휘 oxygen 圏 산소　paralysis 圏 마비　slur 图 어눌하게 말하다, 불분명하게 말하다

고난도
15 Scientists weren't able to **ascribe** / the slight inconsistencies (in the experiment) / **to** any one specific cause.

과학자들은 탓으로 돌릴 수 없었다 / (그 실험에서의) 근소한 불일치를 / 어떤 하나의 특정한 원인
→ 과학자들은 그 실험에서의 근소한 불일치를 어떤 하나의 특정한 원인 탓으로 돌릴 수 없었다.

어휘 slight 圏 근소한　inconsistency 圏 불일치　specific 圏 특정한

CHAPTER 09 형용사 역할을 하는 수식어구

명사를 꾸며주는 to부정사 해석하기

본책 p.96

01 Reading food labels / is *a good way* (**to find** information about what you eat). <모의응용>

식품 라벨을 읽는 것은 / (당신이 먹는 것에 대한 정보를 찾는) 좋은 방법이다

❍ 동명사구 Reading food labels는 문장에서 주어 역할을 하고 있다.
❍ what you eat은 전치사 about의 목적어 역할을 하는 명사절이다.

02 There will be *no chairs* (**to sit on**), // so bring your own cushions or blankets. <모의>

(앉을) 의자가 없을 것이다 // 그러므로 너 자신의 쿠션이나 담요를 가지고 와라 → 앉을 의자가 없을 것이므로 너 자신의 쿠션이나 담요를 가지고 와라

03 I will go to the library / to borrow *some books* (**to read**).

나는 도서관에 갈 것이다 / (읽을) 책 몇 권을 대여하기 위해 → 나는 읽을 책 몇 권을 대여하기 위해 도서관에 갈 것이다.

❍ to부정사구 to borrow ~ read는 목적을 나타내는 부사적 용법으로 쓰였다.

04 Chocolate is / *a common gift* (**to give** on Valentine's Day).

초콜릿은 ~이다 / (밸런타인데이에 주는) 흔한 선물 → 초콜릿은 밸런타인데이에 주는 흔한 선물이다.

어휘 common 혱 흔한, 보통의

05 Paul wanted / *something* (**to wear** over his shirt) / since it was cold.

Paul은 원했다 / (그의 셔츠 위에 입을) 무언가를 / 추웠기 때문에 → Paul은 추웠기 때문에 그의 셔츠 위에 입을 무언가를 원했다.

❍ 날씨를 나타내는 비인칭 주어 it이 쓰였으며, 이때 it은 의미를 가지지 않으므로 해석하지 않는다.

06 Ms. Smith bought / her son *a new game* (**to play with**), // but he did not like it.

Smith씨는 사줬다 / 그녀의 아들에게 (가지고 놀) 새로운 게임을 // 그러나 그는 그것을 좋아하지 않았다
→ Smith씨는 그녀의 아들에게 가지고 놀 새로운 게임을 사줬지만, 그는 그것을 좋아하지 않았다.

❍ 「buy+간접 목적어(her son)+직접 목적어(a new game to play with)」의 구조이다.

07 The first 20 applicants will have / *a chance* (**to star** in a TV ad (for our school)). <모의>

처음 20명의 지원자들은 가질 것이다 / ((우리 학교를 위한) TV 광고에서 주연을 맡을) 기회를
→ 처음 20명의 지원자들은 우리 학교를 위한 TV 광고에서 주연을 맡을 기회를 가질 것이다.

어휘 applicant 몡 지원자 chance 몡 기회, 가능성 ad(advertisement) 몡 광고

08 Music is *a fun and interesting topic* (**to talk about** with your classmates).

음악은 (너의 반 친구들과 이야기할) 재미있고 흥미로운 주제이다.

09 Residents (of the area) / are angry about *the decision* (**to close** the railway station).

(그 지역의) 주민들은 / (기차역을 폐쇄하는) 결정에 대해 화가 나 있다

어휘 resident [명] 주민, 거주자 decision [명] 결정, 결심

[고난도]
10 People think / Helen Keller *a good person* (**to look up to**) / because of her persistent resilience / despite many challenges.

사람들은 생각한다 / 헬렌 켈러가 (존경할) 좋은 사람이라고 / 그녀의 지속되는 끈기 때문에 / 많은 어려움에도 불구하고
→ 사람들은 많은 어려움에도 불구하고 지속되는 헬렌 켈러의 끈기 때문에 그녀가 존경할 좋은 사람이라고 생각한다.

「think+목적어(Helen Keller)+목적격 보어(a good person to look up to)」의 구조이다.

어휘 look up to ~을 존경하다 persistent [형] 지속되는, 끈질긴 challenge [명] 어려움, 도전

UNIT 54 명사를 앞에서 꾸며주는 분사 해석하기

본책 p.97

01 We sometimes see faces and figures / in **moving** *clouds*. <모의>

우리는 때때로 얼굴과 형상을 본다 / 움직이는 구름 속에서 → 우리는 때때로 움직이는 구름 속에서 얼굴과 형상을 본다.

어휘 figure [명] 형상, 숫자

02 Insects damage crops, // and they can also ruin / **stored** *food* like rice. <모의응용>

곤충들은 농작물에 피해를 준다 // 그리고 그것들은 손상시킬 수도 있다 / 쌀과 같은 저장된 음식을
→ 곤충들은 농작물에 피해를 주고, 쌀과 같은 저장된 음식을 손상시킬 수도 있다.

어휘 damage [동] 피해를 주다 ruin [동] 손상시키다, 망치다

03 It was relaxing / to listen to the **running** *water* from the river.

편안했다 / 강으로부터 흐르는 물소리를 듣는 것은 → 강으로부터 흐르는 물소리를 듣는 것은 편안했다.

진주어 to listen ~ river 대신 가주어 it이 주어 자리에 쓰였다.

어휘 run [동] 흐르다, 달리다

04 Countries with **limited** *natural resources* / tend to depend on imports.

제한된 천연자원을 가진 나라들은 / 수입에 의존하는 경향이 있다

어휘 natural resources [명] 천연자원 tend to ~하는 경향이 있다 import [명] 수입

05 The **changing** *climate* has been a cause for concern / for many years now.

변화하는 기후는 우려의 원인이 되어왔다 / 지금까지 수년 동안 → 변화하는 기후는 지금까지 수년 동안 우려의 원인이 되어왔다.

어휘 climate [명] 기후 cause [명] 원인 concern [명] 우려, 걱정 [동] 걱정시키다

06 There have been **repeated** *requests* (*to add more self-checkout kiosks*).

(더 많은 셀프 계산대를 추가하라는) 반복된 요청들이 있어왔다.

to부정사구 to add ~ kiosks는 requests를 꾸며주는 형용사적 용법으로 쓰였다.

어휘 request [명] 요청

07 The life story (of jazz pianist Don Shirley) / has left an **enduring** *impression* on me.

(재즈 피아니스트 Don Shirley의) 인생 이야기는 / 나에게 오래 가는 인상을 남겼다

어휘 impression 몡 인상, 감명

08 The city spent many months / repairing the **destroyed** *roads and bridges*.

그 도시는 수개월을 들였다 / 파손된 도로들과 다리들을 수리하는 데 → 그 도시는 파손된 도로들과 다리들을 수리하는 데 수개월을 들였다.

어휘 repair 동 수리하다, 고치다

09 The rescue workers had to be careful of **falling** *rocks* / while they searched for survivors.

구조대원들은 떨어지는 바위들을 조심해야 했다 / 그들이 생존자들을 수색하는 동안
→ 구조대원들은 생존자들을 수색하는 동안 떨어지는 바위들을 조심해야 했다.

어휘 rescue worker 몡 구조대원 search for ~을 수색하다, 찾다 survivor 몡 생존자

10 The **collected** *funds* and **donated** *items* / will go to local homeless shelters. <모의>

모인 기금과 기부된 물품들은 / 지역 노숙자 보호소로 갈 것이다

어휘 local 혱 지역의 homeless 혱 노숙자의 shelter 몡 보호소

11 The ability (to reason) / is what makes humans different / from other **living** *creatures*.

(사고하는) 능력은 / 인간을 다르게 만드는 것이다 / 다른 살아있는 생명체와 → 사고하는 능력은 인간을 다른 살아있는 생명체와 다르게 만드는 것이다.
❍ to부정사 to reason은 ability를 꾸며주는 형용사적 용법으로 쓰였다.
❍ what ~ creatures는 문장에서 주격 보어 역할을 하는 명사절이다.
❍ 「make+목적어(humans)+목적격 보어(different ~ creatures)」의 구조이다.

어휘 ability 몡 능력 reason 동 사고하다, 추리하다 creature 몡 생명체, 창조물

고난도
12 Because of the **extended** *influence (of lookism)*, / a **growing** *number* of people /

are trying to lose weight or have plastic surgery. <모의응용>

(외모지상주의의) 확대된 영향력 때문에 / 증가하는 수의 사람들이 / 몸무게를 줄이거나 성형 수술을 하려고 노력하고 있다
❍ 「try+to-v」는 '~하려고 노력하다'라고 해석한다. cf. 「try+v-ing」: (시험 삼아) ~해보다
❍ lose와 have가 등위접속사 or로 연결되어 있으며, are trying의 목적어 역할을 하는 to부정사의 동사원형에 해당한다.

어휘 influence 몡 영향력 plastic surgery 몡 성형 수술

UNIT 55 명사를 뒤에서 꾸며주는 분사 해석하기

본책 p.98

01 *Students* (**studying** overseas) / need to overcome / homesickness and loneliness. <모의>

(해외에서 공부하는) 학생들은 / 극복해야 한다 / 향수병과 외로움을 → 해외에서 공부하는 학생들은 향수병과 외로움을 극복해야 한다.
❍ to부정사구 to overcome ~ loneliness는 동사 need의 목적어로 쓰였다.

어휘 overseas 閉 해외에서 overcome 동 극복하다, 이겨내다 homesickness 몡 향수병, 고향을 몹시 그리워함

02 Generally, / *people* (**skilled** at persuading others) / tend to excel in debates.

일반적으로 / (다른 사람들을 설득하는 데 숙련된) 사람들은 / 토론에 뛰어난 경향이 있다

어휘 persuade [동] 설득하다 excel [동] 뛰어나다, 탁월하다 debate [명] 토론

03 I tried to utilize / *the recipe* (**created** by my grandmother).

나는 활용하려고 노력했다 / (나의 할머니에 의해 만들어진) 요리법을 → 나는 나의 할머니에 의해 만들어진 요리법을 활용하려고 노력했다.

「try+to-v」는 '~하려고 노력하다'라고 해석한다. cf. 「try+v-ing」: (시험 삼아) ~해보다

어휘 utilize [동] 활용하다 recipe [명] 요리법

04 Martin must return / *the laptop* (**borrowed** from school) / before the vacation starts.

Martin은 반납해야 한다 / (학교에서 대여된) 노트북을 / 방학이 시작되기 전에 → Martin은 방학이 시작되기 전에 학교에서 대여된 노트북을 반납해야 한다.

어휘 laptop [명] 노트북, 휴대용 컴퓨터 vacation [명] 방학, 휴가

05 *All of the cakes and pies* (**served** at this restaurant) / are 100 percent organic and vegan.

(이 식당에서 제공되는) 케이크와 파이 모두는 / 100퍼센트 유기농이고 식물성이다

어휘 organic [형] 유기농의 vegan [형] 식물성의, 채식의

06 I believe / *teachers* (**educating** young children) / deserve more respect and recognition.

나는 생각한다 / (어린 아이들을 교육하는) 선생님들이 / 더 많은 존경과 인정을 받을 만하다고
→ 나는 어린 아이들을 교육하는 선생님들이 더 많은 존경과 인정을 받을 만하다고 생각한다.

believe 와 teachers 사이에는 명사절 접속사 that이 생략되어 있다.

어휘 deserve [동] ~을 받을 만하다 respect [명] 존경 recognition [명] 인정, 인식

07 *The artifacts* (**discovered** in the temple) / were crafted by the ancient Greeks.

(그 사원에서 발견된) 유물들은 / 고대 그리스인들에 의해 만들어졌다

어휘 artifact [명] 유물, 인공물 craft [동] (세밀하게) 만들다 ancient [형] 고대의

08 The picture of *dancers* (**wearing** traditional Korean clothes) / went viral / on the Internet.

(전통 한복을 입고 있는) 무용수들의 사진은 / 퍼져나갔다 / 인터넷에서 → 전통 한복을 입고 있는 무용수들의 사진은 인터넷에서 퍼져나갔다.

어휘 traditional [형] 전통의

09 Judy has always wanted to work / for *an international organization* (**helping** people in need). <모의응용>

Judy는 일하는 것을 항상 원해왔다 / (도움이 필요한 사람들을 돕는) 국제기관에서
→ Judy는 도움이 필요한 사람들을 돕는 국제기관에서 일하는 것을 항상 원해왔다.

to부정사구 to work ~ in need는 동사 has wanted의 목적어로 쓰였다.

어휘 international organization 국제기관 in need 도움이 필요한, 어려움에 처한

10 *Crimes* (**committed** by minors) / are treated differently / than *those* (**committed** by adults).

(미성년자들에 의해 저질러진) 범죄들은 / 다르게 취급된다 / (성인들에 의해 저질러진) 것들과는
→ 미성년자들에 의해 저질러진 범죄들은 성인들에 의해 저질러진 것들과는 다르게 취급된다.

⊙ crimes 대신 대명사 those가 쓰였다.

어휘 commit [동] 저지르다, 범하다 minor [명] 미성년자 [형] 작은, 가벼운 treat [동] 취급하다, 대하다

[고난도]
11 In 1665, / Robert Hooke wrote / *a book* (**describing** *observations* (**made** with microscopes and telescopes)). <모의응용>

1665년에 / Robert Hooke는 썼다 / ((현미경과 망원경으로 된) 관측들을 묘사하는)) 책을
→ 1665년에, Robert Hooke는 현미경과 망원경으로 된 관측들을 묘사하는 책을 썼다.

⊙ 현재분사구 describing ~ telescopes는 book을 꾸며주고, 과거분사구 made ~ telescopes는 observations를 꾸며준다.

어휘 describe [동] 묘사하다, 설명하다 observation [명] 관측, 관찰 microscope [명] 현미경 telescope [명] 망원경

UNIT 56 감정을 나타내는 분사 해석하기

본책 p.99

01 My grandmother / liked to tell me **interesting** *stories* / at night. <수능>

나의 할머니는 / 나에게 흥미로운 이야기들을 해주는 것을 좋아하셨다 / 밤에 → 나의 할머니는 밤에 나에게 흥미로운 이야기들을 해주는 것을 좋아하셨다.

⊙ to부정사구 to tell ~ at night은 동사 liked의 목적어로 쓰였으며, like는 to부정사와 동명사를 모두 목적어로 가진다.

02 *Anyone* (**interested** in Slatford High School) / is welcome to tour the campus. <모의응용>

(Slatford 고등학교에 흥미가 있는) 누구나 / 캠퍼스를 견학해도 좋다

어휘 welcome [형] ~해도 좋은, 환영받는 tour [동] 견학하다, 관광하다 [명] 여행, 관광

03 When Grace heard the **shocking** *news*, / she did not know / what to say.

Grace가 그 충격적인 소식을 들었을 때 / 그녀는 몰랐다 / 무엇을 말할지를 → Grace가 그 충격적인 소식을 들었을 때, 그녀는 무엇을 말할지를 몰랐다.

⊙ 「what+to부정사」는 '무엇을 ~할지를'이라고 해석한다.

04 *Teenagers* (**bored** by TV and books) / are spending more time / on social media.

(TV와 책으로 인해 지루해하는) 십대들은 / 더 많은 시간을 소비하고 있다 / 소셜 미디어에
→ TV와 책으로 인해 지루해하는 십대들은 소셜 미디어에 더 많은 시간을 소비하고 있다.

어휘 teenager [명] 십대

05 A nervous first date / could become an **exciting** *night out* / with a new person. <모의>

긴장되는 첫 데이트는 / 신나는 밤 외출이 될 수 있다 / 새로운 사람과의 → 긴장되는 첫 데이트는 새로운 사람과의 신나는 밤 외출이 될 수 있다.

어휘 nervous [형] 긴장되는, 떨리는 night out 밤 외출

06 *Hundreds of baseball fans* (**satisfied** with the score) / happily left the ballpark.

(점수에 만족한) 수백 명의 야구팬들이 / 행복하게 야구장을 떠났다

07 The song [that the songwriter came up with] / had a **pleasing** *melody*.

[그 작곡가가 떠올린] 노래는 / 기분 좋게 하는 멜로디를 가지고 있었다

○ that ~ with는 song을 꾸며주는 목적격 관계대명사절이다.

어휘 come up with ~을 떠올리다, 생각해내다

08 The **exhausted** *runner* tried his best / but could not finish the marathon / in the end.

지친 주자는 최선을 다했다 / 그러나 마라톤을 완주할 수 없었다 / 결국 → 지친 주자는 최선을 다했지만 결국 마라톤을 완주할 수 없었다.

○ 동사 tried와 could not finish가 등위접속사 but으로 연결되어 병렬 구문을 이룬다.

어휘 in the end 결국, 마침내

고난도
09 Many of the passengers complained / about the **confusing** *directions* (*for buying tickets*

on the airline's website).

승객들 중 다수가 불평했다 / (항공사의 웹사이트에서 표를 구매하는 것에 관한) 혼란스러운 안내문에 대해

→ 승객들 중 다수가 항공사의 웹사이트에서 표를 구매하는 것에 관한 혼란스러운 안내문에 대해 불평했다.

어휘 complain 圐 불평하다, 항의하다   direction 圐 안내문, 방향

어법
10 The **touching** *story* made / everyone cry.

그 감동적인 이야기는 만들었다 / 모두가 울도록 → 그 감동적인 이야기는 모두가 울도록 만들었다.

○ 「make+목적어(everyone)+목적격 보어(cry)」의 구조이다.

정답 touching
해설 이야기는 감동을 일으키는 원인이므로, 현재분사 touching이 정답이다.

어법
11 I explained / how to get to the subway station / to the **confused** *tourist*.

나는 설명했다 / 어떻게 지하철 역에 갈지를 / 그 혼란스러워하는 관광객에게 → 나는 그 혼란스러워하는 관광객에게 어떻게 지하철 역에 갈지를 설명했다.

○ 「how+to부정사」는 '어떻게 ~할지를'이라고 해석한다.

정답 confused
해설 관광객은 혼란스러움을 느끼는 주체이므로, 과거분사 confused가 정답이다.

어휘 tourist 圐 관광객, 여행객

Chapter Test

본책 p.100

01 *The first thing* (**to do** *before moving*) / is to find *an apartment* (**to live in**).

(이사하기 전에 할) 첫 번째 일은 / (살) 아파트를 찾는 것이다

○ to부정사구 to find ~ live in은 문장에서 주격 보어 역할을 하고 있다.

02 *The statue* (**standing** *in front of the public museum*) / will be removed / in October.

(공립 박물관 앞에 서 있는) 조각상은 / 철거될 것이다 / 10월에 → 공립 박물관 앞에 서 있는 조각상은 10월에 철거될 것이다.

어휘 statue 圐 조각상   remove 圐 철거하다, 없애다

03 Restoring the **ruined** *painting* / may require a considerable amount of time and effort.

그 망가진 그림을 복구하는 것은 / 상당한 양의 시간과 노력을 필요로 할 수도 있다

● 동명사구 Restoring ~ painting은 문장에서 주어 역할을 하고 있다.

어휘 restore [동] 복구하다 require [동] 필요로 하다 considerable [형] 상당한, 많은

04 The location (of Cleopatra's tomb) / remains a **puzzling** *mystery* / for historians.

(클레오파트라의 무덤의) 위치는 / 헷갈리게 하는 수수께끼로 남아있다 / 사학자들에게

→ 클레오파트라의 무덤의 위치는 사학자들에게 헷갈리게 하는 수수께끼로 남아있다.

어휘 location [명] 위치 historian [명] 사학자

05 Edward needed / *some more time* (**to read** materials (for his research project)).

Edward는 필요했다 / ((그의 연구 프로젝트를 위한) 자료를 읽을) 조금 더 많은 시간이

→ Edward는 그의 연구 프로젝트를 위한 자료를 읽을 조금 더 많은 시간이 필요했다.

어휘 material [명] 자료, 물질 research [명] 연구

06 *People* (**exposed** to the fumes (from the gas leak)) / should go to the hospital promptly.

((가스 누출로 인한) 연기에 노출된) 사람들은 / 즉시 병원에 가야 한다

어휘 expose [동] 노출시키다 fumes [명] 연기, 매연 promptly [부] 즉시, 신속하게

07 Brian always carries a **walking stick** with him / when he goes on a hike.

Brian은 항상 지팡이를 가지고 다닌다 / 그가 도보 여행을 갈 때 → Brian은 그가 도보 여행을 갈 때 항상 지팡이를 가지고 다닌다.

● walking stick은 「동명사+명사」로 이루어진 복합명사로, '지팡이'라는 의미이다.

어휘 go on a hike 도보 여행을 가다, 하이킹을 가다

08 Readers agreed / that the Harry Potter series had a **satisfying** *conclusion*.

독자들은 동의했다 / 해리 포터 시리즈가 만족스러운 결말을 가졌다는 것에 → 독자들은 해리 포터 시리즈가 만족스러운 결말을 가졌다는 것에 동의했다.

어휘 conclusion [명] 결말, 결론

09 *The man* (**suspected** of last night's robbery) / has been caught / by the police.

(어젯밤의 강도 사건의 혐의를 받는) 남자가 / 잡혔다 / 경찰에 의해 → 어젯밤의 강도 사건의 혐의를 받는 남자가 경찰에 의해 잡혔다.

● suspect A of B는 'A의 혐의를 B에게 두다'라고 해석한다.

어휘 suspect [동] 혐의를 두다 robbery [명] 강도 (사건)

10 *The medicine* (**to relieve** the pain) / was not working as well as expected.

(고통을 완화시키는) 약은 / 예상한 만큼 잘 듣지 않고 있었다

● 「as+형용사/부사의 원급+as expected」는 '예상한 만큼 ~한/하게'이라고 해석한다.

어휘 relieve [동] 완화시키다, 줄이다

11 *Students* (**taking** the test) / will need *some paper* (**to write on**) / for the math section.

(그 시험을 치르는) 학생들은 / (쓸) 종이가 조금 필요할 것이다 / 수리 영역에서 → 그 시험을 치르는 학생들은 수리 영역에서 쓸 종이가 조금 필요할 것이다.

어휘 section [명] 영역, 구역

12 *Those* (**nominated** for an award tonight) / must arrive at the ceremony / before 5:30 P.M.

(오늘 밤 상에 지명된) 사람들은 / 시상식에 도착해야 한다 / 오후 5시 30분 전에 → 오늘 밤 상에 지명된 사람들은 오후 5시 30분 전에 시상식에 도착해야 한다.

○ Those는 '(~하는) 사람들'이라고 해석하며, nominated 앞에 관계대명사 who와 be동사 are가 생략된 것으로 볼 수 있다.

어휘 nominate 图 지명하다, 임명하다   ceremony 图 시상식, 의식

고난도
13 *Highly intelligent animals* (**stuck** in small cages) / often show signs (of severe

depression).

(작은 우리에 갇힌) 고도의 지능을 지닌 동물들은 / 종종 (극심한 우울의) 증상들을 보인다

어휘 intelligent 图 지능을 지닌, 총명한   severe 图 극심한, 심각한   depression 图 우울

고난도
14 It was once considered / an **amazing** *achievement* / to reach the summit of Mt. Everest.

<모의>

한때 여겨졌다 / 놀라운 업적으로 / 에베레스트산의 정상에 오르는 것은 → 에베레스트산의 정상에 오르는 것은 한때 놀라운 업적으로 여겨졌다.

○ 「consider+가목적어(it)+목적격 보어(an amazing achievement)+진목적어(to reach ~ Mt. Everest)」의 구조가 수동태로 바뀐 문장이다.

어휘 achievement 图 업적, 성취   summit 图 정상, 정점

고난도
15 **Frozen** *meals*, **carbonated** *drinks*, and other **processed** *foods* / are high in calories /

but contain little nutrition.

냉동된 식사, 탄산이 든 음료, 그리고 그 밖의 가공된 음식들은 / 칼로리가 높다 / 그러나 영양분이 거의 없다
→ 냉동된 식사, 탄산이 든 음료, 그리고 그 밖의 가공된 음식들은 칼로리가 높지만 영양분이 거의 없다.

○ 동사 are와 contain이 등위접속사 but으로 연결되어 병렬 구문을 이룬다.
○ little은 '거의 없는'이라는 의미의 부정어이며, 셀 수 없는 명사 앞에 온다.

어휘 carbonate 图 탄산을 포화시키다   process 图 가공하다, 처리하다   nutrition 图 영양분

CHAPTER 10 부사 역할을 하는 수식어구

UNIT 57 다양한 의미를 나타내는 to부정사 해석하기 I

본책 p.102

01 Amanda traveled around the world / **to collect** material for her novel.

Amanda는 전 세계를 여행했다 / 그녀의 소설을 위한 소재를 모으기 위해 → Amanda는 그녀의 소설을 위한 소재를 모으기 위해 전 세계를 여행했다.

◐ = Amanda traveled around the world **in order to[so as to] collect** material for her novel.

어휘 material 뗑 소재, 재료

02 Dylan moved to the country / **to take care of** his aging grandmother.

Dylan은 시골로 이사를 갔다 / 그의 늙어가는 할머니를 보살피기 위해 → Dylan은 그의 늙어가는 할머니를 보살피기 위해 시골로 이사를 갔다.

◐ = Dylan moved to the country **in order to[so as to] take care of** his aging grandmother.

어휘 take care of ~을 보살피다 age 통 늙어가다, 나이가 들다

03 The scientist carried out a series of experiments / **in order to prove** his hypothesis.

그 과학자는 일련의 실험들을 했다 / 그의 가설을 증명하기 위해 → 그 과학자는 그의 가설을 증명하기 위해 일련의 실험들을 했다.

어휘 carry out (수행)하다 experiment 뗑 실험 prove 통 증명하다 hypothesis 뗑 가설

04 I signed up for the membership program / **to get** free shipping / on every order.

나는 회원제에 가입했다 / 무료 배송을 받기 위해 / 모든 주문에 → 나는 모든 주문에 무료 배송을 받기 위해 회원제에 가입했다.

◐ = I signed up for the membership program **in order to[so as to] get** free shipping on every order.

어휘 sign up 가입하다 shipping 뗑 배송, 운송 order 뗑 주문, 명령

05 We made the builders only work during the daytime / **so as not to disturb** our neighbors.

우리는 건설업자들이 낮 동안만 일하게 했다 / 우리의 이웃들을 방해하지 않기 위해
→ 우리는 우리의 이웃들을 방해하지 않기 위해 건설업자들이 낮 동안만 일하게 했다.

◐ 「make+목적어(the builders)+목적격 보어(only work ~ daytime)」의 구조이다.

어휘 daytime 뗑 낮, 주간 disturb 통 방해하다, 귀찮게 하다

^{고난도}
06 Newborn animals huddle together / into a ball shape [that minimizes exposed surfaces] / **so as to keep** themselves warm. <모의응용>

갓 태어난 동물들은 함께 모인다 / [노출되는 표면을 최소화하는] 공 모양으로 / 그들 자신들을 따뜻하게 유지하기 위해
→ 갓 태어난 동물들은 그들 자신들을 따뜻하게 유지하기 위해 노출되는 표면을 최소화하는 공 모양으로 함께 모인다.

◐ that ~ surfaces는 shape를 꾸며주는 주격 관계대명사절이다.
◐ 「keep+목적어(themselves)+목적격 보어(warm)」의 구조이다.

어휘 newborn 뗑 갓 태어난 minimize 통 최소화하다, 줄이다 surface 뗑 표면

07 We are pleased / **to introduce** our company's new healthcare product. <모의응용>

저희는 기쁩니다 / 저희 회사의 새로운 건강 관리 제품을 소개하게 되어 → 저희 회사의 새로운 건강 관리 제품을 소개하게 되어 기쁩니다.

어휘 healthcare 뗑 건강 관리, 보건 진료 product 뗑 제품, 상품

08 The band was very happy / **to have** its first concert.

그 밴드는 매우 기뻤다 / 그것의 첫 콘서트를 하게 되어 → 그 밴드는 첫 콘서트를 하게 되어 매우 기뻤다.

09 Molly was surprised / **to learn** / that she had received / a full scholarship for college.

Molly는 놀랐다 / 알게 되어 / 그녀가 받았었다는 것을 / 대학교 전액 장학금을 → Molly는 그녀가 대학교 전액 장학금을 받았었다는 것을 알게 되어 놀랐다.

○ that ~ college는 to부정사 to learn의 목적어 역할을 하는 명사절이다.

어휘 scholarship 圆 장학금

10 I felt embarrassed / **to find out** / I had made some spelling mistakes / in my essay.

나는 당황스럽게 느꼈다 / 발견해서 / 내가 몇 가지 맞춤법 실수를 했다는 것을 / 나의 에세이에
→ 나는 나의 에세이에 몇 가지 맞춤법 실수를 했다는 것을 발견해서 당황스럽게 느꼈다.

○ find out과 I 사이에는 명사절 접속사 that이 생략되어 있다.

11 The tourists were disappointed / **to discover** / that the art gallery was closed / for the day.

관광객들은 실망했다 / 알게 되어 / 그 미술관이 닫았다는 것을 / 그날은 → 관광객들은 그 미술관이 그날은 닫았다는 것을 알게 되어 실망했다.

○ that ~ day는 to부정사 to discover의 목적어 역할을 하는 명사절이다.

어휘 discover 圄 알다

고난도
12 For eight years, / the Asian Ethnic Festival has been proud / **to share** the cultures (of over ten Asian ethnic groups) / at Freedom Festival Park. <모의>

8년 동안 / 아시아 민족 축제는 자랑스러워해 왔다 / (10개가 넘는 아시아 민족들의) 문화를 공유하게 되어 / 자유 축제 공원에서
→ 8년 동안, 아시아 민족 축제는 자유 축제 공원에서 10개가 넘는 아시아 민족들의 문화를 공유하게 되어 자랑스러워해 왔다.

어휘 ethnic 阌 민족의

13 You were foolish / **to invest** in real estate / when you needed constant access to your money. <모의응용>

너는 어리석었다 / 부동산에 투자하다니 / 네가 너의 돈의 지속적인 이용이 필요했을 때
→ 네가 너의 돈의 지속적인 이용이 필요했을 때 부동산에 투자하다니 너는 어리석었다.

어휘 invest 圄 투자하다 real estate 圆 부동산 access to ~에의 이용, 접근

14 Sean was wise / **to start** saving / for retirement / early on in his career.

Sean은 현명했다 / 저축을 시작한 것을 보니 / 은퇴를 대비해 / 그의 경력 초창기에
→ 경력 초창기에 은퇴를 대비해 저축을 시작한 것을 보니 Sean은 현명했다.

○ 동명사구 saving for retirement는 to부정사 to start의 목적어로 쓰였으며, start는 동명사와 to부정사를 모두 목적어로 가진다.

어휘 retirement 圆 은퇴 career 圆 경력, 진로

15 I was selfish / **not to have thought about** other people's feelings.

나는 이기적이었다 / 다른 사람들의 기분에 대해 생각해본 적이 없다니 → 다른 사람들의 기분에 대해 생각해본 적이 없다니 나는 이기적이었다.

○ to부정사가 「to have+p.p.」와 같은 완료형으로 쓰이면 주절의 시제보다 앞선 시점에 일어난 일임을 나타낸다.

16 You must be clever / **to figure out** the theme (of the crossword puzzle) / so quickly.

너는 똑똑함이 틀림없다 / (그 십자말풀이의) 주제를 알아내다니 / 그렇게 빨리 → 그렇게 빨리 그 십자말풀이의 주제를 알아내다니 너는 똑똑함이 틀림없다.

어휘 figure out 알아내다, 이해하다 theme 圆 주제, 테마

17 Amy felt / that she was lucky / **to have** someone (to lean on) / when she was feeling down. <모의응용>

Amy는 느꼈다 / 그녀가 운이 좋았다고 / (의지할) 누군가가 있다니 / 그녀가 기분이 우울했을 때
→ Amy는 그녀가 기분이 우울했을 때 의지할 누군가가 있다니 운이 좋았다고 느꼈다.

○ to부정사구 to lean on은 someone을 꾸며주는 형용사적 용법으로 쓰였다.

어휘 lean on 의지하다, 기대다

[고난도]
18 Albert Einstein must have been brilliant / **to realize** / that mass affects the fabric (of space and time).

알버트 아인슈타인은 뛰어났음이 틀림없다 / 인식한 것을 보니 / 질량이 (공간과 시간의) 구조에 영향을 미친다는 것을
→ 질량이 공간과 시간의 구조에 영향을 미친다는 것을 인식한 것을 보니 알버트 아인슈타인은 뛰어났음이 틀림없다.

- 과거에 대한 추측을 나타내는 「must+have+p.p.」는 '~했음이 틀림없다'라고 해석한다.
- that ~ time은 to부정사 to realize의 목적어 역할을 하는 명사절이다.

어휘 brilliant [형] 뛰어난 realize [동] 인식하다, 깨닫다 affect [동] 영향을 미치다 mass [명] 질량, 덩어리

UNIT 58 다양한 의미를 나타내는 to부정사 해석하기 II

본책 p.104

01 Children (living in a house (filled with games)) / grow up **to be** smart strategists. <모의응용>

((게임들로 가득 찬) 집에서 사는) 아이들은 / 자라서 똑똑한 전략가들이 된다

- 현재분사구 living ~ games는 Children을 꾸며주고, 과거분사구 filled ~ games는 house를 꾸며준다.

어휘 strategist [명] 전략가

02 Andrea's grandparents lived **to see** / her settle down and get married.

Andrea의 조부모님은 살아서 봤다 / 그녀가 정착하고 결혼하는 것을 → Andrea의 조부모님은 살아서 그녀가 정착하고 결혼하는 것을 봤다.

- settle과 get이 등위접속사 and로 연결되어 있으며, see의 목적격 보어 역할을 하는 원형부정사에 해당한다.

어휘 settle down 정착하다, 진정하다

03 The young Dutch boy / grew up **to be** / one of the most renowned painters / in history.

그 어린 네덜란드 남자아이는 / 자라서 되었다 / 가장 유명한 화가들 중 한 명이 / 역사상
→ 그 어린 네덜란드 남자아이는 자라서 역사상 가장 유명한 화가들 중 한 명이 되었다.

- 「the+최상급」은 '가장 ~한/하게'라고 해석한다.

어휘 renowned [형] 유명한, 명성 있는

04 They got to the campground, / only **to discover** / they had forgotten their tent.

그들은 캠핑장에 도착했다 / 그러나 알게 되었다 / 그들이 그들의 텐트를 잊어버렸었다는 것을
→ 그들은 캠핑장에 도착했으나 그들의 텐트를 잊어버렸었다는 것을 알게 되었다.

- discover과 they 사이에는 명사절 접속사 that이 생략되어 있다.

[고난도]
05 Some of the villagers have reported / that they woke up **to find** / their houses and cars covered in spray paint.

마을 사람들 중 몇몇이 제보했다 / 그들이 깨어나서 발견했다고 / 그들의 집과 차가 스프레이 페인트에 뒤덮인 것을
→ 마을 사람들 중 몇몇이 그들이 깨어나서 그들의 집과 차가 스프레이 페인트에 뒤덮인 것을 발견했다고 제보했다.

- that ~ paint는 문장에서 목적어 역할을 하는 명사절이다.
- 「find+목적어(their ~ cars)+목적격 보어(covered ~ paint)」의 구조이다.

어휘 villager [명] 마을 사람, 주민

06 **To hear** her speak English, / you would think / that she was American.

그녀가 영어로 말하는 것을 듣는다면 / 너는 생각할 것이다 / 그녀가 미국인이라고
→ 그녀가 영어로 말하는 것을 듣는다면, 너는 그녀가 미국인이라고 생각할 것이다.

- ← If you heard her speak English, you would think that she was American.
- 「hear+목적어(her)+목적격 보어(speak English)」의 구조이다.
- that ~ American은 동사 would think의 목적어 역할을 하는 명사절이다.

07 **To see** her dance, / you would consider / that she was a professional dancer.

그녀가 춤추는 것을 본다면 / 너는 생각할 것이다 / 그녀가 전문 무용수라고 → 그녀가 춤추는 것을 본다면, 너는 그녀가 전문 무용수라고 생각할 것이다.

- ← If you saw her dance, you would consider that she was a professional dancer.
- 「see+목적어(her)+목적격 보어(dance)」의 구조이다.
- that ~ dancer는 동사 would consider의 목적어 역할을 하는 명사절이다.

08 **To hear** him tell the story (about his trip to Korea), / you would never know / that he had only been here once.

그가 (한국으로의 그의 여행에 대한) 이야기를 하는 것을 듣는다면 / 너는 결코 알지 못할 것이다 / 그가 여기에 단 한 번 방문해봤다는 것을
→ 그가 한국으로의 그의 여행에 대한 이야기를 하는 것을 듣는다면, 너는 그가 여기에 단 한 번 방문해봤다는 것을 결코 알지 못할 것이다.

- ← If you heard him tell the story about his trip to Korea, you would never know that he had only been here once.
- 「hear+목적어(him)+목적격 보어(tell ~ Korea)」의 구조이다.
- that ~ once는 동사 would ~ know의 목적어 역할을 하는 명사절이다.

[고난도]
09 **To see** the rising number of doctors, / you would say / that people must be consulting medical practitioners / at every opportunity. <모의응용>

증가하는 의사들의 수를 본다면 / 너는 말할 것이다 / 사람들이 의료계 종사자들에게 진찰받고 있음이 틀림없다고 / 기회가 있을 때마다
→ 증가하는 의사들의 수를 본다면, 너는 사람들이 기회가 있을 때마다 의료계 종사자들에게 진찰받고 있음이 틀림없다고 말할 것이다.

- ← If you saw the rising number of doctors, you would say that people must be consulting medical practitioners at every opportunity.
- that ~ opportunity는 동사 would say의 목적어 역할을 하는 명사절이다.

어휘 consult [동] 진찰받다, 상담하다 at every opportunity 기회가 있을 때마다

10 Some environmental hazards are difficult **to avoid** / at the individual level. <수능응용>

몇몇 환경적인 위험은 피하기에 어렵다 / 개인적인 수준에서 → 몇몇 환경적인 위험은 개인적인 수준에서 피하기에 어렵다.

어휘 environmental [형] 환경적인 hazard [명] 위험 individual [형] 개인적인

11 A fireplace is pleasant **to sit beside** / on a cold winter's night.

벽난로는 옆에 앉기에 좋다 / 추운 겨울날의 밤에 → 벽난로는 추운 겨울날의 밤에 옆에 앉기에 좋다.

12 This program is easy **to install** / if you follow the instructions carefully.

이 프로그램은 설치하기에 쉽다 / 만약 네가 설명서를 주의 깊게 따른다면 → 만약 네가 설명서를 주의 깊게 따른다면 이 프로그램은 설치하기에 쉽다.

13 Life (in a foreign country) / can be hard **to adjust to** / in the beginning.

(외국에서의) 생활은 / 적응하기에 어려울 수 있다 / 처음에는 → 외국에서의 생활은 처음에는 적응하기에 어려울 수 있다.

어휘 adjust [동] 적응하다

14 A number of new features / will make the application more convenient **to use**.

수많은 새로운 기능들이 / 그 애플리케이션을 사용하기에 더 편리하게 만들 것이다

- 「make+목적어(the application)+목적격 보어(more ~ use)」의 구조이다.

어휘 feature [명] 기능, 특징

15 Some berries are dangerous **to eat** / and may cause serious illness.

어떤 산딸기류 열매들은 먹기에 위험하다 / 그리고 심각한 병을 유발할 수도 있다 → 어떤 산딸기류 열매들은 먹기에 위험하고 심각한 병을 유발할 수도 있다.

- 동사 are와 may cause가 등위접속사 and로 연결되어 병렬 구문을 이룬다.

어휘 illness [명] 병

16 Jokes (involving a play on words) / are virtually impossible **to translate** / into other

languages. <모의응용>

(말장난을 포함하는) 농담들은 / 사실상 번역하기에 불가능하다 / 다른 언어들로 → 말장난을 포함하는 농담들은 사실상 다른 언어들로 번역하기에 불가능하다.

◎ 현재분사구 involving ~ words는 Jokes를 꾸며준다.

어휘 virtually ⓤ 사실상, 실질적으로

UNIT 59 to부정사 구문 해석하기

본책 p.106

01 Certain things are **too** *important* / **to be wasted.** <모의>

어떤 것들은 너무 중요하다 / 낭비되기에 → 어떤 것들은 낭비되기에 너무 중요하다.

◎ ≒ Certain things are **so** *important* **that they can't be wasted.**
◎ to부정사가 의미상 주어(Certain things)와 수동 관계이므로 수동형이 쓰였다.

02 Hydrogen is *light* **enough** / **to escape** into space. <모의응용>

수소는 충분히 가볍다 / 우주로 새어 나갈 만큼 → 수소는 우주로 새어 나갈 만큼 충분히 가볍다.

◎ ≒ Hydrogen is **so** *light* **that it can escape** into space.

어휘 hydrogen ⓝ 수소 escape ⓥ 새어 나가다, 도망가다

03 The test was challenging / but not **so** *difficult* / **as to be** totally frustrating. <수능응용>

그 시험은 힘들었다 / 하지만 매우 어렵지는 않았다 / 완전히 좌절스럽게 할 만큼 → 그 시험은 힘들었지만 완전히 좌절스럽게 할 만큼 매우 어렵지는 않았다.

어휘 challenging ⓐ 힘든 totally ⓤ 완전히, 전적으로 frustrating ⓐ 좌절스럽게 하는

04 The man walked by **too** *quickly* / for me **to see** his face properly.

그 남자는 너무 빠르게 지나갔다 / 내가 그의 얼굴을 제대로 보기에 → 그 남자는 내가 그의 얼굴을 제대로 보기에 너무 빠르게 지나갔다.

◎ ≒ The man walked by **so** *quickly* **that I couldn't see** his face properly.
◎ to부정사구 to see ~ properly의 의미상 주어로 me가 쓰였다.

05 The cruise ship is *large* **enough** / **to accommodate** more than 5,000 passengers.

그 유람선은 충분히 크다 / 5,000명 이상의 승객들을 수용할 수 있을 만큼 → 그 유람선은 5,000명 이상의 승객들을 수용할 수 있을 만큼 충분히 크다.

◎ ≒ The cruise ship is **so** *large* **that it can accommodate** more than 5,000 passengers.

어휘 accommodate ⓥ 수용하다 passenger ⓝ 승객

06 The singer was **too** *famous* / **to go** outside / without being surrounded by fans.

그 가수는 너무 유명했다 / 밖에 나가기에 / 팬들에게 둘러싸이지 않고서 → 그 가수는 팬들에게 둘러싸이지 않고서 밖에 나가기에 너무 유명했다.

◎ ≒ The singer was **so** *famous* **that he couldn't go** outside without being surrounded by fans.

07 All of us [who pursue our dreams] / are not **so** *reckless* / **as to do** something dangerous. <모의>

[우리의 꿈을 좇는] 우리 모두는 / 매우 무모하지 않다 / 위험한 무언가를 할 만큼 → 꿈을 좇는 우리 모두는 위험한 무언가를 할 만큼 매우 무모하지 않다.

◎ who ~ dreams는 us를 꾸며주는 주격 관계대명사절이다.

어휘 pursue ⓥ 좇다, 추구하다 reckless ⓐ 무모한, 무분별한

08 My friends laughed *loudly* **enough** / **to be heard** / through the closed door.

나의 친구들은 충분히 크게 웃었다 / 들릴 만큼 / 닫힌 문을 통해 → 나의 친구들은 닫힌 문을 통해 들릴 만큼 충분히 크게 웃었다.

○ ≒ My friends laughed **so** *loudly* **that they could be heard** through the closed door.

○ to부정사가 의미상 주어(My friends)와 수동 관계이므로 수동형이 쓰였다.

고난도
09 Just a year ago, / Luther was **so** *reasonable* / **as to be considered** completely unimaginative.

겨우 1년 전에 / Luther는 매우 이성적이었다 / 완전히 상상력이 없다고 생각될 만큼

→ 겨우 1년 전에, Luther는 완전히 상상력이 없다고 생각될 만큼 매우 이성적이었다.

어휘 reasonable ⑱ 이성적인, 논리적인 unimaginative ⑱ 상상력이 없는, 사무적인

UNIT 60 다양한 의미를 나타내는 분사구문 해석하기 I

본책 p.107

01 **Watching** her son get carried away in an ambulance, / she took a deep breath. <모의>

그녀의 아들이 구급차에 실려 가는 것을 보면서 / 그녀는 심호흡을 했다

○ = **As** she watched her son get carried away in an ambulance, she took a deep breath.

○ 「watch+목적어(her son)+목적격 보어(get carried ~ ambulance)」의 구조이다.

02 **Opening** the refrigerator, / Timothy pulled out a bottle of orange juice.

냉장고를 열고 나서 / Timothy는 오렌지 주스 한 병을 꺼냈다

○ = Timothy opened the refrigerator, **and** he pulled out a bottle of orange juice.

03 **Waiting** in line to buy tickets, / Maria watched a video (playing on the billboard).

표를 사기 위해 줄을 서 있는 동안 / Maria는 (광고판에서 재생되고 있는) 영상을 봤다

○ = **While** Maria waited in line to buy tickets, she watched a video playing on the billboard.

○ to부정사구 to buy tickets는 목적을 나타내는 부사적 용법으로 쓰였다.

○ 현재분사구 playing ~ billboard는 video를 꾸며준다.

04 **Seeing** the large dog (coming his way), / the little boy ran / inside his house.

(그의 방향으로 오는) 큰 개를 보자마자 / 그 작은 남자아이는 달려갔다 / 그의 집 안으로

→ 그의 방향으로 오는 큰 개를 보자마자, 그 작은 남자아이는 그의 집 안으로 달려갔다.

○ = **As soon as** the little boy saw the large dog coming his way, he ran inside his house.

○ 「see+목적어(the large dog)+목적격 보어(coming his way)」의 구조이다.

○ 현재분사구 coming his way는 dog를 꾸며준다.

05 **Listening to** both sides (of the argument), / the judge ruled / in favor of the defendant.

(그 논쟁의) 양측 의견을 듣고 난 후에 / 판사는 판결을 내렸다 / 피고에게 유리하게

→ 그 논쟁의 양측 의견을 듣고 난 후에, 판사는 피고에게 유리하게 판결을 내렸다.

○ = **After** the judge listened to both sides of the argument, he ruled in favor of the defendant.

어휘 argument ⑱ 의견, 논쟁 in favor of ~에게 유리하게, 찬성하여

06 **Arriving** at the airport in a hurry, / I realized / that I had left my passport at home.

서둘러 공항에 도착했을 때 / 나는 깨달았다 / 내가 집에 나의 여권을 두고 왔었다는 것을

→ 서둘러 공항에 도착했을 때, 나는 집에 나의 여권을 두고 왔었다는 것을 깨달았다.

○ = **When** I arrived at the airport in a hurry, I realized that I had left my passport at home.

○ that ~ at home은 문장에서 목적어 역할을 하는 명사절이다.

07 **Hearing** the fire alarm go off, / the students left the classroom immediately.

화재경보기가 울리는 것을 듣자마자 / 학생들은 즉시 교실을 떠났다

❍ = **As soon as** the students heard the fire alarm go off, they left the classroom immediately.

❍ 「hear+목적어(the fire alarm)+목적격 보어(go off)」의 구조이다.

어휘 immediately 🖹 즉시

08 **Understanding** the question at last, / Charlie raised his hand / to answer it.

마침내 그 문제를 이해하고 나서 / Charlie는 그의 손을 들었다 / 그것에 답하기 위해

→ 마침내 그 문제를 이해하고 나서, Charlie는 그것에 답하기 위해 그의 손을 들었다.

❍ = Charlie understood the question at last, **and** he raised his hand to answer it.

❍ to부정사구 to answer it은 목적을 나타내는 부사적 용법으로 쓰였다.

09 Thanks to modern technology, / people can talk to each other / in real time, / **using** a palm-sized phone. <수능응용>

현대 기술 덕분에 / 사람들은 서로에게 이야기할 수 있다 / 실시간으로 / 손바닥 크기의 전화기를 사용하면서

→ 현대 기술 덕분에, 사람들은 손바닥 크기의 전화기를 사용하면서 서로에게 실시간으로 이야기할 수 있다.

❍ = Thanks to modern technology, people can talk to each other in real time, **as** they use a palm-sized phone.

어휘 real time 🖹 실시간, 동시   palm-sized 🖹 손바닥 크기인

UNIT 61 다양한 의미를 나타내는 분사구문 해석하기 II

본책 p.108

01 **Wanting** to go home early, / Thomas worked diligently / to finish his report.

집에 일찍 가는 것을 원했기 때문에 / Thomas는 부지런히 일했다 / 그의 보고서를 끝내기 위해

→ Thomas는 집에 일찍 가는 것을 원했기 때문에, 그의 보고서를 끝내기 위해 부지런히 일했다.

❍ = **Because/Since/As** Thomas wanted to go home early, he worked diligently to finish his report.

❍ to부정사구 to finish his report는 목적을 나타내는 부사적 용법으로 쓰였다.

어휘 diligently 🖹 부지런히, 성실하게

02 **Not knowing** what to say, / Shaun just looked into the crowd. <모의응용>

무엇을 말할지를 알지 못했기 때문에 / Shaun은 그저 사람들을 살펴보기만 했다

❍ = **Because/Since/As** Shaun didn't know what to say, he just looked into the crowd.

❍ 「what+to부정사」는 '무엇을 ~할지'라고 해석한다.

어휘 look into ~을 살펴보다, 들여다보다

03 **Planting** seeds in the garden now, / we will have fresh vegetables / by next month.

만약 지금 정원에 씨앗을 심는다면 / 우리는 신선한 야채를 얻을 것이다 / 다음 달 무렵에

→ 만약 지금 정원에 씨앗을 심는다면, 우리는 다음 달 무렵에 신선한 야채를 얻을 것이다.

❍ = **If** We plant seeds in the garden now, we will have fresh vegetables by next month.

어휘 plant 🖹 심다, 가꾸다

04 **Admitting** he did not know the cause (of the rash), / the doctor tried his best / to treat me.

비록 그가 (발진의) 원인을 알지 못한다고 인정했지만 / 그 의사는 최선을 다했다 / 나를 치료하기 위해

→ 비록 발진의 원인을 알지 못한다고 인정했지만, 그 의사는 나를 치료하기 위해 최선을 다했다.

❍ = **Although/Though** the doctor admitted he did not know the cause of the rash, he tried his best to treat me.

❍ Admitting과 he 사이에는 명사절 접속사 that이 생략되어 있다.

○ to부정사구 to treat me는 목적을 나타내는 부사적 용법으로 쓰였다.

어휘 admit 图 인정하다　treat 图 치료하다, 다루다

05 **Taking up** yoga, / you will be able to improve / your endurance and sense of balance.
<모의응용>

만약 요가를 시작한다면 / 너는 향상시킬 수 있을 것이다 / 너의 지구력과 균형 감각을

→ 만약 요가를 시작한다면, 너는 너의 지구력과 균형 감각을 향상시킬 수 있을 것이다.

○ = **If** you take up yoga, you will be able to improve your endurance and sense of balance.

어휘 take up ~을 시작하다, 배우다　endurance 图 지구력, 인내력

06 **Leaving for** the trip early in the morning, / they barely experienced any traffic / on the drive.

아침에 일찍 여행을 떠나서 / 그들은 어떤 교통 체증도 거의 겪지 않았다 / 운전 중에

→ 아침에 일찍 여행을 떠나서, 그들은 운전 중에 어떤 교통 체증도 거의 겪지 않았다.

○ = **Because/Since/As** they left for the trip early in the morning, they barely experienced any traffic on the drive.

○ barely는 '거의 ~않다'라는 뜻을 나타내는 부정어이다.

고난도
07 **Allowing** drivers to park for free in this area, / the city may have to deal with / people [who take advantage of the situation].

만약 이 지역에 운전자들이 무료로 주차하도록 허락한다면 / 그 도시는 상대해야 할 수도 있다 / [그 상황을 이용하는] 사람들을

→ 만약 이 지역에 운전자들이 무료로 주차하도록 허락한다면, 그 도시는 그 상황을 이용하는 사람들을 상대해야 할 수도 있다.

○ = **If** the city allows drivers to park for free in this area, it may have to deal with people who take advantage of the situation.

○ 「allow+목적어(drivers)+목적격 보어(to park ~ area)」의 구조이다.

○ who ~ situation은 people을 꾸며주는 주격 관계대명사절이다.

어휘 deal with ~을 상대하다, 처리하다　take advantage of ~을 이용하다, 편승하다

UNIT 62　분사구문의 완료형과 수동형 해석하기

본책 p.109

01 **Having heard** the coach's solution, / the athlete put it to the test. <모의응용>

코치의 해결책을 듣고 나서 / 그 운동선수는 그것을 시험해봤다

○ = The athlete **had heard** the coach's solution, and he **put** it to the test.

02 **Having reached** the top (of the mountain), / the climbers breathed a sigh (of relief).

(그 산의) 정상에 도달하고 나서 / 등반인들은 (안도의) 한숨을 내쉬었다

○ = The climbers **had reached** the top of the mountain, and they **breathed** a sigh of relief.

○ 3형식 동사 reach는 전치사가 뒤에 오는 것처럼 해석되지만 실제로는 전치사를 쓰지 않는다. e.g. Having reached to ~. (X)

어휘 relief 图 안도, 안심

03 **Not having performed** perfectly in the musical, / the actor started practicing harder.

뮤지컬에서 완벽하게 공연하지 못했기 때문에 / 그 배우는 더 열심히 연습하기 시작했다

○ = Because/Since/As the actor **had not performed** perfectly in the musical, he **started** practicing harder.

○ 동명사 practicing은 동사 started의 목적어로 쓰였으며, start는 동명사와 to부정사를 모두 목적어로 가진다.

04 **Having returned** to France, / Joseph Fourier began his research (on heat conduction).
<수능>

프랑스로 돌아가고 나서 / 조제프 푸리에는 (열 전도에 관한) 그의 연구를 시작했다

○ = Joseph Fourier **had returned** to France, and he **began** his research on heat conduction.

05 **Having seen** the horror film before, / Grace knew / when the scary moments would occur.

전에 그 공포 영화를 본 적이 있었기 때문에 / Grace는 알았다 / 무서운 순간들이 언제 일어날지를

→ 전에 그 공포 영화를 본 적이 있었기 때문에, Grace는 무서운 순간들이 언제 일어날지를 알았다.

◑ = Because/Since/As Grace **had seen** the horror film before, she **knew** when the scary moments would occur.

◑ when ~ occur는 동사 knew의 목적어 역할을 하는 명사절이다.

06 **(Being) Chased** by the searchers, / he had to keep running. <모의응용>

수색대에 쫓기고 있어서 / 그는 달리는 것을 계속해야 했다

◑ = Because/Since/As he **was chased** by the searchers, he had to keep running.

07 **(Having been) Built** out of misfortune, / Venice eventually turned into a beautiful city. <모의응용>

비록 불행으로 지어졌었지만 / 베니스는 결국 아름다운 도시로 변했다

◑ = Although/Though Venice **had been built** out of misfortune, it eventually turned into a beautiful city.

어휘 build out of ~으로 짓다, 만들다 misfortune 📖 불행 eventually 📖 결국

08 **Concerned** about the coming hurricane, / many residents stocked up on food.

다가오는 허리케인이 걱정되어서 / 많은 주민들이 식량을 비축했다

◑ = Because/Since/As many residents **were concerned** about the coming hurricane, they stocked up on food.

어휘 stock up on ~을 비축하다, 많이 사다

09 **Being mixed** with a variety of chocolates, / the new ice cream flavor was a big hit.

다양한 초콜릿들로 섞여 있어서 / 그 새로운 아이스크림 맛은 대성공이었다

◑ = Because/Since/As the new ice cream flavor **was mixed** with a variety of chocolates, it was a big hit.

10 **Filled** with hope and expectation, / Henry sped eagerly / toward the goal. <모의응용>

희망과 기대로 가득 찬 채로 / Henry는 열심히 질주했다 / 골문을 향해 → 희망과 기대로 가득 찬 채로, Henry는 골문을 향해 열심히 질주했다.

◑ = As Henry **was filled** with hope and expectation, he sped eagerly toward the goal.

어휘 expectation 📖 기대 eagerly 📖 열심히, 간절히

11 **Having been abandoned** in the deep sea / for a long time, / the wrecked ship became a home / to many underwater creatures.

깊은 바다에 버려져 있었기 때문에 / 오랫동안 / 그 난파된 배는 집이 되었다 / 많은 수중 생물들에게

→ 오랫동안 깊은 바다에 버려져 있었기 때문에, 그 난파된 배는 많은 수중 생물들에게 집이 되었다.

◑ = Because/Since/As the wrecked ship **had been abandoned** in the deep sea for a long time, it became a home to many underwater creatures.

어휘 abandon 📖 버리다, 떠나다 wrecked 📖 난파된, 망가진

UNIT 63 분사로 시작하지 않는 분사구문 해석하기
본책 p.110

01 *America* **being** a cultural melting pot, / all Americans need to learn about each other. <수능>

미국은 문화적 용광로이기 때문에 / 모든 미국인들은 서로에 대해 배워야 한다

◑ to부정사구 to learn about each other는 동사 need의 목적어로 쓰였다.

어휘 melting pot 📖 (인종·문화 등 여러 다른 요소가 융합된) 용광로

02 *The plane* **having** a mechanical problem, / the flight was delayed / for two hours.

비행기가 기술적인 문제를 가지고 있어서 / 그 항공편은 지연되었다 / 두 시간 동안

→ 비행기가 기술적인 문제를 가지고 있어서, 그 항공편은 두 시간 동안 지연되었다.

어휘 mechanical [형] 기술적인

03 *Rent* **being** so high in the city, / most young families are deciding / to live in the suburbs.

그 도시에 임대료가 너무 높아서 / 아이가 아직 어린 대부분의 가정들은 결정하고 있다 / 교외에서 살기로

→ 그 도시에 임대료가 너무 높아서, 아이가 아직 어린 대부분의 가정들은 교외에서 살기로 결정하고 있다.

● to부정사구 to live ~ suburbs는 동사 are deciding의 목적어로 쓰였다.

어휘 suburb [명] 교외

04 *Global citizens* **calling for** action, / world leaders gathered / to discuss the energy crisis.

전 세계의 시민들이 조치를 촉구한 후에 / 세계의 지도자들이 모였다 / 에너지 위기에 대해 논의하기 위해

→ 전 세계의 시민들이 조치를 촉구한 후에, 세계의 지도자들이 에너지 위기에 대해 논의하기 위해 모였다.

● to부정사구 to discuss the energy crisis는 목적을 나타내는 부사적 용법으로 쓰였다.

어휘 call for ~을 촉구하다, 요구하다 gather [동] 모이다 crisis [명] 위기

[고난도]

05 *All the money* **having been spent** / on building the new auditorium, / the university started looking for external donations.

모든 돈이 쓰였기 때문에 / 새로운 강당을 짓는 데 / 그 대학교는 외부 기부금을 구하기 시작했다

→ 모든 돈이 새로운 강당을 짓는 데 쓰였기 때문에, 그 대학교는 외부 기부금을 구하기 시작했다.

● 동명사구 looking ~ donations는 동사 started의 목적어로 쓰였으며, start는 동명사와 to부정사를 모두 목적어로 가진다.

어휘 auditorium [명] 강당 external [형] 외부의 donation [명] 기부(금)

06 *When* **facing** moral choices, / we depend heavily on aphorisms. <수능응용>

도덕적 선택에 직면할 때 / 우리는 격언들에 몹시 의존한다

어휘 face [동] 직면하다, 마주하다 moral [형] 도덕적인 aphorism [명] 격언, 경구

07 *Though* **offering** a considerable discount, / the store still could not attract new customers.

비록 상당한 할인을 제공했지만 / 그 가게는 여전히 새로운 고객들을 끌어들일 수 없었다

어휘 considerable [형] 상당한, 많은 attract [동] 끌어들이다, 유혹하다

08 *If* **cooked**, / beans can lower blood pressure / and reduce the risk (of heart disease). <모의응용>

만약 익혀진다면 / 콩은 혈압을 낮출 수 있다 / 그리고 (심장병의) 위험을 줄일 수 있다 → 만약 익혀진다면, 콩은 혈압을 낮추고 심장병의 위험을 줄일 수 있다.

● lower와 reduce가 등위접속사 and로 연결되어 있으며, 조동사 can과 함께 쓰인 동사원형에 해당한다.

어휘 lower [동] 낮추다 blood pressure [명] 혈압 reduce [동] 줄이다 risk [명] 위험

[고난도]

09 *When* **visiting** Australia, / you should check out the pink lake (called Lake Hillier) / in the western part (of the country).

호주를 방문할 때 / 너는 (Hillier 호라고 불리는) 분홍색 호수를 봐야 한다 / (그 나라의) 서부에 있는

→ 호주를 방문할 때, 너는 그 나라의 서부에 있는 Hillier 호라고 불리는 분홍색 호수를 봐야 한다.

● 과거분사구 called Lake Hillier는 lake를 꾸며준다.

01 **With her heart pounding** like a drum, / she ran into the water / and started swimming.
<모의>

그녀의 심장이 드럼처럼 뛰는 채로 / 그녀는 물 속으로 뛰어 들어갔다 / 그리고 수영하기 시작했다

→ 그녀의 심장이 드럼처럼 뛰는 채로, 그녀는 물 속으로 뛰어 들어갔고 수영하기 시작했다.

❍ 동명사 swimming은 동사 started의 목적어로 쓰였으며, start는 동명사와 to부정사를 모두 목적어로 가진다.

어휘 pound 图 뛰다, 두드리다

02 They danced in circles / making joyful sounds / **with their arms raised** over their heads.
<모의>

그들은 원을 이루어 춤췄다 / 즐거운 소리를 내며 / 그들의 머리 위로 그들의 팔이 올려진 채로

→ 그들은 즐거운 소리를 내며 그들의 머리 위로 팔이 올려진 채로 원을 이루어 춤췄다.

03 Anna jogged along the river / **with the wind blowing** through her hair.

Anna는 강을 따라 달렸다 / 바람이 그녀의 머리카락 사이로 부는 채로 → Anna는 바람이 그녀의 머리카락 사이로 부는 채로 강을 따라 달렸다.

04 Sitting **with your legs folded** / can add stress / to your knees and ankles.

너의 다리가 접힌 채로 앉는 것은 / 압박을 더할 수 있다 / 너의 무릎과 발목에 → 너의 다리가 접힌 채로 앉는 것은 너의 무릎과 발목에 압박을 더할 수 있다.

❍ 동명사구 Sitting ~ folded는 문장에서 주어 역할을 하고 있다.

05 The tribal members chanted as one, / **with their faces lifted** toward the sky.

부족민들은 하나처럼 노래를 불렀다 / 하늘을 향해 그들의 얼굴이 들어진 채로 → 부족민들은 하늘을 향해 그들의 얼굴이 들어진 채로 하나처럼 노래를 불렀다.

어휘 tribal 图 부족의, 종족의 chant 图 노래를 부르다, 외치다

06 Transportation took a massive leap forward / **with the steam engine being invented**.

교통수단은 거대한 도약을 했다 / 증기 기관이 발명되면서 → 교통수단은 증기 기관이 발명되면서 거대한 도약을 했다.

어휘 massive 图 거대한, 막대한 leap 图 도약 图 도약하다

고난도
07 The birds migrate from August to December, / **with males moving** south / before the females and their babies. <모의>

그 새들은 8월에서 12월 사이에 이주한다 / 수컷들이 남쪽으로 이동하면서 / 암컷들과 그들의 새끼들보다 먼저

→ 그 새들은 수컷들이 암컷들과 그들의 새끼들보다 먼저 남쪽으로 이동하면서 8월에서 12월 사이에 이주한다.

어휘 migrate 图 이주하다, 이동하다

어법
08 Gina practiced her speech / **with her friends watching**.

Gina는 그녀의 연설을 연습했다 / 그녀의 친구들이 지켜보는 채로 → Gina는 그녀의 친구들이 지켜보는 채로 그녀의 연설을 연습했다.

정답 watching
해설 명사 friends와 분사의 관계가 능동이므로 현재분사 watching이 정답이다.

어법
09 The criminal was brought to the police station / **with his hands tied** behind his back.

그 범죄자는 경찰서로 끌려왔다 / 그의 손이 그의 등 뒤로 묶인 채로 → 그 범죄자는 그의 손이 그의 등 뒤로 묶인 채로 경찰서로 끌려왔다.

정답 tied
해설 명사 hands와 분사의 관계가 수동이므로 과거분사 tied가 정답이다.

어휘 criminal 图 범죄자

Chapter Test

본책 p.112

01 Some zoologists / went to Africa / **to study** the behavior (of hyena clans).

몇몇 동물학자들이 / 아프리카에 갔다 / (하이에나 무리들의) 행동을 연구하기 위해
→ 몇몇 동물학자들이 하이에나 무리들의 행동을 연구하기 위해 아프리카에 갔다.

⭘ = Some zoologists went to Africa **in order to**[**so as to**] **study** the behavior of hyena clans.

어휘 zoologist [명] 동물학자 behavior [명] 행동

02 **Hearing** a strange noise from his car, / Mr. Powell stopped by the mechanic's garage.

그의 차에서 이상한 소리를 듣고 나서 / Powell씨는 정비소에 들렀다

⭘ = Mr. Powell heard a strange noise from his car, **and** he stopped by the mechanic's garage.

어휘 stop by ~에 들르다 mechanic [명] 정비공 garage [명] 정비소, 차고

03 **To tell you the truth,** / I don't really enjoy / spending time with Sandy.

사실대로 말하면 / 나는 그다지 즐기지 않는다 / Sandy와 시간을 보내는 것을 → 사실대로 말하면, 나는 Sandy와 시간을 보내는 것을 그다지 즐기지 않는다.

⭘ 동명사구 spending ~ Sandy는 동사 don't ~ enjoy의 목적어로 쓰였다.

04 **Being** afraid of heights, / my brother was nervous / **to ride** the roller coaster.

높은 곳을 무서워했기 때문에 / 나의 남동생은 긴장했다 / 롤러코스터를 타게 되어 → 높은 곳을 무서워했기 때문에, 나의 남동생은 롤러코스터를 타게 되어 긴장했다.

⭘ = **Because/Since/As** my brother was afraid of heights, he was nervous to ride the roller coaster.

어휘 heights [명] 높은 곳

05 *Though* often **considered** "scary," / spiders can defend us / against annoying pests.

비록 종종 "무섭다"고 여겨지지만 / 거미는 우리를 지켜줄 수 있다 / 성가신 해충들로부터
→ 비록 종종 "무섭다"고 여겨지지만, 거미는 우리를 성가신 해충들로부터 지켜줄 수 있다.

⭘ defend A against B는 'A를 B로부터 지키다'라고 해석한다.

어휘 annoying [형] 성가신, 짜증나는 pest [명] 해충

06 **Recognized** by the paparazzi, / the actor dashed into a nearby building / **to hide**.

파파라치에게 인지되었기 때문에 / 그 배우는 근처의 건물로 뛰어 들어갔다 / 숨기 위해
→ 파파라치에게 인지되었기 때문에, 그 배우는 숨기 위해 근처의 건물로 뛰어 들어갔다.

⭘ = Because/Since/As the actor **was recognized** by the paparazzi, he dashed into a nearby building **in order to**[**so as to**] **hide**.

어휘 recognize [동] 인지하다, 인식하다 dash [동] 뛰다, 서둘러 가다

07 Tim hurried to the cafe / **to meet** his friends, / only **to find** / he was the first (to arrive).

Tim은 서둘러 카페에 갔다 / 그의 친구들을 만나기 위해 / 그러나 알게 되었다 / 그가 (도착한) 첫 번째 사람이라는 것을
→ Tim은 그의 친구들을 만나기 위해 서둘러 카페에 갔으나, 그가 도착한 첫 번째 사람이라는 것을 알게 되었다.

⭘ = Tim hurried to the cafe **in order to**[**so as to**] **meet** his friends, only to find he was the first to arrive.
⭘ find와 he 사이에는 명사절 접속사 that이 생략되어 있다.
⭘ to부정사 to arrive는 first를 꾸며주는 형용사적 용법으로 쓰였다.

08 **Decorating** the room for the party, / they laughed and joked around with each other.

파티를 위해 방을 장식하면서 / 그들은 웃었고 서로에게 농담을 했다

⭘ = **As** they decorated the room for the party, they laughed and joked around with each other.
⭘ 동사 laughed와 joked가 등위접속사 and로 연결되어 병렬 구문을 이룬다.

어휘 decorate [동] 장식하다, 꾸미다 joke around 농담을 하다, 익살을 부리다

09 The audience was rude / **to talk** / while the presenter was making a speech.

청중은 무례했다 / 대화한 것을 보니 / 발표자가 연설을 하고 있는 동안 → 발표자가 연설을 하고 있는 동안 대화한 것을 보니 청중은 무례했다.

어휘 rude 웹 무례한 make a speech 연설을 하다

10 You can simply place your device / on the charging pad / **with the display facing** up.

너는 단순히 너의 기기를 올려놓으면 된다 / 충전 패드 위에 / 화면이 위를 향한 채로
→ 너는 단순히 화면이 위를 향한 채로 충전 패드 위에 너의 기기를 올려놓으면 된다.

어휘 place 튕 놓다, 두다 웹 장소

11 **Having made** the hotel reservation / a year in advance, / Eric received a special discount.

호텔 예약을 했었기 때문에 / 1년 미리 / Eric은 특별 할인을 받았다 → 1년 미리 호텔 예약을 했었기 때문에, Eric은 특별 할인을 받았다.

◐ = Because/Since/As Eric **had made** the hotel reservation a year in advance, he **received** a special discount.

어휘 reservation 웹 예약 in advance 미리, 사전에

12 The supercomputer is *powerful* **enough** / **to do** complex calculations / within seconds.

그 슈퍼컴퓨터는 충분히 강력하다 / 복잡한 계산을 할 만큼 / 몇 초 안에 → 그 슈퍼컴퓨터는 몇 초 안에 복잡한 계산을 할 만큼 충분히 강력하다.

◐ ≒ The supercomputer is **so** *powerful* **that it can do** complex calculations within seconds.

어휘 complex 웹 복잡한, 어려운 calculation 웹 계산

고난도
13 Neal was **too** *determined* / **to let** any obstacles / stop him from achieving his dream.

Neal은 너무 결연했다 / 어떤 장애물도 허락하기에 / 그가 그의 꿈을 이루는 것을 막도록
→ Neal은 어떤 장애물도 그의 꿈을 이루는 것을 막도록 허락하기에 너무 결연했다.

◐ ≒ Neal was **so** *determined* **that he couldn't let** any obstacles stop him from achieving his dream.
◐ 「let+목적어(any obstacles)+목적격 보어(stop ~ dream)」의 구조이다.
◐ stop A from B는 'A가 B하는 것을 막다'라고 해석한다.

어휘 determined 웹 결연한 obstacle 웹 장애물 achieve 튕 이루다

고난도
14 *Switzerland* famously **being** a neutral country, / people were surprised / when it took a stance (against the war).

스위스는 중립국으로 유명했기 때문에 / 사람들은 놀랐다 / 그것이 (그 전쟁에 반대하는) 입장을 취했을 때
→ 스위스는 중립국으로 유명했기 때문에, 사람들은 그것이 그 전쟁에 반대하는 입장을 취했을 때 놀랐다.

어휘 stance 웹 입장

고난도
15 **Generally speaking**, / economy is a great virtue / in film music, / both in duration and choice of instrument. <모의>

일반적으로 말하면 / 효율적인 사용은 큰 덕목이다 / 영화 음악에서 / 음의 길이와 악기의 선택에 있어서 둘 다
→ 일반적으로 말하면, 영화 음악에서 음의 길이와 악기의 선택에 있어서 둘 다 효율적인 사용은 큰 덕목이다.

어휘 virtue 웹 덕목 duration 웹 (음의) 길이 instrument 웹 악기

CHAPTER 11 등위절과 병렬

UNIT 65 등위접속사 해석하기

본책 p.114

01 I've worked as an engineer / for many years, // **and** I am retiring soon. <모의>

나는 기술자로서 일해왔다 / 수년 동안 // 그리고 나는 곧 은퇴할 것이다 → 나는 수년 동안 기술자로서 일해왔고, 곧 은퇴할 것이다.

어휘 retire 통 은퇴하다

02 Tim was exhausted, // **for** he stayed up late / to finish his report.

Tim은 지쳤다 // 왜냐하면 그는 늦게까지 깨어 있었기 때문이다 / 그의 보고서를 끝내기 위해

→ 보고서를 끝내기 위해 늦게까지 깨어 있었기 때문에, Tim은 지쳤다.

○ to부정사구 to finish his report는 목적을 나타내는 부사적 용법으로 쓰였다.

어휘 exhausted 형 지친   stay up (늦게까지) 깨어 있다

03 The singer isn't popular, // **nor** does he have any notable talent.

그 가수는 인기 있지 않다 // 그는 어떤 주목할 만한 재능을 가지고 있는 것도 아니다 → 그 가수는 인기 있지 않고, 어떤 주목할 만한 재능을 가지고 있는 것도 아니다.

어휘 notable 형 주목할 만한   talent 명 재능

04 Warthogs have / excellent senses of smell **and** hearing. <모의>

혹멧돼지들은 가지고 있다 / 뛰어난 후각과 청각을 → 혹멧돼지들은 뛰어난 후각과 청각을 가지고 있다.

05 Arthur broke his arm / in an accident, // **so** he couldn't drive / for about six months.

Arthur는 그의 팔이 부러졌다 / 사고로 // 그래서 그는 운전할 수 없었다 / 약 6개월 동안

→ Arthur는 사고로 팔이 부러져서, 약 6개월 동안 운전할 수 없었다.

06 After graduation, / you can choose / to get a job **or** undertake further studies.

졸업 후에 / 너는 선택할 수 있다 / 일자리를 얻는 것이나 추가적인 공부를 하는 것을

→ 졸업 후에, 너는 일자리를 얻는 것이나 추가적인 공부를 하는 것을 선택할 수 있다.

어휘 graduation 명 졸업   undertake 통 (착수를) 하다

07 Everyone seemed happy about the idea, // **yet** I had a feeling / that it wouldn't work.

모든 사람들이 그 의견에 대해 만족하는 것처럼 보였다 // 그렇지만 나는 느낌이 들었다 / 그것이 효과가 없을 것이라는

→ 모든 사람들이 그 의견에 대해 만족하는 것처럼 보였지만, 나는 그것이 효과가 없을 것이라는 느낌이 들었다.

○ that ~ work는 feeling을 부연 설명하는 동격의 that절이다.

어휘 work 통 효과가 있다

08 The International Space Station needed repairs, // **so** astronauts were sent up there.

국제 우주 정거장은 수리가 필요했다 // 그래서 우주 비행사들이 그곳에 보내졌다

→ 국제 우주 정거장이 수리가 필요해서, 우주 비행사들이 그곳에 보내졌다.

어휘 International Space Station 명 국제 우주 정거장   repair 명 수리   astronaut 명 우주 비행사

09 Mr. Foster will do anything for his students, // **for** his love (of teaching) is limitless.

Foster 선생님은 그의 학생들을 위해 무엇이든 할 것이다 // 왜냐하면 (교육에 대한) 그의 사랑이 무한하기 때문이다

→ 교육에 대한 사랑이 무한하기 때문에, Foster 선생님은 학생들을 위해 무엇이든 할 것이다.

어휘 limitless 휑 무한한

10 Miranda's favorite band is in town, // **but** she won't be able to make it to their concert.

Miranda가 가장 좋아하는 밴드가 시내에 있다 // 그러나 그녀는 그들의 콘서트에 가지 못할 것이다

→ Miranda가 가장 좋아하는 밴드가 시내에 있지만, 그녀는 그들의 콘서트에 가지 못할 것이다.

어휘 make it (모임 등에) 가다, 참석하다

고난도
11 The brand has never collaborated / with other major fashion brands, // **nor** has it worked with international celebrities.

그 브랜드는 한 번도 협업한 적이 없다 / 다른 주요 패션 브랜드들과 // 그것은 국제적인 유명인들과 일한 적도 없다

→ 그 브랜드는 다른 주요 패션 브랜드들과 한 번도 협업한 적이 없고, 국제적인 유명인들과 일한 적도 없다.

어휘 collaborate 통 협업하다 celebrity 휑 유명인

12 Be more diligent than everyone else, // **and** you will be successful. <모의응용>

다른 모든 사람들보다 더 부지런해라 // 그러면 너는 성공할 것이다 → 다른 사람들보다 더 부지런하면, 너는 성공할 것이다.

어휘 diligent 휑 부지런한

13 Use the given time wisely, // **or** you will end up wasting it.

주어진 시간을 현명하게 써라 // 그렇지 않으면 너는 결국 그것을 낭비하게 될 것이다

→ 주어진 시간을 현명하게 쓰지 않으면, 너는 결국 그것을 낭비하게 될 것이다.

어휘 wisely 휑 현명하게 end up 결국 ~하게 되다 waste 통 낭비하다

14 Live like today's your last day, // **and** you will find the true meaning (of life).

오늘이 너의 마지막 날인 것처럼 살아라 // 그러면 너는 진정한 (삶의) 의미를 찾을 것이다

→ 오늘이 너의 마지막 날인 것처럼 살면, 너는 진정한 삶의 의미를 찾을 것이다.

15 Make sure to be at the station / by ten o'clock, // **or** we will leave without you.

확실히 역에 와라 / 10시까지 // 그렇지 않으면 우리는 너 없이 떠날 것이다 → 확실히 역에 10시까지 오지 않으면, 우리는 너 없이 떠날 것이다.

❍ 「make sure+to-v」는 '확실히 ~해라'라고 해석한다.

어휘 leave 통 떠나다, 출발하다

16 Exercise moderately and eat properly every day, // **and** your health will certainly improve.

매일 적당히 운동하고 적절히 식사해라 // 그러면 너의 건강이 분명히 좋아질 것이다 → 매일 적당히 운동하고 적절히 식사하면, 너의 건강이 분명히 좋아질 것이다.

어휘 moderately 휑 적당히 properly 휑 적절히 improve 통 좋아지다

17 Don't judge a book by its cover, // **or** you might miss out on a wonderful story.

책을 그것의 표지로 판단하지 마라 // 그렇지 않으면 너는 멋진 이야기를 놓칠 수도 있다 → 책을 그것의 표지로 판단하면, 너는 멋진 이야기를 놓칠 수도 있다.

어휘 miss out on ~을 놓치다

18 Examine your thoughts, // **and** you will find them wholly occupied / with the past or the future. <수능>

너의 생각을 살펴봐라 // 그러면 너는 그것들이 완전히 가득 채워진 것을 발견할 것이다 / 과거나 미래로

→ 너의 생각을 살펴보면, 너는 그것들이 과거나 미래로 완전히 가득 채워진 것을 발견할 것이다.

❍ 「find+목적어(them)+목적격 보어(wholly ~ future)」의 구조이다.

어휘 examine 통 살펴보다, 조사하다 wholly 휑 완전히 occupy 통 채우다

고난도
19 Turn on all faucets a little / to let the water run, // **or** the pipes may freeze overnight.

모든 수도꼭지를 약간 틀어라 / 물이 흐르도록 하기 위해 // 그렇지 않으면 수도관이 밤새 얼 수도 있다
→ 물이 흐르도록 하기 위해 모든 수도꼭지를 약간 틀지 않으면, 수도관이 밤새 얼 수도 있다.

❍ to부정사구 to let ~ run은 목적을 나타내는 부사적 용법으로 쓰였다.
❍ 「let+목적어(the water)+목적격 보어(run)」의 구조이다.

어휘 faucet 圏 수도꼭지 run 图 흐르다 pipe 圏 수도관 freeze 图 얼다

UNIT 66 상관접속사 해석하기

본책 p.116

01 Independence is **both** a strength **and** a source (of happiness). <모의응용>

자립성은 장점과 (행복의) 원천 둘 다이다.

어휘 independence 圏 자립성, 독립성 strength 圏 장점, 힘 source 圏 원천

02 Nathan will go to **either** Italy **or** Greece / for his summer vacation.

Nathan은 이탈리아나 그리스에 갈 것이다 / 그의 여름 휴가로 → Nathan은 여름 휴가로 이탈리아나 그리스에 갈 것이다.

03 House prices are going up / **not only** in the cities **but also** in the suburbs.

집값이 오르고 있다 / 도시에서뿐만 아니라 교외에서도 → 도시에서뿐만 아니라 교외에서도 집값이 오르고 있다.

어휘 suburb 圏 교외

04 The secret to becoming a better person / is **not** to speak well **but** to do well.

더 나은 사람이 되는 것의 비결은 / 말을 잘 하는 것이 아니라 행동을 잘 하는 것이다

05 Life continues to prove / that **neither** money **nor** power brings ultimate satisfaction.

삶은 계속해서 증명한다 / 돈도 권력도 궁극적인 만족감을 가져오지 않는다는 것을
→ 삶은 돈도 권력도 궁극적인 만족감을 가져오지 않는다는 것을 계속해서 증명한다.

❍ to부정사구 to prove ~ satisfaction은 동사 continues의 목적어로 쓰였으며, continue는 to부정사와 동명사를 모두 목적어로 가진다.
❍ that ~ satisfaction은 to부정사 to prove의 목적어 역할을 하는 명사절이다.

어휘 continue 图 계속해서 ~하다 prove 图 증명하다 ultimate 圏 궁극적인 satisfaction 圏 만족감

06 Kittens and puppies learn / social interaction **as well as** various physical skills / through play. <모의응용>

새끼 고양이들과 강아지들은 배운다 / 다양한 신체적인 능력뿐만 아니라 사회적인 상호작용도 / 놀이를 통해
→ 새끼 고양이들과 강아지들은 놀이를 통해 다양한 신체적인 능력뿐만 아니라 사회적인 상호작용도 배운다.

어휘 social 圏 사회적인 interaction 圏 상호작용 various 圏 다양한 physical 圏 신체적인

07 **Both** flowers **and** the wedding cake / were delivered to the venue / at 9 A.M.

꽃과 웨딩 케이크 둘 다 / 그 장소에 배달되었다 / 오전 9시에 → 꽃과 웨딩 케이크 둘 다 오전 9시에 그 장소에 배달되었다.

어휘 venue 圏 장소

08 You will be asked / to **either** bring some food (to share) **or** volunteer to help with the cleanup.

너는 요청받을 것이다 / (나눠 먹을) 약간의 음식을 가져오거나 청소를 돕는 것을 자원하라고
→ 너는 나눠 먹을 약간의 음식을 가져오거나 청소를 돕는 것을 자원하라고 요청받을 것이다.

❍ 「ask+목적어(you)+목적격 보어(to either ~ cleanup)」의 구조가 수동태로 바뀐 문장이다.
❍ to부정사 to share는 food를 꾸며주는 형용사적 용법으로 쓰였다.

어휘 help with ~을 돕다 cleanup [명] 청소

[고난도]
09 The proposal was **not only** dismissed **but** was **also** not taken seriously / by some members of Congress.

그 제안서는 묵살되었을 뿐만 아니라 심각하게 받아들여지지도 않았다 / 몇몇 국회 의원들에 의해서
→ 그 제안서는 묵살되었을 뿐만 아니라 몇몇 국회 의원들에 의해서 심각하게 받아들여지지도 않았다.

어휘 proposal [명] 제안(서) dismiss [동] 묵살하다 member of Congress [명] 국회 의원

UNIT 67 병렬 구문 해석하기

본책 p.117

01 The tools (of the digital age) give us / a way (to easily **get**, **share**, and **act on** information). <수능>

(디지털 시대의) 도구들은 우리에게 제공한다 / (쉽게 정보를 얻고, 공유하고, 그에 따라 행동하는) 방법을
→ 디지털 시대의 도구들은 우리에게 쉽게 정보를 얻고, 공유하고, 그에 따라 행동하는 방법을 제공한다.

⊙ to부정사구 to easily ~ information은 way를 꾸며주는 형용사적 용법으로 쓰였다.

어휘 age [명] 시대, 나이

02 Zoe enjoys / the genres of **contemporary pop** and **rock**.

Zoe는 즐긴다 / 현대 팝과 록 장르를 → Zoe는 현대 팝과 록 장르를 즐긴다.

어휘 genre [명] (예술 작품의) 장르 contemporary [형] 현대의, 동시대의

03 After the fight, / I was angry / not only **with my brother** but also **with myself**.

그 싸움 후에 / 나는 화가 났다 / 나의 남동생에게뿐만 아니라 나 자신에게도 → 그 싸움 후에, 나는 나의 남동생에게뿐만 아니라 나 자신에게도 화가 났다.

04 Side dishes include / **fries**, **rice**, and **a vegetable** (**of your choice**).

곁들임 요리는 포함한다 / 튀김 요리, 밥, 그리고 (네가 선택한) 채소를 → 곁들임 요리는 튀김 요리, 밥, 그리고 네가 선택한 채소를 포함한다.

어휘 side dish [명] (주 요리에 곁들이는) 곁들임 요리

05 Plastic bottles have been found / **in the mountains**, **at campgrounds**, and **in the river**.

플라스틱 병들이 발견되었다 / 산에서, 캠프장에서, 그리고 강에서 → 플라스틱 병들이 산에서, 캠프장에서, 그리고 강에서 발견되었다.

06 Both **using a VPN** and **installing security software** / will protect your privacy online.

가상 사설망을 사용하는 것과 보안 소프트웨어를 설치하는 것 둘 다 / 온라인에서 너의 사생활을 보호할 것이다

어휘 install [동] 설치하다 security [명] 보안 protect [동] 보호하다 privacy [명] 사생활

07 Museum visitors should either **turn off their phones** or **put them in silent mode** / while viewing the art.

박물관 방문객들은 그들의 전화기를 끄거나 그것들을 무음 모드로 해 두어야 한다 / 예술 작품을 보는 동안
→ 박물관 방문객들은 예술 작품을 보는 동안 전화기를 끄거나 무음 모드로 해 두어야 한다.

08 Most of us make at least three important decisions / in our lives: / **where to live**, **what to do**, and **whom to do it with**. <모의>

우리들 대부분은 적어도 세 개의 중요한 결정을 한다 / 우리의 인생에서 / 즉 어디서 살지, 무엇을 할지, 그리고 그것을 누구와 할지
→ 우리들 대부분은 우리의 인생에서 적어도 세 개의 중요한 결정, 즉 어디서 살지, 무엇을 할지, 그리고 그것을 누구와 할지를 결정한다.

09 Neither **Novikov's theory** nor **Hawking's research** definitely answers / the question of what's on the other side (of black holes).

노비코프의 이론도 호킹의 연구도 명확히 답하지 않는디 / (블랙홀의) 저편에 무엇이 있는지 라는 질문에

→ 노비코프의 이론도 호킹의 연구도 블랙홀의 저편에 무엇이 있는지 라는 질문에 명확히 답하지 않는다.

○ what ~ holes는 전치사 of의 목적어 역할을 하는 명사절이다.

어휘 theory 명 이론 research 명 연구 definitely 부 명확히

10 Lions **form** groups, **hunt** together, and **help** each other raise babies.

사자들은 무리를 이루고, 함께 사냥하고, 서로 새끼를 기르는 것을 돕는다.

○ 「help+목적어(each other)+목적격 보어(raise babies)」의 구조이다.

정답 help

해설 동사 form, hunt와 등위접속사 and로 연결된 병렬 구문이므로 동사 help가 정답이다.

어휘 form 동 이루다, 형성하다 hunt 동 사냥하다 raise 동 기르다, 들다

Chapter Test

본책 p.118

01 **Both** spinach **and** almonds / are a good natural source (of vitamin E).

시금치와 아몬드 둘 다 / (비타민 E의) 좋은 천연 공급원이다

어휘 spinach 명 시금치 source 명 공급원, 원천

02 My grandfather always told me / to seize the day, // **for** time waits for no one.

나의 할아버지는 항상 나에게 말씀하셨다 / 오늘을 즐기라고 // 왜냐하면 시간은 아무도 기다려주지 않기 때문이다

→ 시간은 아무도 기다려주지 않기 때문에, 나의 할아버지는 항상 나에게 오늘을 즐기라고 말씀하셨다.

○ 「tell+목적어(me)+목적격 보어(to seize the day)」의 구조이다.

어휘 seize the day 오늘을 즐기다

03 Plane tickets are too expensive right now, // **so** we will visit our relatives next year.

비행기표가 지금 너무 비싸다 // 그래서 우리는 내년에 우리의 친척들을 방문할 것이다

→ 비행기표가 지금 너무 비싸서, 우리는 내년에 우리의 친척들을 방문할 것이다.

04 SNS is **neither** inherently **good nor** bad, // **but** it can be used in either way.

SNS는 본질적으로 좋지도 나쁘지도 않다 // 그러나 그것은 둘 중 하나의 방식으로 사용될 수 있다

→ SNS는 본질적으로 좋지도 나쁘지도 않지만, 둘 중 하나의 방식으로 사용될 수 있다.

어휘 inherently 부 본질적으로

05 Stop worrying about what other people say, // **and** you will be happier with yourself.

다른 사람들이 말하는 것에 대해 걱정하는 것을 멈춰라 // 그러면 너는 너 자신에 대해 더 만족할 것이다

→ 다른 사람들이 말하는 것에 대해 걱정하는 것을 멈추면, 너는 너 자신에 대해 더 만족할 것이다.

○ 동명사구 worrying ~ say는 동사 Stop의 목적어로 쓰였다.

○ what ~ say는 전치사 about의 목적어 역할을 하는 명사절이다.

06 Police interrogators often take on a **firm yet empathetic** tone / when talking to suspects.

경찰 심문관들은 종종 단호하지만 공감하는 어조를 취한다 / 용의자들에게 말할 때

→ 경찰 심문관들은 용의자들에게 말할 때 종종 단호하지만 공감하는 어조를 취한다.

어휘 take on (특정한 모습을) 취하다 firm 형 단호한 empathetic 형 공감하는 tone 명 어조 suspect 명 용의자

07 Experts don't know / when the storm will hit, // **nor** do they know / how serious it will be.

전문가들은 알지 못한다 / 태풍이 언제 강타할지를 // 그들은 알지 못한다 / 그것이 얼마나 심각할지도

→ 전문가들은 태풍이 언제 강타할지를 알지 못하고, 그것이 얼마나 심각할지도 알지 못한다.

❍ when ~ hit는 동사 don't know의, how ~ be는 동사 know의 목적어 역할을 하는 명사절이다.

어휘 hit 图 (폭풍 등이) 강타하다, 덮치다 serious 图 심각한

08 **Either** the manager **or** the director / must approve the blueprint (for the new building).

부장이나 이사가 / (새로운 건물의) 청사진을 승인해야 한다

어휘 approve 图 승인하다 blueprint 图 청사진, 계획

09 You cannot normally turn left / at this intersection, // **but** it is allowed / on the weekends.

너는 보통 좌회전을 할 수 없다 / 이 교차로에서 // 그러나 그것은 허용된다 / 주말에 → 너는 이 교차로에서 보통 좌회전을 할 수 없지만, 그것은 주말에는 허용된다.

어휘 normally 图 보통 intersection 图 교차로

10 Change your passwords often, // **or** you will be more vulnerable to hackers.

너의 비밀번호를 자주 변경해라 // 그렇지 않으면 너는 해커들에게 더 취약해질 것이다 → 비밀번호를 자주 변경하지 않으면, 너는 해커들에게 더 취약해질 것이다.

어휘 vulnerable 图 취약한

11 Temperatures (in the desert) are extreme / **not only** during the day **but also** at night.

(사막에서의) 온도는 극단적이다 / 낮 동안뿐만 아니라 밤에도 → 사막에서의 온도는 낮 동안뿐만 아니라 밤에도 극단적이다.

어휘 extreme 图 극단적인, 극심한

12 Some people collect things / **not** because they are necessary **but** because they exist.

<모의응용>

어떤 사람들은 물건들을 모은다 / 그것들이 필요하기 때문이 아니라 그것들이 존재하기 때문에

→ 어떤 사람들은 물건들이 필요하기 때문이 아니라 존재하기 때문에 그것들을 모은다.

어휘 exist 图 존재하다

고난도
13 Female wolf spiders are **attentive to** as well as **fiercely protective of** their young.

암컷 늑대 거미들은 그들의 새끼들에 대해 극심하게 보호적일 뿐만 아니라 (그들의 새끼들에게) 세심하기도 하다.

어휘 attentive 图 세심한 fiercely 图 극심하게, 사납게 protective 图 보호적인, 방어적인 young 图 (동물의) 새끼

고난도
14 The camera's most exceptional feature / is that it works equally well / **under the water, at high altitudes, and in the dark**.

그 카메라의 가장 뛰어난 기능은 / 그것이 똑같이 잘 작동한다는 것이다 / 물속에서, 높은 고도에서, 그리고 어둠 속에서

→ 그 카메라의 가장 뛰어난 기능은 그것이 물속에서, 높은 고도에서, 그리고 어둠 속에서 똑같이 잘 작동한다는 것이다.

❍ that ~ dark는 문장에서 주격 보어 역할을 하는 명사절이다.

어휘 exceptional 图 뛰어난 feature 图 기능, 특징 altitude 图 고도

고난도
15 Friendship requires / **having mutual respect (for one another's values, beliefs, and opinions), / and participating in a shared life**.

우정은 요구한다 / (서로의 가치, 믿음, 그리고 의견에 대한) 상호 간의 존중을 가지는 것을 / 그리고 공유된 삶에 참여하는 것을

→ 우정은 서로의 가치, 믿음, 그리고 의견에 대한 상호 간의 존중을 가지는 것과, 공유된 삶에 참여하는 것을 요구한다.

❍ 동명사구 having ~ opinions와 participating ~ life는 동사 requires의 목적어로 쓰였다.

어휘 mutual 图 상호 간의 respect 图 존중 value 图 가치 opinion 图 의견 participate 图 참여하다

CHAPTER 12 관계사절

UNIT 68 주격 관계대명사절 해석하기

본책 p.120

01 The book is about / *a person* [**who achieved 100 goals during his lifetime**]. <모의>

그 책은 ~에 대한 것이다 / [그의 일생 동안 100가지의 목표를 달성한] 사람 → 그 책은 일생 동안 100가지의 목표를 달성한 사람에 대한 것이다.

어휘 achieve 图 달성하다

02 *The subway line* [**which runs through the city**] / will be expanded.

[도시를 가로질러 운행하는] 그 지하철 노선은 / 확장될 것이다

어휘 subway line 圆 지하철 노선 expand 图 확장하다

03 Tango is a type of *social dance* [**that originated in Argentina and Uruguay**].

탱고는 [아르헨티나와 우루과이에서 유래한] 일종의 사교댄스이다.

어휘 social dance 圆 사교댄스 originate 图 유래하다

04 I saw a half-hour documentary / about *the soldiers* [**who fought in World War I**].

나는 30분짜리 다큐멘터리를 봤다 / [제1차 세계대전에서 싸웠던] 군인들에 대한 → 나는 제1차 세계대전에서 싸웠던 군인들에 대한 30분짜리 다큐멘터리를 봤다.

05 Amanda doesn't like to cook / *meals* [**that take a lot of time (to prepare)**].

Amanda는 요리하는 것을 좋아하지 않는다 / [(준비하는) 시간이 많이 걸리는] 식사를
→ Amanda는 준비하는 시간이 많이 걸리는 식사를 요리하는 것을 좋아하지 않는다.

⊙ to부정사구 to cook ~ prepare는 동사 doesn't like의 목적어로 쓰였으며, like는 to부정사와 동명사를 모두 목적어로 가진다.
⊙ to부정사 to prepare는 time을 꾸며주는 형용사적 용법으로 쓰였다.

어휘 prepare 图 준비하다

06 Workers had a break / because *the machine* [**which prints out labels**] was out of service.

노동자들은 휴식을 취했다 / [라벨을 인쇄하는] 기계가 고장 났기 때문에 → 노동자들은 라벨을 인쇄하는 기계가 고장 났기 때문에 휴식을 취했다.

⊙ be out of service는 '고장 나다'라고 해석한다.

07 I enjoy watching / *films* [**that depict different cultures around the world**].

나는 보는 것을 즐긴다 / [전 세계의 다양한 문화들을 그려내는] 영화들을 → 나는 전 세계의 다양한 문화들을 그려내는 영화들을 보는 것을 즐긴다.

⊙ 동명사구 watching ~ world는 동사 enjoy의 목적어로 쓰였다.

어휘 depict 图 그려내다, 묘사하다

08 *Those* [**who wish to enter the talent contest**] / must register by Thursday, March 24.

[장기자랑에 참가하기를 바라는] 사람들은 / 3월 24일 목요일까지 등록해야 한다

⊙ those는 '(~하는) 사람들'이라고 해석한다.

어휘 enter 图 참가하다 register 图 등록하다

09 Honesty and integrity are / *the principles* [**which have guided me throughout my life**].

정직과 성실은 ~이다 / [나의 일생 동안 나를 이끌어 왔던] 원칙들 → 정직과 성실은 나의 일생 동안 나를 이끌어 왔던 원칙들이다.

어휘 honesty 몡 정직 integrity 몡 성실 principle 몡 원칙

10 There is *evidence* [**that shows that** *patients* [**who actively participate in their care**] **often have better outcomes**].

[[그들의 치료에 적극적으로 참여하는] 환자들이 종종 더 나은 결과를 가진다는 것을 보여주는] 증거가 있다.

◉ that shows ~ outcomes는 evidence를 꾸며주는 주격 관계대명사절이다.
◉ that patients ~ outcomes는 동사 shows의 목적어 역할을 하는 명사절이다.
◉ who actively ~ care는 patients를 꾸며주는 주격 관계대명사절이다.

어휘 evidence 몡 증거 patient 몡 환자 participate 통 참여하다 care 몡 치료, 보살핌 outcome 몡 결과

UNIT 69 목적격 관계대명사절 해석하기

본책 p.121

01 Aristotle established / *a college* [**which he called Lyceum**]. <모의>

아리스토텔레스는 설립했다 / [그가 리시움(학원)이라고 부른] 대학을 → 아리스토텔레스는 리시움(학원)이라고 부른 대학을 설립했다.

◉ 「call+목적어(a college)+목적격 보어(Lyceum)」의 구조에서 바뀐 관계사절이다.

어휘 establish 통 설립하다

02 Someday, / you will learn / how to accept / *the things* [**that you cannot change**].

언젠가 / 너는 알게 될 것이다 / 어떻게 받아들일지를 / [네가 바꿀 수 없는] 것들을 → 언젠가, 너는 네가 바꿀 수 없는 것들을 어떻게 받아들일지를 알게 될 것이다.

◉ how ~ change는 문장에서 목적어 역할을 하는 명사절이다.

어휘 accept 통 받아들이다

03 *The artists* [**whom Chris interviewed for the radio show**] / were from the same city.

[Chris가 라디오 방송을 위해 인터뷰했던] 예술가들은 / 같은 도시 출신이었다

04 The children avoided / eating any of *the snacks* [**which they did not like**].

그 아이들은 피했다 / [그들이 좋아하지 않는] 간식들 중 어느 것도 먹는 것을 → 그 아이들은 그들이 좋아하지 않는 간식들 중 어느 것도 먹는 것을 피했다.

◉ 동명사구 eating ~ like는 동사 avoided의 목적어로 쓰였다.

05 There is *a poetry workshop* [**that I want to attend**] / this Friday afternoon.

[내가 참석하기를 원하는] 시 워크숍이 있다 / 이번 주 금요일 오후에 → 이번 주 금요일 오후에 내가 참석하기를 원하는 시 워크숍이 있다.

◉ to부정사 to attend는 동사 want의 목적어로 쓰였다.

06 Keira got a thoughtful gift / from *a friend* [**whom she had known for years**].

Keira는 사려 깊은 선물을 받았다 / [그녀가 수년 동안 알고 지내왔던] 친구로부터 → Keira는 그녀가 수년 동안 알고 지내왔던 친구로부터 사려 깊은 선물을 받았다.

어휘 thoughtful 혱 사려 깊은, 생각이 깊은

07 We generally don't go / outside *the box* [**which society has created for us**]. <모의>

우리는 일반적으로 나가지 않는다 / [사회가 우리를 위해 만든] 상자 밖으로 → 우리는 일반적으로 사회가 우리를 위해 만든 상자 밖으로 나가지 않는다.

어휘 generally [부] 일반적으로

08 For the French revolutionaries, / freedom was *the value* [**that they cherished most**].

프랑스의 혁명가들에게 / 자유는 [그들이 가장 중요하게 여겼던] 가치였다

어휘 revolutionary [명] 혁명가 cherish [동] 중요하게 여기다

09 *The amusement park* [**which we visited last weekend**] / is now closed due to inspection.

[우리가 지난 주말에 방문했던] 놀이공원은 / 현재 점검 때문에 닫혀 있다

어휘 amusement park [명] 놀이공원 due to ~ 때문에 inspection [명] 점검

10 When people interact / with *someone* [**whom they don't expect to meet again**], / they rarely talk about themselves.

사람들이 교류할 때 / [그들이 다시 만날 것을 예상하지 않는] 누군가와 / 그들은 그들 자신에 대해서 거의 말하지 않는다
→ 사람들은 그들이 다시 만날 것을 예상하지 않는 누군가와 교류할 때, 그들 자신에 대해서 거의 말하지 않는다.

- to부정사구 to meet again은 동사 don't expect의 목적어로 쓰였다.
- rarely는 '거의 ~않다'라는 뜻을 나타내는 부정어이다.
- 주어와 목적어가 같은 대상이므로 재귀대명사 themselves를 쓰며, '자기 자신'이라고 해석한다.

어휘 interact [동] 교류하다

[고난도]
11 Citizens were warned not to travel / to *the countries* [**that the government had declared hazardous**].

시민들은 여행가지 않을 것을 경고받았다 / [정부가 위험하다고 공표했었던] 나라들에
→ 시민들은 정부가 위험하다고 공표했었던 나라들에 여행가지 않을 것을 경고받았다.

- 「warn+목적어(citizens)+목적격 보어(not to travel ~ hazardous)」의 구조가 수동태로 바뀐 문장이다.
- 「declare+목적어(the countries)+목적격 보어(hazardous)」의 구조에서 바뀐 관계사절이다.

어휘 government [명] 정부 declare [동] 공표하다 hazardous [형] 위험한

12 We share similar beliefs / with *someone* [**whom we have a relationship with**]. <수능응용>

우리는 비슷한 믿음을 공유한다 / [우리가 관계를 맺고 있는] 누군가와 → 우리는 관계를 맺고 있는 누군가와 비슷한 믿음을 공유한다.

- = We share similar beliefs with someone **with whom we have a relationship**.

어휘 relationship [명] 관계

13 Tim sings / in *an indie band* [**that most people have never heard of**].

Tim은 노래한다 / [대부분의 사람들이 한 번도 들어본 적이 없는] 인디밴드에서 → Tim은 대부분의 사람들이 한 번도 들어본 적이 없는 인디밴드에서 노래한다.

14 The servers brought a variety of dishes / to *the table* [**at which we sat**].

그 종업원들은 다양한 요리를 가져왔다 / [우리가 앉아있던] 식탁으로 → 그 종업원들은 우리가 앉아있던 식탁으로 다양한 요리를 가져왔다.

- = The servers brought a variety of dishes to the table **which we sat at**.

어휘 server [명] 종업원 a variety of 다양한

15 It is important / to become *the kind of leader* [**who people will listen to**].

중요하다 / [사람들이 경청할] 종류의 지도자가 되는 것은 → 사람들이 경청할 종류의 지도자가 되는 것은 중요하다.

● 진주어 to become ~ listen to 대신 가주어 it이 주어 자리에 쓰였다.

16 You can succeed / in *almost every field* [**for which you have a genuine passion**].

너는 성공할 수 있다 / [네가 진정한 열정을 가지고 있는] 거의 모든 분야에서 → 너는 네가 진정한 열정을 가지고 있는 거의 모든 분야에서 성공할 수 있다.

● = You can succeed in almost every field **which you have a genuine passion for**.

어휘 succeed [동] 성공하다 genuine [형] 진정한, 진짜의 passion [명] 열정

17 *The project* [**that we are working on**] / is financially supported by several companies.

[우리가 작업하고 있는] 프로젝트는 / 여러 회사에 의해 재정적으로 지원받는다

어휘 financially [부] 재정적으로 support [동] 지원하다

18 Mark refused to give us / the name of *the person* [**from whom he got the information**].

Mark는 우리에게 주는 것을 거부했다 / [그가 그 정보를 얻었던] 사람의 이름을 → Mark는 그가 그 정보를 얻었던 사람의 이름을 우리에게 주는 것을 거부했다.

● = Mark refused to give us the name of the person **whom he got the information from**.

● to부정사구 to give ~ information은 동사 refused의 목적어로 쓰였다.

● 「give+간접 목적어(us)+직접 목적어(the name ~ information)」의 구조이다.

어휘 refuse [동] 거부하다

19 In order to learn a language, / an infant must make sense of / *the contexts* [**in which that language occurs**]. <모의>

언어를 배우기 위해 / 유아는 이해해야 한다 / [그 언어가 발생하는] 맥락을 → 언어를 배우기 위해, 유아는 그 언어가 발생하는 맥락을 이해해야 한다.

● = In order to learn a language, an infant must make sense of the contexts **which that language occurs in**.

● to부정사구 to learn a language는 목적을 나타내는 부사적 용법으로 쓰였으며, to 대신 in order to가 왔다.

어휘 infant [명] 유아 make sense of ~을 이해하다 context [명] 맥락 occur [동] 발생하다

20 Writing down a list of *things* [**that you are proud of about yourself**] / might help you boost your confidence.

[네가 너 자신에 대해 자랑스러워하는] 것들의 목록을 적는 것은 / 네가 너의 자신감을 키우는 것을 도와줄 수도 있다

● 동명사구 Writing ~ yourself는 문장에서 주어 역할을 하고 있다.

● 「help+목적어(you)+목적격 보어(boost your confidence)」의 구조이다.

어휘 proud [형] 자랑스러워하는 boost [동] 키우다, 증대시키다 confidence [명] 자신감

21 *The product* [**that Aida received in the mail**] / was not *the one* [**that she had paid for**].

[Aida가 우편으로 받았던] 제품은 / [그녀가 사려고 돈을 지불했었던] 것이 아니었다

● product 대신 대명사 one이 쓰였다.

어휘 receive [동] 받다

[고난도]
22 Students should be taught / how to converse with *others* [**with whom they disagree**] / from an early age.

학생들은 배워야 한다 / [그들이 동의하지 않는] 다른 사람들과 어떻게 대화할지를 / 어린 나이부터
→ 학생들은 어린 나이부터 그들이 동의하지 않는 다른 사람들과 어떻게 대화할지를 배워야 한다.

○ = Students should be taught how to converse with others **whom they disagree with** from an early age.

○ 「teach+간접 목적어(students)+직접 목적어(how ~ disagree)」의 구조가 수동태로 바뀐 문장이다.

○ 「how+to부정사」는 '어떻게 ~할지'라고 해석한다.

어휘 converse 图 대화하다   disagree 图 동의하지 않다

소유격 관계대명사절 해석하기

본책 p.123

01   *People* [**whose fears last too long**] / might need help to overcome them. <모의>

[두려움이 너무 오래 지속되는] 사람들은 / 그것들을 극복하기 위해 도움이 필요할 수도 있다

○ to부정사구 to overcome them은 목적을 나타내는 부사적 용법으로 쓰였다.

어휘 last 图 지속되다   overcome 图 극복하다

02   At the party, / I met *a man* [**whose face reminded me of my uncle's**].

그 파티에서 / 나는 [얼굴이 나에게 나의 삼촌의 것을 상기시키는] 남자를 만났다 → 그 파티에서, 나는 나에게 삼촌의 얼굴을 상기시키는 남자를 만났다.

○ my uncle's 뒤에 face가 생략되어 있다.

어휘 remind 图 상기시키다

03   The librarian had to call / *patrons* [**whose library card had expired**].

그 도서관 사서는 전화를 걸어야 했다 / [도서관 카드가 만료되었던] 이용객들에게 → 그 도서관 사서는 도서관 카드가 만료되었던 이용객들에게 전화를 걸어야 했다.

어휘 patron 图 이용객   expire 图 만료되다

04   *Passengers* [**whose flight is delayed**] / will be given a hotel room (to stay in).

[항공편이 지연된] 승객들은 / (머물) 호텔 방을 제공받을 것이다

○ 「give+간접 목적어(passengers ~ delayed)+직접 목적어(a hotel ~ in)」의 구조가 수동태로 바뀐 문장이다.

○ to부정사구 to stay in은 room을 꾸며주는 형용사적 용법으로 쓰였다.

어휘 passenger 图 승객   delay 图 지연시키다

05   The company hired / *the applicant* [**whose experience included overseas work**].

그 회사는 고용했다 / [경력이 해외 근무를 포함했던] 지원자를 → 그 회사는 경력이 해외 근무를 포함했던 지원자를 고용했다.

어휘 hire 图 고용하다   applicant 图 지원자

06   It is not easy / to be part of *a group* [**whose interests are different from yours**].

쉽지 않다 / [관심사가 너의 것과 다른] 무리의 일부가 되는 것은 → 관심사가 너의 것과 다른 무리의 일부가 되는 것은 쉽지 않다.

○ 진주어 to be ~ yours 대신 가주어 it이 주어 자리에 쓰였다.

○ your interests 대신 소유대명사 yours가 쓰였다.

어휘 interest 图 관심사

07   Mars is *a terrestrial planet* [**whose surface is mostly covered with red dust**].

화성은 [표면이 대부분 붉은 먼지로 덮여 있는] 지구형 행성이다.

어휘 planet 图 행성   surface 图 표면   dust 图 (흙)먼지

08 This checkout lane is for / *customers* [**whose shopping cart contains fewer than ten items**].

이 계산대 통로는 ~을 위한 것이다 / [쇼핑 카트가 10개 미만의 물품을 담고 있는] 고객들
→ 이 계산대 통로는 쇼핑 카트가 10개 미만의 물품을 담고 있는 고객들을 위한 것이다.

어휘 checkout [명] 계산대 lane [명] 통로 customer [명] 고객 contain [동] 담고 있다

09 The fashion show will feature / *designers* [**whose pieces are made from recyclable material**].

그 패션쇼는 출연시킬 것이다 / [작품들이 재활용 가능한 자재로 만들어진] 디자이너들을
→ 그 패션쇼는 작품들이 재활용 가능한 자재로 만들어진 디자이너들을 출연시킬 것이다.

어휘 feature [동] 출연시키다, 특색으로 하다 piece [명] 작품 recyclable [형] 재활용 가능한 material [명] 자재, 소재

10 *A child* [**whose behavior is out of control**] improves / when clear limits (on their behavior) are set and enforced. <모의>

[행동이 통제를 벗어나는] 아이는 개선된다 / (그들의 행동에 대한) 분명한 제한이 설정되고 시행될 때
→ 행동이 통제를 벗어나는 아이는 행동에 대한 분명한 제한이 설정되고 시행될 때 개선된다.

● set과 enforced가 등위접속사 and로 연결되어 있으며, be동사 are와 함께 쓰인 과거분사에 해당한다.

어휘 out of control 통제를 벗어난 improve [동] 개선되다 clear [형] 분명한 set [동] 설정하다 enforce [동] 시행하다

[고난도]
11 *Those* [**whose only priorities are fame and fortune**] / may end up feeling empty / after achieving them.

[유일한 우선순위가 명예와 재산뿐인] 사람들은 / 결국 공허함을 느끼게 될 수도 있다 / 그것들을 성취한 후
→ 유일한 우선순위가 명예와 재산뿐인 사람들은 그것들을 성취한 후 결국 공허함을 느끼게 될 수도 있다.

● those는 '(~하는) 사람들'이라고 해석한다.
● 「end up+v-ing」는 '결국 ~하게 되다'라고 해석한다.
● fame and fortune 대신 대명사 them이 쓰였다.

어휘 priority [명] 우선순위 fame [명] 명예 fortune [명] 재산, 운 empty [형] 공허한, 빈

UNIT 71 관계부사절 해석하기

본책 p.124

01 Select appropriate clothing / for *the environment* [**where you'll be exercising**]. <모의응용>

적절한 옷을 선택해라 / [당신이 운동할] 환경에 → 당신이 운동할 환경에 적절한 옷을 선택해라.

● 주어 없이 동사로 시작하는 명령문이다.

어휘 appropriate [형] 적절한 environment [명] 환경

02 The Internet has significantly changed / **how people collect information.**
인터넷은 상당히 바꿨다 / 사람들이 정보를 모으는 방법을 → 인터넷은 사람들이 정보를 모으는 방법을 상당히 바꿨다.

어휘 significantly [부] 상당히

03 Lunar New Year is / *a time* [**when many Asian families gather together**].

음력 설날은 ~이다 / [많은 아시아 가족들이 함께 모이는] 때 → 음력 설날은 많은 아시아 가족들이 함께 모이는 때이다.

04 The article did not reveal / *the reason* [**why the social media site shut down**].

그 기사는 밝히지 않았다 / [그 소셜 미디어 사이트가 폐쇄된] 이유를 → 그 기사는 그 소셜 미디어 사이트가 폐쇄된 이유를 밝히지 않았다.

어휘 article [명] 기사 reveal [동] 밝히다

05 Ethan will never forget / *the day* [**when he met his favorite singer**].

Ethan은 결코 잊지 않을 것이다 / [그가 가장 좋아하는 가수를 만났던] 날을 → Ethan은 그가 가장 좋아하는 가수를 만났던 날을 결코 잊지 않을 것이다.

06 Tuscany is / one of *the cities* [**where you can try quality wines at famous local wineries**].

토스카나는 ~이다 / [네가 유명한 현지의 포도주 양조장에서 양질의 와인을 시음할 수 있는] 도시들 중 하나
→ 토스카나는 네가 유명한 현지의 포도주 양조장에서 양질의 와인을 시음할 수 있는 도시들 중 하나이다.

어휘 quality [형] 양질의 local [형] 현지의 winery [명] 포도주 양조장

07 World historians seek to understand human history / by studying / **how societies relate to each other.** <모의응용>

세계사학자들은 인류 역사를 이해하려고 노력한다 / 연구함으로써 / 사회들이 서로에게 관련되는 방식을
→ 세계사학자들은 사회들이 서로에게 관련되는 방식을 연구함으로써 인류 역사를 이해하려고 노력한다.

⊙ to부정사구 to understand human history는 동사 seek의 목적어로 쓰였다.

어휘 seek [동] 노력하다, 찾다 relate [동] 관련되다, 관계가 있다

[고난도]
08 Modern medicine began to emerge / during *the time* [**when the Industrial Revolution was at its peak**].

현대 의학은 떠오르기 시작했다 / [산업 혁명이 그것의 절정에 있던] 시기 동안에 → 현대 의학은 산업 혁명이 절정에 있던 시기 동안에 떠오르기 시작했다.

⊙ to부정사 to emerge는 동사 began의 목적어로 쓰였으며, begin은 to부정사와 동명사를 모두 목적어로 가진다.

어휘 emerge [동] 떠오르다, 나타나다 Industrial Revolution [명] 산업 혁명 peak [명] 절정

UNIT 72 관계사가 생략된 관계사절 해석하기

본책 p.125

01 Travel gives us / the chance (to do *things* [**we have only imagined**]). <수능>

여행은 우리에게 준다 / ([우리가 상상만 해왔던] 것들을 할) 기회를 → 여행은 우리에게 상상만 해왔던 것들을 할 기회를 준다.

⊙ 「give+간접 목적어(us)+직접 목적어(the chance ~ imagined)」의 구조이다.

02 Sometimes, / we make *choices* [**we regret**], // but they teach us valuable lessons.

때때로 / 우리는 [우리가 후회하는] 선택들을 한다 // 그러나 그것들은 우리에게 값진 교훈을 가르쳐 준다
→ 때때로, 우리는 우리가 후회하는 선택들을 하지만, 그것들은 우리에게 값진 교훈을 가르쳐 준다.

⊙ 「teach+간접 목적어(us)+직접 목적어(valuable lessons)」의 구조이다.

어휘 regret [동] 후회하다 valuable [형] 값진 lesson [명] 교훈

03 Dr. Spencer was deeply respected / by *the staff* [**she worked with at the center**].

Spencer 박사는 몹시 존경받았다 / [그녀가 센터에서 함께 일했던] 직원들로부터 → Spencer 박사는 센터에서 함께 일했던 직원들로부터 몹시 존경받았다.

어휘 staff 圆 직원

04 The man (in the black hat) is / *the person* [**the police have been looking for since last month**].

(검은 모자를 쓴) 그 남자는 ~이다 / [경찰이 지난달부터 찾아오고 있던] 사람 → 검은 모자를 쓴 그 남자는 경찰이 지난달부터 찾아오고 있던 사람이다.

고난도
05 It is hard to be grateful / when *all* [**you think about**] is what you don't have. <모의>

감사해하기는 어렵다 / [네가 생각하는] 모든 것이 네가 가지고 있지 않은 것일 때 → 네가 생각하는 모든 것이 네가 가지고 있지 않은 것일 때 감사해하기는 어렵다.
○ 진주어 to be grateful 대신 가주어 it이 주어 자리에 쓰였다.
○ what ~ have는 주격 보어 역할을 하는 명사절이다.

어휘 grateful 圆 감사하는

06 Individual sellers can choose / *the time* [**they close their booth**]. <모의응용>

각각의 판매자들은 선택할 수 있다 / [그들이 그들의 점포를 닫는] 시간을 → 각각의 판매자들은 그들이 그들의 점포를 닫는 시간을 선택할 수 있다.

어휘 individual 圈 각각의 booth 圆 점포

07 I could not really understand / *the reason* [**Matt reacted angrily to my suggestion**].

나는 정말 이해할 수 없었다 / [Matt가 나의 제안에 격분하여 반응했던] 이유를 → 나는 Matt가 나의 제안에 격분하여 반응했던 이유를 정말 이해할 수 없었다.

어휘 react 圄 반응하다 suggestion 圆 제안

08 Sarah still remembers / *the time* [**she and her family went on a camping holiday in Spain**].

Sarah는 여전히 기억한다 / [그녀와 그녀의 가족이 스페인에 캠핑 휴가를 갔던] 때를
→ Sarah는 그녀와 그녀의 가족이 스페인에 캠핑 휴가를 갔던 때를 여전히 기억한다.

09 The tourists stopped by / *the place* [**the world's first publication company was established**].

관광객들은 들렀다 / [세계 최초의 출판사가 설립되었던] 장소에 → 관광객들은 세계 최초의 출판사가 설립되었던 장소에 들렀다.

어휘 publication 圆 출판

10 Storm chasers go / to *places* [**hurricanes and tornadoes form**] / in order to capture them on video.

폭풍 추적자들은 간다 / [허리케인과 토네이도가 형성되는] 장소들에 / 그것들을 비디오에 담기 위해
→ 폭풍 추적자들은 허리케인과 토네이도를 비디오에 담기 위해 그것들이 형성되는 장소들에 간다.
○ to부정사구 to capture ~ video는 목적을 나타내는 부사적 용법으로 쓰였으며, to 대신 in order to가 왔다.
○ hurricanes and tornadoes 대신 대명사 them이 쓰였다.

어휘 chaser 圆 추적자 capture 圄 (사진이나 글로) 담아내다

11 *The reason* [**sugar turns brown when heated**] / has to do with the presence (of carbon). <모의>

[가열되었을 때 설탕이 갈색이 되는] 이유는 / (탄소의) 존재와 관계가 있다 → 가열되었을 때 설탕이 갈색이 되는 이유는 탄소의 존재와 관계가 있다.

○ when과 heated 사이에는 「주어+be동사」가 생략되어 있다.

어휘 have to do with ~과 관계가 있다 presence 뗑 존재 carbon 뗑 탄소

 UNIT 73 콤마와 함께 쓰인 관계사절 해석하기

본책 p.126

01 This year's adviser is *Ms. Williams*, / **who is a math teacher at our school.** <수능>

올해의 지도 교사는 Williams 선생님이다 / 그리고 그녀는 우리 학교의 수학 선생님이다
→ 올해의 지도 교사는 Williams 선생님이고, 그녀는 우리 학교의 수학 선생님이다.

어휘 adviser 뗑 지도 교사, 조언자

02 *Ulysses*, / **which was written by James Joyce**, / is widely regarded as a masterpiece.

'율리시스'는 / 제임스 조이스에 의해 쓰였으며 / 걸작으로 널리 여겨진다

어휘 regard 뗑 여기다 masterpiece 뗑 걸작

03 Mr. Taylor told us to hand in the homework to *Maria*, / **who is our class president.**

Taylor 선생님은 우리에게 숙제를 Maria에게 제출하라고 말했다 / 그리고 그녀는 우리의 반장이다
→ Taylor 선생님은 우리에게 숙제를 Maria에게 제출하라고 말했고, 그녀는 우리의 반장이다.

○ 「tell+목적어(us)+목적격 보어(to hand ~ Maria)」의 구조이다.

04 *Cora*, / **who is a new member**, / was personally invited to the club / by Anna. <수능>

Cora는 / 새로운 회원인데 / 동호회에 개인적으로 초대되었다 / Anna에 의해 → Cora는 새로운 회원인데, Anna에 의해 동호회에 개인적으로 초대되었다.

어휘 personally 뿐 개인적으로

05 Ross gave a moving speech / in honor of his professor, / **which made almost everyone cry.**

Ross는 감동적인 연설을 했다 / 그의 교수님에게 경의를 표하여 / 그리고 그것은 거의 모든 사람들이 울도록 만들었다
→ Ross는 그의 교수님에게 경의를 표하여 감동적인 연설을 했고, 그것은 거의 모든 사람들이 울도록 만들었다.

○ 이때 which는 앞에 나온 절을 선행사로 가졌다.
○ 「make+목적어(almost everyone)+목적격 보어(cry)」의 구조이다.

어휘 moving 뗑 감동적인 in honor of ~에게 경의를 표하여

06 Lora admires *The Rolling Stones*, / **whose musical style greatly influenced** / **the rock-and-roll genre.**

Lora는 롤링스톤스를 동경한다 / 그런데 그들의 음악 스타일은 크게 영향을 미쳤다 / 로큰롤 장르에
→ Lora는 롤링스톤스를 동경하는데, 그들의 음악 스타일은 로큰롤 장르에 크게 영향을 미쳤다.

어휘 influence 통 영향을 미치다

 07 *Carl Jung*, / **who founded analytical psychology**, / developed the idea of the "shadow" or repressed self.

칼 융은 / 분석 심리학을 창시했으며 / "그림자", 즉 억압된 자아라는 개념을 만들어냈다

○ or는 동격을 나타내며, '즉'이라고 해석한다.

어휘 found 통 창시하다, 설립하다 repressed 형 억압된 self 뗑 자아

08 There are *many different points of view*, / **all of which have something useful (to say).**
<모의>
많은 다양한 관점들이 있다 / 그리고 그것들 모두는 (이야기할) 유익한 무언가를 가지고 있다
→ 많은 다양한 관점들이 있고, 그것들 모두는 이야기할 유익한 무언가를 가지고 있다.

어휘 point of view 뗑 관점

09 The mountain has *hundreds of caves*, / **some of which are quite large.**
그 산은 수백 개의 동굴을 가지고 있다 / 그리고 그것들 중 몇몇은 꽤 크다 → 그 산은 수백 개의 동굴을 가지고 있고, 그것들 중 몇몇은 꽤 크다.

10 *The judges*, / **all of whom were former figure skaters**, / gave Yuna Kim a high score.
그 심판들은 / 그들 중 모두가 전직 피겨 스케이팅 선수들이었는데 / 김연아에게 높은 점수를 줬다
→ 그 심판들은 모두가 전직 피겨 스케이팅 선수들이었는데, 김연아에게 높은 점수를 줬다.
○ 「give+간접 목적어(Yuna Kim)+직접 목적어(a high score)」의 구조이다.

어휘 judge 뗑 심판 former 휑 전직의, 이전의

11 The band's album consists of *16 songs*, / **one of which is available for free online**.
그 밴드의 앨범은 16곡으로 구성되어 있다 / 그리고 그것들 중 하나는 온라인에서 무료로 이용 가능하다
→ 그 밴드의 앨범은 16곡으로 구성되어 있고, 그것들 중 하나는 온라인에서 무료로 이용 가능하다.

어휘 consist 뙹 구성되어 있다 available 휑 이용 가능한

12 Firefighters rescued *27 people*, / **most of whom needed immediate medical treatment**.
소방관들이 27명의 사람들을 구조했다 / 그런데 그들 중 대부분은 즉각적인 의료 처치가 필요했다
→ 소방관들이 27명의 사람들을 구조했는데, 그들 중 대부분은 즉각적인 의료 처치가 필요했다.

어휘 rescue 뙹 구조하다 immediate 휑 즉각적인 treatment 뗑 처치

13 The slowing economy hurt *local businesses*, / **half of which had to close down**.
침체되고 있는 경기는 지역 사업체들에 손실을 입혔다 / 그리고 그들 중 절반은 문을 닫아야 했다
→ 침체되고 있는 경기는 지역 사업체들에 손실을 입혔고, 그들 중 절반은 문을 닫아야 했다.
○ hurt는 과거형으로 쓰였다. (hurt-hurt-hurt)

어휘 economy 뗑 경기 business 뗑 사업체

[고난도]
14 Logic has *extensive and well-defined guidelines*, / **many of which are all too easy** / **to unintentionally violate**. <모의>
논리는 광범위하고 명확하게 정의된 지침들을 가지고 있다 / 그리고 그것들 중 다수는 너무나 쉽다 / 무심코 위반하기에
→ 논리는 광범위하고 명확하게 정의된 지침들을 가지고 있고, 그것들 중 다수는 무심코 위반하기에 너무나 쉽다.
○ guidelines를 꾸며주는 extensive와 well-defined가 등위접속사 and로 연결되어 병렬 구문을 이룬다.
○ to부정사구 to unintentionally violate는 easy를 꾸며주는 부사적 용법으로 쓰였다.

어휘 extensive 휑 광범위한 well-defined 휑 명확하게 정의된 guideline 뗑 지침 unintentionally 뛩 무심코 violate 뙹 위반하다

15 The Dutch Ice Hotel is located in *a refrigerated warehouse*, / **where the temperature stays below zero**. <모의응용>
Dutch Ice Hotel은 냉동고 안에 위치해 있다 / 그리고 그곳에는 온도가 영하로 유지된다
→ Dutch Ice Hotel은 냉동고 안에 위치해 있고, 그곳에는 온도가 영하로 유지된다.

어휘 refrigerated warehouse 뗑 냉동고 temperature 뗑 온도

16 Sophie moved to *Paris*, / **where she started her own business**.
Sophie는 파리로 이사했다 / 그리고 그곳에서 그녀는 그녀 자신의 사업을 시작했다 → Sophie는 파리로 이사했고, 그곳에서 그녀는 그녀 자신의 사업을 시작했다.

17 I ran into Chris at the airport *last Saturday*, / **when I was coming back from vacation.**

나는 지난주 토요일에 공항에서 Chris를 우연히 만났다 / 그런데 그때 나는 휴가에서 돌아오고 있었다

→ 나는 지난주 토요일에 공항에서 Chris를 우연히 만났는데, 그때 나는 휴가에서 돌아오고 있었다.

어휘 run into 우연히 만나다

18 Drivers were advised to detour around *Fifth Street*, / **where construction was taking place.**

운전자들은 5번가를 우회하도록 권고받았다 / 그리고 그곳에는 공사가 진행되고 있었다

→ 운전자들은 5번가를 우회하도록 권고받았고, 그곳에는 공사가 진행되고 있었다.

⊙ 「advise+목적어(drivers)+목적격 보어(to detour ~ Street)」의 구조가 수동태로 바뀐 문장이다.

어휘 advise 图 권고하다   construction 圀 공사   take place 진행되다

고난도
19 Oxygen reached one-third of its present concentration / about *500 million years ago*, / **when plants first spread onto land.** <모의응용>

산소는 그것의 현재 농도의 3분의 1에 도달했다 / 약 5억년 전에 / 그리고 그때 식물들이 처음 육지에 퍼졌다

→ 산소는 약 5억년 전에 현재 농도의 3분의 1에 도달했고, 그때 식물들이 처음 육지에 퍼졌다.

⊙ spread는 과거형으로 쓰였다. (spread-spread-spread)

어휘 reach 图 도달하다

본책 p.128

Chapter Test

01 *The jokes* [**which I found funny**] / were not humorous to anyone else.

[내가 웃기다고 생각했던] 농담들은 / 다른 어느 누구에게도 재미있지 않았다

⊙ 「find+목적어(the jokes)+목적격 보어(funny)」의 구조에서 바뀐 관계사절이다.

어휘 humorous 圀 재미있는

02 Carol has *some elderly relatives*, / **whom she is willing to look after.**

Carol은 몇몇 나이 든 친척들이 있다 / 그리고 그들을 그녀는 기꺼이 돌보려고 한다 → Carol은 몇몇 나이 든 친척들이 있고, 그들을 그녀는 기꺼이 돌보려고 한다.

⊙ 「be willing to-v」는 '기꺼이 ~하려고 하다'라고 해석한다.

어휘 elderly 圀 나이가 든   relative 圀 친척   look after ~를 돌보다

03 This best-selling novel is based / on *real events* [**that happened in Seoul in the 1960s**].

이 베스트셀러 소설은 기반을 두고 있다 / [1960년대에 서울에서 발생했던] 실제 사건들에

→ 이 베스트셀러 소설은 1960년대에 서울에서 발생했던 실제 사건들에 기반을 두고 있다.

04 We were surprised / at *the efficiency* [**with which the factory was run**].

우리는 놀랐다 / [그 공장이 운영되었던] 효율에 → 우리는 그 공장이 운영되었던 효율에 놀랐다.

⊙ = We were surprised at the efficiency **which the factory was run with.**
⊙ run은 과거분사(p.p.)로 쓰였다. (run-ran-run)

어휘 efficiency 圀 효율   run 图 운영하다

05 For some Native Americans, / the Grand Canyon was *the place* [**they called home**].

몇몇 북미 원주민들에게 / 그랜드 캐니언은 [그들이 고향이라고 불렀던] 곳이었다

⊙ 「call+목적어(the place)+목적격 보어(home)」의 구조에서 바뀐 관계사절이다.

06 *Children* [**whose parents exercise every day**] / are likely to lead a healthy lifestyle.

[부모가 매일 운동하는] 아이들은 / 건강한 생활 방식을 이끌 가능성이 높다

❍ 「be likely to-v」는 '~할 가능성이 높다, ~할 것 같다'라고 해석한다.

어휘 lead 통 이끌다

07 *The team* [**Rachel rooted for**] / did not end up winning the championship.

[Rachel이 응원했던] 팀은 / 결국 선수권을 따내지 못하게 되었다

❍ 「end up+v-ing」는 '결국 ~하게 되다'라고 해석한다.

어휘 championship 명 선수권

08 The school deducts points / from *students* [**who arrive at school late more than five times**].

그 학교는 점수를 감한다 / [다섯 번 이상 학교에 늦게 도착하는] 학생들에게서 → 그 학교는 다섯 번 이상 학교에 늦게 도착하는 학생들에게서 점수를 감한다.

어휘 deduct 통 감하다, 빼다

09 No one knows / **how the burglar disabled the alarm and broke into the public museum**.

아무도 알지 못한다 / 그 강도가 경보 장치를 해제하고 공립 박물관에 침입했던 방법을
→ 그 강도가 경보 장치를 해제하고 공립 박물관에 침입했던 방법을 아무도 알지 못한다.

❍ 동사 disabled와 broke가 등위접속사 and로 연결되어 병렬 구문을 이룬다.

어휘 burglar 명 강도   disable 통 해제하다, 고장 나게 하다

10 The virus from *Borneo*, / **where it was first discovered**, / continued to mutate and change.

보르네오 섬에서 온 그 바이러스는 / 그곳에서 처음 발견되었는데 / 변이를 일으키고 변화하기를 계속했다

❍ mutate와 change가 등위접속사 and로 연결되어 있으며, continued의 목적어 역할을 하는 to부정사의 동사원형에 해당한다.

11 Goya painted some of his finest portraits / around *the time* [**when he married in 1805**]. <모의>

고야는 그의 가장 훌륭한 초상화 중 몇 점을 그렸다 / [그가 1805년에 결혼했던] 시기 즈음에
→ 고야는 그가 1805년에 결혼했던 시기 즈음에 그의 가장 훌륭한 초상화 중 몇 점을 그렸다.

어휘 portrait 명 초상화

12 *Leo*, / **which represents a lion**, / can be seen in the southern skies in spring.

사자자리는 / 사자를 상징하는데 / 봄에 남쪽 하늘에서 보일 수 있다

어휘 represent 통 상징하다

13 Dr. Singer is / *an outstanding scholar and teacher* [**who the committee thinks highly of**].

Singer 박사는 ~이다 / [위원회가 높이 평가하는] 뛰어난 학자이자 교사 → Singer 박사는 위원회가 높이 평가하는 뛰어난 학자이자 교사이다.

어휘 outstanding 형 뛰어난   scholar 명 학자   committee 명 위원회   think highly of ~을 높이 평가하다

[고난도]
14 Cosmetics (such as toners, lotions, and sunscreens) / may contain *chemicals*, / **some of which cause allergic reactions**. <모의응용>

(토너, 로션, 그리고 선크림과 같은) 화장품들은 / 화학물질들을 포함할 수도 있다 / 그런데 그것들 중 몇몇은 알레르기 반응을 야기한다
→ 토너, 로션, 그리고 선크림과 같은 화장품들은 화학물질들을 포함할 수도 있는데, 그것들 중 몇몇은 알레르기 반응을 야기한다.

어휘 sunscreen 명 선크림, 자외선 차단제   chemical 명 화학물질   cause 통 야기하다   allergic 형 알레르기의   reaction 명 반응

15 *Percy Fawcett*, / **who was a British explorer**, / went looking for the mythical City of Z (in the Brazilian rainforest) / in 1925.

Percy Fawcett은 / 영국의 탐험가였는데 / (브라질의 우림에 있는) 신화 속의 도시인 Z를 찾으러 갔다 / 1925년에
→ Percy Fawcett은 영국의 탐험가였는데, 1925년에 브라질의 우림에 있는 신화 속의 도시인 Z를 찾으러 갔다.

◑ 「go+v-ing」는 '~하러 가다'라고 해석한다.

어휘 explorer 몡 탐험가 mythical 혱 신화 속의 rainforest 몡 우림

CHAPTER 13 부사절

UNIT 74 시간을 나타내는 부사절 해석하기

01 **When buttons first came to be used,** / they were extremely expensive. <모의>

단추들이 처음 사용되게 되었을 때 / 그것들은 몹시 비쌌다

어휘 come to ~하게 되다 extremely 및 몹시 expensive 형 비싼

02 Don't count your chickens / **before they hatch.** <속담>

너의 병아리들을 세지 말아라 / 그들이 부화하기 전에 → 김칫국부터 마시지 마라.

어휘 hatch 통 부화하다

03 My computer stopped working / **while I was typing my report.** <모의>

나의 컴퓨터는 작동하는 것을 멈췄다 / 내가 나의 보고서를 타이핑하는 동안 → 내가 나의 보고서를 타이핑하는 동안 컴퓨터가 작동하는 것을 멈췄다.

❍ 동명사 working은 동사 stopped의 목적어로 쓰였다.

04 **As the chocolate melts in the pot,** / you should keep stirring it / with a spoon.

초콜릿이 냄비에서 녹을 때 / 너는 그것을 계속 저어야 한다 / 숟가락으로 → 초콜릿이 냄비에서 녹을 때, 너는 숟가락으로 그것을 계속 저어야 한다.

❍ 동명사구 stirring ~ spoon은 동사 should keep의 목적어로 쓰였다.

어휘 melt 통 녹다 stir 통 젓다

05 Joe has been scared of big dogs / **since he was bitten by one** / **a few years ago**.

Joe는 큰 개들을 무서워해왔다 / 그가 한 마리에게 물린 이후로 / 몇 년 전에 → Joe는 몇 년 전에 큰 개 한 마리에게 물린 이후로 큰 개들을 무서워해왔다.

❍ a big dog 대신 대명사 one이 쓰였다.

어휘 bite 통 물다

06 **As soon as the last passengers boarded,** / the cruise ship took off / for its destination.

마지막 승객들이 탑승하자마자 / 그 유람선은 출발했다 / 그것의 목적지를 향해 → 마지막 승객들이 탑승하자마자, 그 유람선은 그것의 목적지를 향해 출발했다.

어휘 passenger 명 승객 board 통 탑승하다 cruise ship 명 유람선 destination 명 목적지

07 My manager hardly changes her mind / **once she has made a decision**.

나의 관리자는 그녀의 마음을 거의 바꾸지 않는다 / 일단 그녀가 결정을 내리면 → 나의 관리자는 일단 결정을 내리면 그녀의 마음을 거의 바꾸지 않는다.

❍ hardly는 '거의 ~않다'라는 의미의 부정어이다.

어휘 decision 명 결정

08 Drugs are not made publicly available / **until they have been thoroughly tested**.

약물들은 공식적으로 사용 가능하게 되지 않는다 / 그것들이 철저히 검사될 때까지 → 약물들은 철저히 검사될 때까지 공식적으로 사용 가능하게 되지 않는다.

❍ 「make+목적어(drugs)+목적격 보어(publicly available)」의 구조가 수동태로 바뀐 문장이다.

어휘 publicly 및 공식적으로 available 형 사용[이용] 가능한 thoroughly 및 철저히, 완전히

09 **After he claimed / that Earth revolved around the Sun**, / Galileo was heavily criticized.
그가 주장한 후에 / 지구가 태양 주위를 돈다고 / 갈릴레오는 심하게 비난받았다 → 지구가 태양 주위를 돈다고 주장한 후에, 갈릴레오는 심하게 비난받았다.

어휘 claim [동] 주장하다 revolve [동] 돌다, 회전하다 heavily [부] 심하게 criticize [동] 비난하다

10 **As long as I live**, / I'll never forget the advice [my mentor gave me]: // Do what you love / and love what you do.
내가 사는 동안 / 나는 [나의 멘토가 나에게 해준] 조언을 결코 잊지 않을 것이다 // 네가 사랑하는 것을 해라 / 그리고 네가 하는 것을 사랑해라
→ 내가 사는 동안, 나는 나의 멘토가 나에게 해준 조언, 즉 네가 사랑하는 것을 하고, 네가 하는 것을 사랑하라는 조언을 결코 잊지 않을 것이다.

○ advice와 my 사이에는 목적격 관계대명사가 생략되어 있다.
○ what you love는 동사 Do의, what you do는 동사 love의 목적어 역할을 하는 명사절이다.

어휘 advice [명] 조언, 충고

[고난도]
11 **When a company comes out with a new product**, / its competitors typically go on the defensive. <모의>
한 회사가 새로운 제품을 내놓을 때 / 그것의 경쟁사들은 보통 방어적인 자세를 취한다

어휘 come out with ~을 내놓다 product [명] 제품 competitor [명] 경쟁사, 경쟁자 typically [부] 보통 on the defensive 방어자세를 취하는

[고난도]
12 Environmentalists worry / that the damaging effects (of climate change) will become irreversible / **by the time we begin to act.**
환경 운동가들은 걱정한다 / (기후 변화의) 해로운 영향은 돌이킬 수 없게 될 것이라고 / 우리가 행동을 취하기 시작할 무렵에는
→ 환경 운동가들은 우리가 행동을 취하기 시작할 무렵에는 기후 변화의 해로운 영향이 돌이킬 수 없게 될 것이라고 걱정한다.

○ that ~ act는 문장에서 목적어 역할을 하는 명사절이다.
○ to부정사 to act는 동사 begin의 목적어로 쓰였으며, begin은 to부정사와 동명사를 모두 목적어로 가진다.

어휘 environmentalist [명] 환경 운동가 damaging [형] 해로운 effect [명] 영향, 효과 climate change [명] 기후 변화 irreversible [형] 돌이킬 수 없는

UNIT 75 원인을 나타내는 부사절 해석하기

본책 p.131

01 People say / that water has no enemy / **because it is essential to all life.** <모의응용>
사람들은 말한다 / 물이 적을 가지고 있지 않다고 / 그것은 모든 생명에 필수적이기 때문에
→ 사람들은 물이 모든 생명에 필수적이기 때문에 적을 가지고 있지 않다고 말한다.

○ that ~ life는 문장에서 목적어 역할을 하는 명사절이다.

어휘 enemy [명] 적 essential [형] 필수적인

02 **Now that the economy is better**, / more people are shopping again.
경기가 더 나아지니까 / 더 많은 사람들이 다시 쇼핑을 하고 있다

어휘 economy [명] 경기

03 I was disappointed / **that the store didn't sell** / **what I wanted to buy.**
나는 실망했다 / 그 가게가 팔지 않아서 / 내가 사기를 원했던 것을 → 그 가게가 내가 사기를 원했던 것을 팔지 않아서 나는 실망했다.

○ what ~ buy는 동사 didn't sell의 목적어 역할을 하는 명사절이다.
○ to부정사 to buy는 동사 wanted의 목적어로 쓰였다.

어휘 disappointed [형] 실망한

04 **Seeing that Colin called in sick,** / he won't be able to attend today's meeting.

Colin이 아파서 결근한다고 전화했던 것으로 보아 / 그는 오늘 회의에 참석할 수 없을 것이다

어휘 call in sick 아파서 결근[결석]한다고 전화하다 attend [동] 참석하다

05 The river (in my town) flooded last week / **because it had rained** / **for three days in a row.**

(나의 동네에 있는) 그 강은 지난주에 범람했다 / 비가 왔었기 때문에 / 3일 연이어 → 3일 연이어 비가 왔었기 때문에 나의 동네에 있는 그 강은 지난주에 범람했다.

날씨를 나타내는 비인칭 주어 it이 쓰였으며, 이때 it은 의미를 가지지 않으므로 해석하지 않는다.

어휘 flood [동] 범람하다 in a row 연이어

06 **Since arctic animals have thick skin and fur,** / they can survive the freezing cold.

북극 동물들은 두꺼운 피부와 털을 가지고 있기 때문에 / 그들은 얼어붙을 듯한 추위를 견뎌낼 수 있다

어휘 arctic [형] 북극의 fur [명] 털, 모피 survive [동] 견뎌내다 freezing [형] 얼어붙을 듯한

07 Businesses tend to use celebrities in their ads / **for the reason that they can enhance a brand's image.**

사업체들은 그들의 광고에 유명인들을 이용하는 경향이 있다 / 그들이 브랜드의 이미지를 높일 수 있다는 이유로
→ 사업체들은 유명인들이 브랜드의 이미지를 높일 수 있다는 이유로 광고에 그들을 이용하는 경향이 있다.

celebrities 대신 대명사 they가 쓰였다.

어휘 tend to ~하는 경향이 있다 celebrity [명] 유명인 ad(advertisement) [명] 광고 enhance [동] 높이다, 향상시키다

08 Jamie was very annoyed / **that he lost the watch [his father had bought him for his birthday].**

Jamie는 매우 짜증났다 / 그가 [그의 아버지가 그의 생일에 그에게 사줬었던] 시계를 잃어버려서
→ Jamie는 그의 아버지가 생일에 사줬었던 시계를 잃어버려서 매우 짜증났다.

watch와 his 사이에는 목적격 관계대명사가 생략되어 있다.

09 The prime minister objected to the proposal / **on the grounds that it would cost too much.**

국무총리는 그 제안에 반대했다 / 그것이 비용이 너무 많이 들 것이라는 근거로 → 국무총리는 그 제안이 비용이 너무 많이 들 것이라는 근거로 반대했다.

어휘 prime minister [명] 국무총리 object [동] 반대하다 proposal [명] 제안(서) cost [동] 비용이 들다

[고난도]
10 Our living space (on Earth) is very limited / **in that we cannot make use of the vast underwater world / as a land-based species.** <모의응용>

(지구 상의) 우리의 생활 공간은 매우 제한되어 있다 / 우리가 광대한 수중 세계를 이용할 수 없다는 점에서 / 육지에 사는 종으로서
→ 우리가 육지에 사는 종으로서 광대한 수중 세계를 이용할 수 없다는 점에서 지구 상의 우리의 생활 공간은 매우 제한되어 있다.

어휘 limited [형] 제한된 make use of ~을 이용하다 vast [형] 광대한 land-based [형] 육지에 사는 species [명] 종

UNIT 76 조건을 나타내는 부사절 해석하기

본책 p.132

01 **If a bike does not have good brakes,** / it cannot be stopped effectively. <수능>

만약 자전거가 좋은 브레이크를 가지고 있지 않다면 / 그것은 효과적으로 멈춰질 수 없다
→ 만약 자전거가 좋은 브레이크를 가지고 있지 않다면, 그것은 효과적으로 멈춰질 수 없다.

조동사가 있는 수동태는 「조동사+be+p.p.」의 형태이다.

어휘 effectively [부] 효과적으로

02 Sam's parents said / he could adopt a dog / **as long as he took care of it**.

Sam의 부모님은 말했다 / 그가 개를 입양할 수 있다고 / 그가 그것을 돌보기만 하면 → Sam의 부모님은 그가 개를 돌보기만 하면 입양할 수 있다고 말했다.

➎ said와 he 사이에는 명사절 접속사 that이 생략되어 있다.

어휘 adopt 통 입양하다

03 **If we're confident about ourselves**, / we may even look at a failure / in a bright light. <수능응용>

만약 우리가 우리들 자신에 대해 확신한다면 / 우리는 심지어 실패를 바라볼 수도 있다 / 밝은 관점으로

→ 만약 우리가 우리들 자신에 대해 확신한다면, 우리는 심지어 실패를 밝은 관점으로 바라볼 수도 있다.

➎ 주어와 전치사의 목적어가 같은 대상이므로 재귀대명사 ourselves를 쓰며, '자기 자신'이라고 해석한다.

어휘 confident 혱 확신하는 failure 몡 실패 light 몡 관점

04 **In case you are not fully satisfied with our service**, / you can contact us anytime.

당신이 저희의 서비스에 완전히 만족하지 않는 경우에 / 당신은 언제든 저희에게 연락할 수 있습니다

어휘 satisfied 혱 만족하는

05 **Unless the Tigers win tonight's game**, / the team will not make it to the finals.

만약 Tigers가 오늘 밤 경기에서 이기지 않는다면 / 그 팀은 결승전에 진출하지 못할 것이다

어휘 make it to ~에 진출하다, 이르다 final 몡 결승전

06 Resort guests are welcome to go scuba diving, / **providing they have a certification**.

리조트 투숙객들은 마음껏 스쿠버 다이빙을 가도 좋다 / 그들이 자격증을 가지고 있다는 조건하에

→ 리조트 투숙객들은 자격증을 가지고 있다는 조건하에 마음껏 스쿠버 다이빙을 가도 좋다.

어휘 welcome 혱 마음껏 ~해도 좋은 certification 몡 자격(증)

07 **Supposing that my colleague helps me**, / I should be done with the work tomorrow.

나의 동료가 나를 도와준다고 가정하면 / 나는 내일 그 일을 끝낼 것이다

어휘 colleague 몡 동료

08 Potato chips will remain crisp / for several days / **if you store them** / **in a sealed container**.

감자칩들은 바삭하게 유지될 것이다 / 며칠 동안 / 만약 네가 그것들을 보관한다면 / 밀폐된 용기에

→ 만약 네가 감자칩들을 밀폐된 용기에 보관한다면, 그것들은 며칠 동안 바삭하게 유지될 것이다.

어휘 crisp 혱 바삭한 sealed 혱 밀폐된 container 몡 용기, 그릇

09 Employees are permitted / to listen to music in the office, / **provided that they use earphones**.

직원들은 허용된다 / 사무실에서 음악을 들을 수 있도록 / 그들이 이어폰을 사용한다는 조건하에

→ 직원들은 이어폰을 사용한다는 조건하에 사무실에서 음악을 들을 수 있도록 허용된다.

➎ 「permit+목적어(employees)+목적격 보어(to listen ~ office)」의 구조가 수동태로 바뀐 문장이다.

어휘 employee 몡 직원 permit 통 허용하다

고난도
10 The witness agreed to speak to the reporter / about the incident / **on condition that she would not be identified**.

그 목격자는 기자에게 말하기로 동의했다 / 그 사건에 대해 / 그녀의 신원이 밝혀지지 않을 것이라는 조건하에

→ 그 목격자는 신원이 밝혀지지 않을 것이라는 조건하에 기자에게 그 사건에 대해 말하기로 동의했다.

➎ to부정사구 to speak ~ incident는 동사 agreed의 목적어로 쓰였다.

어휘 witness 몡 목격자 incident 몡 사건 identify 통 신원을 밝히다[확인하다]

11 **If you don't turn in the essay on time,** / you'll be given a penalty.

만약 네가 에세이를 제시간에 제출하지 않는다면 / 너는 불이익을 받을 것이다

❍ 조동사가 있는 수동태는 「조동사+be+p.p.」의 형태이다.

정답 If

해설 '만약 네가 에세이를 제시간에 제출하지 않는다면'이라는 의미가 되어야 하고, 동사에 이미 not이 있으므로 If가 정답이다.

어휘 turn in ~을 제출하다 penalty 圆 불이익

UNIT 77 양보·대조를 나타내는 부사절 해석하기

본책 p.133

01 **Although an apple may appear red,** / its atoms themselves are not red. <수능>

비록 사과는 빨갛게 보일 수도 있지만 / 그것의 원자들 자체는 빨갛지 않다

❍ 재귀대명사 themselves는 atoms를 강조하기 위해 쓰였으므로 생략할 수 있으며, '자체'라고 해석한다.

어휘 atom 圆 원자

02 **Though Jessica and I see each other every day,** / I don't know much about her.

비록 Jessica와 나는 매일 서로를 보지만 / 나는 그녀에 대해 많이 알지 못한다

03 There might not be enough seats at the theater / for all of us, / **even if we arrive early**.

극장에 충분한 자리가 없을 수도 있다 / 우리 모두를 위한 / 비록 우리가 일찍 도착할지라도

→ 비록 우리가 일찍 도착할지라도, 극장에 우리 모두를 위한 충분한 자리가 없을 수도 있다.

04 **While most viewers think / the show is hilarious,** / some find it rather offensive.

대부분의 시청자들이 생각하는데도 불구하고 / 그 쇼가 아주 재미있다고 / 몇몇은 그것이 다소 불쾌하다고 생각한다

→ 대부분의 시청자들이 그 쇼가 아주 재미있다고 생각하는데도 불구하고, 몇몇은 그것이 다소 불쾌하다고 생각한다.

❍ think와 the 사이에는 명사절 접속사 that이 생략되어 있다.

❍ 「find+목적어(it)+목적격 보어(rather offensive)」의 구조이다.

어휘 viewer 圆 시청자 hilarious 圈 아주 재미있는 rather 凰 다소 offensive 圈 불쾌한

05 **Whether I drive or take the subway there,** / it will take about the same amount of time.

내가 거기까지 운전을 하든 지하철을 타든 / 대략 같은 양의 시간이 걸릴 것이다

06 **Difficult as it was to play,** / the video game became hugely popular / with teenagers.

비록 그것은 하기에 어려웠지만 / 그 비디오 게임은 크게 인기를 끌게 되었다 / 십대들 사이에서

→ 비록 그 비디오 게임은 하기에 어려웠지만, 십대들 사이에서 크게 인기를 끌게 되었다.

❍ to부정사 to play는 Difficult를 꾸며주는 부사적 용법으로 쓰였다.

어휘 hugely 凰 크게, 매우 popular 圈 인기 있는

07 Ted is basically a kind and generous person, / **even though he acts tough** / **in front of strangers**.

Ted는 기본적으로 친절하고 관대한 사람이다 / 비록 그가 강인하게 행동하지만 / 낯선 사람들 앞에서

→ 비록 Ted가 낯선 사람들 앞에서 강인하게 행동하지만, 그는 기본적으로 친절하고 관대한 사람이다.

어휘 basically 凰 기본[근본]적으로 generous 圈 관대한 stranger 圆 낯선 사람

08 Why do you want to eat out / **when we could have a delicious and healthy meal** / **at home**?

너는 왜 외식하기를 원하니 / 우리가 맛있고 건강한 식사를 할 수 있는데도 불구하고 / 집에서

→ 우리가 집에서 맛있고 건강한 식사를 할 수 있는데도 불구하고, 너는 왜 외식하기를 원하니?

⭘ to부정사구 to eat out은 동사 want의 목적어로 쓰였다.

09 Alexander Fleming discovered penicillin in 1928, / **although the finding was made** / **completely by accident.**

알렉산더 플레밍은 1928년에 페니실린을 발견했다 / 비록 그 발견이 이루어졌지만 / 완전히 우연에 의해

→ 비록 그 발견이 완전히 우연에 의해 이루어졌지만, 알렉산더 플레밍은 1928년에 페니실린을 발견했다.

어휘 discover [동] 발견하다 finding [명] 발견 completely [부] 완전히 by accident 우연히

고난도

10 **Daredevil as she was,** / Lila could not consider jumping off a cliff / with only a wingsuit and no parachute.

비록 그녀는 대담한 사람이었지만 / Lila는 절벽에서 뛰어내리는 것을 고려할 수 없었다 / 윙슈트만 가지고 낙하산은 없이

→ 비록 Lila는 대담한 사람이었지만, 윙슈트만 가지고 낙하산은 없이 절벽에서 뛰어내리는 것을 고려할 수 없었다.

⭘ 동명사구 jumping ~ parachute는 동사 could not consider의 목적어로 쓰였다.

어휘 consider [동] 고려하다, 생각하다 cliff [명] 절벽 wingsuit [명] 윙슈트(활공 시 입는 옷) parachute [명] 낙하산

UNIT 78 목적/결과를 나타내는 부사절 해석하기

본책 p.134

01 Scientists collect information worldwide / **so that they can predict changes** (**in the climate**). <모의응용>

과학자들은 전세계적으로 정보를 수집한다 / 그들이 (기후의) 변화를 예측할 수 있도록

→ 과학자들은 기후의 변화를 예측할 수 있도록 전세계적으로 정보를 수집한다.

어휘 predict [동] 예측하다

02 The sign-up process (for volunteer work) / should be simplified / **so that everyone can easily apply.**

(자원 봉사를 위한) 신청 절차는 / 간소화되어야 한다 / 모두가 쉽게 지원할 수 있도록

→ 모두가 쉽게 지원할 수 있도록 자원 봉사를 위한 신청 절차는 간소화되어야 한다.

⭘ 조동사가 있는 수동태는 「조동사+be+p.p.」의 형태이다.

어휘 process [명] 절차, 과정 simplify [동] 간소화하다 apply [동] 지원하다

03 My father boarded up all the windows (in the house) / **lest the hurricane break them.**

나의 아버지는 (집에 있는) 모든 창문들을 판자로 막았다 / 허리케인이 그것들을 깨트리지 않도록

→ 나의 아버지는 허리케인이 깨트리지 않도록 집에 있는 모든 창문들을 판자로 막았다.

어휘 board up ~을 판자로 막다

고난도

04 The mayor rearranged the budget / **in order that more funding could be given** / **to public schools.**

그 시장은 예산을 재조정했다 / 더 많은 자금이 주어질 수 있도록 / 공립학교들에 → 그 시장은 더 많은 자금이 공립학교들에 주어질 수 있도록 예산을 재조정했다.

어휘 mayor [명] 시장 rearrange [동] 재조정하다 budget [명] 예산 funding [명] 자금

05 The weather was **so** cold / **that over four inches of ice formed** / **on the lake.** <모의>

날씨가 너무 추워서 / 4인치가 넘는 얼음이 형성되었다 / 그 호수에 → 날씨가 너무 추워서 그 호수에 4인치가 넘는 얼음이 형성되었다.

어휘 form [동] 형성되다

06 It was **such a** clear night / **that Venus could be seen** / **with the naked eye**.

너무 맑은 밤이었어서 / 금성이 보일 수 있었다 / 육안으로 → 너무 맑은 밤이었어서 금성이 육안으로 보일 수 있었다.

○ 날씨를 나타내는 비인칭 주어 it이 쓰였으며, 이때 it은 의미를 가지지 않으므로 해석하지 않는다.
○ 조동사가 있는 수동태는 「조동사+be+p.p.」의 형태이다.

어휘 Venus 圐 금성   naked eye 圐 육안

07 Gary stacked the boxes **so** carelessly / **that they fell over** / **almost right away**.

Gary가 그 상자들을 너무 대충 쌓아서 / 그것들은 무너졌다 / 거의 곧바로 → Gary가 그 상자들을 너무 대충 쌓아서 그것들은 거의 곧바로 무너졌다.

어휘 stack 圐 쌓다   carelessly 圐 대충, 부주의하게   fall over 무너지다   right away 곧바로

고난도
08 Infinity is **so** abstract a concept / **that humans cannot truly grasp** / **what it means**.

무한성은 너무 추상적인 개념이어서 / 인간들이 정확히 파악할 수 없다 / 그것이 무엇을 의미하는지를
→ 무한성은 너무 추상적인 개념이어서 인간들은 그것이 무엇을 의미하는지를 정확히 파악할 수 없다.

○ what it means는 동사 cannot ~ grasp의 목적어 역할을 하는 명사절이다.

어휘 abstract 圐 추상적인   concept 圐 개념   truly 圐 정확히, 진정으로   grasp 圐 파악하다, 이해하다

UNIT 79 양태를 나타내는 부사절 해석하기

본책 p.135

01 The Sun looks / **as if it is on fire** / when viewed / through a telescope. <모의응용>

태양은 보인다 / 마치 그것이 불타는 것처럼 / 관찰될 때 / 망원경으로 → 망원경으로 관찰될 때, 태양은 마치 불타는 것처럼 보인다.

○ when과 viewed 사이에는 「주어+be동사」가 생략되어 있다.

어휘 view 圐 관찰하다, 보다   telescope 圐 망원경

02 Martin became the student president, / **as his older sister did before him**.

Martin은 학생 회장이 되었다 / 그의 누나가 그 전에 그랬던 것처럼 → Martin은 그의 누나가 그 전에 그랬던 것처럼 학생 회장이 되었다.

어휘 president 圐 회장, 대통령

03 It seems **as if I have to stay up all night** / to finish this reading assignment.

마치 나는 밤을 새야 하는 것처럼 보인다 / 이 읽기 과제를 끝내기 위해 → 이 읽기 과제를 끝내기 위해 마치 나는 밤을 새야 하는 것처럼 보인다.

○ to부정사구 to finish ~ assignment는 목적을 나타내는 부사적 용법으로 쓰였다.

어휘 assignment 圐 과제

04 Good times will come after much hardship, / **as flowers bloom after a hard winter**.

많은 고난 후에 좋은 시절이 올 것이다 / 혹독한 겨울 뒤에 꽃이 피듯이 → 혹독한 겨울 뒤에 꽃이 피듯이, 많은 고난 후에 좋은 시절이 올 것이다.

어휘 hardship 圐 고난   bloom 圐 피다

05 Lindsay is sweating a lot / **as though she has just had a run**.

Lindsay는 땀을 많이 흘리고 있다 / 마치 그녀가 막 달리기를 한 것처럼 → Lindsay는 마치 막 달리기를 한 것처럼 땀을 많이 흘리고 있다.

어휘 sweat 圐 땀을 흘리다

06 **Just as information technologies reinforce existing prejudices**, / **so** they increase inequality. <모의응용>

꼭 정보 기술들이 현존하는 편견들을 강화하는 것처럼 / 그것들은 불평등을 증가시킨다

○ information technologies 대신 대명사 they가 쓰였다.

어휘 reinforce 圐 강화하다   existing 圐 현존하는, 기존의   prejudice 圐 편견   increase 圐 증가시키다   inequality 圐 불평등

07 People tend to be overconfident / when they feel / **as though they have control (of the outcome)** / **even when this is not the case.** <수능응용>

사람들은 지나치게 자신만만한 경향이 있다 / 그들이 느낄 때 / 마치 그들이 (결과에 대한) 통제력을 가진 것처럼 / 심지어 이것이 그 경우가 아닐 때에도
→ 사람들은 그들이 마치 결과에 대한 통제력을 가진 것처럼 느낄 때, 심지어 그 경우가 아닐 때에도, 지나치게 자신만만한 경향이 있다.

어휘 overconfident 웹 지나치게 자신만만한 outcome 웹 결과

UNIT 80 복합관계대명사가 이끄는 부사절 해석하기

본책 p.136

01 **Whatever the trends are in children's products**, / children have always enjoyed
　　　　SC′　　　　　S′　　V′　　　　　M′
slides. <모의응용>

아동 제품에 있어서 유행이 무엇이더라도 / 아이들은 항상 미끄럼틀을 즐겨왔다

◎ = **No matter what the trends are in children's products**, children have always enjoyed slides.
　　　　　　　SC′　　　　S′　　V′　　　　M′

어휘 trend 웹 유행, 추세 slide 웹 미끄럼틀

02 **Whomever the coach makes the captain**, / the rest (of the team) will stand behind him.
　　　　O′　　　　S′　　V′　　　OC′

코치가 누구를 주장으로 만들더라도 / (그 팀의) 나머지 사람들은 그를 지지할 것이다

◎ = **No matter whom the coach makes the captain**, the rest of the team will stand behind him.
　　　　　　　O′　　　S′　　V′　　OC′

어휘 stand behind ~를 지지하다, 후원하다

03 The application period will close / on April 1 or when all the vacancies are filled, /
whichever is sooner.
　　　　S′　V′　SC′

지원 기간은 마감될 것이다 / 4월 1일이나 모든 빈 자리가 채워질 때 / 어느 것이 더 이르더라도
→ 어느 것이 더 이르더라도, 4월 1일이나 모든 빈 자리가 채워질 때 지원 기간은 마감될 것이다.

◎ = The application period will close on April 1 or when all the vacancies are filled, **no matter which is sooner**.
　　S′　V′　SC′

어휘 application period 지원 기간 vacancy 웹 빈 자리, 공석

04 **Whatever the results (of the competition) are**, / you should be proud of / what you
　　　　SC′　　　　　　　　　　　　S′　　　　V′
have done.

(그 대회의) 결과가 무엇이더라도 / 너는 자랑스러워 해야 한다 / 네가 해낸 것을 → 그 대회의 결과가 무엇이더라도, 너는 네가 해낸 것을 자랑스러워 해야 한다.

◎ = **No matter what the results of the competition are**, you should be proud of what you have done.
　　　　　　　SC′　　　　　　　　　S′　　　V′

◎ what ~ done은 전치사 of의 목적어 역할을 하는 명사절이다.

어휘 result 웹 결과 competition 웹 대회, 경쟁

05 Certain governmental policies do not change, / **no matter which political party is**
　　　　　　　　　　　　　　　　　　　　　　　　　　　　　　　S′　　　　V′
in office.
SC′

어떤 정부 정책들은 변하지 않는다 / 어느 정당이 집권하더라도 → 어느 정당이 집권하더라도, 어떤 정부 정책들은 변하지 않는다.

◎ = Certain governmental policies do not change, **whichever political party is in office**.
　　　　　　　　　　　　　　　　　　　　　　　　　　　　　　　　　　　S′　　　　V′　SC′

어휘 certain 웹 어떤, 특정한 governmental 웹 정부의 policy 웹 정책 political party 웹 정당 be in office 집권하다

06 **Whatever purpose they may have**, / people are now trying to search for / wild food
           O'   S'   V'

resources. <모의응용>

그들이 무슨 목적을 가지고 있더라도 / 사람들은 이제 찾으려고 노력하고 있다 / 야생의 식량 자원을

→ 사람들이 무슨 목적을 가지고 있더라도, 그들은 이제 야생의 식량 자원을 찾으려고 노력하고 있다.

◑ = **No matter** what purpose they may have, people are now trying to search for wild food resources.
                      O'   S'   V'

◑ 「try+to-v」는 '~하려고 노력하다'라고 해석한다. cf. 「try+v-ing」: (시험 삼아) ~해보다

어휘 purpose 뗑 목적 resource 뗑 자원

07 Justice must be done, / **no matter who is involved** / and **no matter what**
                                      S¹   V¹   SC²

the circumstances are.
     S²   V²

정의는 행해져야 한다 / 누가 연루되어 있더라도 / 그리고 상황이 무엇이더라도 → 누가 연루되어 있더라도, 그리고 상황이 무엇이더라도, 정의는 행해져야 한다.

◑ = Justice must be done, **whoever is involved** and **whatever the circumstances are**.
                                  S¹   V¹   SC²   S²   V²

어휘 justice 뗑 정의 involved 뗑 연루된 circumstance 뗑 상황

^{고난도}
08 **Whichever topic you choose for your paper**, / you must cite / enough sources (to
                 O'   S'   V'   M'

back up any claims [you make]).

네가 너의 논문을 위해 어느 주제를 고르더라도 / 너는 인용해야 한다 / ([네가 하는] 어떤 주장이든 뒷받침할) 충분한 자료들을

→ 네가 너의 논문을 위해 어느 주제를 고르더라도, 너는 네가 하는 어떤 주장이든 뒷받침할 충분한 자료들을 인용해야 한다.

◑ = **No matter** which topic you choose for your paper, you must cite enough sources to back up any claims you make.
                      O'   S'   V'   M'

◑ to부정사구 to back up ~ make는 sources를 꾸며주는 형용사적 용법으로 쓰였다.

◑ claims와 you 사이에는 목적격 관계대명사가 생략되어 있다.

어휘 cite 뗑 인용하다 source 뗑 자료, 출처 claim 뗑 주장

UNIT 81 복합관계부사가 이끄는 부사절 해석하기

01 **Whenever Ben is curious about something**, / he looks it up online. <모의응용>

Ben은 무언가에 대해 궁금할 때마다 / 그는 온라인으로 그것을 찾아본다 → Ben은 무언가에 대해 궁금할 때마다 온라인으로 그것을 찾아본다.

◑ = **Every time that** Ben is curious about something, he looks it up online.

어휘 curious 뗑 궁금한 look up 찾아보다, 검색하다

02 I couldn't get the jammed door unlocked, / **however hard I tried**. <모의응용>

나는 꼼짝도 하지 않는 문을 열리게 할 수 없었다 / 내가 아무리 열심히 노력했더라도

→ 아무리 열심히 노력했더라도, 나는 꼼짝도 하지 않는 문을 열리게 할 수 없었다.

◑ = I couldn't get the jammed door unlocked, **no matter how hard I tried**.

◑ 「get+목적어(the jammed door)+목적격 보어(unlocked)」의 구조이다.

어휘 jammed 뗑 꼼짝도 하지 않는 unlock 뗑 열다

03 Tom's little sister is very fond of him / and follows him / **wherever he goes**.

Tom의 여동생은 그를 매우 좋아한다 / 그리고 그를 따라간다 / 그가 가는 곳은 어디든 → Tom의 여동생은 그를 매우 좋아하고, 그가 가는 곳은 어디든 따라간다.

◑ = Tom's little sister is very fond of him and follows him **to any place that he goes**.

어휘 fond 뗑 좋아하는

140 영어 실력을 높여주는 다양한 학습 자료 제공 HackersBook.com

04 Katy gets emotional and cries / **whenever she watches the movie *Titanic*.**

Katy는 감정이 격해지고 운다 / 그녀가 영화 '타이타닉'을 볼 때마다 → Katy는 영화 '타이타닉'을 볼 때마다 감정이 격해지고 운다.

ㅇ = Katy gets emotional and cries **every time that she watches the movie *Titanic*.**

어휘 emotional 휑 감정적인.

05 The explorers wish to journey to the South Pole, / **however expensive the trip may be.**

그 탐험가들은 남극으로 여행하기를 바란다 / 그 여행이 아무리 비싸더라도 → 그 여행이 아무리 비싸더라도, 그 탐험가들은 남극으로 여행하기를 바란다.

ㅇ = The explorers wish to journey to the South Pole, **no matter how expensive the trip may be.**
ㅇ to부정사구 to journey ~ South Pole은 동사 wish의 목적어로 쓰였다.

어휘 explorer 휑 탐험가 journey 통 여행하다 휑 여행

06 There are always going to be pros and cons / **no matter where you work.**

항상 장점과 단점이 있을 것이다 / 네가 어디에서 일하더라도 → 네가 어디에서 일하더라도, 항상 장점과 단점이 있을 것이다.

ㅇ = There are always going to be pros and cons **wherever you work.**

어휘 pros and cons 장점과 단점

07 People have the freedom (to share their thoughts and feelings) / **however they like.**

사람들은 (그들의 생각과 감정을 공유할) 자유가 있다 / 그들이 좋아하는 어떤 방법으로든
→ 사람들은 그들이 좋아하는 어떤 방법으로든 그들의 생각과 감정을 공유할 자유가 있다.

ㅇ = People have the freedom to share their thoughts and feelings **in whatever way that they like.**
ㅇ to부정사구 to share ~ feelings는 freedom을 꾸며주는 형용사적 용법으로 쓰였다.

어휘 freedom 휑 자유

08 **No matter when my friend finishes soccer practice**, / he and I will go to a movie together.

나의 친구가 언제 축구 연습을 끝내더라도 / 그와 나는 함께 영화를 보러 갈 것이다

ㅇ = **Whenever my friend finishes soccer practice**, he and I will go to a movie together.

어휘 practice 휑 연습

09 Any kind of information, / **no matter how trivial it seems**, / might help the investigation move forward.

어떤 종류의 정보든 / 그것이 아무리 사소하게 보이더라도 / 수사가 진전되도록 도와줄 수도 있다
→ 아무리 사소하게 보이더라도, 어떤 종류의 정보든 수사가 진전되도록 도와줄 수도 있다.

ㅇ = Any kind of information, **however trivial it seems**, might help the investigation move forward.
ㅇ 「help+목적어(the investigation)+목적격 보어(move forward)」의 구조이다.

어휘 investigation 휑 수사, 조사 move forward 진전되다, 전진하다

고난도
10 **Whenever an athlete sets a new world record**, / it inspires others to bring out / the best (within themselves). <수능응용>

한 운동 선수가 세계 신기록을 세울 때마다 / 그것은 다른 사람들이 이끌어내도록 영감을 준다 / (그들 자신 안에 있는) 최선의 것을
→ 한 운동 선수가 세계 신기록을 세울 때마다, 그것은 다른 사람들이 그들 자신 안에 있는 최선의 것을 이끌어내도록 영감을 준다.

ㅇ = **Every time that an athlete sets a new world record**, it inspires others to bring out the best within themselves.
ㅇ 「inspire+목적어(others)+목적격 보어(to bring ~ themselves)」의 구조이다.
ㅇ to부정사의 행위의 주체와 전치사의 목적어가 같은 대상이므로 재귀대명사 themselves를 쓰며, '자기 자신'이라고 해석한다.

어휘 athlete 휑 운동 선수 inspire 통 영감을 주다

Chapter Test

본책 p.138

01 I was not able to attend the weekly seminar / **because I caught the flu.**

나는 주간 세미나에 참석할 수 없었다 / 내가 독감에 걸렸기 때문에 → 나는 독감에 걸렸기 때문에 주간 세미나에 참석할 수 없었다.

어휘 flu [명] 독감

02 The graduation ceremony will be held outdoors, / **as long as the weather is good.**

졸업식은 야외에서 열릴 것이다 / 날씨가 좋기만 하면 → 날씨가 좋기만 하면, 졸업식은 야외에서 열릴 것이다.

● 조동사가 있는 수동태는 「조동사+be+p.p.」의 형태이다.

어휘 graduation ceremony [명] 졸업식 hold [동] 열다, 개최하다 outdoors [부] 야외에서

03 The article had been printed / **before the journalist realized / that he had made a mistake.**

그 기사는 인쇄되었었다 / 그 기자가 깨닫기 전에 / 그가 실수를 했었다는 것을 → 그 기사는 그 기자가 실수를 했었다는 것을 깨닫기 전에 인쇄되었었다.

● that ~ mistake는 동사 realized의 목적어 역할을 하는 명사절이다.

어휘 article [명] 기사 realize [동] 깨닫다

04 Societies and cultures did not form / **until humankind learned / how to farm.**

사회와 문화는 형성되지 않았다 / 인류가 배울 때까지 / 어떻게 농사지을지를 → 사회와 문화는 인류가 어떻게 농사지을지를 배울 때까지 형성되지 않았다.

● 「how+to부정사」는 '어떻게 ~할지'라고 해석한다.

어휘 society [명] 사회 culture [명] 문화 humankind [명] 인류 farm [동] 농사짓다

05 Lena stayed in the classroom / to study on her own / **even though school was over.**

Lena는 교실에 남았다 / 혼자서 공부하기 위해 / 비록 수업이 끝났지만 → 비록 수업이 끝났지만, Lena는 혼자서 공부하기 위해 교실에 남았다.

● to부정사구 to study ~ own은 목적을 나타내는 부사적 용법으로 쓰였다.

● on one's own은 '혼자서'라고 해석한다.

06 Human reactions are **so** complex / **that they could be difficult / to interpret objectively.** <모의>

인간의 반응들은 너무 복잡해서 / 그것들은 어려울 수도 있다 / 객관적으로 이해하기에 → 인간의 반응들은 너무 복잡해서 객관적으로 이해하기에 어려울 수도 있다.

● to부정사구 to interpret objectively는 difficult를 꾸며주는 부사적 용법으로 쓰였다.

어휘 complex [형] 복잡한 interpret [동] 이해하다, 해석하다 objectively [부] 객관적으로

07 The handles must be wrapped / with rubber / **in order that workers can grip them firmly.**

그 손잡이들은 감싸져야 한다 / 고무로 / 작업자들이 그것들을 단단히 잡을 수 있도록 → 작업자들이 단단히 잡을 수 있도록 그 손잡이들은 고무로 감싸져야 한다.

어휘 wrap [동] 감싸다 rubber [명] 고무 grip [동] 잡다 firmly [부] 단단히, 확고하게

08 Jack works part-time as an assistant / **since he has to earn money / to cover his tuition.**

Jack은 조교로서 시간제로 일한다 / 그가 돈을 벌어야 하기 때문에 / 그의 학비를 충당하기 위해
→ Jack은 그의 학비를 충당하기 위해 돈을 벌어야 하기 때문에 조교로서 시간제로 일한다.

● to부정사구 to cover ~ tuition은 목적을 나타내는 부사적 용법으로 쓰였다.

어휘 assistant [명] 조교 cover [동] 충당하다 tuition [명] 학비

09 Some trees grow quickly / **if you just water them** / **on a regular basis**, / **wherever they are planted.**

어떤 나무들은 빨리 자란다 / 만약 네가 그것들에게 물을 주기만 한다면 / 정기적으로 / 그것들이 어디에 심어지더라도
→ 어디에 심어지더라도, 어떤 나무들은 만약 네가 정기적으로 물을 주기만 한다면 빨리 자란다.

● = Some trees grow quickly if you just water them on a regular basis, **no matter where they are planted**.

어휘 water [동] 물을 주다 on a regular basis 정기적으로 plant [동] 심다

10 **While extroverts like** / **to socialize with people**, / introverts prefer / to spend time alone.

외향적인 사람들은 좋아하는 반면에 / 사람들과 어울리는 것을 / 내향적인 사람들은 선호한다 / 혼자 시간을 보내는 것을
→ 외향적인 사람들은 사람들과 어울리는 것을 좋아하는 반면에, 내향적인 사람들은 혼자 시간을 보내는 것을 선호한다.

● to부정사구 to socialize ~ people은 동사 like의 목적어로 쓰였으며, to spend ~ alone은 동사 prefer의 목적어로 쓰였다.

어휘 extrovert [명] 외향적인 사람 socialize [동] (사람들과) 어울리다 introvert [명] 내향적인 사람

11 You should treat everyone with respect, / **whoever** (SC'1) **they** (S'1) **are** (V'1) / and **whatever** (O'2) **they** (S'2) **do** (V'2).

너는 모든 사람을 공손히 대해야 한다 / 그들이 누구더라도 / 그리고 그들이 무엇을 하더라도
→ 그들이 누구더라도, 그리고 그들이 무엇을 하더라도, 너는 모든 사람을 공손히 대해야 한다.

● = You should treat everyone with respect, **no matter who** (SC'1) **they** (S'1) **are** (V'1) **and no matter what** (O'2) **they** (S'2) **do** (V'2).

어휘 treat [동] 대하다 with respect 공손히

12 The politician said / he would take any questions / **no matter how sensitive the topics may be.**

그 정치인은 말했다 / 그가 어떤 질문이든 받을 것이라고 / 주제가 아무리 예민하더라도
→ 그 정치인은 주제가 아무리 예민하더라도 어떤 질문이든 받을 것이라고 말했다.

● = The politician said he would take any questions, **however sensitive the topics may be**.
● said와 he 사이에는 명사절 접속사 that이 생략되어 있다.

어휘 politician [명] 정치인 sensitive [형] 예민한, 민감한

[고난도]
13 While taking a close look at the ancient palace, / I felt / **as though I was experiencing a world [that was totally new to me].** <모의응용>

그 고대의 궁궐을 자세히 들여다보는 동안 / 나는 느꼈다 / 마치 내가 [나에게 완전히 새로운] 세상을 경험하고 있는 것처럼
→ 그 고대의 궁궐을 자세히 들여다보는 동안, 나는 마치 나에게 완전히 새로운 세상을 경험하고 있는 것처럼 느꼈다.

● that ~ me는 world를 꾸며주는 주격 관계대명사절이다.

어휘 take a close look at ~을 자세히 들여다보다 ancient [형] 고대의 palace [명] 궁궐 experience [동] 경험하다 totally [부] 완전히

[고난도]
14 Fumes (from the chemicals) escape / into the atmosphere / **whichever way** (M') **the wind** (S') **is blowing** (V').

(화학 물질에서 나오는) 연기는 빠져나간다 / 대기로 / 바람이 어느 방향으로 불고 있더라도
→ 바람이 어느 방향으로 불고 있더라도, 화학 물질에서 나오는 연기는 대기로 빠져나간다.

● = Fumes from the chemicals escape into the atmosphere **no matter which way** (M') **the wind** (S') **is blowing** (V').

어휘 fumes [명] 연기 chemical [명] 화학물질 escape [동] 빠져나가다 atmosphere [명] 대기

Chapter 13 부사절 • 해커스 완전속련 구문독해

CHAPTER 14 가정법

UNIT 82 if가 쓰인 가정법 해석하기

본책 p.140

01 **If** I **were** a genius, / I **could help** my classmates with their studies. <수능응용>

만약 내가 천재라면 / 나는 나의 반 친구들의 공부를 도와줄 수 있을 텐데

어휘 genius [명] 천재 classmate [명] 반 친구

02 **If** dung beetles **grew** / to the size of people, / they **could** even **lift** cars.

만약 쇠똥구리들이 자란다면 / 사람의 크기로 / 그들은 심지어 차를 들어 올릴 수 있을 텐데

→ 만약 쇠똥구리들이 사람의 크기로 자란다면, 그들은 심지어 차를 들어 올릴 수 있을 텐데.

어휘 lift [동] 들어 올리다

03 **If** I **were given** a chance (to turn back time), / I **would go** back to my childhood.

만약 나에게 (시간을 되돌릴) 기회가 주어진다면 / 나는 나의 어린 시절로 돌아갈 텐데

● to부정사구 to turn back time은 chance를 꾸며주는 형용사적 용법으로 쓰였다.

어휘 turn back 되돌리다

04 **If** Jack **won** the lottery, / he **might donate** some of his winnings / to charity.

만약 Jack이 복권에 당첨된다면 / 그는 그의 당첨금 중 일부를 기부할 수도 있을 텐데 / 자선단체에

→ 만약 Jack이 복권에 당첨된다면, 그는 그의 당첨금 중 일부를 자선단체에 기부할 수도 있을 텐데.

어휘 win the lottery 복권에 당첨되다 donate [동] 기부하다 charity [명] 자선단체

05 **If** the guidelines **were** clear and simple, / everyone **could understand** them / without difficulty.

만약 그 지침들이 명확하고 간결하다면 / 모두가 그것들을 이해할 수 있을 텐데 / 어려움 없이

→ 만약 그 지침들이 명확하고 간결하다면, 모두가 어려움 없이 그것들을 이해할 수 있을 텐데.

어휘 guideline [명] 지침(서) difficulty [명] 어려움

[고난도]
06 **If** we **lived** in a world [where things changed at random], / we **would not be** able to make any predictions. <모의응용>

만약 우리가 [상황이 무작위로 변하는] 세상에서 산다면 / 우리는 어떤 예측도 할 수 없을 텐데

● where ~ random은 world를 꾸며주는 관계부사절이다.

어휘 at random 무작위로 prediction [명] 예측

[어법]
07 **If** Darren **were** here, / he **would** definitely **tell** us / what to do next.

만약 Darren이 여기 있다면 / 그는 분명히 우리에게 말해줄 텐데 / 다음에 무엇을 할지를

→ 만약 Darren이 여기 있다면, 그는 분명히 우리에게 다음에 무엇을 할지를 말해줄 텐데.

● 「tell+간접 목적어(us)+직접 목적어(what ~ next)」의 구조이다.

● 「what+to부정사」는 '무엇을 ~할지'라고 해석한다.

정답 were

해설 현재의 사실과 반대되는 일을 가정하고 있으므로 가정법 과거를 쓰고, 가정법 과거에서 if절의 be동사는 주어에 상관없이 were를 쓴다.

어휘 definitely [부] 분명히

08 If the truck **had been** closer to our train, / it **would have been** a disaster. <모의응용>

만약 그 트럭이 우리의 기차에 더 가까이 있었더라면 / 그것은 재앙이었을 텐데

어휘 close 휑 가까운 disaster 圆 재앙, 참사

09 If Olivia **had** sincerely **apologized** / for her mistake, / I **wouldn't have been** so angry.

만약 Olivia가 진심으로 사과했더라면 / 그녀의 실수에 대해 / 나는 그렇게 화가 나지 않았을 텐데
→ 만약 Olivia가 그녀의 실수에 대해 진심으로 사과했더라면, 나는 그렇게 화가 나지 않았을 텐데.

어휘 sincerely 閉 진심으로 apologize 圐 사과하다

10 If Isaac Newton **hadn't been hit** / by a falling apple, / **could** he **have discovered** gravity?

만약 아이작 뉴턴이 맞지 않았더라면 / 떨어지는 사과에 / 그가 중력을 발견할 수 있었을까
→ 만약 아이작 뉴턴이 떨어지는 사과에 맞지 않았더라면, 그가 중력을 발견할 수 있었을까?

어휘 discover 圐 발견하다 gravity 圆 중력

11 If the weather **had been** nicer, / the climbers **might have reached** / the top (of the mountain).

만약 날씨가 더 좋았더라면 / 등반가들은 도달할 수도 있었을 텐데 / (그 산의) 정상에
→ 만약 날씨가 더 좋았더라면, 등반가들은 그 산의 정상에 도달할 수도 있었을 텐데.

어휘 climber 圆 등반가 reach 圐 도달하다

12 If you **hadn't called**, / I **wouldn't have known** / that the meeting had been postponed.

만약 네가 전화하지 않았더라면 / 나는 알지 못했을 텐데 / 회의가 연기되었다는 것을
→ 만약 네가 전화하지 않았더라면, 나는 회의가 연기되었다는 것을 알지 못했을 텐데.

● that ~ postponed는 동사 wouldn't have known의 목적어 역할을 하는 명사절이다.

어휘 postpone 圐 연기하다, 미루다

13 If education **had been focused** on creativity, / more people **could have become** great artists. <수능응용>

만약 교육이 독창성에 초점이 맞춰졌더라면 / 더 많은 사람이 위대한 예술가가 될 수 있었을 텐데
→ 만약 교육이 독창성에 초점이 맞춰졌더라면, 더 많은 사람이 위대한 예술가가 될 수 있었을 텐데.

어휘 education 圆 교육 focus 圐 초점을 맞추다 creativity 圆 독창성

[어법]
14 The athlete **might have won** a gold medal / in the 100 meters / if she **hadn't fallen down**.

그 선수는 금메달을 딸 수도 있었을 텐데 / 100미터에서 / 만약 그녀가 넘어지지 않았더라면
→ 만약 그 선수가 넘어지지 않았더라면, 그녀는 100미터에서 금메달을 딸 수도 있었을 텐데.

● if가 이끄는 절은 문장 뒤에 올 수 있으며, 이때 콤마(,)는 주로 생략된다.

정답 hadn't
해설 과거의 사실과 반대되는 일을 가정하는 가정법 과거 완료를 써야 하므로 if절에는 had p.p.를 쓴다.

어휘 athlete 圆 (운동)선수

15 If Leonardo da Vinci **had become** a farmer, / the world today **would be** different. <모의응용>

만약 레오나르도 다빈치가 농부가 되었더라면 / 오늘날 세상은 다를 텐데

어휘 different 휑 다른

16 If Tina **had** carefully **followed** the directions, / she **might** already **be** here.

만약 Tina가 길 안내를 주의 깊게 따랐더라면 / 그녀는 이미 여기에 있을 텐데

어휘 carefully 閉 주의 깊게 directions 圆 길 안내

17 **If** you **had left** the shopping mall / a bit later, / you **would be stuck** in traffic now.

만약 네가 쇼핑몰을 떠났더라면 / 조금 더 늦게 / 너는 지금 교통 체증에 갇혀있을 텐데

→ 만약 네가 조금 더 늦게 쇼핑몰을 떠났더라면, 너는 지금 교통 체증에 갇혀있을 텐데.

어휘 stuck 혱 갇힌, 빠져나갈 수 없는

18 I **could have** a decent job (with a higher salary) / **if I had worked** harder / at school.

나는 (더 높은 월급이 있는) 괜찮은 직장을 가질 수 있을 텐데 / 만약 내가 더 열심히 공부했더라면 / 학교에서

→ 만약 내가 학교에서 더 열심히 공부했더라면, 나는 더 높은 월급이 있는 괜찮은 직장을 가질 수 있을 텐데.

어휘 decent 혱 괜찮은, 제대로 된 salary 몡 월급

19 **If** camels **had evolved** / in the rain forest, / they **might not have** humps / on their back.

만약 낙타들이 진화했더라면 / 열대 우림에서 / 그들은 혹을 가지고 있지 않을 수도 있을 텐데 / 그들의 등에

→ 만약 낙타들이 열대 우림에서 진화했더라면, 그들은 등에 혹을 가지고 있지 않을 수도 있을 텐데.

어휘 evolve 통 진화하다 rain forest 몡 열대 우림 hump 몡 혹

고난도
20 **If** the restoration project **had been completed** / on schedule, / the cathedral **would be** open to the public now.

만약 복원 사업이 완료되었더라면 / 예정대로 / 그 성당은 지금 대중에게 열려있을 텐데

→ 만약 복원 사업이 예정대로 완료되었더라면, 그 성당은 지금 대중에게 열려있을 텐데.

어휘 restoration 몡 복원 complete 통 완료하다 on schedule 예정대로 public 몡 대중, 일반 사람들

UNIT 83 if+주어+should/were to 가정법 해석하기

본책 p.142

01 **If** an emergency **should arise** / in the woods, / you **could use** a flare gun.

만약 비상 사태가 발생한다면 / 숲에서 / 너는 비상 조명탄을 사용할 수 있을 텐데

→ 만약 숲에서 비상 사태가 발생한다면, 너는 비상 조명탄을 사용할 수 있을 텐데.

어휘 emergency 몡 비상 사태 arise 통 발생하다 flare gun 몡 비상 조명탄

02 **If** I **were to have** no friends (to hang out with), / I **would feel** terribly lonely.

만약 내가 (함께 어울릴) 친구가 없다면 / 나는 몹시 외로움을 느낄 텐데

◐ to부정사구 to hang out with는 friends를 꾸며주는 형용사적 용법으로 쓰였다.

어휘 hang out 어울리다, 놀다 terribly 분 몹시

03 **If** the ship **should sink**, / the crew and passengers **would run** / to the lifeboats.

만약 그 배가 가라앉는다면 / 승무원들과 승객들은 달려갈 텐데 / 구명보트로 → 만약 그 배가 가라앉는다면, 승무원들과 승객들은 구명보트로 달려갈 텐데.

어휘 sink 통 가라앉다 crew 몡 승무원 passenger 몡 승객 lifeboat 몡 구명보트

04 **If** you **were to speak** any language perfectly, / what **would** you **choose**?

만약 네가 어떤 언어를 완벽하게 구사한다면 / 너는 무엇을 선택할 거니

어휘 perfectly 분 완벽하게

05 **If** you **should find** the missing dog, / **contact** the owner immediately.

만약 네가 그 실종된 개를 발견한다면 / 주인에게 즉시 연락해라

◐ 주어 없이 동사로 시작하는 명령문이다.

어휘 missing 혱 실종된, 없어진 contact 통 연락하다 immediately 분 즉시

06 **If** scientists **should bring** extinct species back to life, / it **might cause** chaos.

만약 과학자들이 멸종된 종들을 되살린다면 / 그것은 혼돈을 초래할 수도 있을 텐데

❍ bring A back to life는 'A를 되살리다'라고 해석한다.

어휘 extinct 휑 멸종된   species 휑 종   cause 통 초래하다, 야기하다   chaos 휑 혼돈

07 **If** aliens (from another planet) **were to visit** Earth, / what **would** they **do** here?

만약 (다른 행성에서 온) 외계인들이 지구를 방문한다면 / 그들은 여기에서 무엇을 할까

어휘 alien 휑 외계인   planet 휑 행성

08 **If** I **were to get** free airline tickets (to any destination (in the world)), / I **would go** to Iceland.

만약 내가 ((세계의) 어느 목적지로든 가는) 무료 항공권을 얻는다면 / 나는 아이슬란드에 갈 텐데

어휘 destination 휑 목적지, 행선지

09 **If** the sky [that we look upon] **should tumble** and **fall**, / **would** you **stand** by me? - Ben E. King

만약 [우리가 올려다보는] 하늘이 추락하고 무너진다면 / 너는 나의 곁을 지켜줄 거니

❍ that ~ upon은 sky를 꾸며주는 목적격 관계대명사절이다.

어휘 tumble 통 추락하다   stand by ~의 곁을 지키다

10 **If** you **were to stop** consuming animal products, / you **might become** deficient in nutrients.

만약 네가 동물성 제품을 먹는 것을 멈춘다면 / 너는 영양소가 부족해질 수도 있을 텐데

❍ 동명사구 consuming animal products는 동사 stop의 목적어로 쓰였다.

어휘 consume 통 먹다, 소비하다   animal product 휑 동물성 제품[식품]   nutrient 휑 영양소

11 **If** global temperatures **should increase** by just two degrees, / sea levels **could rise** significantly.

만약 지구의 온도가 단지 2도라도 상승한다면 / 해수면이 상당히 올라갈 수 있을 텐데

어휘 global 휑 지구의   temperature 휑 온도   degree 휑 도, 정도   sea level 휑 해수면   significantly 휘 상당히

고난도
12 **If** I **were to suffer** from heart failure / and **depend** upon an artificial heart, / I **wouldn't be** myself anymore. <모의응용>

만약 내가 심장 부전을 겪는다면 / 그리고 인공 심장에 의존한다면 / 나는 더 이상 내 자신이 아닐 텐데

→ 만약 내가 심장 부전을 겪고 인공 심장에 의존한다면, 나는 더 이상 내 자신이 아닐 텐데.

어휘 failure 휑 (신체 기능의) 부전, 고장   depend 통 의존하다   artificial 휑 인공의

UNIT 84 if가 생략된 가정법 해석하기

본책 p.143

01 **Should** trees **disappear**, / fruit-eating animals **would be endangered**. <모의응용>

만약 나무들이 사라진다면 / 과일을 먹는 동물들이 위태로워질 텐데

❍ = If trees should disappear, fruit-eating animals would be endangered.

어휘 disappear 통 사라지다   endanger 통 위태롭게 만들다, 위험에 빠뜨리다

02 **Were** it warmer in the evening, / we **could have** dinner / on the balcony.

만약 저녁에 더 따뜻하다면 / 우리는 저녁을 먹을 수 있을 텐데 / 발코니에서 → 만약 저녁에 더 따뜻하다면, 우리는 발코니에서 저녁을 먹을 수 있을 텐데.

◐ = If it were warmer in the evening, we could have dinner on the balcony.

◐ 날씨를 나타내는 비인칭 주어 it이 쓰였으며, 이때 it은 의미를 가지지 않으므로 해석하지 않는다.

03 **Should** the trend **continue**, / we **might** soon **see** a four-day working week.

만약 그 추세가 계속된다면 / 우리는 곧 주 4일 근무제를 볼 수도 있을 텐데

◐ = If the trend should continue, we might soon see a four-day working week.

어휘 trend 몡 추세, 유행 a four-day working week 주 4일 근무제

04 **Had** Nina **done** better / on the final exam, / she **could have won** the scholarship.

만약 Nina가 더 잘했더라면 / 기말고사에서 / 그녀는 장학금을 받을 수 있었을 텐데
→ 만약 Nina가 기말고사에서 더 잘했더라면, 그녀는 장학금을 받을 수 있었을 텐데.

◐ = If Nina had done better on the final exam, she could have won the scholarship.

어휘 scholarship 몡 장학금

05 **Were** Anthony not able to carry out his tasks, / they **would be given** to someone else.

만약 Anthony가 그의 직무들을 수행할 수 없다면 / 그것들은 다른 누군가에게 주어질 텐데

◐ = If Anthony were not able to carry out his tasks, they would be given to someone else.

어휘 carry out 수행하다 task 몡 직무

06 **Had** the advice (of experts) **not been ignored**, / the accident **could have been avoided**.

만약 (전문가들의) 조언이 무시되지 않았더라면 / 그 사고는 피해질 수 있었을 텐데

◐ = If the advice of experts had not been ignored, the accident could have been avoided.

어휘 advice 몡 조언, 충고 expert 몡 전문가 ignore 통 무시하다 accident 몡 사고 avoid 통 피하다

07 **Should** the Internet **go** down forever, / it **would have** a critical impact / on the world economy.

만약 인터넷이 영원히 중단된다면 / 그것은 중대한 영향을 끼칠 텐데 / 세계 경제에
→ 만약 인터넷이 영원히 중단된다면, 그것은 세계 경제에 중대한 영향을 끼칠 텐데.

◐ = If the Internet should go down forever, it would have a critical impact on the world economy.

어휘 go down 중단되다 critical 톙 중대한 impact 몡 영향 economy 몡 경제

08 **Were** fossil fuels easy to replace, / oil and gas companies **would not be** profitable.

만약 화석 연료가 대체하기에 쉽다면 / 석유와 가스 회사들은 수익성이 있지 않을 텐데

◐ = If fossil fuels were easy to replace, oil and gas companies would not be profitable.

◐ to부정사 to replace는 easy를 꾸며주는 부사적 용법으로 쓰였다.

어휘 fossil fuel 몡 화석 연료 replace 통 대체하다 profitable 톙 수익성이 있는

09 **Had** the computer **been invented** 300 years ago, / what discoveries **would** we **have made** / by now?

만약 컴퓨터가 300년 전에 발명되었더라면 / 우리는 무슨 발견을 했을까 / 지금쯤 → 만약 컴퓨터가 300년 전에 발명되었더라면, 우리는 지금쯤 무슨 발견을 했을까?

◐ = If the computer had been invented 300 years ago, what discoveries would we have made by now?

어휘 invent 통 발명하다 discovery 몡 발견

고난도
10 **Should** private transport companies **fail** / to comply with the safety regulations, / they **would face** heavy fines.

만약 민간 운송 회사들이 하지 않는다면 / 안전 규정을 준수하는 것을 / 그들을 무거운 벌금에 직면할 텐데
→ 만약 민간 운송 회사들이 안전 규정을 준수하지 않는다면, 그들을 무거운 벌금에 직면할 텐데.

◐ = If private transport companies should fail to comply with the safety regulations, they would face heavy fines.

○ to부정사구 to comply ~ regulations는 동사 fail의 목적어로 쓰였다.

어휘 private 형 민간의 transport 명 운송, 교통 comply 통 준수하다 regulation 명 규정 face 통 직면하다 fine 명 벌금

어법
11 **Had I stayed** longer in England, / I **could have improved** my English.

만약 내가 영국에 더 오래 머물렀더라면 / 나는 나의 영어를 향상시킬 수 있었을 텐데

○ = If I had stayed longer in England, I could have improved my English.

정답 Had
해설 주절이 「could+have p.p.」인 가정법 과거완료이므로 Had가 정답이다. if절의 (조)동사가 had이므로 if를 생략하고 주어와 had의 위치가 바뀌었다.

어휘 improve 통 향상시키다, 개선하다

UNIT 85 S+wish 가정법 해석하기

본책 p.144

01 I **wish** / I **had** great presentation skills / like Steve Jobs. <모의응용>

좋을 텐데 / 내가 훌륭한 발표 능력을 가진다면 / 스티브 잡스처럼 → 내가 스티브 잡스처럼 훌륭한 발표 능력을 가진다면 좋을 텐데.

어휘 presentation 명 발표

02 Jenny **wished** / she **hadn't spent** all her money / on clothes and shoes.

Jenny는 바랐다 / 그녀가 그녀의 모든 돈을 쓰지 않았길 / 옷과 신발에 → Jenny는 그녀의 모든 돈을 옷과 신발에 쓰지 않았길 바랐다.

03 Alexis **wishes** / she **could** sing and play the guitar / at the same time.

Alexis는 바란다 / 그녀가 노래하고 기타를 칠 수 있길 / 동시에 → Alexis는 동시에 노래하고 기타를 칠 수 있길 바란다.

04 I **wish** / I **hadn't eaten** that second plate of food / before having dessert.

좋을 텐데 / 내가 그 두 번째 접시의 음식을 먹지 않았더라면 / 디저트를 먹기 전에
→ 디저트를 먹기 전에 내가 그 두 번째 접시의 음식을 먹지 않았더라면 좋을 텐데.

05 When Logan was a middle school student, / he **wished** / he **were** taller.

Logan이 중학생이었을 때 / 그는 바랐다 / 그가 더 키가 크길 → Logan이 중학생이었을 때, 그는 더 키가 크길 바랐다.

06 Being tired during a long walk (along the coast), / Emma **wished** / she **were** back home.

(해안을 따른) 긴 산책 중에 피곤해서 / Emma는 바랐다 / 그녀가 집에 돌아가 있길 → 해안을 따른 긴 산책 중에 피곤해서, Emma는 집에 돌아가 있길 바랐다.

○ Being ~ coast는 이유를 나타내는 분사구문으로 해석될 수 있다.

어휘 coast 명 해안

07 For the first time, / I really **wished** / I **had listened to** / what my parents told me.

처음으로 / 나는 정말로 바랐다 / 내가 들었길 / 나의 부모님이 나에게 말씀하신 것을 → 처음으로, 나는 나의 부모님이 나에게 말씀하신 것을 들었길 정말로 바랐다.

○ what ~ me는 동사 had listened to의 목적어 역할을 하는 명사절이다.

08 The writer **wished** / she **could** think of / a good opening line [that would catch readers' attention].

그 작가는 바랐다 / 그녀가 생각해낼 수 있길 / [독자들의 주의를 끌] 좋은 첫 문장을 → 그 작가는 독자들의 주의를 끌 좋은 첫 문장을 생각해낼 수 있길 바랐다.

○ that ~ attention은 opening line을 꾸며주는 주격 관계대명사절이다.

어휘 opening line 명 첫 문장, 첫 대사 attention 명 주의, 관심

09 According to a survey, / one in four university students **wish** / they **had chosen** a different major.

한 조사에 따르면 / 4명 중 1명의 대학교 학생들은 바란다 / 그들이 다른 전공을 선택했길
→ 한 조사에 따르면, 4명 중 1명의 대학교 학생들은 다른 전공을 선택했길 바란다.

어휘 according to 쩬 ~에 따르면   major 뗑 전공

고난도
10 The animal rights activists **wished** / the law (protecting the whales) **had been passed** sooner.

그 동물 권리 운동가들은 바랐다 / (고래들을 보호하는) 그 법이 더 빨리 통과되었길
→ 그 동물 권리 운동가들은 고래들을 보호하는 그 법이 더 빨리 통과되었길 바랐다.

◎ 현재분사구 protecting the whales는 law를 꾸며준다.

어휘 animal rights 뗑 동물 권리   activist 뗑 운동가, 활동가   protect 뗄 보호하다

고난도
11 Many physicists **wish** / they **could** find a unified theory (of the forces (in the universe)).

많은 물리학자들은 바란다 / 그들이 ((우주 속의) 힘에 대한) 통합된 이론을 찾을 수 있길
→ 많은 물리학자들은 우주 속의 힘에 대한 통합된 이론을 찾을 수 있길 바란다.

어휘 physicist 뗑 물리학자   unified 뗑 통합된   theory 뗑 이론   force 뗑 힘   universe 뗑 우주

UNIT 86 · as if[though] 가정법 해석하기

본책 p.145

01 Emily often **interferes** in my personal affairs / **as if** they **were** her own. <수능응용>

Emily는 종종 나의 사적인 일들에 간섭한다 / 마치 그것들이 그녀 자신의 것인 것처럼
→ Emily는 마치 나의 사적인 일들이 그녀 자신의 것인 것처럼 종종 그것들에 간섭한다.

어휘 interfere 뗄 간섭하다   personal 뗑 사적인, 개인적인   affair 뗑 일, 문제   own 뗑 자신의 것

02 It **appeared** / **as though** the entire sky **had turned** / into a deep ocean. <모의응용>

보였다 / 마치 온 하늘이 변했던 것처럼 / 깊은 바다로 → 마치 온 하늘이 깊은 바다로 변했던 것처럼 보였다.

어휘 entire 뗑 온, 전체의

03 The CEO often **behaves** / **as though** he **were** the king (of some powerful empire).

그 최고 경영자는 종종 행동한다 / 마치 그가 (어떤 강력한 제국의) 왕인 것처럼 → 그 최고 경영자는 종종 마치 그가 어떤 강력한 제국의 왕인 것처럼 행동한다.

어휘 behave 뗄 행동하다   empire 뗑 제국

04 A few days after our fight, / Tom **began** talking to me / **as if** nothing **had happened.**

우리의 싸움이 있고 며칠 후에 / Tom은 나에게 말을 걸기 시작했다 / 마치 아무 것도 일어나지 않았던 것처럼
→ 우리의 싸움이 있고 며칠 후에, Tom은 마치 아무 것도 일어나지 않았던 것처럼 나에게 말을 걸기 시작했다.

◎ 동명사구 talking to me는 동사 began의 목적어로 쓰였으며, begin은 동명사와 to부정사를 모두 목적어로 가진다.

05 Throughout the trip, / Jason **showed** us around the city / **as if** he **were** a tour guide.

그 여행 내내 / Jason은 우리에게 시내를 안내해줬다 / 마치 그가 여행 가이드인 것처럼
→ 그 여행 내내, Jason은 마치 그가 여행 가이드인 것처럼 우리에게 시내를 안내해줬다.

어휘 throughout 쩬 ~ 내내, ~ 동안   show around 안내해주다

06 The band was formed only a month ago, // but they **performed** / **as if** they **had been** together for years.

그 밴드는 불과 한 달 전에 결성되었다 // 그러나 그들은 공연했다 / 마치 그들이 수년 동안 함께 해왔던 것처럼
→ 그 밴드는 불과 한 달 전에 결성되었지만, 그들은 마치 수년 동안 함께 해왔던 것처럼 공연했다.

어휘 form [동] 결성하다 perform [동] 공연하다

[고난도]
07 Writing in her diary, / Anne Frank **found** refuge from her situation / **as though** the war **were** miles away / in some other place.

그녀의 일기장에 글을 쓰면서 / 안네 프랑크는 그녀의 상황으로부터 안식처를 찾았다 / 마치 전쟁이 수마일 떨어져 있는 것처럼 / 어떤 다른 곳에
→ 그녀의 일기장에 글을 쓰면서, 안네 프랑크는 마치 전쟁이 어떤 다른 곳에 수마일 떨어져 있는 것처럼 그녀의 상황으로부터 안식처를 찾았다.

⭘ Writing ~ diary는 동시 동작을 나타내는 분사구문으로 해석될 수 있다.

어휘 situation [명] 상황 miles [명] 수마일, 먼 거리

[고난도]
08 Some self-help books recommend / that people should **act** / **as if** they **had** already **achieved** their goal.

몇몇 자기 개발서는 권한다 / 사람들이 행동해야 한다고 / 마치 그들이 이미 그들의 목표를 달성했던 것처럼
→ 몇몇 자기 개발서는 사람들이 마치 이미 그들의 목표를 달성했던 것처럼 행동해야 한다고 권한다.

⭘ that ~ goal은 문장에서 목적어 역할을 하는 명사절이다.
⭘ 요구/제안의 의미를 가진 동사 뒤 that절 안의 should는 생략될 수 있으며, 이때 should 뒤 동사원형의 형태는 바뀌지 않는다.

어휘 self-help book [명] 자기 개발서 recommend [동] 권하다 achieve [동] 달성하다

UNIT 87 다양한 가정법 표현 해석하기

본책 p.146

01 **Without[But for]** vacations, / most children **would be stressed out.** <모의응용>

만약 방학이 없다면 / 대부분의 아이들은 스트레스를 받을 텐데

⭘ = If it were not for[Were it not for] vacations, most children would be stressed out.

02 **Without** the flashlight, / the scouts **would be** unable to see / in the dark woods.

만약 손전등이 없다면 / 그 정찰병들은 앞을 볼 수 없을 텐데 / 어두운 숲에서 → 만약 손전등이 없다면, 그 정찰병들은 어두운 숲에서 앞을 볼 수 없을 텐데.

⭘ = If it were not for[Were it not for] the flashlight, the scouts would be unable to see in the dark woods.

어휘 flashlight [명] 손전등 scout [명] 정찰병 unable [형] 할 수 없는

03 **But for** the invention (of the printing press), / few people **might know** / how to read and write.

만약 (인쇄기의) 발명이 없다면 / 아는 사람들이 거의 없을 수도 있을 텐데 / 어떻게 읽고 쓸지를
→ 만약 인쇄기의 발명이 없다면, 어떻게 읽고 쓸지를 아는 사람들이 거의 없을 수도 있을 텐데.

⭘ = If it were not for[Were it not for] the invention of the printing press, few people might know how to read and write.
⭘ few는 '거의 없는'이라는 의미의 부정어이며, 셀 수 있는 명사 앞에 온다.
⭘ 「how+to부정사」는 '어떻게 ~할지'라고 해석한다.

어휘 invention [명] 발명 printing press [명] 인쇄기

04 **Without** his efforts and diligence, / the billionaire **could not have built** his fortune.

만약 그의 노력과 성실함이 없었더라면 / 그 억만장자는 그의 부를 쌓을 수 없었을 텐데

⭘ = If it had not been for[Had it not been for] his efforts and diligence, the billionaire could not have built his fortune.

어휘 effort [명] 노력 diligence [명] 성실함 billionaire [명] 억만장자 fortune [명] 부, 재산

05 **But for** the calculations (of Katherine Johnson), / NASA **would have struggled** / to send astronauts into space.

만약 (캐서린 존슨의) 계산이 없었더라면 / NASA는 고전했을 텐데 / 우주 비행사들을 우주로 보내기 위해

→ 만약 캐서린 존슨의 계산이 없었더라면, NASA는 우주 비행사들을 우주로 보내기 위해 고전했을 텐데.

○ = If it had not been for[Had it not been for] the calculations of Katherine Johnson, NASA would have struggled to send astronauts into space.

○ to부정사구 to send ~ space는 목적을 나타내는 부사적 용법으로 쓰였다.

어휘 calculation 圐 계산 (결과) struggle 图 고전하다 astronaut 圐 우주 비행사

06 We should buy tickets in advance. // **Otherwise** we **would have to stand** in line. <모의>

우리는 미리 표를 사야 한다. // 그렇지 않으면 우리는 줄을 서야 할 것이다.

어휘 in advance 미리

07 I set the plant by the window, // **otherwise** it **would lack** the sunlight [it requires to survive].

나는 그 식물을 창가에 놓았다 // 그렇지 않으면 그것은 [그것이 살아가기 위해 필요한] 햇빛이 부족할 것이다

○ sunlight와 it 사이에는 목적격 관계대명사가 생략되어 있다.

○ to부정사 to survive는 목적을 나타내는 부사적 용법으로 쓰였다.

어휘 lack 图 부족하다 require 图 필요하다 survive 图 살아가다

08 Dr. Thompson was a few hours behind schedule; // **otherwise** he **could have joined** us for lunch.

Thompson 박사는 예정보다 몇 시간 늦었다 // 그렇지 않았더라면 그는 점심 식사에 우리와 함께 할 수도 있었을 것이다

어휘 behind schedule 예정보다 늦은

09 The lovers (in a romantic story) need to have a conflict. // **Otherwise** there **would be** little satisfaction / when they are reunited.

(낭만적인 이야기 속의) 연인들은 갈등을 겪을 필요가 있다. // 그렇지 않으면 만족감이 거의 없을 것이다 / 그들이 재결합될 때

→ 낭만적인 이야기 속의 연인들은 갈등을 겪을 필요가 있다. 그렇지 않으면 그들이 재결합될 때 만족감이 거의 없을 것이다.

○ to부정사구 to have a conflict는 동사 need의 목적어로 쓰였다.

○ little은 '거의 없는'이라는 의미의 부정어이며, 셀 수 없는 명사 앞에 온다.

어휘 conflict 圐 갈등 satisfaction 圐 만족감 reunite 图 재결합[재회]하게 하다

10 **Suppose that** you **got lost** in a foreign country, / what **would** you **do**?

만약 네가 외국에서 길을 잃는다면 / 너는 무엇을 할 거니

어휘 foreign 圐 외국의

11 **Suppose** your engine **broke down** / in the desert, / you **would have to repair** it yourself.

만약 너의 엔진이 고장 난다면 / 사막에서 / 네가 그것을 직접 수리해야 할 텐데 → 만약 너의 엔진이 사막에서 고장 난다면, 네가 그것을 직접 수리해야 할 텐데.

○ 재귀대명사 yourself는 you를 강조하기 위해 쓰였으므로 생략할 수 있으며, '직접'이라고 해석한다.

어휘 desert 圐 사막 repair 图 수리하다

12 **Supposing** you **had** the powers (of a superhero), / **would** you **use** them / to help the community?

만약 네가 (슈퍼히어로의) 능력을 가진다면 / 너는 그것들을 사용할 거니 / 지역 사회를 돕기 위해

→ 만약 네가 슈퍼히어로의 능력을 가진다면, 너는 지역 사회를 돕기 위해 그것들을 사용할 거니?

○ to부정사구 to help the community는 목적을 나타내는 부사적 용법으로 쓰였다.

어휘 community 圐 지역 사회

13 **Supposing that** the disease **had been treated** / with proper care and attention, / it **might not have led** to brain damage.

만약 그 병이 치료되었더라면 / 적절한 간호와 관심으로 / 그것은 뇌 손상으로 이어지지 않을 수도 있었을 텐데

→ 만약 그 병이 적절한 간호와 관심으로 치료되었더라면, 그것은 뇌 손상으로 이어지지 않을 수도 있었을 텐데.

❍ led는 과거분사(p.p.)로 쓰였다. (lead-led-led)

어휘 disease 圈 병 treat 图 치료하다 proper 圈 적절한 attention 圈 관심, 주의

14 **It's time** / **that** you **started** thinking about other people's lives. <수능용용>

때이다 / 네가 다른 사람들의 삶에 대해 생각하기 시작해야 할 → 네가 다른 사람들의 삶에 대해 생각하기 시작해야 할 때이다.

❍ 동명사구 thinking ~ lives는 동사 started의 목적어로 쓰였으며, start는 동명사와 to부정사를 모두 목적어로 가진다.

15 **It's about time** / I **left** for the airport / to catch my flight (to Madrid).

때이다 / 내가 공항으로 떠나야 할 / (마드리드로 가는) 나의 항공편을 타기 위해 → 내가 마드리드로 가는 나의 항공편을 타기 위해 공항으로 떠나야 할 때이다.

❍ to부정사구 to catch ~ Madrid는 목적을 나타내는 부사적 용법으로 쓰였다.

16 **It's high time** / the government **began** providing more affordable housing / for young people.

때이다 / 정부가 더 저렴한 주택을 제공하기 시작해야 할 / 젊은 사람들을 위해 → 정부가 젊은 사람들을 위해 더 저렴한 주택을 제공하기 시작해야 할 때이다.

❍ 동명사구 providing ~ people은 동사 began의 목적어로 쓰였으며, begin은 동명사와 to부정사를 모두 목적어로 가진다.

어휘 government 圈 정부 provide 图 제공하다 affordable 圈 저렴한, 가격이 적당한

17 **It's time** / **that** we **should reconsider** the seriousness (of the problem) / and do something about it. <수능용용>

때이다 / 우리가 (그 문제의) 심각성을 재고해야 할 / 그리고 그것에 대해서 무언가를 해야 할

→ 우리가 그 문제의 심각성을 재고하고 그것에 대해서 무언가를 해야 할 때이다.

어휘 reconsider 图 재고하다 seriousness 圈 심각성

Chapter Test

본책 p.148

01 **If I were to be elected** as president, / I **would change** the country / in many ways.

만약 내가 대통령으로 선출된다면 / 나는 나라를 변화시킬 텐데 / 여러 가지 방식으로

→ 만약 내가 대통령으로 선출된다면, 나는 여러 가지 방식으로 나라를 변화시킬 텐데.

어휘 elect 图 선출하다

02 **If** Laura **had gotten** a law degree, / she **might have worked** in a legal department.

만약 Laura가 법학 학위를 취득했더라면 / 그녀는 법무 부서에서 일할 수도 있었을 텐데

어휘 degree 圈 학위 legal department 圈 법무 부서

03 **Were** you in my position, / you **could understand** / how difficult it is to manage a team.

만약 네가 나의 입장이라면 / 너는 이해할 수 있을 텐데 / 팀을 운영하는 것이 얼마나 어려운지를

→ 만약 네가 나의 입장이라면, 너는 팀을 운영하는 것이 얼마나 어려운지를 이해할 수 있을 텐데.

❍ = If you were in my position, you could understand how difficult it is to manage a team.

❍ how ~ team은 동사 could understand의 목적어 역할을 하는 명사절이다.

❍ 진주어 to manage a team 대신 가주어 it이 명사절의 주어 자리에 쓰였다.

어휘 position 圈 입장, 자리 difficult 圈 어려운 manage 图 운영하다, 관리하다

04   **Without** a smartphone (to entertain her), / Dorothy **would get** bored and restless.

만약 (그녀를 즐겁게 할) 스마트폰이 없다면 / Dorothy는 지루해지고 안절부절못하게 될 텐데

   ◐ = If it were not for[Were it not for] a smartphone to entertain her, Dorothy would get bored and restless.

   ◐ to부정사구 to entertain her는 smartphone을 꾸며주는 형용사적 용법으로 쓰였다.

   어휘   entertain 图 즐겁게 하다   restless 웹 안절부절못하는, 가만히 있지 못하는

05   **If** Ricky **hadn't lost** so many matches last year, / he **would have** more confidence now.

만약 Ricky가 작년에 그렇게 많은 경기에서 패하지 않았더라면 / 그는 지금 더 많은 자신감을 가지고 있을 텐데

   어휘   match 웹 경기   confidence 웹 자신감

06   Because of the fine dust, / the city **looked** / **as though** it **were covered** in a thick fog.

미세먼지 때문에 / 그 도시는 보였다 / 마치 그것이 짙은 안개에 덮여 있는 것처럼 → 미세먼지 때문에, 그 도시는 마치 짙은 안개에 덮여 있는 것처럼 보였다.

   어휘   fine dust 웹 미세 먼지   thick 웹 짙은   fog 웹 안개

07   **If** the firm **made** a positive contribution to society, / it **might gain** a good reputation.

만약 그 회사가 사회에 긍정적인 기여를 한다면 / 그것은 좋은 평판을 얻을 수도 있을 텐데

   어휘   firm 웹 회사   positive 웹 긍정적인   contribution 웹 기여, 공헌   gain 图 얻다   reputation 웹 평판

08   **Had** the pilot **noticed** / the warning light (in the cockpit), / he **wouldn't have taken off**.

만약 그 조종사가 알아차렸더라면 / (조종석에 있는) 경고등을 / 그는 이륙하지 않았을 텐데

   → 만약 그 조종사가 조종석에 있는 경고등을 알아차렸더라면, 그는 이륙하지 않았을 텐데.

   ◐ = If the pilot had noticed the warning light in the cockpit, he wouldn't have taken off.

   어휘   notice 图 알아차리다   take off 이륙하다

09   Lee **wished** / he **could have seen** / what the farm had looked like / in his father's youth.

Lee는 바랐다 / 그가 볼 수 있었길 / 그 농장이 어떻게 생겼었는지를 / 그의 아버지의 어린 시절에

   → Lee는 그의 아버지의 어린 시절에 그 농장이 어떻게 생겼었는지를 볼 수 있었길 바랐다.

   ◐ what ~ youth는 동사 could have seen의 목적어 역할을 하는 명사절이다.

   어휘   youth 웹 어린 시절, 젊음

10   **Should** there be no air at all, / a coin (dropped from a skyscraper) / **could cause** an injury.

만약 공기가 전혀 없다면 / (고층 건물에서 떨어진) 동전은 / 부상을 야기할 수 있다

   ◐ = If there should be no air at all, a coin dropped from a skyscraper could cause an injury.

   ◐ 과거분사구 dropped ~ skyscraper는 coin을 꾸며준다.

   어휘   drop 图 떨어뜨리다   skyscraper 웹 고층 건물   cause 图 야기하다, 초래하다   injury 웹 부상

11   **Supposing** all cars **had** electric engines, / air pollution **would be reduced** dramatically.

만약 모든 자동차가 전기 엔진을 가지고 있다면 / 공기 오염이 극적으로 줄어들 텐데

   어휘   electric 웹 전기의   pollution 웹 오염   reduce 图 줄이다   dramatically 閉 극적으로

[고난도]
12   It was fortunate / that the peace negotiations were swift; // **otherwise** the dispute **would have brought** more destruction.

다행이었다 / 평화 협상이 신속했던 것은 // 그렇지 않았더라면 그 분쟁은 더 많은 파괴를 가져왔을 것이다

   → 평화 협상이 신속했던 것은 다행이었다. 그렇지 않았더라면 그 분쟁은 더 많은 파괴를 가져왔을 것이다.

   ◐ 진주어 that ~ swift 대신 가주어 it이 주어 자리에 쓰였다.

   어휘   fortunate 웹 다행인   negotiation 웹 협상   swift 웹 신속한   dispute 웹 분쟁   destruction 웹 파괴

13 Given the current tension (in our culture), / **it's time** / people **started** using better judgment / when they post on social media.

현재 (우리 문화 속의) 긴장을 고려하면 / 때이다 / 사람들이 더 나은 판단력을 사용하기 시작해야 할 / 그들이 소셜 미디어에 게시물을 올릴 때

→ 현재 우리 문화 속의 긴장을 고려하면, 사람들이 소셜 미디어에 게시물을 올릴 때 더 나은 판단력을 사용하기 시작해야 할 때이다.

❍ 동명사구 using better judgment는 동사 started의 목적어로 쓰였으며, start는 동명사와 to부정사를 모두 목적어로 가진다.

어휘 current ⓗ 현재의 tension ⓝ 긴장 judgment ⓝ 판단(력) post ⓥ 게시하다

14 Charles Darwin **might not have come up with** / his theory of evolution / **if it had not been for** the thousands of sketches [he drew]. <모의응용>

찰스 다윈은 생각해 내지 못했을 수도 있다 / 그의 진화론을 / 만약 [그가 그렸던] 수천 장의 밑그림이 없었더라면

→ 만약 그가 그렸던 수천 장의 밑그림이 없었더라면, 찰스 다윈은 그의 진화론을 생각해 내지 못했을 수도 있다.

❍ = Charles Darwin might not have come up with his theory of evolution without[but for] the thousands of sketches he drew.

❍ sketches와 he 사이에는 목적격 관계대명사가 생략되어 있다.

어휘 come up with ~을 생각해내다 evolution ⓝ 진화

UNIT 88 원급/비교급/최상급 비교 해석하기

본책 p.150

01 Driving slowly on the highway / is **as dangerous** / **as** racing in the cities. <모의>

고속도로에서 천천히 운전하는 것은 / 위험하다 / 시내에서 질주하는 것만큼 → 고속도로에서 천천히 운전하는 것은 시내에서 질주하는 것만큼 위험하다.

◑ 동명사구 Driving ~ highway는 문장에서 주어 역할을 하고 있다.

02 My sister, Tara, / was **not as adventurous** / **as** my younger brother and me. <모의응용>

나의 여동생인 Tara는 / 모험심이 강하지 않았다 / 나의 남동생과 나만큼 → 나의 여동생인 Tara는 나의 남동생과 나만큼 모험심이 강하지 않았다.

어휘 adventurous 혱 모험심이 강한

03 Katy is an excellent ballerina / [who is **as graceful** / **as** a swan].

Katy는 훌륭한 발레리나이다 / [우아한 / 백조만큼] → Katy는 백조만큼 우아한 훌륭한 발레리나이다.

◑ who ~ swan은 ballerina를 꾸며주는 주격 관계대명사절이다.

어휘 graceful 혱 우아한

04 After so many years (on the factory line), / he worked **as efficiently** / **as** any machine.

(공장 생산 라인에서의) 아주 많은 세월 후에 / 그는 효율적으로 일했다 / 어떤 기계만큼이나
→ 공장 생산 라인에서의 아주 많은 세월 후에, 그는 어떤 기계만큼이나 효율적으로 일했다.

어휘 efficiently 위 효율적으로

05 The philanthropist is **as beloved** / **as** he is admired / for his generosity.

그 자선가는 사랑받는다 / 그가 존경받는 것만큼 / 그의 너그러움으로 → 그 자선가는 그의 너그러움으로 존경받는 것만큼 사랑받는다.

어휘 beloved 혱 사랑받는 admire 통 존경하다, 칭찬하다

06 Even an invention **as elementary** / **as** finger-counting / changes our cognitive abilities dramatically. <수능>

단순한 발명조차 / 손가락 숫자 세기만큼 / 우리의 인지 능력을 극적으로 변화시킨다
→ 손가락 숫자 세기만큼 단순한 발명조차 우리의 인지 능력을 극적으로 변화시킨다.

어휘 invention 몡 발명(품) elementary 혱 단순한, 기본적인 cognitive 혱 인지의 ability 몡 능력 dramatically 위 극적으로

^{고난도}
07 The newly developed synthetic material / is still **not so biodegradable** / **as** plant products.

새롭게 개발된 그 합성 물질은 / 여전히 생분해성이 있지 않다 / 식물 생산물만큼 → 새롭게 개발된 그 합성 물질은 여전히 식물 생산물만큼 생분해성이 있지 않다.

어휘 develop 통 개발하다 synthetic 혱 합성의 material 몡 물질 product 몡 생산물, 제품

08 We imagine impressive outcomes **more readily** / **than** ordinary ones. <모의>

우리는 인상적인 결과들을 더 쉽게 상상한다 / 평범한 것들보다 → 우리는 평범한 결과들보다 인상적인 결과들을 더 쉽게 상상한다.

◑ outcomes 대신 대명사 ones가 쓰였다.

어휘 imagine 통 상상하다 impressive 혱 인상적인 readily 위 쉽게 ordinary 혱 평범한

09 Mammals tend to be **less colorful** / **than** other animal groups. <모의>

포유류는 색이 덜 화려한 경향이 있다 / 다른 동물군보다 → 포유류는 다른 동물군보다 색이 덜 화려한 경향이 있다.

어휘 mammal 몡 포유류

10 Science articles / must be read **more carefully** / **than** other papers.

과학 논문들은 / 더 면밀하게 읽혀야 한다 / 다른 논문들보다 → 과학 논문들은 다른 논문들보다 더 면밀하게 읽혀야 한다.

❍ read는 과거분사(p.p.)로 쓰였다. (read-read-read)

어휘 article 몡 논문, 기사   carefully 톈 면밀하게

11 The vegetables (in the front) are **fresher** / **than** the ones (stocked towards the back).

(앞쪽에 있는) 채소들이 더 신선하다 / (뒤쪽으로 쌓인) 것들보다 → 앞쪽에 있는 채소들이 뒤쪽으로 쌓인 것들보다 더 신선하다.

❍ vegetables 대신 대명사 ones가 쓰였다.
❍ 과거분사구 stocked towards the back은 ones를 꾸며준다.

어휘 vegetable 몡 채소   stock 통 쌓다

12 I don't want the fabric sofa, / because it's **less durable** / **than** the others. <모의응용>

나는 천 소파를 원하지 않는다 / 그것이 덜 오래가기 때문에 / 다른 것들보다
→ 천 소파는 다른 것들보다 덜 오래가기 때문에 나는 그것을 원하지 않는다.

어휘 fabric 몡 직물, 천   durable 혱 오래가는, 내구성이 있는

13 Ask Jean about the matter, / as she is **more knowledgeable** about it / **than** I am.

Jean에게 그 사안에 대해 물어봐라 / 그녀가 그것에 대해 아는 것이 더 많기 때문에 / 내가 그런 것보다
→ Jean이 그 사안에 대해 나보다 아는 것이 더 많기 때문에, 그녀에게 그것에 대해 물어봐라.

❍ 주어 없이 동사로 시작하는 명령문이다.

어휘 matter 몡 사안   knowledgeable 혱 아는 것이 많은, 많이 아는

고난도
14 In a potentially severe situation, / everyone will appear **less concerned** / **than** they actually are. <모의응용>

심각해질 가능성이 있는 상황에서 / 모든 사람은 덜 걱정하는 것처럼 보일 것이다 / 그들이 실제 그런 것보다
→ 심각해질 가능성이 있는 상황에서, 모든 사람이 실제 걱정하는 것보다 덜 그런 것처럼 보일 것이다.

어휘 potentially 톈 가능성이 있게, 잠재적으로   severe 혱 심각한   situation 몡 상황   concerned 혱 걱정하는

15 The Great Salt Lake is **the largest** salt lake / in the Western Hemisphere. <수능>

그레이트 솔트 호수는 가장 큰 소금 호수이다 / 서반구에서 → 그레이트 솔트 호수는 서반구에서 가장 큰 소금 호수이다.

어휘 hemisphere 몡 반구

16 The proportion (of spending (on food)) / dropped **the most sharply** / in 2013. <모의>

((음식에 대한) 지출의) 비율이 / 가장 급격하게 떨어졌다 / 2013년에 → 음식에 대한 지출의 비율이 2013년에 가장 급격하게 떨어졌다.

어휘 proportion 몡 비율   spending 몡 지출   drop 통 떨어지다   sharply 톈 급격하게

17 *Alice's Adventures in Wonderland* / is **the most recognized** work (of Lewis Carroll).

'이상한 나라의 앨리스'는 / (루이스 캐럴의) 가장 인정받는 작품이다

어휘 recognized 혱 인정받는

18 I missed the **most recent** episode (of the drama) / since I had to study for an exam.

나는 (그 드라마의) 가장 최근 방영분을 놓쳤다 / 내가 시험을 위해 공부해야 했기 때문에
→ 나는 시험을 위해 공부해야 했기 때문에 그 드라마의 가장 최근 방영분을 놓쳤다.

어휘 recent 혱 최근의   episode 몡 방영분

19 Cattle are attacked by wolves **the most frequently** / during the summer months.

소는 가장 자주 늑대에게 공격받는다 / 여름의 달 동안에 → 소는 여름의 달 동안에 늑대에게 가장 자주 공격받는다.

❍ cattle은 집합명사로 항상 복수 취급하기 때문에 cattle 뒤에 복수 동사 are가 왔다.

어휘 cattle 몡 소, 축우 frequently 문 자주, 빈번하게

20 Vostok Station (in Antarctica) / recorded **the lowest** natural temperature / in 1983 / with a reading of -89.2°C.

(남극 대륙의) 보스토크 기지는 / 가장 낮은 자연적 온도를 기록했다 / 1983년에 / 섭씨 영하 89.2도의 측정값으로
→ 남극 대륙의 보스토크 기지는 1983년에 섭씨 영하 89.2도의 측정값으로 가장 낮은 자연적 온도를 기록했다.

어휘 station 몡 기지 Antarctica 몡 남극 대륙 temperature 몡 온도 reading 몡 측정값, 눈금값

UNIT 89 원급 표현 해석하기

본책 p.152

---

01 Two hours of shopping / burns **as much as** 300 calories. <모의>

두 시간의 쇼핑은 / 300칼로리나 되는 열량을 태운다

02 When you don't know something, / admit it **as quickly as** possible. <모의응용>

네가 무언가를 모를 때 / 가능한 한 빠르게 그것을 인정해라

03 The rate of boys' obesity / was **three times as high** / **as** that of girls'. <모의응용>

남자아이의 비만율은 / 세 배 높았다 / 여자아이의 것보다 → 남자아이의 비만율은 여자아이의 것보다 세 배 높았다.

❍ rate 대신 대명사 that이 쓰였으며, girls' 뒤에 obesity가 생략되어 있다.

어휘 rate 몡 비율 obesity 몡 비만

04 The city evacuated **as many as** 3,000 people today / because of the forest fires.

그 도시는 오늘 3,000명이나 되는 사람들을 피난시켰다 / 산불 때문에 → 그 도시는 산불 때문에 오늘 3,000명이나 되는 사람들을 피난시켰다.

어휘 evacuate 통 피난시키다 forest fire 몡 산불

05 The last experiment [we conducted] / took **twice as long** / **as** the previous one.

[우리가 한] 마지막 실험은 / 2배 오래 걸렸다 / 이전의 것보다 → 우리가 한 마지막 실험은 이전의 것보다 2배 오래 걸렸다.

❍ experiment와 we 사이에는 목적격 관계대명사가 생략되어 있다.
❍ experiment 대신 대명사 one이 쓰였다.

어휘 experiment 몡 실험 conduct 통 하다, 수행하다 previous 휑 이전의

06 Ms. Garret spent her days (at the resort) / **as peacefully** and **as quietly as** she could.

Garret씨는 (휴양지에서의) 그녀의 날들을 보냈다 / 그녀가 할 수 있는 한 평화롭고 조용하게
→ Garret씨는 휴양지에서의 그녀의 날들을 그녀가 할 수 있는 한 평화롭고 조용하게 보냈다.

어휘 peacefully 문 평화롭게 quietly 문 조용하게

07 Ethan was **as loyal as ever** / when I needed / him to stand beside me / the most.

Ethan은 여전히 의리가 있었다 / 내가 필요로 했을 때 / 그가 나의 옆에 서 있는 것을 / 가장
→ Ethan이 나의 옆에 서 있는 것을 가장 필요로 했을 때, 그는 여전히 의리가 있었다.

❍ 「need+목적어(him)+목적격 보어(to stand beside me)」의 구조이다.

어휘 loyal 휑 의리가 있는

08 Although the customer had angrily raised his voice, / the clerk replied to his questions / **as calmly as possible**.

비록 그 손님이 화를 내며 목소리를 키웠지만 / 점원은 그의 질문에 답했다 / 가능한 한 침착하게
→ 비록 그 손님이 화를 내며 목소리를 키웠지만, 점원은 그의 질문에 가능한 한 침착하게 답했다.

어휘 customer 몡 손님, 고객 angrily 閂 화를 내며 raise 통 키우다, 높이다 reply 통 답하다 calmly 閂 침착하게

09 The genetic evidence suggests / that **as few as** several hundred individuals / went first to India and then to Southeast Asia. <모의응용>

유전적 증거는 암시한다 / 몇백 명밖에 안 되는 사람들이 / 먼저 인도에 갔고 그 다음에 동남아시아에 갔다는 것을
→ 유전적 증거는 몇백 명밖에 안 되는 사람들이 먼저 인도에 갔고 그 다음에 동남아시아에 갔다는 것을 암시한다.

○ that ~ Southeast Asia는 문장에서 목적어 역할을 하는 명사절이다.

어휘 genetic 몡 유전적인 evidence 몡 증거 suggest 통 암시하다 individual 몡 사람, 개인

UNIT 90 비교급 표현 해석하기

본책 p.153

01 Colored rubber tires / were **five times tougher** / **than** the uncolored ones. <모의>

채색된 고무 타이어들은 / 5배 더 튼튼했다 / 채색되지 않은 것들보다 → 채색된 고무 타이어들은 채색되지 않은 것들보다 5배 더 튼튼했다.

○ tires 대신 대명사 ones가 쓰였다.

어휘 rubber 몡 고무 tough 혱 튼튼한

02 **The more** you move your body, / **the healthier** and **happier** you become. <모의>

네가 너의 몸을 움직이면 움직일수록 / 너는 더 건강하고 행복해진다

03 Unless we take action now, / traffic congestion will get **worse and worse**. <수능>

우리가 지금 조치를 취하지 않는다면 / 교통 체증은 점점 더 심해질 것이다

어휘 take action 조치를 취하다 traffic congestion 몡 교통 체증

04 Warren grew more afraid / as the hot air balloon rose / **higher and higher** into the air.

Warren은 더 두려워졌다 / 열기구가 상승함에 따라 / 하늘로 점점 더 높이 → Warren은 열기구가 하늘로 점점 더 높이 상승함에 따라 더 두려워졌다.

05 Normally, / **the more expensive** an electronic device is, / **the more** features it has.

보통 / 전자 장비가 비싸면 비쌀수록 / 그것은 더 많은 기능들을 가지고 있다

어휘 expensive 혱 비싼 electronic 혱 전자의 device 몡 장비, 기기 feature 몡 기능

06 As the sun set over the desert, / **the lower and lower** the temperature fell.

사막 너머로 해가 짐에 따라 / 기온이 점점 더 낮게 떨어졌다

○ set은 과거형으로 쓰였다. (set-set-set)

어휘 desert 몡 사막

07 Studies show / that the latest air purifiers are **ten times more efficient** / **than** existing models.

연구는 보여준다 / 최신 공기청정기들이 10배 더 효율적이라는 것을 / 기존 모델들보다
→ 연구는 최신 공기청정기들이 기존 모델들보다 10배 더 효율적이라는 것을 보여준다.

○ that ~ models는 문장에서 목적어 역할을 하는 명사절이다.

어휘 purifier 몡 청정기, 정화 장치 efficient 혱 효율적인 existing 혱 기존의, 현존하는

08 **The better** we understand something, / **the less** effort we put / into thinking about it. <모의>

우리가 어떤 것을 잘 이해하면 이해할수록 / 우리는 더 적은 노력을 들인다 / 그것에 대해 생각하는 데
→ 우리가 어떤 것을 잘 이해하면 이해할수록, 우리는 그것에 대해 생각하는 데 더 적은 노력을 들인다.

어휘 effort 명 노력

고난도
09 The poison (of a black widow spider) / is **15 times more potent** / **than** that of a rattlesnake.

(흑색과부거미의) 독은 / 15배 더 강하다 / 방울뱀의 것보다 → 흑색과부거미의 독은 방울뱀의 것보다 15배 더 강하다.

○ poison 대신 대명사 that이 쓰였다.

어휘 poison 명 독   potent 형 치명적인

고난도
10 Many people have become passive listeners to music, // and **fewer and fewer** people / are playing musical instruments for fun. <모의응용>

많은 사람들이 음악에 수동적인 청자가 되었다 // 그리고 점점 더 적은 사람들이 / 재미로 악기를 연주하고 있다
→ 많은 사람들이 음악에 수동적인 청자가 되었고, 점점 더 적은 사람들이 재미로 악기를 연주하고 있다.

어휘 passive 형 수동적인   musical instrument 명 악기

UNIT 91 헷갈리는 비교급 표현 해석하기

본책 p.154

01 Meat was served only on special days, / often **not more than** once a month. <모의>

고기는 특별한 날에만 제공되었다 / 대개 많아야 한 달에 한 번 → 고기는 대개 많아야 한 달에 한 번 특별한 날에만 제공되었다.

어휘 serve 동 제공하다

02 Profit before tax / is expected to be **not less than** $60 million.

세전 이익이 / 적어도 6,000만 달러 이상일 것으로 예상된다

○ 「expect+목적어(profit before tax)+목적격 보어(to be ~ million)」의 구조가 수동태로 바뀐 문장이다.

어휘 profit 명 이익   tax 명 세금   expect 동 예상하다

03 Ideally, / **not less than** a quarter of your wages / ought to be saved.

이상적으로 / 적어도 너의 임금의 4분의 1 이상이 / 저축되어야 한다

어휘 ideally 부 이상적으로   quarter 명 4분의 1   wage 명 임금

04 The farmland [he wanted to buy] / was **not more than** a hundred square kilometers.

[그가 사기를 원했던] 농지는 / 많아야 100 제곱킬로미터였다

○ farmland와 he 사이에는 목적격 관계대명사가 생략되어 있다.
○ to부정사 to buy는 동사 wanted의 목적어로 쓰였다.

어휘 farmland 명 농지   square 형 제곱의

05 The miners found / **not less than** 40 carats worth of diamonds / in the cave.

광부들은 발견했다 / 적어도 40캐럿 이상의 가치가 있는 다이아몬드들을 / 그 동굴에서
→ 광부들은 그 동굴에서 적어도 40캐럿 이상의 가치가 있는 다이아몬드들을 발견했다.

어휘 miner 명 광부   worth 명 가치, 값어치   cave 명 동굴

고난도
06 Guests should not abuse the host's hospitality / and should usually stay / **not more than** three days. <모의응용>

손님은 주인의 환대를 악용해서는 안 된다 / 그리고 보통 머물러야 한다 / 많아야 3일 이하로
→ 손님은 주인의 환대를 악용해서는 안 되고, 보통 많아야 3일 이하로 머물러야 한다.

어휘 abuse [동] 악용하다 host [명] 주인, 주최자 hospitality [명] 환대

07 Even the biggest species of lanternfish / are **no more than** six inches long. <모의응용>
심지어 가장 큰 종의 발광어도 / 길이가 겨우 6인치이다

어휘 species [명] 종 lanternfish [명] 발광어

08 Newborns' brains use / **no less than** two thirds of their energy. <모의응용>
신생아들의 뇌는 사용한다 / 그들의 에너지의 3분의 2나 → 신생아들의 뇌는 그들의 에너지의 3분의 2나 사용한다.

어휘 newborn [명] 신생아 two thirds 3분의 2

09 Surprisingly, / whole milk has **no more than** 3.25% milk fat / by weight.
놀랍게도 / 전유는 단지 3.25퍼센트의 유지방을 가진다 / 중량으로 → 놀랍게도, 전유는 중량으로 단지 3.25퍼센트의 유지방을 가진다.

어휘 surprisingly [부] 놀랍게도 fat [명] 지방 weight [명] 중량, 무게

10 There are **no less than** three major amusement parks / within walking distance.
큰 놀이 공원이 3개나 있다 / 도보 거리 안에 → 큰 놀이 공원이 도보 거리 안에 3개나 있다.

어휘 amusement park [명] 놀이 공원 walking distance [명] 도보 거리

11 The team has been to the finals / **no more than** twice / over the past 20 years.
그 팀은 결승전에 가본 적이 있다 / 겨우 2번 / 지난 20년 동안 → 그 팀은 지난 20년 동안 겨우 2번 결승전에 가본 적이 있다.

어휘 final [명] 결승전

[고난도]
12 Without hats, / people lose **no less than** half of their body heat / through their heads and necks.
모자가 없으면 / 사람들은 그들의 체열의 반이나 잃는다 / 그들의 머리와 목을 통해 → 모자가 없으면, 사람들은 머리와 목을 통해 체열의 반이나 잃는다.

어휘 body heat [명] 체열

13 Selling products internationally / is **not more difficult** / **than** selling domestically.
해외에 제품을 판매하는 것이 / 더 어려운 것은 아니다 / 국내에 판매하는 것보다 → 해외에 제품을 판매하는 것이 국내에 판매하는 것보다 더 어려운 것은 아니다.
● 동명사구 Selling products internationally는 문장에서 주어 역할을 하고 있다.

어휘 internationally [부] 해외에, 국제적으로 domestically [부] 국내에, 가정적으로

14 Your comfort and well-being / is **not less important** / **than** others' feelings.
너의 편안함과 행복이 / 덜 중요한 것은 아니다 / 다른 사람들의 기분보다 → 너의 편안함과 행복이 다른 사람들의 기분보다 덜 중요한 것은 아니다.

어휘 comfort [명] 편안함 well-being [명] 행복, 복지

15 The trip (to the museum) / was **not less enjoyable** / **than** visiting the art gallery.
(박물관으로의) 소풍이 / 덜 즐거운 것은 아니었다 / 미술관을 방문하는 것보다 → 박물관으로의 소풍이 미술관을 방문하는 것보다 덜 즐거운 것은 아니었다.

어휘 enjoyable [형] 즐거운, 즐길 수 있는

16 This new study (on heart disease) / is **not more influential** / **than** any of its predecessors.
(심장병에 대한) 이 새로운 연구가 / 더 영향력이 있는 것은 아니다 / 이전의 어떤 것보다도
→ 심장병에 대한 이 새로운 연구가 이전의 어떤 것보다도 더 영향력이 있는 것은 아니다.

어휘 disease [명] 병 influential [형] 영향력이 있는 predecessor [명] 이전의 것

17 Recent progress (in telecommunications technologies) / is **not more revolutionary** / **than** that of the nineteenth century. <모의응용>

(통신 기술에 있어서의) 최근 발전이 / 더 획기적인 것은 아니다 / 19세기의 것보다 → 통신 기술에 있어서의 최근 발전이 19세기의 것보다 더 획기적인 것은 아니다.

❍ progress ~ technologies 대신 대명사 that이 쓰였다.

어휘 progress 圐 발전, 진보 telecommunications 圐 통신 revolutionary 圐 획기적인

18 Making quesadillas / is **no more complicated** / **than** making sandwiches.

케사디야를 만드는 것은 / 복잡하지 않다 / 샌드위치를 만드는 것과 마찬가지로 → 케사디야를 만드는 것은 샌드위치를 만드는 것과 마찬가지로 복잡하지 않다.

❍ 동명사구 Making quesadillas는 문장에서 주어 역할을 하고 있다.

어휘 complicated 圐 복잡한

19 Our intuitive abilities / are **no less marvelous** / **than** the insights of professionals. <모의응용>

우리의 직관적인 능력은 / 놀랍다 / 전문가의 통찰력만큼이나 → 우리의 직관적인 능력은 전문가의 통찰력만큼이나 놀랍다.

어휘 intuitive 圐 직관적인 marvelous 圐 놀라운 insight 圐 통찰력 professional 圐 전문가

20 It is **no less necessary** to floss / **than** to brush one's teeth.

치실질을 하는 것은 필수적이다 / 이를 닦는 것만큼이나 → 치실질을 하는 것은 이를 닦는 것만큼이나 필수적이다.

❍ 진주어 to floss 대신 가주어 it이 주어 자리에 쓰였다.

어휘 necessary 圐 필수적인, 필요한 floss 圐 치실질을 하다

21 Scientists stated / that the virus was **no more harmful** / **than** the common cold.

과학자들은 말했다 / 그 바이러스는 위험하지 않다고 / 일반적인 감기와 마찬가지로
→ 과학자들은 그 바이러스가 일반적인 감기와 마찬가지로 위험하지 않다고 말했다.

❍ that ~ cold는 문장에서 목적어 역할을 하는 명사절이다.

어휘 state 圐 말하다 harmful 圐 해로운 common 圐 일반적인

22 Peter is **no less accomplished** / in his academic successes / **than** his older brother.

Peter는 뛰어나다 / 학업적 성취에 / 그의 형만큼이나 → Peter는 그의 형만큼이나 학업적 성취에 뛰어나다.

어휘 accomplished 圐 뛰어난 academic 圐 학업적 success 圐 성취, 성공

UNIT 92 최상급 표현 해석하기

본책 p.156

01 Henry Moore is **one of the greatest British artists** / of the 20th century. <모의응용>

헨리 무어는 가장 위대한 영국 예술가들 중 하나이다 / 20세기의 → 헨리 무어는 20세기의 가장 위대한 영국 예술가들 중 하나이다.

02 Africa is **the second largest** continent / in terms of both size and population.

아프리카는 두 번째로 가장 큰 대륙이다 / 크기와 인구 둘 다의 면에서 → 아프리카는 크기와 인구 둘 다의 면에서 두 번째로 가장 큰 대륙이다.

어휘 continent 圐 대륙 in terms of ~의 면에서, ~에 관해서 population 圐 인구

03 **The deepest dam [that has ever been built]** / is the Parker Dam (in Arizona, USA).

[지금까지 지어진 댐 중에서] 가장 깊은 댐은 / (미국 애리조나주에 있는) 파커댐이다

04 **One of the most popular dishes** / in this restaurant / is grilled salmon.

가장 인기 있는 요리들 중 하나는 / 이 레스토랑에서 / 구운 연어이다 → 이 레스토랑에서 가장 인기 있는 요리들 중 하나는 구운 연어이다.

어휘 grilled 휑 구운

05 Michael Jordan is perhaps **the greatest player** / [**that has ever played** in the NBA].

마이클 조던은 어쩌면 가장 위대한 선수일지도 모른다 / [NBA에서 지금까지 경기했던 선수 중에서]
→ 마이클 조던은 어쩌면 NBA에서 지금까지 경기했던 선수 중에서 가장 위대한 선수일지도 모른다.

어휘 perhaps 휑 어쩌면, 아마도

06 Historians agree / that the wheel was **one of the most important inventions** / in history.

사학자들은 동의한다 / 바퀴가 가장 중요한 발명품들 중 하나였다는 것에 / 역사에서
→ 사학자들은 바퀴가 역사에서 가장 중요한 발명품들 중 하나였다는 것에 동의한다.

○ that ~ history는 문장에서 목적어 역할을 하는 명사절이다.

어휘 historian 휑 사학자 agree 휑 동의하다

07 Black Friday, the day following Thanksgiving, / is **one of the busiest shopping days** / of the year. <모의>

추수 감사절 다음 날인 블랙 프라이데이는 / 가장 붐비는 쇼핑 날짜들 중 하나이다 / 연중
→ 추수 감사절 다음 날인 블랙 프라이데이는 연중 가장 붐비는 쇼핑 날짜들 중 하나이다.

08 Director Christopher Nolan's *Tenet* / was **the fifth highest-grossing** movie / in 2020.

크리스토퍼 놀란 감독의 '테넷'은 / 다섯 번째로 가장 높은 수익을 거둔 영화였다 / 2020년에
→ 크리스토퍼 놀란 감독의 '테넷'은 2020년에 다섯 번째로 가장 높은 수익을 거둔 영화였다.

어휘 director 휑 감독 high-grossing 휑 수익이 높은

09 The Baja Peninsula (of Mexico) / is **one of the best places** / in the world / to observe whales up close. <모의응용>

(멕시코의) 바하 반도는 / 가장 좋은 장소들 중 하나이다 / 세계에서 / 고래를 가까이서 관찰하는
→ 멕시코의 바하 반도는 세계에서 고래를 가까이서 관찰하는 가장 좋은 장소들 중 하나이다.

○ to부정사구 to observe ~ close는 places를 꾸며주는 형용사적 용법으로 쓰였다.

어휘 peninsula 휑 반도 observe 휑 관찰하다 up close 가까이서

UNIT 93 **최상급의 의미를 나타내는 원급/비교급 표현 해석하기**   본책 p.157

01 **No other** literature genre is **as popular** / **as** fiction. <모의응용>

어떤 문학 장르도 인기 있지 않다 / 소설만큼 → 어떤 문학 장르도 소설만큼 인기 있지 않다.

○ = Fiction is **the most popular** literature genre.

어휘 literature 휑 문학 popular 휑 인기 있는 fiction 휑 소설, 허구

02 This hiking trail is **more challenging** / **than all the other** trails (in the park).

이 등산로는 더 힘들다 / (공원에 있는) 다른 모든 길보다 → 이 등산로는 공원에 있는 다른 모든 길보다 더 힘들다.

○ = This hiking trail is **the most challenging** trail in the park.

어휘 trail 휑 길 challenging 휑 힘든, 도전적인

03 **No** fossil discovery was **more valuable** / to the archeologists / **than** the T-Rex skull.

어떤 화석 발견물도 더 귀중하지 않았다 / 고고학자들에게 / 티라노사우루스 두개골보다
→ 고고학자들에게 어떤 화석 발견물도 티라노사우루스 두개골보다 더 귀중하지 않았다.

⭘ = The T-Rex skull was **the most valuable** fossil discovery to the archeologists.

어휘 fossil [명] 화석 discovery [명] 발견(물) valuable [형] 귀중한, 가치 있는 archeologist [명] 고고학자 skull [명] 두개골

04 **No other** remake (of the song) is **as moving** / **as** the one (written by her).

(그 노래의) 어떤 리메이크 곡도 감동적이지 않다 / (그녀에 의해 쓰인) 것만큼 → 그 노래의 어떤 리메이크 곡도 그녀에 의해 쓰인 것만큼 감동적이지 않다.

⭘ = The one written by her is **the most moving** remake of the song.
⭘ remake 대신 대명사 one이 쓰였다.
⭘ 과거분사구 written by her는 one을 꾸며준다.

어휘 moving [형] 감동적인

05 Insects are **more abundant** / **than all the other** animal species (on Earth).

곤충은 더 많다 / (지구상의) 다른 모든 동물의 종보다 → 곤충은 지구상의 다른 모든 동물의 종보다 더 많다.

⭘ = Insects are **the most abundant** animal species on Earth.

어휘 insect [명] 곤충 abundant [형] 많은, 풍부한

06 **No** policy is **more complicated** / to understand / **than** the immigration rules.

어떤 정책도 더 복잡하지 않다 / 이해하기에 / 이민법보다 → 어떤 정책도 이민법보다 이해하기에 더 복잡하지 않다.

⭘ = The immigration rules are **the most complicated** policy to understand.
⭘ to부정사 to understand는 more complicated를 꾸며주는 부사적 용법으로 쓰였다.

어휘 policy [명] 정책 complicated [형] 복잡한 immigration [명] 이민

07 **No other** sight is **as splendid** / **as** the view (from the mountaintop at sunset).

어떤 광경도 아름답지 않다 / (해질녘에 산꼭대기에서의) 전망만큼 → 어떤 광경도 해질녘 산꼭대기에서의 전망만큼 아름답지 않다.

⭘ = The view from the mountaintop at sunset is **the most splendid** sight.

어휘 sight [명] 광경 splendid [형] 아름다운, 화려한 view [명] 전망

08 Special Operations Forces are **harder** / to train for / **than any other** military unit.

특수 작전 부대는 더 어렵다 / 훈련하기에 / 다른 어떤 군 부대보다 → 특수 작전 부대는 다른 어떤 군 부대보다 훈련하기에 더 어렵다.

⭘ = Special Operations Forces are **the hardest** military unit to train for.
⭘ to부정사구 to train for는 harder를 꾸며주는 부사적 용법으로 쓰였다.

어휘 military unit [명] 군 부대

09 **No other** evidence is **more compelling** / **than** the fingerprint (found at the crime scene).

어떤 증거도 더 강력하지 않다 / (범죄 현장에서 발견된) 지문보다 → 어떤 증거도 범죄 현장에서 발견된 지문보다 더 강력하지 않다.

⭘ = The fingerprint found at the crime scene is **the most compelling** evidence.
⭘ 과거분사구 found ~ scene은 fingerprint를 꾸며준다.

어휘 fingerprint [명] 지문 compelling [형] 강력한 crime scene [명] 범죄 현장

[고난도]
10 Fabrics (made of Egyptian cotton) / are **softer** and **last longer** / than those (**made of any other** cotton (in the world)). <모의응용>

(이집트의 목화로 만들어진) 직물은 / 더 부드럽고 더 오래 지속된다 / ((세계의) 다른 어떤 목화로 만들어진) 것보다
→ 이집트의 목화로 만들어진 직물은 세계의 다른 어떤 목화로 만들어진 것보다 더 부드럽고 더 오래 지속된다.

⭘ = Fabrics made of Egyptian cotton are **the softest** and last **the longest** in the world.
⭘ 과거분사구 made ~ cotton은 Fabrics를 꾸며주고, made ~ world는 those를 꾸며준다.
⭘ 동사 are와 last가 등위접속사 and로 연결되어 병렬 구문을 이룬다.
⭘ fabrics 대신 대명사 those가 쓰였다.

어휘 cotton [명] 목화 last [동] 지속되다

Chapter Test

01 The final report / should be **not more than** ten pages or 5,000 words.

최종 보고서는 / 많아야 10페이지 또는 5,000자 이하여야 한다

어휘 final 형 최종의

02 My grandparents' house is **three times as far away** / **as** my uncle's.

나의 조부모님의 집은 세 배 멀리 떨어져 있다 / 나의 삼촌의 집보다 → 나의 조부모님의 집은 나의 삼촌의 집보다 세 배 멀리 떨어져 있다.

○ uncle's 뒤에 house가 생략되어 있다.

03 What you eat / might not be **as important** / **as** who you eat with. <모의응용>

당신이 무엇을 먹는지는 / 중요하지 않을 수도 있다 / 당신이 누구와 먹는지만큼 → 당신이 무엇을 먹는지는 당신이 누구와 먹는지만큼 중요하지 않을 수도 있다.

○ What you eat은 문장에서 주어 역할을 하는 명사절이다.

어휘 important 형 중요한

04 Jupiter is **the biggest** planet / and has **stronger** gravity / **than all the other** planets. <모의응용>

목성은 가장 큰 행성이다 / 그리고 더 강한 중력을 가지고 있다 / 다른 모든 행성보다 → 목성은 가장 큰 행성이고, 다른 모든 행성보다 더 강한 중력을 가지고 있다.

○ = Jupiter is **the biggest** planet and has **the strongest** gravity.
○ 동사 is와 has가 등위접속사 and로 연결되어 병렬 구문을 이룬다.

어휘 Jupiter 명 목성 planet 명 행성 gravity 명 중력

05 Galileo was persecuted **much more harshly** / **than** his colleagues / for his theories.

갈릴레오는 훨씬 더 가혹하게 박해되었다 / 그의 동료들보다 / 그의 이론 때문에 → 갈릴레오는 그의 이론 때문에 그의 동료들보다 훨씬 더 가혹하게 박해되었다.

어휘 persecute 동 박해하다 harshly 부 가혹하게 colleague 명 동료 theory 명 이론

06 The company's new smartphone / has **by far the most appealing** design / to young adults.

그 회사의 새로운 스마트폰은 / 단연코 가장 매력적인 디자인을 가지고 있다 / 청년들에게
→ 그 회사의 새로운 스마트폰은 청년들에게 단연코 가장 매력적인 디자인을 가지고 있다.

어휘 appealing 형 매력적인

07 The food fair had **as many as** 200 different booths / [that served local cuisine].

그 음식 박람회는 200개나 되는 다양한 부스가 있었다 / [지역 요리를 제공하는] → 그 음식 박람회는 지역 요리를 제공하는 200개나 되는 다양한 부스가 있었다.

○ that ~ cuisine은 booths를 꾸며주는 주격 관계대명사절이다.

어휘 fair 명 박람회 different 형 다양한 local 형 지역의 cuisine 명 요리

08 **The longer** guests had to wait in line / in the sun, / **the more** tired they became.

손님들이 오래 줄을 서서 기다리면 기다릴수록 / 햇볕에서 / 그들은 더 피곤하게 되었다
→ 손님들이 햇볕에서 오래 줄을 서서 기다리면 기다릴수록 그들은 더 피곤하게 되었다.

09 Hippos are **no less aggressive** / **than** crocodiles / when defending their territory.

하마는 공격적이다 / 악어만큼이나 / 그들의 영역을 방어할 때 → 하마는 그들의 영역을 방어할 때 악어만큼이나 공격적이다.

어휘 aggressive 형 공격적인 defend 동 방어하다 territory 명 영역

10 The manager is **not more nervous than** we are / about launching our first collection.

관리자가 우리가 그런 것보다 더 불안해하는 것은 아니다 / 첫 번째 컬렉션을 출시하는 것에 대해
→ 첫 번째 컬렉션을 출시하는 것에 대해 관리자가 우리보다 더 불안해하는 것은 아니다.

어휘 nervous 형 불안해하는 launch 동 출시하다

11 Some believe / that acupuncture is **superior** / **to** certain types of medication.

어떤 사람들은 믿는다 / 침술이 우수하다고 / 특정한 종류의 약물보다 → 어떤 사람들은 침술이 특정한 종류의 약물보다 우수하다고 믿는다.

❍ that ~ medication은 문장에서 목적어 역할을 하는 명사절이다.

어휘 certain 휑 특정한, 어떤 medication 휑 약물

12 **No other** organization is **as capable** of / handling the global food shortage / **as** the WFP.

어떤 조직도 할 수 없다 / 세계적인 식량 부족을 다루는 것을 / WFP만큼 → 어떤 조직도 WFP만큼 세계적인 식량 부족을 다루는 것을 할 수 없다.

❍ = The WFP is **the most capable** of handling the global food shortage.

어휘 organization 휑 조직 capable 휑 (잘) 할 수 있는 handle 통 다루다 shortage 휑 부족

고난도
13 Fear is sometimes **not so much** a feeling of dread / **as** a heightening of all the senses.

공포는 때때로 두려움의 느낌이라기 보다는 / 모든 감각의 고조이다

어휘 dread 휑 두려움 heightening 휑 고조

고난도
14 Future generations should have opportunities / **as good as** or **better than** / previous ones.

미래 세대는 기회를 가져야 한다 / ~만큼 좋은 또는 ~보다 더 좋은 / 이전 세대 → 미래 세대는 이전 세대만큼 좋은 또는 더 좋은 기회를 가져야 한다.

❍ 원급(as good as)과 비교급(better than)이 한 문장 안에 같이 쓰인 형태이다.
❍ generations 대신 대명사 ones가 쓰였다.

어휘 generation 휑 세대 opportunity 휑 기회

고난도
15 Many features of matter / and the forces of nature / were either unknown or, **at best,** poorly understood. <모의응용>

물질의 많은 특징들이 / 그리고 자연의 힘이 / 알려지지 않았거나 기껏해야 형편없이 이해되었다

→ 물질의 많은 특징들과 자연의 힘이 알려지지 않았거나, 기껏해야 형편없이 이해되었다.

❍ unknown과 understood가 상관접속사 either A or B로 연결되어 있으며, be동사 were와 함께 쓰인 과거분사에 해당한다.

어휘 feature 휑 특징 matter 휑 물질 force 휑 힘

CHAPTER 16 특수구문

UNIT 94 강조 구문 해석하기

본책 p.160

01 Depression **does** *change* / the way [you see the world]. <모의응용>

우울증은 분명히 바꾼다 / [네가 세상을 보는] 방식을 → 우울증은 네가 세상을 보는 방식을 분명히 바꾼다.

○ does가 동사(change)를 강조하고 있다.

어휘 depression 명 우울증

02 My arrow hit / **the very** *center* (of the yellow circle). <수능>

나의 화살이 맞았다 / (노란색 동그라미의) 바로 그 가운데를 → 나의 화살이 노란색 동그라미의 바로 그 가운데를 맞았다.

○ hit은 과거형으로 쓰였다. (hit-hit-hit)
○ the very가 명사(center)를 강조하고 있다.

어휘 arrow 명 화살

03 Do you remember / *where* **in the world** *I put my car keys*?

너는 기억하니 / 도대체 어디에 내가 나의 자동차 열쇠를 뒀는지 → 도대체 어디에 내가 나의 자동차 열쇠를 뒀는지 너는 기억하니?

○ in the world가 의문문(where ~ keys)을 강조하고 있다.

04 A solid ball (made of clay) / would *not* bounce **by any means**. <모의응용>

(찰흙으로 만들어진) 단단한 공은 / 전혀 튀려고 하지 않았다

○ 과거분사구 made of clay는 ball을 꾸며준다.
○ by any means가 부정어(not)를 강조하고 있다.

어휘 solid 형 단단한 clay 명 찰흙 bounce 동 튀다

05 Maya didn't get me a present, // but she **did** *give* me a card / on my birthday.

Maya는 나에게 선물을 사주지 않았다 // 그러나 그녀는 분명히 나에게 카드를 줬다 / 나의 생일에
→ Maya는 나에게 선물을 사주지 않았지만, 나의 생일에 나에게 분명히 카드를 줬다.

○ did가 동사(give)를 강조하고 있다.

어휘 present 명 선물

06 *How* **on earth** / *do they get up early every morning* / *to go jogging*? <모의응용>

도대체 어떻게 / 그들은 매일 아침 일찍 일어나는가 / 조깅하러 가기 위해 → 도대체 어떻게 그들은 조깅하러 가기 위해 매일 아침 일찍 일어나는가?

○ on earth가 의문문(How ~ jogging)을 강조하고 있다.
○ to부정사구 to go jogging은 목적을 나타내는 부사적 용법으로 쓰였다.

07 William is *not* concerned **in the least** / about moving to a foreign country.

William은 전혀 걱정하지 않는다 / 외국으로 이주하는 것에 대해 → William은 외국으로 이주하는 것에 대해 전혀 걱정하지 않는다.

○ in the least가 부정어(not)를 강조하고 있다.

어휘 concerned 형 걱정하는 foreign 형 외국의

08 This warranty **does** *cover* / any damages (to the watch) / for a year.

이 품질 보증서는 분명히 보상한다 / (그 시계에 대한) 어떠한 손상도 / 1년 동안 → 이 품질 보증서는 1년 동안 그 시계에 대한 어떠한 손상도 분명히 보상한다.

◑ does가 동사(cover)를 강조하고 있다.

어휘 warranty 圆 품질 보증서 cover 图 보상하다, 보장하다 damage 圆 손상

09 The lights (in our house) / did *not* turn on **at all** / after lightning struck the power line.

(우리 집의) 전등은 / 전혀 켜지지 않았다 / 번개가 송전선을 친 후에 → 번개가 송전선을 친 후에 우리 집의 전등은 전혀 켜지지 않았다.

◑ at all이 부정어(not)를 강조하고 있다.

어휘 lightning 圆 번개 strike 图 치다 power line 圆 송전선

10 *Why* **on earth** *would I leave a tip* / when the service was so bad?

도대체 왜 내가 팁을 남기겠니 / 서비스가 그렇게 안 좋았는데 → 서비스가 그렇게 안 좋았는데 도대체 왜 내가 팁을 남기겠니?

◑ on earth가 의문문(Why ~ tip)을 강조하고 있다.

11 **The very** *concept* of flying / was thought to be ridiculous / a century ago.

비행이라는 바로 그 발상은 / 터무니없다고 생각되었다 / 한 세기 전에 → 비행이라는 바로 그 발상은 한 세기 전에 터무니없다고 생각되었다.

◑ The very가 명사(concept)를 강조하고 있다.
◑ 「think+목적어(the very concept of flying)+목적격 보어(to be ridiculous)」의 구조가 수동태로 바뀐 문장이다.

어휘 concept 圆 발상, 개념 ridiculous 圈 터무니없는, 우스운

고난도
12 The accommodations (provided by the company) were decent / but were *not* glamorous **by any means**.

(회사에 의해 제공된) 숙박 시설은 괜찮았다 / 그러나 전혀 화려하지 않았다 → 회사에 의해 제공된 숙박 시설은 괜찮았지만, 전혀 화려하지 않았다.

◑ 과거분사구 provided ~ company는 accommodations를 꾸며준다.
◑ by any means가 부정어(not)를 강조하고 있다.

어휘 accommodation 圆 숙박 시설 decent 圈 괜찮은 glamorous 圈 화려한

13 **It is** *brainpower* / **that** can guarantee our success / in the current world market. <수능응용>

바로 지적 능력이다 / 우리의 성공을 보장할 수 있는 것은 / 현재 세계 시장에서 → 현재 세계 시장에서 우리의 성공을 보장할 수 있는 것은 바로 지적 능력이다.

◑ 주어(brainpower)가 강조되고 있다.

어휘 brainpower 圆 지적 능력 guarantee 图 보장하다 success 圆 성공 current 圈 현재의

14 **It was** *in Pennsylvania* / **that** the Battle of Gettysburg took place / in 1863.

바로 펜실베이니아주에서였다 / 게티즈버그 전투가 일어났던 것은 / 1863년에 → 1863년에 게티즈버그 전투가 일어났던 것은 바로 펜실베이니아주에서였다.

◑ 부사구(in Pennsylvania)가 강조되고 있다.

어휘 take place 일어나다, 발생하다

15 **It was** *after five hours* / **that** NASA was finally able to contact the astronauts.

바로 다섯 시간 후였다 / NASA가 마침내 우주 비행사들과 연락할 수 있었던 것은
→ NASA가 마침내 우주 비행사들과 연락할 수 있었던 것은 바로 다섯 시간 후였다.

◑ 부사구(after five hours)가 강조되고 있다.

어휘 contact 图 연락하다 astronaut 圆 우주 비행사

16 **It was** *computer software* / **that** we developed / to organize all our projects.

바로 컴퓨터 소프트웨어였다 / 우리가 개발했던 것은 / 우리의 모든 프로젝트를 정리하기 위해
→ 우리의 모든 프로젝트를 정리하기 위해 우리가 개발했던 것은 바로 컴퓨터 소프트웨어였다.

◑ 목적어(computer software)가 강조되고 있다.
◑ to부정사구 to organize ~ projects는 목적을 나타내는 부사적 용법으로 쓰였다.

어휘 develop 图 개발하다 organize 图 정리하다

17 **It was** *during the closing ceremony* / **that** some athletes started to cry.

바로 폐막식 동안이었다 / 몇몇 선수들이 울기 시작했던 것은 → 몇몇 선수들이 울기 시작했던 것은 바로 폐막식 동안이었다.

○ 부사구(during ~ ceremony)가 강조되고 있다.
○ to부정사 to cry는 동사 started의 목적어로 쓰였으며, start는 to부정사와 동명사를 모두 목적어로 가진다.

어휘 closing ceremony 圏 폐막식 athlete 圏 (운동)선수

18 **It is** *meditation* / **that** can help / a person calm one's mind / and find peace.

바로 명상이다 / 도울 수 있는 것은 / 한 사람이 자신의 마음을 진정시키도록 / 그리고 평화를 찾을 수 있도록
→ 한 사람이 자신의 마음을 진정시키고 평화를 찾을 수 있도록 도울 수 있는 것은 바로 명상이다.

○ 주어(meditation)가 강조되고 있다.
○ calm과 find가 등위접속사 and로 연결되어 있으며, help의 목적격 보어 역할을 하는 원형부정사에 해당한다.

어휘 meditation 圏 명상 calm 圏 진정시키다

19 **It was** *a man* (*in a blue shirt*) / (*jaywalking across the street*) / **that** caused the accident.

바로 (파란 셔츠를 입은) 남자였다 / (도로를 가로질러 무단 횡단하는) / 그 사고를 일으켰던 것은
→ 그 사고를 일으켰던 것은 바로 도로를 가로질러 무단 횡단하는 파란 셔츠를 입은 남자였다.

○ 주어(a man ~ street)가 강조되고 있다.
○ 현재분사구 jaywalking ~ street는 man을 꾸며준다.

어휘 cause 圏 일으키다, 야기하다 accident 圏 사고

20 **It was** *while he was taking a bath* / **that** Archimedes found a new principle (*of physics*).

바로 그가 목욕을 하는 동안이었다 / 아르키메데스가 (물리학의) 새로운 원리를 발견했던 것은
→ 아르키메데스가 물리학의 새로운 원리를 발견했던 것은 바로 그가 목욕을 하는 동안이었다.

○ 부사절(while ~ bath)이 강조되고 있다.

어휘 principle 圏 원리 physics 圏 물리학

고난도
21 **It is** *the complicated language* (*of the country*) / **that** makes it harder / for Emily to communicate.

바로 (그 나라의) 복잡한 언어이다 / 더 어렵게 하는 것은 / Emily가 의사소통하는 것을
→ Emily가 의사소통하는 것을 더 어렵게 하는 것은 바로 그 나라의 복잡한 언어이다.

○ 주어(the complicated language ~ country)가 강조되고 있다.
○ 진목적어 to communicate 대신 가목적어 it이 동사 makes의 목적어 자리에 쓰였다.
○ to부정사 to communicate의 의미상 주어로 Emily가 쓰였다.

어휘 complicated 圏 복잡한

UNIT 95 부정 구문 해석하기

본책 p.162

01 **No** photography is allowed / inside the art gallery. <모의응용>

어떤 사진 촬영도 허용되지 않는다 / 미술관 안에서는 → 미술관 안에서는 어떤 사진 촬영도 허용되지 않는다.

어휘 photography 圏 사진 촬영 allow 圏 허용하다

02 At least / **neither of** the children was crying or being difficult. <모의>

적어도 / 아이들 중 어느 쪽도 울거나 까다롭게 굴고 있지 않았다

○ crying과 being이 등위접속사 or로 연결되어 있으며, be동사 was와 함께 쓰인 현재분사에 해당한다.

어휘 difficult 圏 까다로운

03 Luckily, / **none of** the passengers (on the train) was injured / from the crash.

다행히도 / (기차에 탄) 승객들 중 아무도 다치지 않았다 / 그 사고로 인해 → 다행히도 기차에 탄 승객들 중 아무도 그 사고로 인해 다치지 않았다.

어휘 passenger 圏 승객 injure 图 다치게 하다 crash 圏 사고, 충돌

04 **No** kids (under 15) are permitted / to enter the factory / without adult supervision.

(15세 이하의) 어떤 아이도 허용되지 않는다 / 공장에 들어가도록 / 어른의 통제 없이

→ 15세 이하의 어떤 아이도 어른의 통제 없이 공장에 들어가도록 허용되지 않는다.

○ 「permit+목적어(no kids under 15)+목적격 보어(to enter ~ supervision)」의 구조가 수동태로 바뀐 문장이다.

어휘 permit 图 허용하다 supervision 圏 통제, 감독

05 Despite Ed's and Jack's best efforts, / **neither of** them could win the tennis tournament.

Ed와 Jack의 최선의 노력에도 불구하고 / 그들 중 어느 쪽도 테니스 대회에서 이길 수 없었다

어휘 despite 젠 ~에도 불구하고 effort 圏 노력 tournament 圏 대회, 경기

^{고난도}
06 Strawberry ice cream (tinted with red coloring) / seems to have a stronger flavor / than one [that has **no** coloring]. <모의응용>

(빨간 색소로 물들여진) 딸기 아이스크림은 / 더 강한 맛을 가지는 것처럼 보인다 / [아무 색소도 가지고 있지 않은] 것보다

→ 빨간 색소로 물들여진 딸기 아이스크림은 아무 색소도 가지고 있지 않은 것보다 더 강한 맛을 가지는 것처럼 보인다.

○ 과거분사구 tinted ~ coloring은 Strawberry ice cream을 꾸며준다.
○ strawberry ice cream 대신 대명사 one이 쓰였다.
○ that ~ coloring은 one을 꾸며주는 주격 관계대명사절이다.

어휘 tint 图 물들이다 flavor 圏 맛

07 A good intention does **not always** lead / to expected results. <수능응용>

좋은 의도가 항상 이어지는 것은 아니다 / 기대된 결과로 → 좋은 의도가 항상 기대된 결과로 이어지는 것은 아니다.

어휘 intention 圏 의도 expected 혱 기대된

08 **Not every** play (written by the author) was focused / on social issues.

(그 작가에 의해 쓰인) 모든 연극이 초점이 맞춰졌던 것은 아니다 / 사회 문제들에 → 그 작가에 의해 쓰인 모든 연극이 사회 문제들에 초점이 맞춰졌던 것은 아니다.

○ 과거분사구 written ~ author는 play를 꾸며준다.

어휘 play 圏 연극 author 圏 작가 focus 图 초점을 맞추다 social 혱 사회의

09 In spite of modernization, / the villagers have **not entirely** abandoned / their traditional ways.

근대화에도 불구하고 / 그 마을 사람들이 완전히 버린 것은 아니다 / 그들의 전통적인 방식을

→ 근대화에도 불구하고, 그 마을 사람들이 그들의 전통적인 방식을 완전히 버린 것은 아니다.

어휘 in spite of ~에도 불구하고 modernization 圏 근대화 villager 圏 마을 사람 abandon 图 버리다 traditional 혱 전통적인

10 **Not all** of the programs (at the community youth center) are provided / free of charge.

(지역 아동 센터의) 프로그램 모두가 제공되는 것은 아니다 / 무료로 → 지역 아동 센터의 프로그램 모두가 무료로 제공되는 것은 아니다.

어휘 community youth center 지역 아동 센터 provide 图 제공하다 free of charge 무료로

^{고난도}
11 Opinions (demonstrated in the article) / do **not necessarily** reflect / the publication's stance (on the matter).

(기사에 나타난) 견해가 / 반드시 반영하는 것은 아니다 / (그 사안에 대한) 간행물의 입장을

→ 기사에 나타난 견해가 반드시 그 사안에 대한 간행물의 입장을 반영하는 것은 아니다.

○ 과거분사구 demonstrated ~ article은 Opinions를 꾸며준다.

어휘 opinion 圏 견해 demonstrate 图 나타내다 article 圏 기사 reflect 图 반영하다 publication 圏 간행물, 출판물 stance 圏 입장 matter 圏 사안

UNIT 96 도치 구문 해석하기

본책 p.163

01 *Not only* **was the shirt** expensive, // but it was also low in quality.

부정어구 / be동사 / S^1 / SC^1 / S^2 / V^2 / M^2 / SC^2

그 셔츠는 비쌌을 뿐만 아니라 // 그것은 품질이 낮기도 했다 → 그 셔츠는 비쌌을 뿐만 아니라, 품질이 낮기도 했다.

어휘 expensive [형] 비싼 quality [명] 품질

02 *Never* **did the players think** / that they would lose the game.

부정어 / 조동사 / S / Vr / O

그 선수들은 결코 생각하지 않았다 / 그들이 경기에서 질 것이라고 → 그 선수들은 그들이 경기에서 질 것이라고 결코 생각하지 않았다.

03 *No way* **would the chef use** / any ingredient [that was prepackaged, frozen, or processed].

부정어구 / 조동사 / S / Vr / O

그 주방장은 결코 사용하지 않을 것이다 / [미리 포장되거나 냉동되거나 가공된] 어떠한 재료도
→ 그 주방장은 미리 포장되거나 냉동되거나 가공된 어떠한 재료도 결코 사용하지 않을 것이다.

- that ~ processed는 ingredient를 꾸며주는 주격 관계대명사절이다.
- prepackaged, frozen, processed가 등위접속사 or로 연결되어 있으며, be동사 was와 함께 쓰인 과거분사에 해당한다.

어휘 ingredient [명] 재료 prepackage [동] 미리 포장하다 freeze [동] 냉동하다 process [동] 가공하다

04 *Not often* **do you get** / the opportunity (to remedy a mistake), // so you should take it / if it comes.

부정어구 / 조동사 / S^1 / Vr^1 / O^1 / S^2 / V^2 / O^2 / $S^{2'}$ / $V^{2'}$

너는 자주 얻지 못한다 / (실수를 바로 잡을) 기회를 // 그러므로 너는 그것을 잡아야 한다 / 만약 그것이 온다면
→ 너는 실수를 바로 잡을 기회를 자주 얻지 못하므로, 만약 그것이 온다면 너는 그것을 잡아야 한다.

- to 부정사구 to remedy a mistake는 opportunity를 꾸며주는 형용사적 용법으로 쓰였다.

어휘 opportunity [명] 기회 remedy [동] 바로 잡다

05 *Only by testing ourselves* / **can we** actually **determine** / whether or not we really understand something. <모의>

부정어구 / 조동사 / S / M / Vr / O

오직 우리 자신을 시험함으로써 / 우리는 실제로 알아낼 수 있다 / 우리가 정말 무언가를 이해하는지 아닌지를
→ 오직 우리 자신을 시험함으로써, 우리가 정말 무언가를 이해하는지 아닌지를 실제로 알아낼 수 있다.

어휘 determine [동] 알아내다, 판단하다

[고난도]
06 *Rarely* **is a computer** more sensitive / than a human / in managing the same geographical or environmental factors. <수능>

부정어 / be동사 / S / SC / M / M

좀처럼 컴퓨터는 더 세심하지 않다 / 사람보다 / 동일한 지리적 또는 환경적 요인들을 관리하는 것에 있어서
→ 동일한 지리적 또는 환경적 요인들을 관리하는 것에 있어서 컴퓨터는 좀처럼 사람보다 더 세심하지 않다.

어휘 sensitive [형] 세심한, 예민한 geographical [형] 지리적인 environmental [형] 환경적인 factor [명] 요인

07 *On the island of Hawaii* **live** / **some of the most colorful birds (in the world)**. <모의>

장소의 부사구 / V / S

하와이 섬에 산다 / (세계에서) 가장 화려한 새들 중 몇몇이 → 세계에서 가장 화려한 새들 중 몇몇이 하와이 섬에 산다.

- 「the+최상급」은 '가장 ~한/하게'라고 해석한다.

08 *Here* **comes** / **a marching band (with Halloween masks and costumes).** <모의응용>
　　　방향의 부사　V　　　　　　　　　　　　　　　　　　　　S

여기로 온다 / (핼러윈 가면과 복장을 갖춘) 행진 악단이 → 핼러윈 가면과 복장을 갖춘 행진 악단이 여기로 온다.

어휘 marching band 圐 행진 악단　costume 圐 복장

09 *Here* **lie** / **the well-preserved tombs (of five senior officials (from the Old Kingdom**
　　장소의 부사　V　　　　　　　　　　　　　　　　　　　S
of Egypt)).

여기에 놓여있다 / ((옛 이집트 왕국의) 다섯 명의 고위 관리들의) 잘 보존된 무덤들이
→ 옛 이집트 왕국의 고위 관리들 다섯 명의 잘 보존된 무덤들이 여기에 놓여있다.

어휘 well-preserved 圐 잘 보존된　tomb 圐 무덤　senior 圐 고위의　official 圐 관리

10 *Through the tunnel* **drive** / **the cars (taking the fastest route (to the airport)).**
　　　방향의 부사구　　V　　　　　　　　　　S

터널을 통과해 달린다 / ((공항으로 가는) 가장 빠른 길을 타고 가는) 차들이 → 공항으로 가는 가장 빠른 길을 타고 가는 차들이 터널을 통과해 달린다.

○ 현재분사구 taking ~ airport는 cars를 꾸며준다.
○ 「the+최상급」은 '가장 ~한/하게'라고 해석한다.

어휘 drive 圄 (차 등이) 달리다　route 圐 길, 경로

11 *By the coastline* **rest** / **many low-lying cities [that are threatened by rising sea levels].**
　　장소의 부사구　V　　　　　　　　　S

해안가 옆에 있다 / [상승하는 해수면에 의해 위협받는] 많은 저지대의 도시들이 → 해안가 옆에 상승하는 해수면에 의해 위협받는 많은 저지대의 도시들이 있다.

○ that ~ sea levels는 cities를 꾸며주는 주격 관계대명사절이다.

어휘 coastline 圐 해안가　rest 圄 ~에 있다　low-lying 圐 저지대의　threaten 圄 위협하다　rise 圄 상승하다　sea level 圐 해수면

고난도
12 *Near the summit (of the volcano)* **sits** / **one of the largest astronomical research**
　　　　장소의 부사구　　　　　V　　　　　　　　S
facilities (named Mauna Kea Observatories).

(그 화산의) 정상 가까이에 위치한다 / (마우나 케아 천문대라고 이름 붙여진) 가장 큰 천문학 연구 시설들 중 하나가
→ 그 화산의 정상 가까이에 마우나 케아 천문대라고 이름 붙여진 가장 큰 천문학 연구 시설들 중 하나가 위치한다.

○ 「one of the+최상급+복수명사」는 '가장 ~한 (명사) 중 하나'라고 해석한다.
○ 과거분사구 named Mauna Kea Observatories는 one of the ~ facilities를 꾸며준다.

어휘 summit 圐 정상　volcano 圐 화산　sit 圄 ~에 위치하다　astronomical 圐 천문학의　research 圐 연구　facility 圐 시설

13 *So excited* **were the party guests** / **when the host finally served dinner.**
　　SC　　　V　　　S　　　　　　　　M

그 파티 손님들은 매우 신이 났다 / 주최자가 마침내 저녁을 제공했을 때 → 주최자가 마침내 저녁을 제공했을 때, 그 파티 손님들은 매우 신이 났다.

어휘 serve 圄 제공하다

14 *Cold* **is the winter air** / **[that blows in / from the northern mountains].**
　　SC　V　　　　　　　　　　　S

찬 것은 겨울 바람이다 / [불어오는 / 북쪽의 산맥에서] → 북쪽의 산맥에서 불어오는 겨울 바람은 차다.

○ that ~ mountains는 winter air를 꾸며주는 주격 관계대명사절이다.

어휘 blow in 불다　northern 圐 북쪽의

15 **Matthew's talent is great,** // but *more impressive* **is his attitude.**
　　　S¹　　　V¹　SC¹　　　　　SC²　　　V²　S²

Matthew의 재능은 대단하다 // 그러나 더 인상 깊은 것은 그의 태도이다 → Matthew의 재능은 대단하지만, 그의 태도는 더 인상 깊다.

어휘 talent 圐 재능　impressive 圐 인상 깊은　attitude 圐 태도

16 *Kind* **is the person** / [**who attends to others' needs** / **before his or her own**].
　　　　SC　V　　　　　　　　　　　　　　S

친절한 것은 사람이다 / [다른 사람들의 욕구를 살피는 / 그 또는 그녀 자신의 것보다 먼저]

→ 그 또는 그녀 자신의 욕구보다 먼저 다른 사람들의 욕구를 살피는 사람은 친절하다.

○ who ~ own은 person을 꾸며주는 주격 관계대명사절이다.

어휘 attend to ~을 살피다[돌보다]　need 圐 욕구, 필요　own 때 자신의 것

17 As time passed, / living conditions improved, // and *so* **did the life expectancy**. <모의응용>
　　　M　　　　　　　　S¹　　　　　　V¹　　　　　　　조동사　　　S²

시간이 지나면서 / 생활 조건이 향상했다 // 그리고 기대 수명도 그랬다 → 시간이 지나면서 생활 조건이 향상했고, 기대 수명도 그랬다.

어휘 condition 圐 조건　improve 圐 향상하다　life expectancy 圐 기대 수명

18 My sister's clothes don't fit me, // *nor* **are they** even to my taste.
　　　S¹　　　　　　　V¹　　O¹　　　be동사　S²　M²　　SC²

나의 여동생의 옷들은 나에게 맞지 않는다 // 그것들은 심지어 나의 취향도 아니다 → 나의 여동생의 옷들은 나에게 맞지 않고, 심지어 나의 취향도 아니다.

어휘 fit 圐 ~에게 (꼭) 맞다　taste 圐 취향

19 Nathan has never bought anything / on the Internet, // and *neither* **have his parents**.
　　　S¹　　　V¹　　　　O¹　　　　M¹　　　　　　　조동사　　S²

Nathan은 어떤 것도 사본 적이 없다 / 인터넷으로 // 그리고 그의 부모님도 그렇지 않다

→ Nathan은 인터넷으로 어떤 것도 사본 적이 없고, 그의 부모님도 그렇지 않다.

20 The popularity (of the brand) began to wane, // and *so* **did funding** (**from investors**).
　　　S¹　　　　　　　　V¹　　O¹　　　　　조동사　　S²

(그 브랜드의) 인기가 시들기 시작했다 // 그리고 (투자자들의) 자금도 그랬다 → 그 브랜드의 인기가 시들기 시작했고, 투자자들의 자금도 그랬다.

○ to부정사 to wane은 동사 began의 목적어로 쓰였으며, begin은 to부정사와 동명사를 모두 목적어로 가진다.

어휘 popularity 圐 인기　wane 圐 시들다　funding 圐 자금　investor 圐 투자자

UNIT 97 동격 구문 해석하기

본책 p.165

01 *My mother*, **a nurse**, / had to work overtime / during the global pandemic.

간호사인 나의 어머니는 / 초과 근무를 해야 했다 / 전 세계적인 유행병 동안에 → 간호사인 나의 어머니는 전 세계적인 유행병 동안에 초과 근무를 해야 했다.

어휘 work overtime 초과 근무를 하다　global 圐 세계적인　pandemic 圐 (전 세계적인) 유행병

02 *The Mona Lisa*, **da Vinci's most famous work**, / is displayed in the Louvre Museum.

다 빈치의 가장 유명한 작품인 '모나리자'는 / 루브르 박물관에 전시되어 있다

어휘 famous 圐 유명한　display 圐 전시하다

03 We cannot change *the fact* / **that people will act** / **in a certain way**. <모의>

우리는 사실을 바꿀 수 없다 / 사람들이 행동할 것이라는 / 특정한 방식으로 → 우리는 사람들이 특정한 방식으로 행동할 것이라는 사실을 바꿀 수 없다.

어휘 certain 圐 특정한

04 *Vlogging*, **or video blogging**, / rose in popularity / with the launch (of YouTube) in 2005.

브이로그, 즉 영상으로 블로그를 하는 것은 / 인기가 상승했다 / 2005년에 (유튜브의) 시작과 함께

→ 브이로그, 즉 영상으로 블로그를 하는 것은 2005년에 유튜브의 시작과 함께 인기가 상승했다.

어휘 launch 圐 시작, 개시

05 I couldn't bear / *the thought* **of going back to an empty apartment.** <모의응용>

나는 견딜 수 없었다 / 비어 있는 아파트로 돌아간다는 생각을 → 나는 비어 있는 아파트로 돌아간다는 생각을 견딜 수 없었다.

어휘 bear 图 견디다

06 It takes a long time / to beat *the final boss*, **the game's toughest opponent.**

오랜 시간이 걸린다 / 그 게임의 가장 센 상대인 최종 보스를 이기는 데 → 그 게임의 가장 센 상대인 최종 보스를 이기는 데 오랜 시간이 걸린다.

어휘 beat 图 이기다 tough 图 센 opponent 图 상대

07 He was troubled / by *the news* / **that the economy may soon go into a recession.**

그는 속을 태웠다 / 소식 때문에 / 경기가 곧 불황에 빠질지도 모른다는 → 그는 경기가 곧 불황에 빠질지도 모른다는 소식 때문에 속을 태웠다.

어휘 troubled 图 속을 태우는, 불안해 하는 economy 图 경기 recession 图 불황

08 Up to 15 percent of the world's population / has *arachnophobia*, **or the fear** (**of spiders**).

세계 인구의 15퍼센트만큼이 / 거미 공포증, 즉 (거미에 대한) 두려움을 가지고 있다

어휘 population 图 인구

09 The organization was founded / on *the belief* / **that all animals should be respected /
and treated with kindness.** <모의응용>

그 기구는 설립되었다 / 신념을 바탕으로 / 모든 동물이 존중받아야 한다는 / 그리고 애정으로 대해져야 한다는
→ 그 기구는 모든 동물이 존중받아야 하고 애정으로 대해져야 한다는 신념을 바탕으로 설립되었다.

❂ respected와 treated가 등위접속사 and로 연결되어 있으며, be동사 be와 함께 쓰인 과거분사에 해당한다.

어휘 organization 图 기구, 조직 found 图 설립하다 respect 图 존중하다 treat 图 대하다

[고난도]
10 *The custom* **of celebrating loved ones** [**who have passed**] / is one [that many cultures
adhere to].

[세상을 떠난] 사랑하는 사람들을 기리는 관습은 / [많은 문화들이 고수하는] 것이다

❂ who have passed는 ones를 꾸며주는 주격 관계대명사절이다.
❂ custom 대신 대명사 one이 쓰였다.
❂ that ~ adhere to는 one을 꾸며주는 목적격 관계대명사절이다.

어휘 custom 图 관습 celebrate 图 기리다 loved one 사랑하는 사람 pass 图 세상을 떠나다 adhere to ~을 고수하다

UNIT 98 삽입 구문 해석하기

본책 p.166

01 Poor countries((, **experts say,**)) should improve / crop storage and packaging. <모의>

가난한 국가들은 ((전문가들이 말하길)) 개선해야 한다 / 농작물 보관과 포장을 → 전문가들이 말하길, 가난한 국가들은 농작물 보관과 포장을 개선해야 한다.

어휘 expert 图 전문가 improve 图 개선하다 crop 图 농작물 storage 图 보관 packaging 图 포장

02 Childhood friends/((—**friends you've known forever**—))/are really special. <모의>

어린 시절 친구들은 / ((네가 아주 오랜 시간 알고 지내온 친구들인)) / 정말 특별하다
→ 네가 아주 오랜 시간 알고 지내온 친구들인 어린 시절 친구들은 정말 특별하다.

03 I ignored his advice / and continued to paint / what ((**I thought**)) was popular. <모의응용>

나는 그의 조언을 무시했다 / 그리고 그리는 것을 계속했다 / ((내가 생각하기에)) 인기 있는 것을
→ 나는 그의 조언을 무시하고 내가 생각하기에 인기 있는 것을 그리는 것을 계속했다.

❂ to부정사구 to paint ~ popular는 동사 continued의 목적어로 쓰였으며, continue는 to부정사와 동명사를 모두 목적어로 가진다.

어휘 ignore 图 무시하다 advice 图 조언, 충고 continue 图 계속하다 popular 图 인기 있는

04 The two lifelong competitors were/((, **in a sense,**)) also the closest mates.

그 두 평생의 경쟁자들은 ~이었다 / ((어떤 의미로는)) 또한 가장 가까운 친구들 → 그 두 평생의 경쟁자들은 어떤 의미로는 또한 가장 가까운 친구들이었다.

어휘 lifelong 휑 평생의   competitor 圐 경쟁자

05 Few idol groups((, **if any,**)) won / as many music awards / as this one.

아이돌 그룹들은 ((만약 있다고 해도)) 거의 받지 못했다 / 많은 음악 상을 / 이 그룹만큼
→ 만약 있다고 해도, 이 그룹만큼 많은 음악 상을 받은 아이돌 그룹은 거의 없었다.

❍ few는 '거의 없는'이라는 의미의 부정어이며, 셀 수 있는 명사 앞에 온다.
❍ idol group 대신 대명사 one이 쓰였다.

06 It will be difficult to make the soccer team, // but((, **in any case,**)) I'm going to try.

축구팀을 만드는 것은 어려울 것이다 // 그러나 ((어쨌든)) 나는 노력할 것이다 → 축구팀을 만드는 것은 어려울 것이지만, 어쨌든 나는 노력할 것이다.

❍ 진주어 to make ~ team 대신 가주어 it이 주어 자리에 쓰였다.

07 Min, Aaron, and Judy/((—**my former colleagues**—))/are coming to my party next month.

Min, Aaron과 Judy는 / ((나의 예전 직장 동료들인)) / 다음 달에 나의 파티에 올 것이다
→ 나의 예전 직장 동료들인 Min, Aaron과 Judy는 다음 달에 나의 파티에 올 것이다.

어휘 former 휑 예전의   colleague 圐 직장 동료

08 I fell down the stairs yesterday, // but the good thing((, **I suppose,**)) is / that I only sprained my ankle.

나는 어제 계단에서 굴러 떨어졌다 // 그러나 좋은 것은 ((내가 생각하기에)) ~이다 / 내가 단지 나의 발목만 삐었다는 것
→ 나는 어제 계단에서 굴러 떨어졌지만, 내가 생각하기에 좋은 것은 단지 나의 발목만 삐었다는 것이다.

❍ that ~ ankle은 주격 보어 역할을 하는 명사절이다.

어휘 sprain 圄 삐다, 접지르다   ankle 圐 발목

09 People will vote / for a candidate [who ((**they think**)) is capable of running the country fairly].

사람들은 투표할 것이다 / [((그들이 생각하기에)) 공정하게 나라를 운영할 수 있는] 후보자에
→ 사람들은 그들이 생각하기에 공정하게 나라를 운영할 수 있는 후보자에 투표할 것이다.

어휘 vote 圄 투표하다   candidate 圐 후보자   capable 휑 (잘) 할 수 있는   run 圄 운영하다   fairly 児 공정하게

고난도
10 Advertisements use surprise/((—**an emotion** [**that increases alertness quickly**]—))/to grab consumers' attention.

광고는 놀라움을 활용한다 / (([빠르게 각성을 높이는] 감정인)) / 소비자들의 관심을 끌기 위해
→ 광고는 소비자들의 관심을 끌기 위해 빠르게 각성을 높이는 감정인 놀라움을 활용한다.

❍ that ~ quickly는 emotion을 꾸며주는 주격 관계대명사절이다.
❍ to부정사구 to grab consumers' attention은 목적을 나타내는 부사적 용법으로 쓰였다.

어휘 advertisement 圐 광고   emotion 圐 감정   increase 圄 높이다   alertness 圐 각성   grab 圄 끌다, 잡다   consumer 圐 소비자   attention 圐 관심, 주목

고난도
11 Seldom((, **if ever,**)) does this company require / you to go abroad / for business trips.

좀처럼 ((만약 한다 할지라도)) 이 회사는 요구하지 않습니다 / 당신이 외국에 가는 것을 / 출장을 위해
→ 만약 한다 할지라도, 좀처럼 이 회사는 당신이 출장을 위해 외국에 가는 것을 요구하지 않습니다.

❍ 부정어 seldom이 일반동사가 쓰인 절 앞에 오면 「부정어(Seldom)+조동사(does)+주어(this company)+동사원형(require)」의 어순이 된다.
❍ 「require+목적어(you)+목적격 보어(to go ~ trips)」의 구조이다.

어휘 require 圄 요구하다   abroad 児 외국에, 해외에

생략 구문 해석하기

01   There was no need to fly; // people simply wanted to. **(fly)** <모의>

날 필요는 없었다 // 사람들이 단지 그렇게 하기를(= 날기를) 원했을 뿐이었다

❍ to부정사 to fly는 need를 꾸며주는 형용사적 용법으로 쓰였다.

어휘 simply 閉 단지, 그저

02   Your coat may rest on the hook / and will dry shortly. **(your coat)** <모의응용>

너의 코트는 걸이에 걸려도 된다 / 그러면 (너의 코트는) 곧 마를 것이다 → 너의 코트는 걸이에 걸려도 되고, 그러면 곧 마를 것이다.

어휘 rest 图 걸리다, 놓이다   shortly 閉 곧

03   Even though he shouldn't, / Ben stays up past midnight / almost every night. **(stay up past midnight)**

비록 그는 그렇게 해서는 안 되지만(= 자정을 넘어서 깨어있어서는 안 되지만) / Ben은 자정을 넘어서 깨어있는다 / 거의 매일 밤

→ 비록 그렇게 해서는 안 되지만, Ben은 거의 매일 밤 자정을 넘어서 깨어있는다.

04   We save our money / because the culture [we belong to] / compels us to. **(save our money)** <모의응용>

우리는 우리의 돈을 저축한다 / [우리가 속한] 문화가 / 우리가 그렇게 하게(= 우리의 돈을 저축하게) 만들기 때문에

→ 우리가 속한 문화가 돈을 저축하게 만들기 때문에 우리는 돈을 저축한다.

❍ culture와 we 사이에는 목적격 관계대명사가 생략되어 있다.

어휘 belong to ~에 속하다   compel 图 ~하게 만들다, 강요하다

05   During the winter, / water evaporates from the ocean / and accumulates as ice and snow / on the high mountains. **(water)** <모의응용>

겨울 동안에 / 물은 바다에서 증발된다 / 그리고 (물은) 얼음과 눈으로 쌓인다 / 높은 산 위에

→ 겨울 동안에 물은 바다에서 증발되고 높은 산 위에 얼음과 눈으로 쌓인다.

어휘 evaporate 图 증발되다   accumulate 图 쌓이다

고난도
06   Sibling rivalry can occur / when too much attention is paid / to the firstborn / and too little / to the younger ones. **(attention is paid)**

형제간 경쟁은 발생할 수 있다 / 너무 많은 관심이 주어질 때 / 첫째에게 / 그리고 너무 적은 (관심이 주어질 때) / 더 어린 쪽에게

→ 형제간 경쟁은 첫째에게 너무 많은 관심이 주어지고 더 어린 쪽에게 너무 적은 관심이 주어질 때 발생할 수 있다.

어휘 sibling rivalry 형제간 경쟁   occur 图 발생하다   firstborn 똉 첫째 (아이)

07   I happened to drop a tray of rings / while arranging the display stand. **(I was)** <모의>

나는 반지함을 떨어트리게 되었다 / (내가) 진열대를 정리하고 있는 동안 → 나는 진열대를 정리하고 있는 동안 반지함을 떨어트리게 되었다.

어휘 happen to ~하게 되다   drop 图 떨어트리다   tray 똉 함, 쟁반   arrange 图 정리하다

08   When in a business meeting, / be a good listener // and ask appropriate questions. **(you are)**

(네가) 업무 회의 중일 때 / 좋은 청자가 돼라 // 그리고 적절한 질문을 해라 → 네가 업무 회의 중일 때, 좋은 청자가 되고 적절한 질문을 해라.

❍ 주어 없이 동사로 시작하는 명령문이다.

어휘 appropriate 휑 적절한

(Ellen is)

09 Though ˅naturally adventurous, / Ellen is a little anxious / about going to the Amazon alone.

비록 (Ellen은) 본래 모험심이 강하지만 / Ellen은 약간 불안하다 / 아마존에 혼자 가는 것에 대해

→ 비록 본래 모험심이 강하지만, Ellen은 아마존에 혼자 가는 것에 대해 약간 불안하다.

어휘 naturally 閉 본래 adventurous 園 모험심이 강한 anxious 園 불안한

고난도
(exotic animals are)

10 Exotic animals/((, unless ˅confined to a small area,))/are not usually discovered or reported.
<모의응용>

외래종의 동물들은 / ((만약 (외래종의 동물들이) 좁은 지역으로 제한되지 않는다면)) / 보통 발견되지 않거나 보고되지 않는다

→ 만약 좁은 지역으로 제한되지 않는다면, 외래종의 동물들은 보통 발견되지 않거나 보고되지 않는다.

○ discovered와 reported가 등위접속사 or로 연결되어 있으며, be동사 are와 함께 쓰인 과거분사에 해당한다.

어휘 exotic 園 외래종의, 이국적인 confine 園 제한하다 discover 園 발견하다

Chapter Test

본책 p.168

01 In the attic, / I found **the very** *diary* / [I had used / when I was just a child].

다락에서 / 나는 바로 그 수첩을 발견했다 / [내가 사용했었던 / 내가 그저 아이였을 때] → 다락에서, 내가 그저 아이였을 때 사용했었던 바로 그 수첩을 발견했다.

○ the very가 명사(diary)를 강조하고 있다.
○ diary와 I 사이에는 목적격 관계대명사가 생략되어 있다.

어휘 attic 園 다락(방)

02 **Neither of** the boys knew / what caused the speaker to stop working.

남자아이들 중 어느 쪽도 알지 못했다 / 무엇이 스피커가 작동하는 것을 멈추게 했는지를

→ 남자아이들 중 어느 쪽도 무엇이 스피커가 작동하는 것을 멈추게 했는지를 알지 못했다.

○ what ~ working은 문장에서 목적어 역할을 하는 명사절이다.
○ 「cause+목적어(the speaker)+목적격 보어(to stop working)」의 구조이다.
○ 동명사 working은 to부정사 to stop의 목적어로 쓰였다.

03 *Never* **have I felt** happier / than when I traveled in Europe / on my own.
　　　　부정어　　조동사 S p.p.　　　SC　　　　　　　　　　　　　　　　M

나는 더 행복하게 느껴본 적이 없다 / 내가 유럽을 여행했을 때보다 / 혼자서 → 나는 혼자서 유럽을 여행했을 때보다 더 행복하게 느껴본 적이 없다.

04 **It was** *helping slaves escape* / **that** Harriet Tubman devoted her life to.

바로 노예들이 달아나도록 도운 것이었다 / 해리엇 터브먼이 그녀의 삶을 바쳤던 것은

→ 해리엇 터브먼이 그녀의 삶을 바쳤던 것은 바로 노예들이 달아나도록 도운 것이었다.

○ 「help+목적어(slaves)+목적격 보어(escape)」의 구조이다.
○ 목적어(helping slaves escape)가 강조되고 있다.

어휘 escape 園 달아나다, 탈출하다 devote 園 바치다

05 **Not every** parent supported / the changes (to the school's dress code policy).

모든 부모가 지지한 것은 아니었다 / (그 학교의 복장 규정 정책에의) 변화를 → 모든 부모가 그 학교의 복장 규정 정책 변화를 지지한 것은 아니었다.

어휘 support 園 지지하다 dress code 園 복장 규정 policy 園 정책

06 *Very courageous* **were the men** / [who ran into the burning building / to save people].
　　　　　　　　SC　　　　　V　　　　　　　　　　　　　　　　　　　　　　　　　　S

남자들은 매우 용감했다 / [불에 타고 있는 건물로 뛰어들어간 / 사람들을 구하기 위해]

→ 사람들을 구하기 위해 불에 타고 있는 건물로 뛰어들어간 남자들은 매우 용감했다.

○ who ~ people은 men을 꾸며주는 주격 관계대명사절이다.
○ to부정사구 to save people은 목적을 나타내는 부사적 용법으로 쓰였다.

어휘 courageous 園 용감한

07 The artist mentioned / that it **does** *affect* his mental health / to complete a piece.

그 예술가는 말했다 / 그의 정신 건강에 분명히 영향을 준다고 / 작품을 완성하는 것이

→ 그 예술가는 작품을 완성하는 것이 그의 정신 건강에 분명히 영향을 준다고 말했다.

- ◑ that ~ piece는 문장에서 목적어 역할을 하는 명사절이다.
- ◑ does가 동사(affect)를 강조하고 있다.
- ◑ 진주어 to complete a piece 대신 가주어 it이 that절의 주어 자리에 쓰였다.

어휘 mention 圄 말하다　affect 圄 영향을 주다　mental 圄 정신의　complete 圄 완성하다　piece 圄 작품

08 There has been an increase/((—**at least in some parts of the country**—))/in the number (of homeschooling children).

증가가 있어왔다 / ((적어도 그 나라의 일부분에서)) / (홈스쿨링을 하는 아이들의) 수에

→ 적어도 그 나라의 일부분에서 홈스쿨링을 하는 아이들의 수에 증가가 있어왔다.

어휘 increase 圄 증가

09 *How* **in the world** / *could such a popular restaurant go bankrupt* / *so suddenly*?

도대체 어떻게 / 그렇게 인기 있는 식당이 파산할 수 있었는가 / 그렇게 갑자기　→ 도대체 어떻게 그렇게 인기 있는 식당이 그렇게 갑자기 파산할 수 있었는가?

- ◑ in the world가 의문문(How ~ suddenly)을 강조하고 있다.

어휘 bankrupt 圄 파산한　suddenly 圄 갑자기

10 One-sided relationships usually don't work, // and *neither* **do one-sided conversations**.

<small>S¹　　　　　　　M¹　　V¹　　　　　조동사　　　　S²　　　　<모의></small>

일방적인 관계는 보통 통하지 않는다 // 그리고 일방적인 대화도 그렇지 않다　→ 일방적인 관계는 보통 통하지 않고, 일방적인 대화도 그렇지 않다.

어휘 relationship 圄 관계　conversation 圄 대화

11 The owner (of the house)((, **I hear**,))/ has decided to list it for sale / for a record-setting amount.

(그 집의) 주인은 ((내가 듣기에)) / 매매를 위해 집을 내놓기로 결정했다 / 기록적인 액수에

→ 내가 듣기에, 그 집의 주인은 매매를 위해 기록적인 액수에 집을 내놓기로 결정했다.

- ◑ to부정사구 to list ~ amount는 동사 has decided의 목적어로 쓰였다.

어휘 list 圄 (매물을) 내놓다　record-setting 圄 기록적인

<small>고난도</small>
12 *The possibility* / **that the astronomer might be wrong about the meteor** / could not be disregarded.

가능성은 / 그 천문학자가 유성에 대해 틀릴 수도 있다는 / 무시될 수 없었다　→ 그 천문학자가 유성에 대해 틀릴 수도 있다는 가능성은 무시될 수 없었다.

어휘 possibility 圄 가능성　astronomer 圄 천문학자　meteor 圄 유성　disregard 圄 무시하다

<small>고난도</small>
13 **It was** *Dr. Ray*, *my mentor*, / **that** I ended up debating with / at the academic conference.

바로 나의 멘토인 Ray 박사였다 / 내가 결국 논쟁하게 되었던 사람은 / 그 학술 대회에서

→ 내가 그 학술 대회에서 결국 논쟁하게 되었던 사람은 바로 나의 멘토인 Ray 박사였다.

- ◑ 목적어(Dr. Ray, my mentor)가 강조되고 있다.

어휘 end up 결국 ~하게 되다　debate 圄 논쟁하다　academic conference 학술 대회

<small>고난도</small>
(people ~ behavior are)
14 People [who exhibit assertive behavior] / can handle conflict with ease / while^vmaintaining good interpersonal relations. <small><모의응용></small>

[적극적인 행동을 보이는] 사람들은 / 갈등을 용이하게 처리할 수 있다 / (적극적인 행동을 보이는 사람들은) 좋은 대인 관계를 유지하면서

→ 적극적인 행동을 보이는 사람들은 좋은 대인 관계를 유지하면서 갈등을 용이하게 처리할 수 있다.

- ◑ who ~ behavior는 People을 꾸며주는 주격 관계대명사절이다.

어휘 exhibit 圄 보이다, 전시하다　assertive 圄 적극적인　behavior 圄 행동　handle 圄 처리하다, 다루다　conflict 圄 갈등　with ease 용이하게　maintain 圄 유지하다
interpersonal relations 대인 관계

MEMO